제3제국사

제3제국사

히틀러의 탄생부터 나치 독일의 패망까지

윌리엄 L. 샤이러 지음 | 이재만 옮김

책과함께

일러두기

• 이 책은 William L. Shirer의 *The Rise and Fall of the Third Reich: A History of Nazi Germany*
  를 우리말로 옮긴 것이다. 초판(1960년 출간)의 글 일체와 더불어 30주년 기념판(1990년 출간)
  에 추가된 지은이의 후기도 수록했다.

• 옮긴이가 덧붙인 설명은 〔 〕로 표시했다.

• 책의 성격상 '제1차 세계대전'과 '제2차 세계대전'이 많이 나오는데, 가독성 제고를 위해 '1차대전'
  '2차대전'으로 축약해 표기했다.

• 인종, 신체 등에 대한 일부 차별적 표현은 원문이 갖는 역사성을 고려하여 그대로 두었다.

차례

제3부 ─────────────────────────

전쟁에 이르는 길

제4부 ─────────────────────────

전쟁: 초기 승리와 전환점

제4권 | 차례

제5부

종말의 시작

제27장

신질서

신질서Neuordnung를 위한 포괄적인 청사진이 작성된 적은 없지만, 압수된 문서와 실제로 일어난 사태를 보건대 히틀러가 자신이 원하는 질서를 아주 잘 알았던 것은 분명하다. 그것은 나치가 지배하는 유럽에서 독일의 이익을 위해 자원을 착취하고, 주민들을 독일인 지배인종의 노예로 삼고, "바람직하지 않은 부류"—무엇보다 유대인이지만 동방의 숱한 슬라브인, 특히 지식인층까지 포함해—를 절멸시키려는 질서였다.

유대인과 슬라브인은 열등인간Untermenschen이었다. 히틀러가 보기에 그들은 생존할 권리가 없었고, 기껏해야 슬라브인 중 일부가 독일인 주인의 노예로서 논밭과 광산에서 뼈빠지게 일하는 데 필요할 뿐이었다. 모스크바, 레닌그라드, 바르샤바 같은 동방의 대도시들을 영원히 지워버릴 뿐 아니라* 러시아인과 폴란드인을 비롯한 슬라브인의 문화를 근절

---

* 앞에서 언급했듯이 1941년 9월 18일, 히틀러는 레닌그라드를 "지상에서 없애버리라"고 구체적으로 명령했다. 이 도시를 포위한 뒤 포격과 폭격으로 "송두리째 파괴"하는 동시에 주민들(300만 명)을 섬멸할 작정이었다.

하고 그들에게 정식 교육을 허락하지 않을 생각이었다. 동방의 번창하는 공장들을 해체해 독일로 옮기고, 주민들은 독일인을 위해 식량을 생산하도록 농업에만 종사시키고 그들 몫으로는 겨우 목숨을 부지할 만큼의 식량만 지급할 계획이었다. 유럽 자체는 나치 지도부가 말했듯이 "유대인이 없는" 곳이 되어야 했다.

1943년 10월 4일, 하인리히 힘러는 포젠의 친위대 장교들에게 행한 비밀 연설에서 "어느 러시아인, 체코인에게 무슨 일이 생기든 간에 나는 조금도 관심이 없다"고 잘라 말했다. 이 무렵 친위대 수장이자 제3제국 경찰기구 전체의 수장인 힘러는 히틀러 다음으로 중요한 인물로서 8000만 독일인뿐 아니라 두 배 이상인 피정복민에 대해서도 생사여탈권을 쥐고 있었다.

[힘러가 이어서 연설함] 여러 민족이 제공할 수 있는 우리 유형의 좋은 혈통은 받아들일 것이고, 필요하다면 그들의 자녀를 납치해 이곳에서 우리와 함께 양육할 것이다. 그 민족들이 풍요롭게 살든지 아니면 짐승처럼 굶어 죽든지 간에 나는 그들이 우리 **문화**를 위한 노예로서 필요하다는 것에만 관심이 있을 뿐이다. 그 외에는 전혀 관심이 없다.

러시아 여성 1만 명이 대전차호를 파다가 탈진해 쓰러진다 해도, 나는 독일을 위한 대전차호가 완성되는지 여부에만 관심이 있다. …[1]

1943년 힘러의 포젠 연설(신질서의 다른 측면들도 다루기 때문에 뒤에서 다시 살펴볼 것이다) 한참 전에 나치 수뇌부는 동방 사람들을 노예화하기 위한 구상과 계획을 정해두었다.

1940년 10월 15일, 히틀러는 자신이 정복한 첫 슬라브인인 체코인의 미래를 결정했다. 체코인 절반은 대부분 노예노동자 신분으로 독일로 실어 보내 "동화"할 계획이었다. 나머지 절반, "특히" 지식인들은 이 주제에 관한 기밀 보고서의 표현대로 그저 "제거"할 심산이었다.[2]

2주 전인 10월 2일, 총통은 두 번째로 정복한 슬라브인인 폴란드인에 관한 구상을 명확히 했다. 충직한 비서 마르틴 보어만은 히틀러가 잔존 폴란드의 총독 한스 프랑크나 그 밖의 관료들에게 설명했던 나치 계획에 관한 장문의 기록을 남겼다.[3]

폴란드인은 특히 저급 노동을 위해 태어난다. ⋯ 폴란드인은 개선의 여지가 없다. 폴란드에서는 생활수준을 낮게 유지할 필요가 있고 그것을 높여서는 안 된다. ⋯ 폴란드인은 게으르며 일을 시키려면 강제할 필요가 있다. ⋯ 우리는 [폴란드] 총독령을 그저 미숙련 노동 자원으로서만 활용해야 한다. ⋯ 매년 제국에 필요한 노동자를 그곳에서 구할 수 있다. [강조는 히틀러]

폴란드의 성직자에 관해서는

그들은 우리가 원하는 설교를 할 것이다. 어떤 성직자라도 다르게 행동한다면, 우리가 재빨리 해치울 것이다. 성직자의 과제는 폴란드인을 조용하고 우둔한 존재로 유지하는 것이다.

폴란드인 중에는 그 밖에도 처리해야 할 다른 두 계층이 있었는데, 나치 독재자는 잊지 않고 그들을 언급했다.

폴란드 상류층을 말살해야 한다는 점을 유념해야 한다. 이 말이 아무리 잔인하게 들릴지라도, 그들이 어디에 있든 간에 절멸시켜야 한다. …
폴란드인에게 주인은 단 하나, 독일인뿐이어야 한다. 두 주인은 나란히 존재할 수도 없고 존재해서도 안 된다. 그러므로 폴란드 지식인층의 모든 대표를 절멸시켜야 한다. 잔인하게 들리겠지만, 그것이 인간 세상의 법칙이다.

독일인은 지배인종이고 슬라브인은 독일인의 노예여야 한다는 생각에 대한 집착은 특히 러시아와 관련해 두드러졌다. 우크라이나 제국판무관으로서 난폭하기 이를 데 없는 에리히 코흐는 1943년 3월 5일 키이우 연설에서 이런 생각을 표명했다.

우리는 지배인종이며 공정하되 엄격하게 통치해야 합니다. … 저는 이 지역에서 마지막 한 방울까지 짜낼 것입니다. 저는 지복을 전하러 온 것이 아닙니다. … 주민들은 일하고 일하고 또 일해야 합니다. … 분명히 우리는 양식을 나누어주러 이곳에 온 것이 아닙니다. 우리는 승리의 기반을 쌓기 위해 이곳에 왔습니다.
우리는 지배인종으로서 최하급의 독일 노동자라도 인종적으로나 생물학적으로나 이곳 주민들보다 천 배는 더 귀하다는 것을 기억해야 합니다.[4]

그에 앞서 1942년 7월 23일, 소련에서 독일군이 볼가 강과 캅카스의 유전에 다가가고 있을 때, 히틀러의 당수실장이자 당시 오른팔이었던 마르틴 보어만은 로젠베르크에게 쓴 장문의 편지에서 이 주제에 관한 총통의 견해를 되풀이했다. 그 편지를 로젠베르크의 부처에 소속된 한 관료는 다음과 같이 요약했다.

슬라브인은 우리를 위해 일해야 한다. 우리에게 필요하지 않으면 그들을 죽게 해도 괜찮다. 그렇기 때문에 강제적인 예방주사나 독일에 의한 위생행정도 불필요하다. 슬라브인의 생식력은 바람직하지 않다. 그들에게 피임약을 사용하거나 낙태를 시술해도 괜찮다 ─ 피임과 낙태는 많이 이루어질수록 좋다. 교육은 위험하다. 그들은 100까지 셀 수 있으면 족하다. … 교육받은 모든 이는 미래의 적이다. 종교는 그들의 주의를 돌리는 수단으로서 남겨둔다. 식량은 절대적인 필요량 이상은 주지 않는다. 우리가 주인이다. 우리가 우선이다.[5]

독일군이 소련에 처음 진입했을 때 장기간 스탈린의 폭정에 시달리며 공포에 떨었던 주민들은 곳곳에서 환영했다. 또 초기에는 소련 군인들이 대거 탈영했다. 특히 짧은 기간이지만 소련의 지배를 받은 발트 지역과 독립운동의 싹이 결코 잘리지 않은 우크라이나에서는 많은 이들이 비록 독일군 덕분일지언정 소련의 멍에에서 벗어난다는 데 기뻐했다.

베를린의 소수 사람들은 만약에 히틀러가 주민들을 신중히 대하고 볼셰비키식 관행 타파(종교와 경제의 자유를 허용하고 집단농장을 바탕으로 진정한 협동조합을 꾸리는 방법으로)와 궁극적인 자치를 약속하는 등 영리한 수를 쓴다면 소련 국민의 마음을 얻을 수 있을 것이라고 생각했다. 그럴 경우 소련 국민은 독일군의 점령 지역에서 협력할 뿐 아니라 비점령 지역에서도 스탈린의 가혹한 통치에서 벗어나고자 싸울 수 있었다. 그렇게 되면 볼셰비키 체제가 무너지고 1917년에 차르의 군대가 그랬듯이 붉은 군대 역시 해체될 가능성이 있었다.

그러나 나치의 야만적인 점령과, 소련의 국토를 약탈하고 주민을 노예로 만들고 동방을 독일인의 식민지로 삼겠다는 정복자의 명백한 목표,

자주 공공연히 선언한 목표로 인해 곧 그런 가능성이 사라졌다.

이 재앙적인 정책과 그 때문에 날려버린 모든 기회를 어느 누구보다도 잘 요약한 사람은 바로 한 독일인, 직업외교관이자 로젠베르크가 신설한 동부점령지역부 정치국의 차장인 오토 브로이티감Otto Bräutigam 박사였다. 1942년 10월 25일 상관들에게 제출한 격한 어조의 기밀 보고서에서 브로이티감은 대담하게도 나치가 소련에서 저지른 실책을 지적했다.

우리는 소련에 도착하자마자 볼셰비즘에 신물이 나고 더 나은 미래를 약속하는 새로운 표어를 갈망하며 기다려온 주민들을 보았다. 그런 표어를 제시하는 것이 독일의 의무였지만, 독일은 아무 말이 없었다. 주민들은 우리를 해방자로 기쁘게 맞이하며 자신들을 우리의 처분에 맡겼다.

사실 표어가 있기는 했지만, 소련 국민은 곧 그 속내를 간파했다.

[브로이티감이 이어서 말함] 소박한 주민들은 동방 민족의 타고난 직감으로 "볼셰비즘으로부터의 해방"이라는 독일의 표어가 독일 자체의 방법에 따라 동방 민족을 노예화하기 위한 구실에 불과하다는 것을 금세 알아차렸다. … 노동자와 농민은 독일이 자신들을 동등한 권리를 지닌 동반자로 여기는 게 아니라 그저 정치적·경제적 목적의 대상으로만 바라본다는 것을 금세 감지했다. … 우리는 터무니없는 억측에 빠져 모든 정치 지식을 무시하고 … 동부점령지의 주민들을 그저 섭리에 따라 독일의 노예로서 일하는 과제만 부여받은 '2등 백인'으로 대하고 있다. …

러시아인이 독일인에게 등을 돌린 두 가지 계기가 더 있었다고 브로이티감은 단언했다. 하나는 소련군 전쟁포로를 야만적으로 대한 것이었고, 다른 하나는 러시아인 남녀를 속여 노예노동을 시킨 것이었다.

러시아인 전쟁포로 수십만 명이 우리 수용소에서 굶주림이나 추위로 죽었다는 것은 아군에게나 적군에게나 더 이상 비밀이 아니다. … 지금 우리는 전쟁포로가 굶주림으로 파리 떼처럼 죽어간 뒤 동부점령지에서 노동자 수백만 명을 그러모아야 하는 기이한 상황에 직면해 있다. …

도처에서 슬라브인의 인간성을 무제한으로 학대하는 가운데, 노예 매매의 가장 암울한 시기에 시작된 듯한 '징모微募' 방법들이 횡행하게 되었다. 정기적인 인간 사냥이 시작되었다. 건강상태나 연령을 고려하지 않은 채 현지 주민들을 독일로 실어갔다. …*

소련에서 독일의 정책과 실천은 "동방 민족의 엄청난 저항을 불러왔다"라고 이 관료는 결론지었다.

우리의 정책은 볼셰비키와 러시아 민족주의자로 하여금 우리에 맞서 공동전선을 펴도록 강제했다. 오늘날 러시아인은 무엇보다 자신의 인간적 존엄성을 인정받기 위해 각별한 용기와 자기희생으로 싸우고 있다.

브로이티감 박사는 13쪽짜리 의견서를 단호한 어조로 마무리하면서

---

* 소련군 전쟁포로를 대거 절멸시키는 것도, 러시아인의 노예노동을 착취하는 것도 크렘린 측에 비밀이 아니었다. 이미 1941년 11월, 몰로토프는 소련군 전쟁포로 '절멸'에 대해 정식으로 외교적 항의를 했고, 이듬해 4월 독일의 노예노동 계획에 대해 다시 항의했다.

정책을 근본적으로 변경할 것을 요청했다. "러시아 국민은 그들의 미래와 관련해 구체적인 무언가를 들어야 한다."[6]

그러나 이것은 나치의 황야에서 홀로 외치는 소리였다. 앞에서 언급했듯이 히틀러는 공격을 시작하기 전에 러시아와 러시아인을 어떻게 처리할지에 대한 지령을 미리 정해두었거니와, 그 어떤 독일인이 설득한들 그 지령을 조금이라도 변경할 사람이 아니었다.

1941년 7월 16일, 소련 작전을 개시한 지 한 달도 지나지 않았지만 독일군의 초기 승리로 보건대 조만간 분명 소련의 큰 조각을 차지할 게 뻔한 시점에 히틀러는 괴링, 카이텔, 로젠베르크, 보어만, 라머스(총리실장)를 동프로이센 본부로 호출해 새로 정복한 영토에서 자신의 목표가 무엇인지를 다시 알려주었다. 《나의 투쟁》에서 아주 분명하게 말한 목표, 즉 러시아에서 독일의 광대한 생존공간을 확보한다는 목표를 달성할 날이 마침내 머지않은 것처럼 보였으며, 보어만이 작성한 이날 회의에 관한 기밀 기록(이것은 뉘른베르크에서 공개되었다)[7]을 보건대 히틀러가 생존공간과 관련한 자신의 의도를 수석 부관들이 잘 이해하기를 바랐던 것이 분명하다. 그렇지만 그 의도를 "공표"해서는 안 된다고 히틀러는 경고했다.

[히틀러가 말함] 그럴 필요는 없으며 중요한 것은 우리 자신이 우리가 원하는 바를 아는 것이다. … 이것이 최종 해결의 시작임을 누구도 알아채서는 안 된다. 그렇지만 우리는 필요한 모든 조치—총살이나 강제이주 등—를 조치를 취할 것이다.

원칙적으로

지금 우리는 다음과 같이 할 수 있도록 우리의 필요에 따라 케이크를 자르는 과제에 착수해야 한다.

첫째, 지배하고,

둘째, 관리하고,

셋째, 착취한다.

히틀러는 소련 측이 독일군 전선의 배후에서 빨치산 전투를 명령한 것에 개의치 않는다며 "그 덕에 우리에게 반대하는 자들을 모조리 박멸할 수 있다"라고 말했다.

넓게 보아 독일이 우랄 산맥까지의 소련 영토를 지배할 것이라고 히틀러는 설명했다. 그 광대한 공간에서 독일인만이 무기 휴대를 허가받을 것이라고 했다. 그런 다음 러시아라는 케이크의 여러 조각으로 무엇을 할지 구체적으로 말했다.

발트 지역 전체는 독일에 통합해야 한다. … 크름 반도는 모든 외국인을 내보내고 독일인만 정착시켜 제국의 영토로 삼는다. … 콜라 반도는 커다란 니켈 광산들이 있으므로 독일이 차지한다. 핀란드를 연방주로서 병합하는 것을 신중히 준비해야 한다. … 총통은 레닌그라드를 초토화한 다음 핀란드인에게 넘겨줄 것이다.

바쿠 유전은 "독일의 조차지"로 만들고 볼가 강변의 독일 식민지들은 곧장 병합하라고 히틀러는 지시했다. 나치 지도부에서 누가 새로운 영토를 관리하느냐는 논의에 이르자 격렬한 언쟁이 벌어졌다.

로젠베르크는 특별한 장점이 있는 폰 페터스도르프von Petersdorff 대위를 기용할 생각이라고 말했다. 모두 경악. 일제히 반대. 총통과 제국원수[괴링] 모두 폰 페터스도르프는 틀림없이 제정신이 아니라고 강조했다.

정복한 소련 주민의 치안을 유지할 최상의 방법을 놓고도 논쟁이 벌어졌다. 히틀러는 독일 경찰에 장갑차를 지급할 것을 제안했다. 괴링은 그럴 필요가 있을지 의문을 표했다. 자신의 항공기로 "폭동 시 폭탄을 투하"할 수 있다고 말했다.

[괴링이 부언함] 당연히 이 광대한 영역은 가급적 조속히 평정해야 할 것이다. 최선의 해결책은 거동이 수상하면 누구든 사살하는 것이다.*

괴링은 4개년 계획의 책임자로서 소련에서의 경제적 착취까지 책임지게 되었다.** 1942년 8월 6일, 괴링이 소련 점령지의 나치 판무관들에게 행한 연설에서 분명하게 밝혔듯이, 경제적 착취보다는 "약탈"이 더 적절한 표현이었을 것이다. "그것은 약탈이라고 불리곤 했다"라고 괴링은 말했다. "하지만 오늘날의 상황은 좀 더 인간적으로 바뀌었다. 그럼에도 나는 약탈할 생각이며 그것도 철저히 할 작정이다."8 적어도 이 점에서 괴링은 소련뿐 아니라 나치가 정복한 유럽 전역에서 자기 말을 지켰다. 그

---

* 기억하겠지만 1년 전에 괴링은 치아노에게 "올해 러시아에서 2000만에서 3000만 명이 굶어 죽을 것"이고 "그렇게 되는 것은 좋은 일"일 것이라고 말한 바 있었다. 이미 소련군 전쟁포로들이 "서로를 먹기 시작했다".

** 괴링의 동부경제국은 1941년 5월 23일의 지령에서 소련의 공업 지역들을 파괴할 것을 명령했다. 이들 지역의 노동자와 그 가족은 굶주리도록 내버려둘 생각이었다. "[러시아의] 흑토지대로부터 [식량] 잉여분을 수입해 그곳 주민을 아사로부터 구하려는 일체의 시도"는 금지되었다.

것은 신질서의 일부였다.

나치의 유럽 약탈

———

약탈의 총량은 결코 알려지지 않을 것이다. 정확히 집계하는 것은 인간의 능력을 넘어서는 일로 밝혀졌다. 하지만 일부 수치를 구할 수 있으며, 그중 다수는 바로 독일 측에서 나온 것이다. 그 수치는 괴링이 내린 다음과 같은 지시사항을 부하들이 독일인답게 빈틈없이 수행했음을 보여준다.

여러분은 독일 국민에게 필요한 무언가를 발견할 때마다 블러드하운드처럼 그것을 쫓아가야 한다. 그것을 가로채서 … 독일로 가져와야 한다.[9]

독일은 재화나 용역뿐 아니라 지폐나 금까지 엄청난 약탈을 자행했다. 히틀러가 한 나라를 점령할 때마다 그의 재무관들이 국립은행에서 금괴와 외화 보유고를 몰수했다. 그것은 시작에 불과했다. 어마어마한 액수의 "점령 비용"이 즉시 부과되었다. 1944년 2월 말까지 나치 재무장관 슈베린 폰 크로지크 백작은 그런 명목으로 다 합해서 약 480억 마르크(대략 120억 달러)를 걷어갔으며, 다른 어떤 피정복국보다 많이 뜯긴 프랑스가 그 액수의 절반 이상을 지불했다. 전쟁 막바지까지 점령 부과금의 총액은 600억 마르크(150억 달러)에 달했다.

프랑스는 그중 315억 마르크를 지불해야 했고 연간 액수로 70억 마르크를 넘었는데, 이는 1차대전 이후 독일이 도스 안과 영 안에 따라 배상했던 액수―히틀러가 극악무도한 범죄라고 보았던 금액―의 4배 이상이었다. 게다가 프랑스 은행은 독일에 총 45억 마르크의 "신용 대부"를 해주도록 강요당했고, 프랑스 정부는 별도의 "벌금"으로 5억 마르크를 내야 했다. 뉘른베르크 법정에서 추산해보니 독일이 뜯어낸 점령 비용과 '신용 대부액'이 벨기에 국민총소득의 3분의 2에 달했고, 네덜란드의 경우도 비슷했다. 미국 전략폭격조사단의 연구에 따르면 독일이 피점령국들로부터 뜯어낸 액수는 총 1040억 마르크(260억 달러)였다.*

그러나 독일이 공식 지불 절차도 거치지 않고 압수해 자국으로 가져간 재화의 가치는 결코 산정할 수 없을 것이다. 뉘른베르크 법정에서 넘쳐날 정도의 수치가 계속 제시되었지만 내가 아는 한 어떤 전문가도 그것들을 정리해 총액을 계산하지 못했다. 예컨대 프랑스에서는 독일이 ("현물 징수"로서) 곡물 900만 톤, 귀리 총 생산량의 75퍼센트, 석유의 80퍼센트, 철강의 74퍼센트 등 다 합해 무려 1845억 프랑에 달하는 재화를 반출한 것으로 추산되었다.

전쟁과 독일의 야만적 행위로 황폐해진 소련에서는 착취하기가 더 어려운 것으로 드러났다. 나치 문서들은 소련으로부터 "넘겨받은 물자"에 관한 보고로 가득하다. 예컨대 1943년에는 곡물 900만 톤, 사료 200만 톤, 감자 300만 톤, 육류 66만 2000톤이 그 목록에 포함되었으며, 소련의 조사위원회는, 점령 기간의 일부 항목만 언급하자면, 소 900만 마리, 돼지 1200만 마리, 양 1300만 마리를 추가했다. 그러나 소련으로부터 "넘겨받은 물자"는 기대에 한참 못 미쳤다. 독일 측이 계산한 총 가치는 약 40억 마르크(10억 달러)에 불과했다.**

---

* 공정 환율(1달러=2.5라이히스마르크)로는 400억 달러에 달할 것이다. 하지만 나는 1달러=4라이히스마르크라는 비공정 환율을 적용했다. 구매력의 측면에서 보면 이 비공정 환율 쪽이 더 정확하다.

탐욕스러운 나치 정복자들은 폴란드에서 짜낼 수 있는 모든 것을 짜냈다. 총독 프랑크 박사는 "나는 이 지역에서 아직 짜낼 수 있는 모든 것을 짜낼 것이다"라고 말했다. 이때가 1942년 말이었으며, 점령 3년 동안 프랑크는 줄곧 자화자찬했듯이 벌써 엄청난 양의 물자, 특히 배고픈 독일인을 위한 식량을 짜낸 터였다. 그렇지만 "1943년에 새로운 식량 계획이 실행된다면 바르샤바와 그 외곽에서만 50만 명이 식량을 빼앗길 것"이었다.[10]

폴란드에서 신질서의 성격은 정복이 끝나자마자 정해졌다. 1939년 10월 3일, 프랑크는 육군에 히틀러의 명령을 전했다.

폴란드를 통치할 수 있는 방법은 무자비하게 착취하고, 독일의 전쟁경제에 긴요한 모든 보급품, 원료, 기계, 공장 설비 등을 반출하고, 독일 내에서 일할 수 있는 모든 노동자를 동원하고, 폴란드 경제를 그저 주민의 생존에 필요한 최저한의 수준으로 축소하고, 새로운 폴란드 지식인층의 성장을 막기 위해 모든 교육기관, 특히 전문학교와 대학을 폐지하는 등의 수단을 활용하는 것뿐이다. 폴란드는 식민지로 취급한다. 폴란드인은 대독일제국의 노예로 삼는다.[11]

나치당 총통대리 루돌프 헤스는 히틀러가 "바르샤바를 재건하지 않을 것이고, 총독령에서 다른 어떤 산업을 재건하거나 복원하는 것도 총통의 의도가 아니다"라고 덧붙였다.[12]

** 독일의 소련 통치에 관한 알렉산더 댈린(Alexander Dallin)의 심층적인 연구에 따르면, 독일은 정상적인 교역을 했다면 소련에서 더 많은 것을 얻을 수 있었을 것이다. (Dallin, *German Rule in Russia* 참조)

프랑크는 폴란드에서 유대인뿐 아니라 폴란드인이 소유한 모든 자산도 보상 없이 몰수하라고 명령했다. 그러고는 폴란드인 소유의 농장 수십만 곳을 가로채서 독일인 정착민에게 넘겨주었다. 1943년 5월 31일까지 폴란드의 네 구역(서프로이센, 포젠, 치헤나우, 슐레지엔)이 독일에 병합되면서 1500만 에이커에 달하는 사유지 약 70만 곳이 "압류"되고 650만 에이커에 이르는 사유지 9500곳이 "몰수"되었다. 독일의 "중앙토지국"이 작성한 치밀한 토지대장에는 "압류"와 "몰수"의 차이가 설명되어 있지 않았지만,[13] 재산을 빼앗긴 폴란드인에게는 분명 그 차이가 중요하지 않았을 것이다.

독일 측은 점령지의 중요미술품까지 약탈했으며, 특히 히틀러와 괴링이 그런 명령을 내림으로써 두 사람의 '개인' 소장품을 대폭 늘렸다. 뚱보 제국원수는 본인 추정에 따르면 개인 소장품의 가치를 5000만 라이히스마르크까지 끌어올렸다. 실로 괴링은 이 특정한 약탈 분야의 주동자였다. 괴링은 폴란드를 정복하자마자 그곳의 중요미술품을 압류하라고 명령했고, 그가 임명한 특별위원은 6개월 내에 "현지의 중요미술품 거의 전부"를 탈취했다고 보고할 수 있었다.[14]

하지만 유럽의 위대한 중요미술품은 대부분 프랑스에 있었으며, 나치가 이 나라를 정복하기 무섭게 히틀러와 괴링은 미술품 압류를 명했다. 이 특정한 약탈을 수행할 인물로 히틀러는 '제국지도자 로젠베르크 특무대Einsatzstab Reichsleiter Rosenberg'라는 조직을 만든 로젠베르크를 임명하고, 괴링뿐 아니라 카이텔 장군까지 약탈을 지원하도록 했다. 실제로 카이텔은 프랑스에 주둔 중인 육군에 내린 명령에서 로젠베르크에게 "귀중해 보이는 문화재를 독일로 반출하고 안전하게 보관할 권한이 있다. 문화재의 용도를 결정할 권한은 총통이 직접 보유한다"라고 알렸다.[15]

"문화재의 용도"에 관한 히틀러의 구상은 1940년 11월 5일에 괴링이 하달한 기밀 명령에서 드러나는데, 거기에는 파리 루브르 박물관 소장 미술품을 분류하는 방법이 명시되어 있다. 그곳 미술품은 "다음과 같은 방법으로 처리한다"는 것이다.

1. 총통이 그 용도를 직접 결정할 권한을 보유하는 미술품.
2. 제국원수[괴링]의 소장품에 추가할 … 미술품.
3. 독일 박물관으로 보내기에 적합한 … 미술품.[16]

프랑스 정부는 자국의 중요미술품을 약탈하는 조치에 항의하며 그것이 헤이그 협약 위반이라고 선언했다. 그러자 로젠베르크 특무대의 미술 전문가 분예스Bunjes 씨가 감히 괴링에게 문의했고, 뚱보는 이렇게 대꾸했다.

"분예스, 그런 걱정이라면 내게 맡기게. 나는 이 나라의 최고 법관일세. 내 명령은 절대적이니 자네는 명령대로 행동하게."

그리하여 분예스의 보고서 — 문서에 국한하면, 분예스가 제3제국의 역사에 등장하는 것은 이번 한 번뿐이다 — 에 따르면

주 드 폼Jeu de Paume[루브르궁 부속 건물]의 소장품 가운데 총통의 소유가 될 미술품과 제국원수가 요구하는 미술품은 제국원수의 특별열차에 연결된 2량의 화물차에 실어 … 베를린으로 보낼 것이다.[17]

뒤이어 미술품을 더 많이 실어 보냈다. 독일의 공식 기밀 보고서에 따르면, 1944년 7월까지 무려 137량의 화물차가 회화 1만 890점을 포함한

미술품 2만 1903점이 수납된 상자 4174개를 싣고 서부에서 독일로 향했다.[18] 그중에는 무엇보다 렘브란트, 루벤스, 할스, 베르메르, 벨라스케스, 무리요, 고야, 베키오, 와토, 프라고나르, 레이놀즈, 게인즈버러 등의 작품이 들어 있었다. 이미 1941년 1월에 로젠베르크는 프랑스로 한정하더라도 약탈 미술품의 가치가 10억 마르크에 달할 것으로 추산했다.[19]

독일이 원료와 제조품, 식량을 약탈한 것은, 비록 피정복민을 빈곤과 굶주림, 때로는 아사로 내몰고 전쟁 행위에 관한 헤이그 협약을 위반하긴 했지만, 혹독한 총력전 상황의 부득이한 긴급 조치였다고 설령 정당화하진 못할지라도 변명할 수는 있을지도 모른다. 그러나 귀중한 미술품을 훔쳐간 것은 히틀러의 전쟁기구에 하등 도움이 되지 않았다. 그것은 그저 탐욕, 히틀러와 괴링 개인의 욕심일 뿐이었다.

이 모든 약탈과 노획을 피정복민은 견뎌낼 수 있었을 것이다―전쟁과 적에 의한 점령에는 언제나 강탈이 뒤따랐다. 그러나 이는 신질서의 일부, 가장 부드러운 부분에 지나지 않았다. 다행히도 단명한 신질서는 재화 약탈이 아니라 인명 약탈로 오래도록 기억될 터였다. 이 측면에서 나치 체제는 인류가 지구상에서 좀처럼 경험한 적 없는 수준까지 추락했다. 품위 있고 무고한 남녀 수백만 명에게 노역을 강요했고, 또다른 수백만 명을 강제수용소에서 고문하거나 괴롭혔고, 유대인만 해도 450만 명을 포함하는 또다른 수백만 명을 냉혹하게 학살하거나 고의로 굶겨 죽인 뒤―흔적을 지우기 위해―유해를 불태웠다.

이 믿기지 않는 오싹한 이야기는 가해자들 본인이 수많은 문서로 입증하고 증언하지 않았다면 도저히 믿을 수 없었을 것이다. 이제부터 들려줄 이야기―지면이 부족해 이루 헤아릴 수 없이 많은 충격적인 세부는 생략할 수밖에 없으므로 어디까지나 요약이다―는 이론의 여지가 없는 명백한 증거와 소수 생존자들의 목격담에 의한 보강 증거로 뒷받침된다.

신질서의 노예노동

——

1944년 9월 말, 약 750만 명의 외국 민간인이 제3제국을 위해 고되게 노동하고 있었다. 거의 전부 강제로 붙잡혀 대개 음식과 물, 위생시설이 아예 없는 유개화차에 실려 독일까지 끌려간 뒤 공장과 논밭, 광산에서 노동에 투입된 이들이었다. 제3제국은 그들에게 노역을 시켰을 뿐 아니라 업신여기고 구타하고 굶겼는가 하면 의식주 모두 극히 열악한 상태에서 죽음을 맞도록 방치하기 일쑤였다.

게다가 전쟁포로 200만 명을 외국인 노동력에 추가했고, 그중 적어도 50만 명을 군수산업 노동에 투입했다. 이는 어떠한 전쟁포로에게도 그런 작업을 시킬 수 없다고 명시한 헤이그 협약과 제네바 협약을 명백히 위반한 것이었다.* 이 숫자에는 요새를 구축하고 전선까지 탄약을 운반하고 심지어 대공포를 쏘도록 강요당한 다른 전쟁포로 수십만 명은 포함되지 않았는데, 이는 독일도 서명한 국제 협약들을 더욱 무시하는 행태였다.**

독일은 엄청난 수의 노예노동자를 본국으로 이송하면서 아내와 남편,

---

* 군수전쟁생산부 장관 알베르트 슈페어(Albert Speer)는 1944년에 전체 전쟁포로 중 40퍼센트를 무기 및 탄약 생산과 그 관련 산업에 동원했다고 뉘른베르크에서 인정했다.[20]
** 압수된 기록은 1943년 독일 공군의 밀히 원수가 이미 대공포 부대에 배치된 3만 명에 더해 5만 명의 소련군 전쟁포로를 추가로 요구하고 있었음을 보여준다. "러시아인이 포를 조작해야 하다니, 참 재미있는 일이다"라며 밀히는 웃었다.[21]

자녀와 부모를 떼어놓고 서로 멀리 떨어진 지역에 배치했다. 청소년이라도 노동할 만큼 나이를 먹기만 했으면 예외를 두지 않았다. 육군의 최고위 장군들마저 청소년을 납치한 뒤 노역을 시키기 위해 본국으로 보내는 계획에 협조했다. 로젠베르크의 1944년 6월 12일 서류철의 한 문서는 소련 점령지에서 실시된 이런 관행을 드러낸다.

> 중부집단군은 10~14세 청소년 4~5만 명을 체포해 … 제국으로 이송할 계획이다. 이 조치는 원래 제9군에서 제안한 것이다. … 이 청소년들을 주로 견습생으로서 독일 수공업계에 배치할 계획이다. … 독일 수공업계는 이 조치를 매우 환영하는데, 견습생 부족을 완화시킬 결정적인 조치이기 때문이다.
>
> 이 조치는 적 전력의 직접 증강을 막는 것뿐 아니라 적의 생물학적 잠재력을 약화시키는 것까지 목적으로 한다.

이 납치 작전에는 '건초 작전'이라는 암호명이 붙었다. 위 문서에 따르면 발터 모델Walter Model 원수의 북우크라이나 집단군도 이 작전을 수행하고 있었다.[22]

독일은 희생자를 잡아들이기 위해 점점 더 공포스러운 방법을 사용했다. 처음에는 비교적 온건한 방법을 사용했다. 교회나 영화관에서 나오는 사람들을 붙잡았다. 특히 서부에서는 친위대 부대들이 도시의 한 구역을 봉쇄하고서 신체 건강한 남녀를 모조리 잡아갔다. 같은 목적으로 마을을 에워싼 채 수색하기도 했다. 동부에서는 강제노동 명령에 저항할 경우 마을을 그냥 불태우고 주민들을 실어갔다. 압수된 로젠베르크의 서류철들은 그런 사건에 관한 **독일 측**의 보고로 가득하다. 폴란드에서는 적어도 한 명의 독일인 관료가 이런 조치에 대해 조금 지나치다고 생각했던 모양이다.

[그 관료가 프랑크 총독에게 씀] 이 난폭하고 무자비한 인간 사냥을 거리나 광장, 역, 심지어 교회 등 도시와 시골 어디서나, 야간에는 가정에까지 침입해 자행하는 탓에 주민들이 불안에 떨고 있다. 누구나 언제 어디서든 경찰에 느닷없이 붙잡혀 집결수용소로 이송될 위험에 노출되어 있다. 친지에게 무슨 일이 생겼는지 누구도 알지 못한다.[23]

그러나 노예노동자를 사냥해 모으는 것은 첫 단계에 지나지 않았다.* 그들을 독일까지 이송하는 과정에도 문제가 많았다. 구트켈히Gutkelch라는 어느 박사는 1942년 9월 30일 로젠베르크의 부처에 제출한 보고서에서 한 가지 사례를 묘사했다. 독일에서 혹사시키고서 돌려보내는 동부 노동자들을 가득 태운 열차와 "새로 징모"해 독일로 보내는 소련 노동자들을 꽉 채운 열차가 브레스트-리토프스크 인근의 철도 측선側線에서 조우했을 때의 광경을 박사는 이렇게 상술했다.

---

* 노예노동 계획 전체의 책임자는 '노동 배치 전권위원'이라는 직함을 얻은 프리츠 자우켈(Fritz Sauckel)이었다. 자우켈은 튀링겐의 대관구장 및 주총감을 지낸 적이 있는 이류 나치였다. 쑥 들어간 눈에 키가 작고 무례하고 상스러운 자우켈은 괴벨스가 일기에 적었듯이 "둔재 중의 둔재"였다. 뉘른베르크 법정의 피고석에 앉은 자우켈은 내 눈에는 그야말로 보잘것없는 인물로 보였다. 초기 지령에서 그는 외국인 노동자를 "생각할 수 있는 가장 적은 지출로 최대한 착취할 수 있는 방식으로 대하라"고 명확히 지시했다.[24] 뉘른베르크에서 그는 전체 외국인 노동자 수백만 명 중에서 "자발적으로 온 자는 20만 명도 안 되었다"라고 인정했다. 그렇지만 그들에 대한 학대의 책임은 일체 부인했다. 그는 유죄 판결과 사형을 선고받았고, 1946년 10월 15일에서 16일에 걸친 밤에 뉘른베르크 감옥에서 교수형에 처해졌다.

송환 노동자로 가득한 그 열차에서는 시신들 때문에 비극적인 일이 일어났을 것이다. … 그 열차에서는 여성들이 아기를 출산하고는 달리는 열차 창문 밖으로 던져버렸다. 결핵이나 성병에 걸린 사람들이 같은 차량에 타고 있었다. 죽어가는 사람들이 밀짚도 깔리지 않은 화물차에 누워 있었고, 시체한 구가 철로 경사면으로 내던져졌다. 틀림없이 다른 송환 열차들에서도 같은 일이 일어났을 것이다.[25]

이것은 동부 노동자Ostarbeiter에게 제3제국을 소개하는 썩 달갑지 않은 광경이었지만, 적어도 앞날의 시련을 어느 정도 각오하도록 해주었다. 그들의 앞날에는 굶주림과 구타, 질병, 그리고 난방이 안 되는 숙소에서 얇은 누더기로 견뎌야 하는 추위가 기다리고 있었다. 더 이상 서 있지 못할 때까지 이어지는 장시간 노동이 기다리고 있었다.

독일의 포와 전차, 탄약을 생산하는 대기업 크루프 사의 공장들은 노역자의 전형적인 일터였다. 크루프 사는 소련군 전쟁포로를 포함해 다수의 노예노동자를 고용했다. 전시의 어느 시점에는 부헨발트 강제수용소에서 유대인 여성 600명이 끌려와 크루프 사의 공장 노동에 투입되었고, 폭격으로 파괴된 노동수용소—앞서 이곳에 수감 중이던 이탈리아군 전쟁포로들은 제거되었다—를 "거처"로 제공받았다. 크루프 사 노예들의 "주임 의사"였던 빌헬름 예거Wilhelm Jaeger는 뉘른베르크 선서진술서에서 자신이 부임했을 때의 상황을 다음과 같이 묘사했다.

그곳을 방문한 첫날 저는 그 여성들이 곪아가는 상처 등의 질환으로 고통받는 모습을 보았습니다. 그들이 적어도 2주 만에 처음 만난 의사가 저였던 모양입니다. … 그곳에는 의약품이 없었습니다. … 그들은 신발이 없어 맨

발로 돌아다녔습니다. 옷이라곤 양팔과 머리에 구멍을 낸 자루뿐이었습니다. 머리카락은 짧게 밀려 있었습니다. 수용소는 철조망으로 둘러싸였고 친위대 간수들이 엄중히 감시했습니다.

수용소의 음식은 양이 극히 부족하고 질이 너무도 나빴습니다. 막사에 들어가면 벼룩에 공격받지 않을 도리가 없었습니다. … 저도 벼룩 때문에 팔과 몸 곳곳에 큰 종기들이 생겼습니다. …

예거 박사는 이런 상황을 크루프 이사진뿐 아니라 사주 구스타프 크루프 폰 볼렌 운트 할바흐의 주치의에게도 보고했다. 그러나 허사였다. 크루프 사의 다른 노예노동 수용소들에 관한 그의 보고서 역시 아무런 효과도 없었다. 그는 러시아인과 폴란드인 노동자들이 거주한 수용소 8곳에 관한 자신의 보고서 중 일부를 기억해 선서진술서에 적었다. 수용 인원이 너무 많아 질병을 일으켰고, 인간이 목숨을 부지할 정도의 음식과 물이 부족했고 화장실도 부족했다.

동부 노동자들의 의복도 엉망이었습니다. 그들은 동부를 떠나 도착했을 때의 옷차림 그대로 노동하고 수면을 취했습니다. 사실상 모두 외투가 없었고, 춥고 비가 내리는 날에는 부득이 담요를 외투로 사용했습니다. 신발이 부족해서 많은 노동자가 심지어 한겨울에도 맨발로 일하러 가야 했습니다. … 위생 상태는 끔찍했습니다. 크라머플라츠에서는 수용자가 1200명이었는데 아동용 화장실이 10개밖에 없었습니다. … 배설물이 화장실 바닥 전체를 더럽혔습니다. … 타타르인과 키르기스인이 가장 고통받았습니다. 그들은 열악한 주거, 질이 낮고 양이 부족한 식사, 과로와 불충분한 휴식 때문에 파리 떼처럼 쓰러졌습니다.

이 노동자들도 반점열을 앓았습니다. 이 질병을 옮기는 이 말고도 벼룩 등의 온갖 해충이 그들을 괴롭혔습니다. … 이따금 수용소들의 급수가 8일에서 14일 동안 끊기기도 했습니다. …

전반적으로 서부에서 온 노예노동자가 동부에서 온 노예노동자보다 대우가 좋았다―후자를 독일 측은 인간쓰레기로 취급했다. 그러나 그 차이는 상대적이었다. 예거 박사는 에센의 노게라트슈트라세에 있는, 프랑스군 전쟁포로들이 거주하는 크루프 사의 노동수용소 한 곳에서 다음과 같은 상황을 확인했다.

그곳 수용자들은 거의 반년 동안 개집, 변소, 낡은 제빵소에서 지냈습니다. 개집은 높이 3피트, 길이 9피트, 너비 6피트였습니다. 개집마다 다섯 명이 들어가 잤습니다. 포로들은 개집에 기어서 들어가야 했습니다. … 수용소에는 물이 없었습니다.*[26]

---

* 크루프 사는 민간인과 전쟁포로를 합해 노예노동자 수천 명을 얻었을 뿐 아니라 아우슈비츠 절멸수용소에 커다란 신관(信管) 공장을 짓기까지 했다. 장차 그 공장에서 유대인들이 기진맥진할 때까지 일하다가 독가스를 들이쉬고 사망할 터였다.
이사회 회장인 구스타프 크루프 폰 볼렌 운트 할바흐 남작은 뉘른베르크에서 (괴링 등등과 함께) 주요 전범으로 기소되었으나 "육체적·정신적 상태"(녀졸증을 앓고서 노쇠해졌다)를 이유로 재판을 받지 않았다. 그는 1950년 1월 16일 사망했다. 1943년 크루프 사의 소유권을 단독으로 획득한 아들 알프리트(Alfried)를 아버지 대신 기소하려는 노력이 이루어졌지만, 법원에서 받아들이지 않았다.
이후 알프리트 크루프 폰 볼렌 운트 할바흐는 회사의 이사 9명과 함께 뉘른베르크 군사법정(순전히 미국의 법정)에서 '미합중국 대 알프리트 크루프 등 사건'으로 재판을 받았다. 1948년 7월 31일, 그는 12년 금고형과 전 자산 몰수를 선고받았다. 그러다가 미국 고등판무관 존 J. 매클로이(John J. McCloy)가 대사면을 단행한 1951년 2월 4일에 란츠베르크 형무소(히틀러가 1924년에 복역했던 곳)에서 석방되었다. 크루프 사의 자산 몰수가 취소되었을 뿐 아니라 개인 재산 약 1000만 달러까지 반환되었다. 앞서 연합국 정부들은 거대한 크루프 제국의 해체를 명령했지만, 석방 후 실질적인 경영권을 차지한 알프리트 크루프는 이 명령을 회피했다. 그리고 이 책을 집필하던 시점(1959년)에

약 250만 명의 노예노동자—대다수가 슬라브인과 이탈리아인—는 독일 내 농장에 배치되었으며, 그곳의 환경 탓에 도시 공장의 노동자보다 잘 지내긴 했지만 이상적인 생활과는, 아니 인간적인 생활과는 거리가 멀었다. 압수된 "폴란드 국적 외국인 농장노동자의 처우"에 관한 지령서는 그들의 생활 실태를 짐작하게 해준다. 그리고 이 지령서는 비록 폴란드인에게 적용되긴 했지만—러시아인을 구할 수 있게 되기 전인 1941년 3월 6일에 작성되었다—나중에 다른 국적 사람들에 대한 지침으로 쓰였다.

폴란드 국적의 농장노동자는 더 이상 불평할 권리가 없으며, 따라서 어떤 공식 기관도 앞으로 고충을 접수하지 않을 것이다. … 교회 방문을 엄격히 금한다. … 극장, 영화관, 기타 문화 오락시설 방문을 엄격히 금한다. … 부녀자와의 성교를 엄격히 금한다.

만약 독일 여성과 성교했을 경우, 1942년 힘러의 지령에 따라 응당 사형에 처해질 터였다.*
"철도, 버스, 기타 공공 교통수단"의 이용이 농장 노예노동자에게는 금지되었다. 이는 분명 그들이 배치된 농장에서 달아나는 것을 막기 위한 조치였다.

서독 정부의 승인을 받아, 회사를 해체하기는커녕 새로운 기업을 매수할 것이라고 발표했다.
* 힘러의 1942년 2월 20일 지령은 특히 소련 노예노동자를 겨냥했다. 그 지령은 "노동 거부 또는 태업을 포함하는 중대한 규율 위반"에 해당하는 자도 "특별 대우"를 할 것을 명령했다. 그런 경우에는 "특별 대우가 필요하다. 특별 대우란 교수형이다. 수용소 인접지에서 행해서는 안 된다. [그렇지만] 일정 인원이 입회해야 한다."[27] "특별 대우(Sonderbehandlung)"라는 말은 전시에 힘러의 서류나 나치의 표현에서 흔히 등장했다. 그것은 힘러가 바로 이 지령에서 말한 바와 똑같은 의미였다.

[그 지령서에 명시함] 임의적인 일자리 변경을 엄격히 금한다. 농장노동자는 고용주가 요구하는 한 노동해야 한다. 노동시간에 제한은 없다.

모든 고용주는 각자의 농장노동자에게 체벌을 가할 권한을 지닌다. … 농장노동자는 가능하다면 가정 공동체로부터 격리시켜야 하며, 마구간 등에서 지내게 해도 무방하다. 그런 처사를 양심의 가책으로 제한해서는 안 된다.[28]

독일은 가정에서 노예로 부리기 위해 슬라브인 여성까지도 붙잡아 국내로 데려갔다. 1942년에 히틀러는 자우켈에게 "독일 주부의 부담을 덜어주기 위해" 슬라브인 여성 50만 명을 데려오라고 지시했다. 이 노예노동 판무관은 독일 가정에서의 노동 조건을 이렇게 명시했다.

자유시간을 요구할 권리는 없다. 동부 출신 여성 가사노동자는 가사를 돌보기 위해서만 가정에서 외출할 수 있다. … 식당, 영화관, 극장, 기타 유사한 시설의 출입을 금한다. 교회 방문도 금한다. …[29]

나치의 노예노동 계획에서 여성은 분명 거의 남성만큼이나 필수적인 존재였다. 독일이 노동을 강요한 소련 민간인 약 300만 명 가운데 절반 이상이 여성이었다. 그들 대다수는 힘겨운 농사일이나 공장노동에 배치되었다.

정복지의 남녀 수백만 명을 제3제국을 위해 중노동을 하는 비천한 노예로 삼은 것은 그저 전시에만 취한 조치가 아니었다. 이미 언급한 히틀러, 괴링, 힘러 등의 발언—몇몇 실례에 불과하다—을 보건대 만약 나치 독일이 존속했다면 신질서는 분명 대서양에서 우랄 산맥에 이르는 광대한 노예제국에 대한 독일인 지배인종의 통치를 의미했을 것이다. 그 제국에서는 틀림없이 동부 슬라브인의 처지가 가장 나빴을 것이다.

히틀러가 소련 침공을 개시하고 겨우 한 달이 지난 1941년 7월에 강조했듯이, 그의 소련 점령 계획은 "최종 이주"를 노린 것이었다. 1년 후, 소련에 대한 공세가 한창일 때 히틀러는 부관들에게 이렇게 말했다.

우스꽝스러운 슬라브인 1억 명에 대해 말하자면, 우리는 개중에 뛰어난 자들을 골라서 우리 마음에 들도록 주조할 것이고, 나머지는 돼지우리에 격리시킬 것이다. 그리고 그 지역 주민을 소중히 여기고 문명화하자고 말하는 자는 누구든 곧장 강제수용소로 보내버릴 것이다![30]

전쟁포로

——

전쟁포로를 무기 공장의 노동에든 전선의 전투와 관련된 다른 어떤 노동에든 동원하는 것은 헤이그 협약과 제네바 협약을 명백히 위반하는 조치였다. 그러나 제3제국에 포로로 잡힌 수백만의 군인들에게 그런 조치는, 비록 대규모이긴 했지만, 그나마 덜 우려스러운 일이었다.

전쟁포로들이 무엇보다 신경쓴 것은 전쟁에서 살아남을지 여부였다. 러시아인의 경우 생존 확률이 매우 낮았다. 소련군 전쟁포로의 수―약 575만 명―가 나머지 전쟁포로를 다 합한 수보다 많았다. 그 가운데 1945년 연합군이 전쟁포로 수용소를 해방할 때까지 생존한 인원은 겨우 100만 명에 불과했다. 그에 앞서 약 100만 명은 전쟁 종결 전에 풀려났거나 독일 육군이 창설한 부역자 부대에서 복무했다. 소련군 전쟁포로 200만 명은 억류 중에 굶주림, 체온 저하, 질병 등으로 사망했다. 나머지

100만 명은 어떻게 되었는지 끝내 확인되지 않았고, 뉘른베르크에서는 그들 대다수가 방금 말한 여러 원인으로 사망했거나 SD(친위대 보안국)에 의해 몰살당했을 것이라는 타당한 주장이 제기되었다. 독일 측 기록에 따르면 6만 7000명이 처형되었지만, 이는 십중팔구 불완전한 수치다.[31]

소련군 전쟁포로 대다수—약 380만 명—는 소련 작전의 첫 단계, 즉 1941년 6월 21일부터 12월 6일까지 대규모 포위전이 벌어진 기간에 붙잡혔다. 교전 중인 군대가 신속히 진격하는 가운데 이토록 많은 포로를 적절히 돌보기가 어렵다는 것은 이해할 만한 일이다. 그러나 독일 측은 아무런 노력도 하지 않았다. 앞에서 살펴본 나치 기록들이 보여주듯이, 1941~42년 눈으로 덮인 영하의 혹한 속에서 소련군 포로들을 일부러 굶기고 허허벌판에 방치하여 죽게 만들었다.

"이 포로들이 더 많이 죽을수록 우리에게 더 이롭다." 이것이 바로 책임자 로젠베르크의 말이며 나치 관료들의 전반적인 태도였다.

이 어설픈 동부점령지 장관은 이미 언급했듯이 특히 자신과 함께 자란 러시아인에 대해서는 인도적인 나치가 아니었다. 하지만 그조차 소련군 포로에 대한 독일 측 처우에는 반감이 들어 1942년 2월 28일 OKW 총장 카이텔에게 장문의 항의 편지를 보냈다. 당시는 모스크바와 로스토프의 전면에서 독일군을 격퇴한 소련군이 그해 겨울을 통틀어 가장 멀리까지 돌파한 때였다. 독일 측은 단 한 번의 짧은 전투로 소련을—아마도 영원히—분쇄하겠다는 도박이 실패했다는 것, 이제 미국이 적으로서 소련과 영국의 편에 가세했으니 어쩌면 자신들이 전쟁에서 패할 수도 있으며 그럴 경우 전쟁범죄를 책임져야 한다는 것을 마침내 깨달았다.

[로젠베르크가 카이텔에게 씀] 독일 내 소비에트 전쟁포로들의 운명은 극도의

비극입니다. 그들 360만 명 가운데 겨우 수십만 명만이 아직까지 온전하게 일할 수 있습니다. 그들 대다수가 굶주린 상태이거나, 악천후 탓에 사망했습니다.

이런 사태를 피할 수 있었다고 로젠베르크는 이어서 말했다. 소련에는 그들에게 제공할 식량이 충분히 있었다.

그렇지만 대부분의 경우 수용소 소장들은 포로들에게 식량을 제공하는 것을 금하고 차라리 굶겨 죽이는 편을 택했습니다. 심지어 포로들이 수용소까지 걸어가는 도중에 민간인들이 음식을 건네는 것마저 허용하지 않았습니다. 포로들이 굶주리고 지쳐서 더 이상 걸을 수 없게 되면 대개의 경우 겁에 질린 민간인들의 눈앞에서 포로들을 사살하고 시신을 방치했습니다. 수많은 수용소에서 포로들에게 숙소가 전혀 제공되지 않았습니다. 그들은 비가 오나 눈이 오나 노지에서 잤습니다. …
끝으로 전쟁포로 사살을 거론해야겠습니다. 이것은 … 정치적 고려를 외면한 처사입니다. 예를 들어 여러 수용소에서 '아시아인' 전원을 사살했습니다. …[32]

아시아인만이 아니었다. 소련 작전을 개시한 직후, OKW와 친위대 보안국은 모종의 합의를 통해 후자가 소련군 포로를 "선별"하기로 했다. 그 목적은 보안국의 살인마들 중 한 명인 오토 올렌도르프Otto Ohlendorf의 선서진술서에서 드러났다. 법학과 경제학 학위를 가졌고 응용경제학연구소의 교수를 지냈던 올렌도르프는 힘러 주변의 수많은 사내들과 마찬가지로 비뚤어진 지식인이기도 했다.

[올렌도르프가 증언함] 모든 유대인과 공산당 관료는 전쟁포로 수용소에서 내보내서 처형하기로 했습니다. 제가 알기로 이 조치는 러시아 작전 기간 내내 시행되었습니다.[33]

하지만 어려움이 없지 않았다. 때로는 소련군 포로들이 너무 지쳐서 처형장까지 걸어가지도 못했다. 그러자 게슈타포 수장으로 말쑥해 보이지만 냉혹하고 무심한 살인마 하인리히 뮐러가 불만을 늘어놓았다.*

강제수용소 소장들은 처형될 운명인 소비에트 러시아인 중 5~10퍼센트가 사망 또는 빈사 상태로 수용소에 도착하고 있다고 불평한다. … 예컨대 철도역에서 수용소까지 걸어가는 도중에 꽤 많은 포로들이 지쳐 쓰러져 죽거나 초주검이 되어, 뒤따르는 호송대의 트럭에 태워야 한다는 점이 지적되었다. 독일 국민이 이런 일을 알아채도 막을 길이 없다.

게슈타포는 소련군 포로들이 굶주리고 지쳐서 죽건 말건 조금도 개의치 않았다. 그렇게 죽으면 노략질할 것이 없어진다는 점에만 신경썼을 뿐이다. 하지만 그런 광경을 독일 국민에게 보이고 싶지는 않았다. 그런 이유로 독일에서 "게슈타포 뮐러"로 알려진 그는 다음과 같은 명령을 내렸다.

명백히 빈사 상태이고 단거리 보행조차 견딜 수 없는 소비에트 러시아인은

---

* 뮐러는 전후에 끝내 체포되지 않았다. 1945년 4월 29일, 베를린의 히틀러 벙커에서 마지막으로 목격되었다. 생존 동료들 중 일부는 전시에 소련 비밀경찰을 예찬했던 뮐러가 그 조직에서 일하고 있을 것으로 믿고 있다.

앞으로 처형을 위한 강제수용소 이송에서 제외하는 조치를 금일[1941년 11월 9일]부터 시행한다.[34]

사망한 포로는 물론이고 굶주리고 지친 포로 역시 일을 시킬 수 없었거니와, 1942년에는 전쟁이 예상보다 훨씬 더 길어질 것이 분명하고 소비에트 전쟁포로 역시 이제는 절실히 필요한 예비 노동력이라는 것을 알게 되자, 나치는 그들을 절멸시키려던 정책을 단념하고 노동에 투입하기로 했다. 힘러는 1943년 포젠의 친위대를 상대로 연설하면서 이런 정책 변경에 관해 설명했다.

당시[1941년] 우리는 인간 집단의 가치를 오늘날처럼 자원이나 노동력으로 평가하지 않았다. 아무튼 수만, 수십만의 포로가 지치고 굶주려 죽었다는 것은 여러 세대에 걸친 긴 시간 속에서 생각하면 유감스럽지는 않지만, 노동력 상실이라는 관점에서 보면 애통한 일이다.[35]

이제는 그들에게 일을 시키려면 충분히 먹여야 했다. 1944년 12월에는 다수의 장교를 포함한 75만 명의 전쟁포로가 군수 공장, 광산(20만 명이 할당되었다), 농장에서 고되게 일하고 있었다. 처우는 가혹했으나 그래도 살려는 주었다. 심지어 카이텔 장군이 제안한, 소련군 전쟁포로에게 낙인을 찍으려던 조치도 철회되었다.*

---

* 1942년 7월 20일, 카이텔은 다음과 같은 명령의 초안을 작성했다.
1. 소비에트 전쟁포로에게 특별하고 오래가는 표지의 낙인을 찍는다.
2. 그 낙인은 한 변이 1센티미터, 약 45도 예각의 V자형으로, 직장(直腸)에서 한 뼘쯤 떨어진 왼쪽 볼기에 아래를 가리키도록 찍는다.[36]

서부 전쟁포로, 특히 영국인과 미국인의 처우는 러시아인의 처우보다
는 비교적 나은 편이었다. 이따금 그들을 살해하고 학살하긴 했지만, 그
런 일은 대개 감독자 개개인의 과도한 가학성이나 잔인성 때문이었다.
1944년 12월 17일 벌지 전투 도중 벨기에 말메디 근방에서 미군 전쟁포
로 71명을 냉혹하게 살육한 것이 그런 경우였다.

　히틀러가 직접 서부 포로 살해를 명령한 경우도 있었다. 예를 들어
1944년 봄, 히틀러는 영국 조종사 등 50명이 자간(베를린에서 남서쪽으로
160킬로미터 지점) 수용소에서 탈출했다가 붙잡혔을 때 그들을 사살하라
고 지시했다. 뉘른베르크에서 괴링은 자신이 "이 전쟁을 통틀어 그 일을
가장 중대한 사건으로 여겼다"라고 말했고, 요들 장군은 "순전한 살인"이
라고 말했다.

　실제로 영국과 미국이 독일을 광범하게 폭격하기 시작한 1943년부터
독일 상공에서 낙하산으로 탈출했다가 붙잡힌 연합군 비행사를 살해하
도록 조장하는 것이 독일이 채택한 방침의 일환이었던 것으로 보인다.
독일은 자국 민간인에게 낙하산을 탄 비행사가 착지하는 즉시 린치를 가
하도록 조장했으며, 상당수 독일인이 전후에 그런 행위를 했다는 이유
로 재판에 회부되었다. 1944년 영국과 미국의 폭격이 절정에 달했을 때
리벤트로프는 격추된 비행사를 그 자리에서 사살할 것을 촉구했으나 히
틀러는 좀 더 온건한 견해를 취했다. 1944년 5월 21일, 히틀러는 괴링과
협의한 뒤 여객열차, 민간인, 불시착한 독일 항공기 등에 기총소사를 한
비행사에 한해서 군사재판 없이 사살하라고 지시했다.

　때로는 붙잡힌 비행사를 간단히 SD에 넘겨서 "특별 대우"를 받도록
했다. 그리하여 전원 장교인 미국, 영국, 네덜란드 비행사 47명이 1944년
9월 마우트하우젠 강제수용소에서 잔혹하게 살해되었다. 같은 수용소의

수감자였던 프랑스인 목격자 모리스 랑프Maurice Lampe는 뉘른베르크에서 그때를 떠올리며 이렇게 말했다.

장교 47명이 맨발로 채석장까지 끌려갔습니다. … 계단 아래에서 간수들이 그 불쌍한 사람들에게 돌을 지게 해서는 꼭대기까지 운반하도록 했습니다. 처음 왕복할 때는 약 60파운드[약 27킬로그램]의 돌을 나르게 하고 도중에 구타를 했습니다. … 두 번째로 왕복할 때는 돌이 더 무거웠고, 그 불쌍한 사람들이 무게에 짓눌려 쓰러질 때마다 발로 걷어차고 몽둥이로 때렸습니다. … 저녁 무렵 시체 21구가 길바닥에 널려 있었습니다. 다른 26명은 이튿날 오전에 죽었습니다.[37]

이것은 마우트하우젠에서는 익숙한 "처형" 방식이었고 특히 소련군 전쟁포로 다수에게 적용되었다.

히틀러는 1942년부터 ─그러니까 전세가 역전되기 시작했을 때부터─ 특히 서부에서 붙잡은 연합군 특공대원들을 몰살하라고 명령했다(물론 사로잡은 소비에트 빨치산은 그 자리에서 사살했다). 1942년 10월 18일자 총통의 "일급비밀 특공대 명령"이 나치 문서에 포함되어 있다.

이제부터 유럽 또는 아프리카에서 독일군에 맞서 이른바 특수 임무를 수행 중인 모든 적군은, 설령 군복 차림이라 해도, 무장을 했든 안 했든, 전투 중이든 도주 중이든, 최후의 일인까지 사살하라.[38]

같은 날 하달한 보충 지령에서 히틀러는 명령의 이유를 사령관들에게 설명했다. 연합군 특공대의 성공 때문에 나는 엄격한 명령을 내려 적의 사보타주 부대를 섬멸하고, 이 명령에 따르지 않는 자는 엄벌에 처할 것임을 선언할 수밖에 없었다. … 적에게 모든 사보타주 부대는 예외 없이 최후의 일인까지 섬멸할 것이라고 명확하게 알려야 한다.

이는 그들이 살아서 도주할 가능성이 없음을 의미한다. … [그들은] 어떠한 경우에도 제네바 협약의 규정에 따라 대우받을 것을 기대할 수 없다. … 심문을 위해 우선 한두 명을 남겨둘 필요가 있을지라도, 심문을 끝내는 즉시 사살하라.[39]

이 특정한 범죄는 극비에 부쳐졌다. 요들 장군은 히틀러의 지령에 자신의 훈령을 첨부하면서 총통의 발언을 강조했다. **"이 명령은 오로지 사령관들만을 염두에 둔 것이며 어떠한 경우에도 적의 수중에 들어가서는 안 된다."** 사령관들은 지령을 숙지한 뒤 모든 사본을 파기하도록 지시받았다.

이 지령을 사령관들은 명심했던 것이 분명한데, 뒤이어 실행에 옮겼기 때문이다. 여러 사례 가운데 두 가지를 들어보자.

1944년 3월 22일 밤, 미 육군 제267특수정찰대의 장교 2명과 병사 13명이 이탈리아 내 독일 전선의 한참 후방에 해군 주정舟艇을 통해 상륙했다. 라스페치아와 제노바 사이의 철도 터널을 파괴하기 위해서였다. 전원 군복 차림이었고 평복을 휴대하지 않았다. 이틀 뒤 붙잡힌 그들은 독일 육군 제75군단 사령관 안톤 도스틀러Anton Dostler 장군의 직접 명령으로 재판 없이 총살대에 의해 3월 26일에 처형되었다. 전쟁 종결 직후 미국 군사법정에서 재판받은 도스틀러 장군은 자신은 그저 히틀러의 '특공대 명령'에 복종했을 뿐이라고 항변하며 그 행위를 정당화하려 했다.

그리고 만약에 자신이 그 명령에 복종하지 않았다면 총통에 의해 군사재판에 회부되었을 것이라고 주장했다.*

1945년 1월, 낙하산을 타고 슬로바키아에 내린 영국-미국 군사사절단 일행 15명이─AP 통신의 종군기자 1명이 포함되었고 전원 군복 차림이었다─SD의 하이드리히 후임자로 뉘른베르크 재판의 피고들 중 한 명인 에른스트 칼텐브루너Ernst Kaltenbrunner 박사의 명령에 따라 마우트하우젠 강제수용소에서 처형되었다.** 그 처형을 목격한 수용소 부관의 증언이 없었다면 그 살해는 알려지지 않았을 텐데, 이 수용소의 서류철들이 대부분 파기된 상태였기 때문이다.[40]

정복지에서의 나치 테러

────

1941년 10월 22일, 프랑스 신문《르 파르Le Phare》는 다음과 같은 공고를 실었다.

잉글랜드와 모스크바에 고용된 비열한 범죄자들이 10월 20일 오전 낭트의 야전사령관을 살해했다. 현재까지 암살자들은 체포되지 않았다.
이 범죄에 대한 보복으로 나는 우선 인질 50명을 사살하라고 명령했다. …
지금부터 10월 23일 자정까지 범인들이 체포되지 않을 경우, 인질 50명을 더 사살할 것이다.

──────────

* 도스틀러 장군은 1945년 10월 12일, 미국 군사법정에서 사형을 선고받았다.
** 칼텐브루너는 1946년 10월 15일에서 16일에 걸친 밤에 뉘른베르크 감옥에서 교수형에 처해졌다.

이것은 프랑스, 벨기에, 네덜란드, 노르웨이, 폴란드, 소련의 신문 지면이나 검은 테두리를 두른 붉은 포스터를 통해 익히 고지되었다. 독일 측이 공언한 비율은 언제나 100대 1, 즉 독일인 1명 피살에 인질 100명 총살이었다.

인질 잡기가 예컨대 고대 로마인이 마음껏 자행한 아주 오래된 관행이긴 하지만, 현대에는 1차대전 시기의 독일군, 그리고 인도 식민지배 시기 및 남아프리카 보어 전쟁 시기의 영국군을 제외하면 대체로 인질을 잡지 않았다. 그렇지만 히틀러 치하의 독일 육군은 2차대전 기간에 대규모로 인질을 잡았다. 카이텔 장군이나 하위 사령관들이 서명해 인질을 잡으라고—그런 다음 사살하라고—지시한 수십 통의 기밀 명령서가 뉘른베르크 재판에 제출되었다. 1941년 10월 1일, 카이텔은 "여기에 유명한 지도급 인사들이나 그들의 가족을 포함시키는 것이 중요하다"라고 강조했다. 1년 후에 프랑스 주둔 독일군 사령관 슈튈프나겔 장군은 "인질 총살이 더 알려질수록 가해자에 대한 억지 효과는 더 커질 것이다"라고 강조했다.

전시에 프랑스 감옥에서 "사망한" 4만 명을 제외하고 프랑스인 인질 총 2만 9660명이 독일 측에 의해 처형되었다. 폴란드에서는 8000명, 네덜란드에서는 약 2000명이 처형되었다. 덴마크에서는 독일 측이 공언한 인질 총살 대신에 이른바 "청소 살인"이라는 방법이 채택되었다. 히틀러의 긴급 명령에 의해, 덴마크에서 벌어진 독일인 살해에 대한 앙갚음을 "1대 5의 비율로" 은밀히 실행한다는 계획이었다.[41] 그리하여 독일 측은 스칸디나비아에서 가장 사랑받던 사람들 중 한 명인 덴마크의 위대한 목사이자 시인이자 극작가 카이 뭉크Kaj Munk를 잔혹하게 살해한 뒤 시신을 길가에 버리고 "돼지새끼, 너도 독일을 위해 똑같이 일했구나"라고 적힌 종이쪽지를 꽂아두었다.

카이텔 장군은 뉘른베르크 증인석에서 자신이 히틀러의 명령에 따라 저지를 수밖에 없었던 전쟁범죄 가운데 "최악"은 '밤과 안개 명령Nacht und Nebel Erlass'에서 비롯되었다고 말했다. 서부 정복지의 불운한 주민을 대상으로 하는 이 기괴한 명령은 1941년 12월 7일에 히틀러가 직접 내렸다. 수상한 명칭이 시사하듯이, 그 목표는 "독일의 안보를 위협하는" 사람들을 체포한 뒤 즉시 처형하는 것이 아니라 미지의 밤과 안개 속으로 흔적도 없이 사라지게 하는 것이었다. 그들 가족에게는 실종에 관한 아무런 정보도 주지 않았다. 하지만 그들의 운명은 하나같이 독일의 어디에 매장되느냐는 문제일 뿐이었다.

1941년 12월 12일, 카이텔은 지령을 내려 총통의 명령을 설명했다. "원칙적으로 독일국을 상대로 저지른 범행에 대한 형벌은 사형이다." 그런데

이런 범행을 징역형으로 처벌한다면, 설령 평생 중노동을 시킬지라도, 그것은 유약함의 징후로 비칠 것이다. 유효한 위협은 사형 아니면 범죄자의 친지나 주민이 그의 운명을 알지 못하도록 하는 조치로만 달성할 수 있다.[42]

이듬해 2월, 카이텔은 '밤과 안개 명령'에 대해 더 자세히 설명했다. 체포한 사람을 8일 내에 사형에 처하지 않을 경우

죄수를 비밀리에 독일로 이송한다. … 이 조치는 억지 효과를 가져올 것이다. 왜냐하면

(a) 죄수가 흔적도 없이 사라질 것이고,

(b) 죄수의 행방이나 운명에 대해 아무런 정보도 주지 않을 것이기 때문이다.[43]

친위대 보안국이 이 섬뜩한 임무를 맡았고, 압수된 보안국 서류철들은 'NN'(밤과 안개), 특히 희생자의 매장지를 극비에 부치라는 온갖 명령으로 가득하다. 서유럽의 얼마나 많은 사람들이 '밤과 안개' 속으로 사라졌는지는 뉘른베르크에서 끝내 규명되지 않았지만, 생존자는 거의 없었던 듯하다.

그렇지만 보안국의 기록에서 소련 점령지에 적용된 또다른 테러 작전의 희생자 수와 관련해 당시 실상을 드러내는 일부 수치를 얻을 수 있었다. 이 특정한 작전은 독일에서 특무집단Einsatzgruppen—그 활동 내용을 보면 '절멸대'라고 부르는 편이 더 나을지도 모르겠다—이라고 알려진 조직이 실행했다. 그들의 초반 성적은 마치 우연처럼 뉘른베르크에서 밝혀졌다.

재판을 시작하기 전 어느 날, 미국 검찰단의 일원인 젊은 해군 장교 휘트니 R. 해리스Whitney R. Harris 소령은 오토 올렌도르프의 전시 활동에 관해 심문하고 있었다. 이 젊어 보이고—38세였다—매력적으로 생긴 독일 지식인은 힘러의 제국보안본부 제3국 국장이면서도 전쟁 후반에는 대체로 경제부에서 대외무역 전문가로 일한 것으로 알려져 있었다. 올렌도르프는 심문관에게 전시의 1년을 제외하고는 베를린에서 공무를 담당했다고 말했다. 베를린에 없었던 그해에 무엇을 했느냐는 질문을 받고는 "저는 특무집단 D의 대장이었습니다"라고 답변했다.

훈련받은 변호사이자 이 무렵 독일 문제에 관한 정보의 권위자로 통하던 해리스는 특무집단에 관해 웬만큼 알고 있었다. 그래서 곧장 질문했다.

"당신이 특무집단 D의 대장을 맡은 1년 동안 당신의 집단은 남성과 여성, 아동을 몇 명이나 살해했습니까?"

훗날 해리스가 기억하기로 올렌도르프는 어깨를 으쓱하고는 아주 살짝 망설이더니 답변했다.

"9만 명입니다!"[44]

특무집단은 1939년 힘러와 하이드리히가 독일 육군에 뒤이어 폴란드로 들어가 그곳의 유대인을 잡아들이고 게토에 집어넣기 위해 처음 조직했다. 그리고 2년쯤 후에 소련 작전이 시작되고서야 독일 육군과의 합의에 의해 전투부대를 뒤따라가 "최종 해결"의 한 단계를 담당하라는 명령을 받았다. 이 목적을 위해 네 개의 특무집단 A, B, C, D가 편성되었다. 올렌도르프가 1941년 6월부터 1942년 6월까지 지휘한 D는 우크라이나 최남단에 배치되었고 제11군에 배속되었다. 존 할런 아멘 대령이 증인석의 올렌도르프에게 무슨 지시사항을 받았는지 물었다.

"유대인과 소비에트 정치위원을 처치하라는 지시였습니다."

"당신이 말하는 '처치'가 '살해'를 뜻하나요?" 하고 아멘이 물었다.

"그렇습니다, 살해를 뜻합니다"라고 올렌도르프가 답변하면서 거기에 남성뿐 아니라 여성과 아동도 포함되었다고 설명했다.

소련 판사 I. T. 니키첸코Nikitchenko 장군이 끼어들며 물었다. "무슨 이유로 아동을 살해했습니까?"

올렌도르프: 유대인 주민을 완전히 절멸시키라는 명령이었습니다.

판사: 아동까지 포함해서요?

올렌도르프: 그렇습니다.

판사: 유대인 아동 전원이 살해되었습니까?

올렌도르프: 그렇습니다.

올렌도르프는 추가 질문에 답변하면서, 그리고 선서진술서를 통해 전형적인 살해가 어떻게 이루어졌는지를 묘사했다.

특무부대는 마을이나 시가지에 진입한 뒤 저명한 유대인 인사들에게 명령하여 '재정착'을 위해* 모든 유대인을 소집하라고 했습니다. 그들에게는 귀중품을 내놓으라고 요구하고 처형 직전에 겉옷을 벗도록 했습니다. 보통은 대전차호인 처형장까지 그들을 트럭에 태워 데려갔습니다—언제나 즉시 처형할 수 있는 인원만큼만 이송했습니다. 이 방법으로 희생자들이 무슨 일을 당할지 알아차리는 순간부터 실제로 처형당하는 순간까지 걸리는 시간을 최대한 줄이려 했습니다.

그런 다음 무릎을 꿇리거나 세워둔 채 총살대가 군대식으로 사살하고 시신을 대전차호에 던져넣었습니다. 저는 각자가 멋대로 발포하는 것을 허용한 적이 없고 개개인의 직접 책임을 피하기 위해 몇 명이 동시에 발포하도록 했습니다. 다른 집단에서는 희생자들을 땅바닥에 엎드리도록 해서 목덜미를 쏘게 하는 대장도 있었습니다. 저는 그 방법을 승인하지 않았습니다.

"왜죠?" 하고 아렌이 물었다.

"희생자들에게나 처형을 실행하는 자들에게나 심리적으로 엄청난 부

---

* 다시 말해 그들은 다른 지역에 재정착할 것이라고 들었다.

담이 되었기 때문입니다" 하고 올렌도르프가 답변했다.

올렌도르프가 술회하기를 1942년 봄에 힘러는 여성과 아동의 처형 방법을 바꾸라고 지시했다.* 그 후로 여성과 아동은 베를린의 두 기업이 처형을 위해 특별히 고안한 '가스차Gaswagen'로 처리했다. 올렌도르프는 이 놀라운 차량이 어떻게 작동했는지를 법정에서 설명했다.

이 차량의 실제 용도를 겉으로는 알 수 없었습니다. 외관상으로는 지붕을 덮은 트럭처럼 보이지만 시동을 걸면 [배기] 가스가 차량 안으로 들어가서 10분에서 15분 만에 사망을 초래하도록 제작되었습니다.

"어떻게 희생자들을 차량 안으로 들어가도록 유도했습니까?" 하고 아멘 대령이 물었다.

"다른 지역으로 데려간다고 말했습니다"라고 올렌도르프가 대답했다.**

이어서 올렌도르프는 가스차 희생자들을 매장하는 것이 특무집단에게 "큰 시련"이었다고 불평했다. 이 사실은 뉘른베르크 법정에 제출된 베커Becker 박사라는 인물의 문서로 확인되었는데, 올렌도르프에 의하면 박사는 가스차의 제작자였다. 본부에 보낸 편지에서 베커 박사는 가스로 사망한 여성과 아동의 시신을 보안국 대원들이 차량에서 내려야 한다는 데 반대하며 다음과 같이 주장했다.

---

* 뒤에서 언급하겠지만 여기에는 특별한 이유가 있었다.
** 올렌도르프는 '특무집단 사건'의 다른 21명과 함께 뉘른베르크의 미국 군사법정에서 재판을 받았다. 그중 14명이 사형을 선고받았다. 그리고 단 4명, 올렌도르프와 다른 집단 대장 3명만이 실제로 처형되었다―형을 선고받은 지 3년 반이 지난 1951년 6월 8일 란츠베르크 형무소에서 집행되었다. 나머지 피고들에 대한 사형은 감형되었다.

그 작업은 대원들의 엄청난 심리적 타격과 건강 손상을 초래할 수 있습니다. 그들은 시신을 내릴 때마다 생기는 듯한 두통에 대해 제게 불평했습니다.

베커 박사는 상관들에게 다음과 같이 지적하기도 했다.

대개는 가스가 적절하게 사용되지 않고 있습니다. 운전사가 가급적 일찍 끝내려고 가속 페달을 최대한으로 밟고 있습니다. 그 때문에 처형되는 사람들은 애초 계획대로 졸다가 사망하는 것이 아니라 질식으로 사망하고 있습니다.

본인 생각으로는 꽤 인도주의적이었던 베커 박사는 처형 방법을 바꾸라고 지시했다.

저의 지시를 통해 레버를 적절히 조정함으로써 죽음을 더 앞당기고 포로가 평온하게 잠들 수 있다는 것이 입증되었습니다. 이전에 볼 수 있었던 일그러진 표정이나 배설물이 더 이상 보이지 않았습니다.[45]

그러나 올렌도르프가 증언했듯이 가스차로는 한 번에 15~25명만 처리할 수 있었고, 이는 히틀러나 힘러가 명령한 규모의 학살에는 턱없이 부족한 처리량이었다. 일례로 우크라이나 수도 키이우에서 1941년 9월 29일과 30일 단 이틀 동안 자행된 학살의 경우는 그 규모가 아예 달랐다. 특무집단의 공식 보고서에 따르면 이때 대다수가 유대인인 3만 3771명이 "처형"되었다.[46]

우크라이나에서 비교적 작은 규모의 집단처형을 어떻게 실행했는지에 관한 어느 독일인의 목격담을 영국 측 수석 검사 하틀리 쇼크로스Hartley Shawcross 경이 낭독했을 때, 뉘른베르크 법정은 경악하여 침묵에 잠겼다. 그 목격담은 어느 독일 건설사의 우크라이나 지부에서 관리인 겸 엔지니어로 일했던 헤르만 그레베Hermann Graebe의 선서진술서였다. 1942년 10월 5일, 그는 특무기동대Einsatzkommando〔점령지에서의 처형을 담당한, 특무집단의 하위 집단〕가 우크라이나 민병대의 지원을 받아 우크라이나 두브노의 처형 구덩이에서 활동하는 모습을 목격했다. 그들은 두브노의 유대인 주민 5000명을 살해하고 있었다.

… 건설 현장 주임과 저는 곧장 그 구덩이로 갔습니다. 흙더미 뒤편에서 소총을 연사하는 소리가 들렸습니다. 트럭에서 내린 사람들─남녀노소─은 말채찍이나 개채찍을 든 친위대 대원의 명령에 따라 옷을 벗어야 했습니다. 신발, 상의, 하의로 분류해놓은 지정된 장소에 그것들을 내려놓아야 했습니다. 저는 약 800에서 1000켤레의 신발 더미, 산처럼 쌓인 린넨 내의와 옷가지를 봤습니다.

이 발가벗은 사람들은 비명을 지르지도 눈물을 흘리지도 않았고, 가족끼리 우두커니 서서 서로 입맞춤과 작별 인사를 나누면서 역시 손에 채찍을 들고서 구덩이 근처에 서 있는 또다른 친위대 대원의 신호를 기다렸습니다. 구덩이 근처에 서 있었던 15분 동안 불평이나 자비를 애원하는 소리를 저는 전혀 듣지 못했습니다. …

백발이 성성한 어느 노파는 한 살짜리 아이를 품에 안고서 노래를 부르며 어르고 있었습니다. 아이는 즐거워하며 옹알거렸습니다. 그 모습을 부모는 눈물을 글썽이며 바라보았습니다. 아버지는 10살쯤 먹은 소년의 손을 잡고서 부드럽게 말을 걸고 있었고, 소년은 눈물을 참고 있었습니다. 아버지는 하늘을 가리키고 아들의 머리를 쓰다듬으며 무언가를 설명하려는 듯 보였습니다.

그 순간 구덩이 곁의 친위대 대원이 동료에게 무슨 소리를 질렀습니다. 그러자 그 동료는 20명가량을 추려 흙더미 뒤로 가라고 지시했습니다. … 저는 가냘프고 머리카락이 검은 한 여성이 제 근처를 지나갈 때 스스로를 가리키며 "23살이에요"라고 말한 모습을 똑똑히 기억하고 있습니다.

저는 그 흙더미 쪽을 둘러보다가 무시무시한 무덤구덩이를 보았습니다. 사람들의 몸을 빽빽하게 채우고 층층이 눕혀놓아서 머리만 겨우 보였습니다. 거의 모두 머리에서 어깨까지 피가 흘러내린 상태였습니다. 일부는 아직 움직이고 있었습니다. 일부는 아직 살아 있음을 보여주고자 팔을 들어 올리고 고개를 돌렸습니다. 그 구덩이는 이미 3분의 2가 채워져 있었습니다. 천여 명은 되어 보였습니다. 저는 총을 쏜 남자를 눈으로 찾았습니다. 그는 친위대 대원이었고, 구덩이의 좁은 쪽 가장가리에 앉아 구덩이 안으로 두 발을 늘어뜨리고 있었습니다. 그는 무릎에 토미건[톰슨 기관단총의 별명]을 올려놓고 담배를 피우고 있었습니다.

완전히 벌거벗은 사람들은 몇 계단을 내려갔다가 친위대 대원이 지시하는 장소까지 사람들의 머리 위로 기어갔습니다. 그들은 사망자나 부상자 위에 엎드렸습니다. 일부는 아직 살아 있는 사람들을 어루만지고 그들에게 나직한 목소리로 말했습니다. 잠시 후 총을 연사하는 소리를 들었습니다. 구덩이를 들여다보니 아래에 깔린 시체들 위에서 다른 시체들이 경련하거나 벌써 미동도 없이 고개를 숙이고 있었습니다. 그들의 목에서 피가 흘러나오고 있었습니다.

벌써 다음 무리가 다가오고 있었습니다. 그들은 구덩이로 내려가 이미 희생된 사람들 위에 줄줄이 누워 사살되었습니다.

이런 식으로 한 무리씩 차례로 죽어갔다. 이튿날 오전에 이 엔지니어는 그곳을 다시 찾았다.

저는 구덩이 근처에 벌거벗은 채 누워 있는 30여 명을 보았습니다. 나중에 아직 남아 있던 유대인들은 그 시신들을 구덩이에 던져 넣으라는 명령을 받았습니다. 그런 다음 그들 자신이 구덩이에 누워 목에 총을 맞았습니다. … 신께 맹세코 이 진술은 틀림없는 진실입니다.[47]

붉은군대가 독일군을 몰아내기 전까지 소련에서 얼마나 많은 유대인과 소련 공산당 관리가(전자가 후자보다 훨씬 더 많았다) 학살당했을까? 뉘른베르크에서도 정확한 총계는 끝내 집계할 수 없었다. 하지만 힘러의 기록이, 비록 체계적이지 않긴 해도, 학살의 실상을 대강 알려준다.

올렌도르프의 특무집단 D는 9만 명의 희생자를 낳았으나 다른 몇몇 집단에 미치지 못했다. 예를 들어 북부의 집단 A는 1942년 1월 31일, 발트 지역과 벨라루스에서 유대인 22만 9052명을 "처형"했다고 보고했다. 집단 A의 사령관 프란츠 슈탈레커Franz Stahlecker는 벨라루스에서 "된서리가 내린 뒤 집단처형이 훨씬 더 어려워져서" 늦게 시작하는 바람에 곤경을 겪었다고 힘러에게 보고했다. "그럼에도 [벨라루스에서] 현재까지 유대인 4만 1000명을 사살했다." 이후 1942년 3월에 소비에트 빨치산에 의해 제거된 슈탈레커는 자신이 담당하는 각 지역에서 죽음에 이른 사람들의 수—관 모양으로 상징했다—를 보여주는 말끔한 지도를 첨부하는 것으로 보고서를 끝맺었다. 그 지도가 보여주듯이 리투아니아에서만 유대인 13만 6421명이 살해되었고, 약 3만 4000명은 "노동에 필요해서" 당장은 처형을 면했다. 유대인이 상대적으로 적은 에스토니아를 가리켜

슈텔레커는 "유대인 없는" 지역이라고 단언했다.[48]

혹독한 겨울 동안 활동을 멈추었던 특무집단의 총살대들은 1942년 여름 내내 활개를 쳤다. 7월 1일까지 벨라루스에서 약 5만 5000명의 유대인이 더 학살당했고, 10월에 민스크의 게토에 남아 있던 주민 1만 6200명이 하루 만에 처치되었다. 11월경 힘러는 히틀러에게 8월부터 10월까지 소련에서 유대인 36만 3211명을 살해했다고 보고할 수 있었다. 다만 이 것은 아마도 피에 굶주린 총통을 기쁘게 하기 위해 다소 과장한 숫자였을 것이다.*[49]

게슈타포의 유대인과[제국보안본부 제4국(게슈타포) B부 4과] 과장 아돌프 아이히만에 따르면, 대다수가 유대인인 총 200만 명이 동부에서 특무집단에 의해 살해되었다. 그러나 이는 분명 과장된 숫자일 것이다. 친위대 간부들이 힘러와 히틀러를 기쁘게 하기 위해 절멸의 성적을 자주 부풀려 보고하면서 그토록 자랑스러워했다는 것은 이상하지만 사실이다. 힘러 직속의 통계학자 리하르트 코르헤어Richard Korherr 박사는 1943년 3월 23일, 이제까지 소련에서 유대인 총 63만 3300명이 "재정착"—특무집단의 학살을 가리키는 완곡 표현—되었다고 상관에게 보고했다.[50] 퍽 놀랍게도 이 숫자는 훗날 다수의 전문가들이 수행한 철저한 연구의 결과에 아주 가깝다. 여기에 전쟁의 마지막 2년 사이에 살해된 10만 명을 더 하면 아마도 우리가 얻을 수 있는 가장 정확한 수치가 될 것이다.**

---

* 8월 31일, 힘러는 처형이 어떻게 이루어지는지 자신이 직접 볼 수 있도록 특무집단의 한 부대를 민스크 감옥에 보내 수감자 100명을 처형하라고 지시했다. 그 감옥에 동행한 친위대 고급장교 바흐-잘레프스키(Bach-Zalewski)에 따르면 힘러는 총살대의 첫 일제사격의 효과를 보고는 거의 졸도했다고 한다. 몇 분 후에 총살대가 유대인 여성 두 명을 곧장 죽이지 못하자 친위대 수장은 히스테리를 부렸다. 이미 언급했듯이 이 경험의 결과로 힘러는 이제부터 여성과 아동은 총살하지 말고 가스차로 처치하라고 명령했다.[51]

큰 숫자이긴 하지만, "최종 해결"이 실행된 뒤 힘러의 절멸수용소들에서 죽어간 유대인의 수에 비하면 작은 숫자다.

"최종 해결"

———

1946년 6월의 어느 화창한 날, 미국 검찰단이 세 사람이 뉘른베르크에서 친위대 상급집단지도자 오스발트 폴Oswald Pohl을 심문하고 있었다. 폴은 다른 무엇보다 나치 강제수용소 수감자들의 노동 계획을 담당했던 인물이다. 친위대에 들어가기 전 해군 장교였던 폴은 독일이 붕괴한 뒤 종적을 감추었다가 1년 후—1946년 5월—에 한 농장에서 일꾼으로 위장한 채 일하던 중 발각되어 체포되었다.***

폴은 어떤 질문에 답하던 중 이미 몇 달 전부터 압수된 문서의 수백만 단어와 씨름하던 뉘른베르크 검찰단에 이내 익숙해진 용어를 사용했다. 힘러가 회스라는 동료를 "유대인 문제의 최종 해결"에 투입했다고 폴은 말했다.

"그것은 무엇이었나요?" 하고 검사가 물었다.

"유대인 절멸입니다." 폴이 답했다.

"최종 해결"이라는 표현은 전쟁이 진행됨에 따라 나치 간부들의 어휘와 문서에서 점점 더 빈번하게 나타났다. 그들은 이 무해해 보이는 표현

———

** 특무집단에 의해 살해된 소비에트 공산당 관리들의 수는 내가 아는 한 추산된 적이 없다. 보안국의 보고서 대부분은 그들과 유대인을 뭉뚱그린다. 1941년 10월 15일자 집단 A의 보고서에는 처형된 12만 1817명 가운데 유대인을 제외한 "공산당원들"이 3387명이라고 적혀 있다. 그러나 이 보고서는 대개 두 집단을 뭉뚱그려 언급한다.

*** 폴은 1947년 11월 3일 미국 군사법정의 이른바 '강제수용소 사건'에서 사형을 선고받고 1951년 6월 8일 올렌도르프 등과 함께 란츠베르크 형무소에서 교수형에 처해졌다.

을 사용함으로써 그것의 실제 의미를 서로에게 일깨우는 고통을 피하려 했던 듯하고, 어쩌면 언젠가 죄증이 되는 문서가 드러나더라도 이 표현으로 자신들의 죄를 얼마간 감출 수 있다고 생각했는지도 모른다. 실제로 뉘른베르크 재판에서 나치 간부 대다수는 이 표현의 의미를 안다는 것을 부인했으며, 괴링은 이 표현을 사용한 적조차 없다고 주장했다가 곧 들통이 났다. 뚱보 제국원수를 피고로 하는 재판에서 그가 1941년 7월 31일, 이미 소련에서 특무집단이 입맛을 다시며 절멸 임무를 시작한 무렵에 보안국 수장 하이드리히에게 보낸 지령이 제출되었다.

> [괴링이 하이드리히에게 지시함] 이것으로 귀관에게 … 독일의 영향 아래 있는 유럽 영토에서 유대인 문제의 **전면 해결**과 … 관련한 모든 준비를 할 임무를 위임한다. …
> 또한 귀관에게 … 예정된 유대인 문제의 **최종 해결**을 실행하기 위해 이미 취한 조치에 관한 … 대략적인 보고서를 가급적 조속히 내게 제출할 것을 지시한다. [강조는 샤이러][52]

하이드리히는 괴링이 "최종 해결"이라는 표현으로 무엇을 말한 것인지 아주 잘 알고 있었다. 자신도 근 1년 전, 폴란드 함락 이후 열린 비밀 회의에서 그 용어를 쓴 바 있었기 때문이다. 그 자리에서 하이드리히는 "최종 해결의 제1단계"를 개관하면서 폴란드의 모든 유대인을 대도시의

---

* 이 지령의 영어 사본에서 마지막 줄의 독일어 단어 'Endlösung'이 '최종 해결'이 아닌 '바람직한 해결'로 오역되어 있었던 터라 독일어를 알지 못했던 잭슨 판사는, 괴링이 반대 심문 중에 자신은 그 불길한 용어를 사용한 적이 없다고 주장하도록 허용한 셈이 되었다. "제가 이 끔찍한 절멸에 대해 처음 알게 된 것은 바로 이곳 뉘른베르크에서입니다"라고 괴링은 소리쳤다.

게토로 집결시켜 그들을 최종 운명으로 이끄는 것은 간단한 일이라고 말했다.

앞에서 언급했듯이 "최종 해결"은 아돌프 히틀러가 이미 훨씬 전에 구상하고 전쟁 개시 전부터 공언한 목표였다. 1939년 1월 30일, 히틀러는 제국의회 연설에서 이렇게 말했다.

국제 유대인 금융업자들이 … 또다시 여러 나라를 세계대전으로 몰아넣는다면, 그 결과는 … 유럽 전역에서의 유대 인종의 절멸이 될 것입니다.

히틀러 본인의 말마따나 그것은 예언이었고, 이후 공개 석상에서 똑같은 예언을 다섯 차례나 되풀이했다. "국제 유대인 금융업자들"이 아니라 본인이 세계를 무력 분쟁으로 몰아넣었다는 사실은 아무래도 상관없었다. 히틀러에게 중요한 것은 이제 세계대전이 일어났고 유럽 유대인 대다수가 거주하는 동부의 광대한 지역들을 정복하고 나면 그들을 "절멸"시킬 기회를 얻을 수 있다는 것이었다. 소련 침공을 시작할 무렵, 히틀러는 필요한 명령을 내렸다.

나치 고위직 사이에서 "최종 해결에 대한 총통 명령"이라고 알려진 것은 문서로 작성된 적이 없는 듯하다—그런 서류는 적어도 압수된 나치 문서들 속에서는 발견되지 않았다. 모든 증언이 히틀러가 그 명령을 십중팔구 구두로 괴링, 힘러, 하이드리히에게 내렸고, 이들 세 사람이 1941년 여름부터 가을에 걸쳐 그 명령을 하달했다는 것을 드러낸다. 뉘른베르크에서 다수의 증인이 그 명령을 "들었다"고 증언하긴 했으나 그것을 보았다고 인정한 이는 없었다. 일례로 고집스러운 총리실장 한스 라머스는 증인석에서 추궁당할 때 이렇게 답변했다.

저는 총통 명령을 괴링이 하이드리히에게 전한 사실을 알고 있었습니다. …
그 명령은 "유대인 문제의 최종 해결"이라 불렸습니다.[53]

그러나 증인석에 섰던 다른 수많은 이들과 마찬가지로 라머스는 연합
국 법률가들이 뉘른베르크에서 밝혀낼 때까지 그 명령의 의미를 정말로
알지 못했다고 주장했다.*

1942년 초, 하이드리히의 말대로 "최종 해결"의 "근본적인 문제들을
깨끗이 정리"하기 위해 마침내 그 해법을 실천하고 완결할 때가 왔다. 이
목표를 위해 하이드리히는 1942년 1월 20일, 친위대-보안국의 여러 부
서와 기관 대표들을 베를린 근교의 쾌적한 반제 호수 유원지로 소집해
회의를 열었다—이때의 회의록이 훗날 뉘른베르크의 몇몇 법정에서 중
요한 역할을 했다.[54] 소련에서 독일 국방군의 기세가 꺾이고 있었음에
도, 나치 관료들은 전쟁에서 거의 이겼고 독일이 조만간 잉글랜드와 아
일랜드를 포함해 유럽 전역을 통치할 것이라고 믿고 있었다. 그런 이유
로 하이드리히는 한데 모인 약 15명의 고위 관료들에게 "유럽 유대인 문
제의 최종 해결 과정에 대략 1100만 명의 유대인이 엮여들게 된다"라고
말했다. 그런 다음 나라별 숫자를 열거했다. 제3제국 본토에는 유대인이
(1939년의 25만 명 중에서) 13만 1800명밖에 남지 않았지만, 소련에 500만

---

* 라머스는 1949년 4월, 뉘른베르크의 미국 군사법정에서 주로 반유대인 법령에 대한 책임 때문에
20년 징역형을 선고받았다. 그러나 미국 당국이 형을 대폭 감해준 다른 대다수 나치 기결수들과 마
찬가지로 라머스도 1951년에 10년으로 감형되었고, 처음 수감되고 총 6년을 복역한 뒤 1951년 말
에 란츠베르크 형무소에서 석방되었다. 이 대목에서 대다수 독일인은, 적어도 서독 의회에서 드러
난 그들의 정서를 감안하면, 히틀러의 공범들에게 내려진 비교적 가벼운 형량에도 수긍하지 않았다
는 점을 지적할 수 있겠다. 연합국이 서독 측에 인도한 공범들 여럿은 기소조차 되지 않았고—심지
어 대량 살해를 저지른 자들도—일부는 곧장 서독 정부에 고용되었다.

명, 우크라이나에 300만 명, 폴란드 총독령에 225만 명, 프랑스에 75만 명, 잉글랜드에 33만 명이 있었다. 하이드리히는 1100만 명을 모조리 절멸시켜야 한다고 분명하게 암시했다. 이어서 이 만만찮은 과제를 어떻게 수행할지 설명했다.

지금 최종 해결 중인 유대인은 … 노동력으로 부리기 위해 … 동부로 데려가야 한다. 성별로 분리한 대규모 노동자 무리에서 노동 가능한 유대인은 동부 지역들로 데려가 도로 건설에 투입할 텐데, 그런 노역을 하는 동안 틀림없이 자연 감소를 통해 대폭 줄어들 것이다.

이 모든 과정을 견디고 끝까지 살아남은 유대인은 — 틀림없이 저항력이 가장 강한 자들이므로 — 합당하게 처리해야 하는데, 자연선택을 체현하는 이 자들은 장차 새로운 유대인 발전의 생식세포로 여겨질 것이기 때문이다.

달리 말하면, 유럽의 유대인을 우선 동부 점령지로 이송한 다음 죽을 때까지 일을 시키고, 살아남은 강인한 소수는 간단히 죽인다는 이야기였다. 그렇다면 이미 수중에 있는 동부 거주 유대인 — 수백만 명 — 은 어떻게 할 것인가? 폴란드 총독부를 대표해 참석한 요제프 빌러Josef Bühler 차관은 그 답을 마련해놓고 있었다. 폴란드에는 약 250만 명의 유대인이 있으며 그들이 "큰 위험이 됩니다"라고 빌러는 말했다. 그들은 "전염병 매개자이자 암거래상이기도 해서 노동에는 부적합"하다고 빌러는 설명했다. 이 250만 명을 이송할 필요는 없었다. 그들은 이미 있어야 할 곳에 있었다.

[빌러 박사가 결론지음] 저의 요청은 단 한 가지, 저희 영토의 유대인 문제를 가급적 조속히 해결하는 것입니다.

이 충실한 차관은 히틀러를 비롯한 나치 수뇌부 전원이 느끼던 조바심을 드러냈다. 이 시점에—실은 1942년 말까지도—그들 중 어느 누구도 유대인 수백만 명이 노예노동력으로서 독일에 얼마나 귀중한 존재가 될지 미처 깨닫지 못했다. 이 시점에 그들이 알았던 것이라곤 유대인 수백만 명을 소련의 도로 건설에 투입해 노역으로 죽이려면 시간이 한참 걸릴 수 있다는 것뿐이었다. 그 결과, 이 불운한 사람들이 일하다가 죽기 한참 전에—대개는 노역을 시작하지도 못했다—히틀러와 힘러가 더 빠른 방법으로 그들을 처치하기로 결정했다.

두 가지 주된 방법이 있었다. 앞에서 언급했듯이 한 가지 방법은 1941년 여름 소련을 침공한 직후에 사용하기 시작했다. 바로 특무집단의 총살대를 급파해 폴란드와 소련의 유대인을 집단 학살하는 방법으로, 약 75만 명을 처리했다.

1943년 10월 4일 포젠에서 친위대 장군들에게 연설할 때, 힘러는 "최종 해결"을 달성할 이 방법을 염두에 두고 있었다.

… 나는 매우 중대한 문제를 여러분에게 아주 솔직하게 말하고 싶다. 우리끼리는 그 문제를 아주 솔직하게 말할 수 있지만, 외부에는 절대 발설해서는 안 된다. …

내 말은 … 유대 인종의 절멸을 뜻한다. … **여러분** 대다수는 시체 100구가, 또는 500구나 1000구가 나란히 누워 있을 때 그것이 무엇을 의미하는지 알아야 한다. 그것을 견뎌내는 동시에—인간 본연의 약점으로 인한 예외는 제쳐두고—인간으로서의 품위를 지키는 것, 그것이 우리를 단단하게 만들어왔다. 이것은 우리 역사에서 이전에도 쓰인 적이 없고 앞으로도 쓰이지 않을 영광의 한 페이지다. …[55]

여성을 포함하는 동부 유대인 100명을 재미로 처형시켰다가 그 광경에 졸도할 뻔했던 안경잡이 친위대 지도자는 분명 친위대 장교들이 절멸수용소에서 효율적으로 운영한 가스실을 독일 역사의 더욱 영광스러운 페이지로 여겼을 것이다. 바로 그 죽음의 수용소에서 "최종 해결"이 가장 섬뜩하게 달성되었기 때문이다.

절멸수용소

30개 남짓한 나치의 주요 강제수용소들은 모두 죽음의 수용소였고, 그 안에서 수백만 명이 고통받고 굶주리며 죽어갔다.* 당국이 기록을 보관하긴 했지만—수용소마다 공식 사망자 명부Totenbuch가 있었다—불완전하거니와 승기를 잡은 연합군이 다가올 때 대부분 파기해버렸다. 마우트하우젠 수용소에 남아 있던 사망자 명부 일부에는 1939년 1월부터 1945년 4월까지 사망한 3만 5318명의 이름이 적혀 있다.** 노예노동이 절실히 필요해지기 시작한 1942년 말에 힘러는 강제수용소의 사망률을 "낮추어야 한다"고 지시했다. 노동력이 부족한 실정이었으므로 힘러는 1942년 6월부터 11월까지 강제수용소들에 수감된 13만 6700명 중 7만 610명이 죽었을 뿐 아니라 9267명이 처형되고 2만 7846명이 "이송"되었다는 보고서를 집무실에서 받고 기분이 상했다.[56] 이송된 곳은 가스실이었다. 따라서 노동할 인력이 별로 남아 있지 않았다.

그러나 "최종 해결"을 위한 성과를 가장 많이 거둔 곳은 절멸수용

---

* 코곤(Kogon)은 총 수감자 782만 명 중 712만 5000명이 사망했을 것으로 추정하지만, 이 숫자는 확실히 너무 많다. (Kogon, *The Theory and Practice of Hell*, p. 227)
** 수용소장 프란츠 치라이스(Franz Ziereis)는 총 사망자가 6만 5000명에 달한다고 말한다.[57]

소Vernichtungslager였다. 가장 크고 가장 유명한 절멸수용소는 네 개의 거대한 가스실과 인접한 소각장을 갖추어 살해 및 매장 능력에서 다른 절멸수용소들—모두 폴란드에 있었던 트레블링카, 베우제츠, 소비보르, 헤움노—에 크게 앞선 아우슈비츠였다. 리가, 빌뉴스, 민스크, 커우너스, 리비우에도 별도의 작은 절멸수용소들이 있었지만, 독가스가 아닌 총격으로 살해했다는 점에서 주요 절멸수용소들과 구별되었다.

한동안 친위대 간부들은 유대인을 빨리 죽이기에 가장 효율적인 독가스가 무엇인지를 놓고 꽤 치열하게 경쟁했다. 속도는 중요한 요인이었으며, 특히 운영 막바지에 독가스로 하루 6000명을 살해하며 신기록을 세우던 아우슈비츠에서 그러했다. 한때 이 수용소 소장이었던 살인죄 전과자 루돌프 회스는 훗날 뉘른베르크에서 자신이 사용한 독가스의 우수성에 관해 증언했다.*

유대인 문제의 "최종 해결"은 유럽 내 모든 유대인의 완전 절멸을 의미했습니다. 저는 1941년 6월, 아우슈비츠에 절멸시설을 짓도록 지시했습니다. 그 무렵 폴란드 총독령에 이미 다른 세 개의 절멸수용소 베우제츠, 트레블

---

* 1900년 바덴바덴에서 작은 상점주의 아들로 태어난 회스는 신실한 가톨릭교도인 아버지로부터 사제가 되라는 압박을 받았다. 하지만 1922년 나치당에 입당했다. 이듬해 회스는 레오 슐라게터(Leo Schlageter)를 비방했다는 어느 교사를 살해한 사건에 가담했는데, 슐라게터는 루르 지역에서 사보타주를 했다가 프랑스 측에 의해 처형되어 나치 순교자가 된 독일인이었다. 회스는 종신형을 선고받았다.
그는 1928년 대사면 때 석방되었고, 2년 후 친위대에 가입했으며, 1934년 강제수용소 경비가 주요 임무인 친위대 해골부대의 일원이 되었다. 이 부대에서 그의 첫 부임지는 다하우 수용소였다. 이렇듯 그는 성년기 거의 전부를 처음에는 죄수로, 그다음에는 간수로 보냈다. 그는 뉘른베르크 증인석에서도, 검찰을 위한 선서진술서에서도 자신의 살해 행위를 거리낌없이—심지어 과장해서—증언했다. 나중에 폴란드 측에 넘겨진 그는 사형을 선고받고 1947년 3월, 자신의 최대의 범행 현장인 아우슈비츠에서 교수형에 처해졌다.

링카, 볼체크Wolzek〔'볼체크'라는 이름의 절멸수용소는 존재하지 않았다. 이 발언은 훗날 홀로코스트 부인론자들의 논거로 사용되었지만, 폴란드 지명을 잘 알지 못했던 회스가 그저 소비보르 수용소를 잘못 말한 것으로 보인다〕가 있었습니다. …

저는 트레블링카를 방문해 그곳에서 절멸을 어떻게 실행하는지 확인했습니다. 트레블링카 수용소장은 제게 반년 동안 8만 명을 처치했다고 말했습니다. 그의 주요 관심사는 바르샤바 게토의 모든 유대인을 처치하는 것이었습니다.*

그는 일산화가스를 사용했지만 저는 그의 방법이 그리 효율적이라고 생각하지 않습니다. 그래서 아우슈비츠에 절멸시설을 지었을 때 결정화된 청산인 치클론 B를 사용했고, 작은 구멍을 통해 사형실 안으로 떨어뜨렸습니다. 사형실에서 사람들을 죽이는 데에는 기상 조건에 따라 3분에서 15분이 걸렸습니다.

우리는 사람들의 비명이 그치는 것으로 그들이 죽었음을 알 수 있었습니다. 보통은 30분쯤 지나서야 빗장을 열고 시신을 꺼냈습니다. 시신을 꺼내고 나면 우리의 특별기동대가 시신에서 반지를 빼고 금니를 뽑았습니다.

우리가 트레블링카를 개량한 다른 점은, 우리가 지은 가스실들은 한 번에 2000명을 한 공간에 수용했던 반면 트레블링카의 10개 가스실들은 각각 200명만 수용했다는 것입니다.

그런 다음 회스는 가스실로 보낼 희생자들을 어떻게 "선별"했는지 설

---

* 그곳의 유대인 수가 많았고 결국 무장 저항에 직면했기 때문에 이 과제는 (앞으로 살펴볼 것처럼) 1943년까지 완수할 수 없었다.

명했다. 수감자 전원을, 그것도 한꺼번에 제거하지는 않았는데, 수감자 일부는 I. G. 파르벤 사의 화학공장과 크루프 사의 공장에서 일하다 지쳐 "최종 해결"로 넘겨질 때까지 부려먹어야 했기 때문이다.

아우슈비츠에는 두 명의 친위대 의사가 근무하며 이송되어 오는 수용자들을 검사했습니다. 수감자들이 두 의사 중 한 명 앞을 줄줄이 지나갈 때 의사가 즉석에서 판정을 내렸습니다. 노동에 적합한 이들은 수용소로 보냈습니다. 다른 이들은 곧장 절멸시설로 보냈습니다. 유년기 아이들은 어려서 노동을 할 수 없다는 이유로 예외 없이 절멸시켰습니다.

회스는 대량 살해의 기술을 끊임없이 개량했다.

우리가 트레블링카를 개량한 또다른 점은, 트레블링카에서는 희생자들이 거의 언제나 자기들이 죽으리라는 것을 알았던 데 비해 아우슈비츠의 우리는 희생자들을 속여서 이[蝨]를 퇴치하러 간다는 생각이 들게 했다는 것입니다. 물론 그들은 자주 우리의 진짜 의도를 알아차렸고, 우리는 때때로 폭동과 곤경을 겪었습니다. 여자들이 걸핏하면 자녀를 옷 안에 숨기곤 했지만, 우리는 아이를 발견하면 당연히 절멸시설로 보냈습니다.
우리는 이런 절멸을 비밀리에 수행할 것을 요구받았지만, 시신을 계속 소각하면서 생기는 탁하고 메스꺼운 악취가 당연히 널리 퍼져나갔고, 수용소 주변에 거주하는 사람들 모두가 아우슈비츠에서 절멸이 진행된다는 것을 알고 있었습니다.

이따금 소수의 "특별한 포로들"―소련군 전쟁포로를 가리키는 듯하다―은 간단히 벤진을 주사해 살해했다고 회스는 설명했다. "우리 의사들은 통상적인 사망진단서를 작성해야 했고 사인으로 아무 이유나 적을 수 있었습니다."*58

회스의 둔감한 묘사에 생존 수감자들과 간수들이 증언한, 아우슈비츠에서 자행된 살해와 처치의 실상을 간략하게 덧붙일 수 있겠다. 어떤 유대인에게 노동을 시키고 어떤 유대인을 즉시 독가스로 죽일지 "신별"하는 절차는 희생자들이 길게는 1주일 동안―다수가 프랑스, 네덜란드, 그리스 같은 먼 지역에서 왔다―음식도 물도 없이 갇혀 있던 화물차에서 내리자마자 철도 측선에서 곧바로 이루어졌다. 남편과 아내, 부모와 자녀를 떼어놓는 가슴 미어지는 광경이 펼쳐졌음에도, 회스가 증언하고 생존자들이 이구동성으로 말했듯이, 붙잡혀온 사람들은 어느 누구도 앞으로 무슨 일이 닥칠지 알지 못했다. 사실 그들 중 일부는 '발트제Waldsee'를 묘사한 아름다운 그림엽서를 받고서 이름을 적어 고향의 친지에게 보내기까지 했다. 그 엽서에는 다음과 같은 문구가 인쇄되어 있었다.

우리는 여기서 아주 잘 지냅니다. 일자리가 있고 좋은 대우를 받고 있습니다. 여러분이 도착하기를 기다리고 있겠습니다.

가스실 자체와 인접한 소각장은 근거리에서 볼 때 전혀 불길한 장소로 보이지 않았다. 그곳의 용도가 무엇인지 밖에서 보고 알아내기란 불

---

* 대개는 사인으로 "심장 질환"을 적었다. 부헨발트에서 8년을 근무한 코곤은 한 사례를 제시한다. "… 이 환자는 장기간 앓다가 ○일 ○시에 사망했다. 사인: 폐렴으로 악화된 심장 쇠약." (Kogon, *The Theory and Practice of Hell*, p. 218) 대규모 독가스 살해가 시작되자 아우슈비츠에서는 이런 형식상의 절차를 생략해버렸다. 대개 당일의 사망자 수조차 집계하지 않았다.

가능했다. 그 주변에는 잘 가꾼 잔디밭과 꽃밭이 있었고, 입구의 표지에는 그저 "목욕실"이라고만 적혀 있었다. 이상한 낌새를 알아채지 못한 유대인들은 모든 수용소의 관례대로 단순히 이를 잡기 위해 목욕을 한다고 생각했다. 게다가 감미로운 음악까지 들려주었다!

경음악 악단이 있었기 때문이다. 어느 생존자가 기억하듯이, 수감자들 중에서 "모두 흰색 블라우스와 감청색 치마를 입은 어리고 예쁜 소녀들"로 오케스트라를 꾸렸다. 가스실로 들어갈 이들을 선별하는 동안, 이 독특한 합주단은 〈유쾌한 과부〉나 〈호프만 이야기〉의 즐거운 곡들을 연주했다. 베토벤의 장중하고 침울한 곡은 전혀 들려주지 않았다. 아우슈비츠에서 죽음의 여정은 빈과 파리의 오페레타 못지않게 명랑하고 쾌활한 분위기 속에 이어졌다.

더 행복하고 들뜬 지난날을 상기시키는 그런 음악을 들으며 남녀노소는 "목욕실"로 가서 지시에 따라 옷을 벗고 "샤워"할 준비를 했다. 때로는 수건까지 지급받았다. 그들이 "샤워실"로 들어가고 나면—아마도 이때 비로소 무언가 잘못되었다고 느꼈을 텐데, 무려 2000명이 정어리처럼 빽빽하게 들어차서 목욕 자체가 어려웠기 때문이다—육중한 문을 닫고 자물쇠를 채운 뒤 밀폐했다. 죽음의 홀로 이어지는 수직관의 버섯 모양 덮개를 잘 가꾼 잔디밭과 꽃밭으로 거의 감춘 위쪽에서는 잡역부들이 자수정색과 파란색을 섞은 듯한 시안화수소 결정, 즉 치클론 B를 떨어뜨릴 준비를 하며 서 있었다. 치클론 B는 본래 상업적 목적의 강력한 살충제로 생산되었으나 앞에서 언급했듯이 회스가 새로운 용도를 발견하고서 무척 자랑스러워한 물질이었다.

근처 블록에서 지켜본 생존 수감자들은 몰Moll이라는 이름의 부사관이 잡역부들에게 치클론 결정을 수직관에 쏟아부으라고 신호를 보냈을 때의 광경을 기억했다. 몰이 "좋아, 저놈들에게 먹을 걸 줘(Na, gib ihnen schon zu fressen)"라고 말하며 웃으면 치클론이 구멍으로 쏟아져 내려갔다. 다 넣은 후에는 수직관을 밀봉했다.

처형 집행자들은 두꺼운 유리창을 통해 무슨 일이 벌어지는지 지켜볼 수 있었다. 아래쪽의 벌거벗은 수감자들은 물이 나오지 않는 샤워기를 올려다보았을 것이고, 어쩌면 왜 배수구가 없는지 궁금해하며 바닥을 내려다봤을 것이다. 가스가 큰 효과를 발휘하기까지 잠시 시간이 걸렸다. 그러나 곧 수감자들은 수직관의 구멍에서 치클론이 떨어진다는 사실을 알게 되었다. 그러면 대개 패닉에 빠져 수직관에서 우르르 멀어지고 결국 육중한 철제문으로 몰려갔으며, 제럴드 라이틀링거Gerald Reitlinger의 표현대로 "그들은 검푸르고 축축하고 피로 뒤덮인 하나의 피라미드를 이룬 채 죽어서도 서로를 할퀴고 쥐어뜯고 있었다".

20분이나 30분 후 엄청나게 많은 나체들이 몸부림을 멈추고 나면 펌프로 독가스를 빼내고, 커다란 문을 열고, 특별기동대Sonderkommando에게 뒤처리를 맡겼다. 이 특공대는 유대인 남성 수감자들로서 가장 섬뜩한 작업을 맡는 대가로 목숨 보전과 충분한 음식을 약속받았다.* 그들은 방독면과 고무장화와 휘어지는 호스로 무장한 채 작업에 착수했다. 라이틀링거는 그 작업을 이렇게 묘사했다.

그들의 첫 과제는 뒤엉킨 시체들을 끌어내기 전에 올가미와 갈고리로 피와 배설물을 치우는 것이었으며, 이는 금붙이 찾기, 치아 뽑기, 그리고 독일 측

---

* 아니나 다를까 그들은 정기적으로 가스실에서 제거되었고, 같은 운명을 맞을 새로운 팀으로 교체되었다. 친위대는 비밀을 누설할 생존자를 원하지 않았다.

이 전략 물자로 여긴 머리카락 채취의 서곡이었다. 그런 다음 승강기 또는 철도 화물차로 시체를 소각장까지 나르고, 제분기로 유골을 곱게 빻고, 트럭에 실어 솔라 강의 물줄기에 유분을 흩뿌렸다.*

기록이 보여주듯이, 독일 기업가들은 살해하고 시체를 처리하는 장치의 제작 주문을 받고 치명적인 파란색 결정을 공급하기 위해 꽤 치열하게 경쟁했다. 가열 장치를 제작하는 에어푸르트의 J. A. 토프 & 죄네Topf & Söhne 사는 아우슈비츠 소각장 건립 공사를 수주했다. 그 경위는 수용소 기록에서 발견된 방대한 통신문을 통해 드러났다. 이 회사의 1943년 2월 12일자 서신이 당시의 상황을 알려준다.

아우슈비츠 친위대 및 경찰 건설본부 귀중
공사명: 수용소의 소각장 2와 3
시신 운반용 전기승강기 2대와 비상용 승강기 1대, 삼중식 소각로 5기에 대한 귀처의 주문을 접수했음을 알립니다. 석탄을 보급하고 유분을 운반하기 위한 실용적인 설비의 주문도 접수했습니다.[59]

소각장 사업에 관여한 다른 두 기업의 서신도 뉘른베르크 재판에서 등장했다. 나치 수용소 여러 곳의 시체를 처리하는 사업은 상업적 경쟁을 유발했다. 이 분야에서 가장 오래된 독일 기업들 중 하나는 베오그라

---

* 뉘른베르크 재판에서 유분을 이따금 비료로 팔았다는 증언이 나왔다. 소련 검찰이 제시한 문서에 따르면, 단치히의 어느 기업은 인체의 지방으로 비누를 만들기 위해 전기로 열을 가하는 탱크를 제작했다. 그 "제조법"에는 "인체 지방 12파운드, 물 10쿼트, 가성소다 8온스에서 1파운드 … 전부 두세 시간 끓인 뒤 냉각"이라고 되어 있었다.[60] [이 '인체 비누설'은 훗날 사실이 아닌 것으로 확인되었다.]

드에 있는 대규모 친위대 야영지에 지을 소각장의 도면을 제시했다.

시신을 소각로에 집어넣기 위해 본사는 간단히 실린더로 움직이는 금속 갈
퀴를 제안합니다.

관을 사용하지 않을 것이므로 각 소각로마다 24×18인치에 불과한 화덕을
갖출 것입니다. 시신을 적치 장소에서 소각로까지 운반하기 위해 본사는 바
퀴 달린 경량 수레를 사용할 것을 제안하고, 일정 비율로 축소해 그린 도해
를 동봉합니다.[61]

또다른 기업 C. H. 코리Kori 사도 베오그라드 사업을 원했고, 이미 다
하우 수용소에 4기, 루블린 수용소에 5기의 소각로를 설치해 "실제로 완
전한 만족"을 주었다면서 이 분야에서의 풍부한 경험을 강조했다.

시신 소각용 간이설비 시공을 위한 장비 반입과 관련해 귀처와 구두로 협의
한 데 이어, 본사의 완벽한 소각로 설계서를 제출합니다. 석탄을 연료로 가
동하는 것으로, 이제까지 완전한 만족감을 드리고 있습니다.

본사는 계획된 건조물에 2기의 소각장 화덕을 제안드리지만, 2개 화덕이 귀
처의 요망사항에 충분할지 확인하기 위해 다시 한 번 검토해보실 것을 권고
드립니다.

본사는 소각장 화덕의 효율뿐 아니라 내구성, 최고의 자재 사용, 흠잡을 데
없는 시공까지를 보장합니다.

거듭 본사에 맡겨주시기를 바라며 귀처의 회신을 기다리겠습니다.

하일 히틀러!

유한책임회사 C. H. 코리[62]

이처럼 최고의 자재를 사용하고 흠잡을 데 없는 시공 기술을 구사하는 독일 자유기업의 부단한 노력마저도 결국에는 시체를 소각하기에 불충분한 것으로 드러났다. 여러 수용소에서 제대로 건설된 소각장들은 시체를 처리하기에 한참 부족했으며, 특히 1944년에 매일 무려 6000구(회스가 추정하는 최대치는 1만 6000구다)를 소각해야 했던 아우슈비츠에서 그러했다. 예를 들어 1944년 여름 46일 동안 이 수용소에서 헝가리인 유대인만 해도 25만에서 30만 명이 죽어나갔다. 가스실마저 부족해 특무기동대 방식의 대량 총살에 의존해야 했다. 시체들은 그저 구덩이에 던져넣고 불살랐으나 대개는 어느 정도 태우다가 말았고, 그 위에 흙을 덮고 불도저로 밀어버렸다. 막판에 수용소장들은 소각시설이 불충분할 뿐 아니라 "비경제적"인 것으로 판명되었다고 불평했다.

희생자들을 죽인 치클론 B 결정은 I. G. 파르벤으로부터 특허를 매입한 두 독일 기업이 공급했다. 바로 함부르크의 테슈 & 슈타베노브Tesch & Stabenow 사와 데사우의 데게슈Degesch 사로, 전자는 한 달에 시안화물 결정을 2톤씩, 후자는 0.75톤씩 공급했다. 뉘른베르크에서 두 기업의 치클론 인도 선하증권이 증거로 제출되었다.

두 회사의 이사진은 그 제품을 그저 훈증 소독 용도로 팔았을 뿐 살해 목적으로 사용된 사실을 알지 못했다고 주장했지만, 이 변론은 통하지 않았다. 테슈 & 슈타베노브 사가 치클론 결정뿐 아니라 절멸실에 필요한 환기 및 가열 장치까지 공급했음을 알려주는 서신이 제출되었다. 게다가 일단 털어놓기 시작한 후로는 막힘없이 발언한, 독특하기 그지없는 회스가 테슈 사의 이사진은 200만 명을 절멸시키기에 충분한 양을 공급했으므로 자사 제품이 어떻게 사용되는지 몰랐을 리 없다고 증언했다.

이 사실을 확인한 영국 군사법정은 1946년 두 동업자 브루노 테슈Bruno Tesch와 카를 바인바허Karl Weinbacher에 대한 재판에서 사형을 선고하고 교수형에 처했다. 둘째 기업 데게슈 사의 이사 게르하르트 페터스Gerhard Peters 박사는 곤경에서 더 가볍게 벗어났다. 독일 법정은 그에게 징역 5년형을 선고했다.[63]

독일에서 전후 재판이 열리기 전에는 비교적 수수의 광저인 친위대 지도부만이 대량 살해를 저질렀다는 것이 통념으로 여겨졌다. 그러나 법정 기록을 보면, 크루프 가문이나 화학 트러스트 I. G. 파르벤의 이사진뿐 아니라 더 작은 회사의 사주들까지 포함해 독일 재계의 여러 인사들, 겉으로는 지극히 무난하고 점잖으며—훌륭한 기업가라면 어디서나 그렇듯이—지역사회의 기둥인 인사들이 대량 살해에 관여한 것은 틀림없는 사실이다.

아우슈비츠 수용소 하나에서 몰살당한 불운하고 무고한 사람들—대다수가 유대인이었지만 특히 소련군 전쟁포로를 비롯해 다른 이들도 꽤 많았다—은 얼마나 될까? 정확한 숫자는 결코 알 수 없을 것이다. 회스 자신은 선서진술서에서 "독가스와 소각으로 처형되고 절멸된 희생자들이 250만 명, 굶주림과 질병으로 죽은 이들이 적어도 50만 명, 도합 약 300만 명"으로 추정했다. 나중에 바르샤바에서 열린 본인 재판에서 회스는 추정치를 113만 5000명으로 줄였다. 1945년 1월에 붉은군대가 아우슈비츠를 장악한 뒤 그곳을 조사한 소비에트 정부는 400만 명으로 추정했다. 라이틀링거는 자신의 철저한 연구에 근거해 아우슈비츠에서 가스로 살해된 인원이 "75만 명"에 달하지는 않았을 것으로 추정한다. 그는 약 60만 명이 가스실에서 죽었을 것으로 추정하고, 여기에 총살되거나 굶주림과 질병으로 죽은 30만 명 또는 그 이상의 "실종자" 중 "알려지지

않은 비율"의 인원을 추가한다. 어쨌든 어느 추정치나 상당한 숫자다.[64]

시체는 소각되었지만 치아의 금 충전재는 남았으며, 축축한 시체 더미를 뒤처리하는 특별기동대가 벌써 빼가지 않았을 경우 유분에서 회수했다.* 금은 녹인 뒤 처형된 유대인에게서 가로챈 다른 귀중품과 함께 제국은행으로 보냈으며, 제국은행은 힘러와 은행 총재 발터 풍크의 비밀합의에 따라 이 약탈품을 '막스 하일리거Max Heiliger'라는 위장 이름을 쓰는 친위대 금고에 예치했다. 절멸수용소들에서 가져온 이 굉장한 약탈품에는 치아의 금뿐 아니라 금으로 만든 시계, 귀걸이, 팔찌, 반지, 목걸이, 심지어 안경테까지 포함되었다―약속받은 "재정착"을 위해 모든 귀중품을 챙겨서 떠나도록 유대인들에게 종용했기 때문이다. 막대한 양의 보석, 특히 다이아몬드나 허다한 은붙이도 있었다. 그리고 다량의 현찰 다발이 있었다.

실제로 제국은행은 '막스 하일리거'의 예치물로 넘쳐났다. 1942년 초에는 벌써 제국은행의 금고실이 가득차자 수익을 좇는 은행 이사진은 시영 전당포들을 통해 처분하는 방법으로 예치물을 현금화하려 했다. 제국은행이 베를린 시영 전당포에 보낸 9월 15일자 서신은 "두 번째 반출"을 언급하고 "아래의 귀중품들을 귀 점포에 기탁하며 최선의 운용을 요청한다"라는 문장으로 시작한다. 거기에 적힌 기다란 품목 일람에는 금시계

---

* 때로는 희생자를 살해하기 전에 빼냈다. 민스크 형무소의 독일인 소장의 기밀 보고서는 그가 어느 유대인 치과의사를 데려다가 모든 유대인에게서 "금 의치, 치관, 충전재를 뽑거나 깨트려 빼냈고 이 작업은 언제나 특수작전 한두 시간 전에 실시했다"는 것을 알려준다. 소장은 1943년 봄의 6주 동안 이 형무소에서 처형된 독일계 및 러시아계 유대인 516명 중 무려 336명의 치아에서 금을 뽑아냈다고 기록했다.[65]

154개, 금 귀걸이 1601개, 다이아몬드 반지 132개, 은 회중시계 784개와 "일부분이 금으로 된 다양한 의치 160개"가 포함되었다. 1944년 초에 이르자 베를린의 전당포 자체가 이렇게 흘러드는 장물로 가득차서 제국은행에 더는 받을 수 없다고 통지했다. 연합군은 독일을 장악했을 때, 나치가 일부 기록과 전리품을 숨겨둔 몇몇 폐기된 암염갱에서 '막스 하일리거' 금고의 미처분 장물을 발견했다. 제국은행 프랑크푸르트 지점의 거대한 금고실 세 칸을 꽉 채울 만한 양이었다.[66]

은행원들은 이 독특한 '예치물'의 출처를 알고 있었을까? 제국은행 귀금속과 과장은 뉘른베르크에서 자신과 동료들은 많은 화물이 루블린과 아우슈비츠에서 온다는 사실을 알아채기 시작했다고 증언했다.

우리는 그 장소들이 강제수용소 소재지임을 알고 있었습니다. 1943년 11월, 열 번째 배송 때 금니가 나타났습니다. 금니의 양이 현저히 많아졌습니다.[67]

친위대에서 상거래를 담당했던 악명 높은 경제행정국장 오스발트 폴은 뉘른베르크 법정에서 제국은행의 풍크 박사와 관리들, 이사들이 전당포에 처분하려던 물품의 출처를 잘 알고 있었다고 강조했다. 폴은 "사망한 유대인의 귀중품을 제국은행에 넘기는 업무와 관련한 풍크와 친위대 간의 상거래"에 대해 꽤 자세히 설명했다. 그는 제국은행 부총재 에밀 풀Emil Puhl과 나눈 대화를 기억했다.

그 대화에서 강제수용소에서 살해된 유대인의 물품을 넘긴다는 점에는 의심의 여지가 없었습니다. 그 물품은 반지, 시계, 안경, 금괴, 결혼반지, 브로치, 핀, 금 충전재, 기타 귀중품이었습니다.

폴이 말하기를 한번은 시찰 여행 중에 제국은행 금고실에서 "사망한 유대인의" 귀중품을 점검한 뒤 풍크 박사가 일행에게 즐거운 만찬을 대접했는데, 대화의 화제가 약탈품의 독특한 출처였다고 했다.*[68]

"바르샤바 게토는 이제 없다"

———

나치 가스실이나 특무기동대의 대규모 처형 구덩이에서 죽음을 맞이한 수많은 유대인의 체념 정신에 대해 한 명 이상의 목격자가 말했다. 모든 유대인이 절멸을 그토록 온순하게 받아들였던 것은 아니다. 1943년 봄, 바르샤바 게토에 갇혀 있던 유대인 약 6만 명—1940년에 이 장소로 가축처럼 끌려온 40만 명 중 남아 있던 전원—은 나치 학대자에게 달려들어 싸웠다.

바르샤바 게토 반란을 진압한 의기양양한 친위대 장교만큼 이 반란에 관한 오싹한—그리고 권위적인—서술을 남긴 이는 없을 것이다.** 그 독일인은 친위대 여단지도자이자 경찰지도자인 위르겐 슈트로프Jürgen Stroop였다. 가죽으로 장정하고 삽화를 아낌없이 넣고 우아하고 두꺼운 본드지 75페이지에 타이핑한 슈트로프의 유려한 공식 보고서가 남아 있다.*** 그 제목은 "바르샤바 게토는 이제 없다"였다.[69]

———

* 풍크 박사는 뉘른베르크에서 종신형을 선고받았다.
** 유대인 기록에 근거하는 존 허시(John Hersey)의 소설 《벽(The Wall)》은 이 봉기에 관한 장대한 이야기다.
*** 하지만 슈트로프는 살아남지 못했다. 전후에 체포된 그는 1947년 3월 22일 다하우의 미국 법정에서 그리스에서 인질들을 총살한 혐의로 사형을 선고받은 뒤 폴란드에 인도되었고, 그곳에서 바르샤바 게토의 유대인을 학살한 혐의로 재판받았다. 다시 사형을 선고받은 그는 1951년 9월 8일, 그 범행 현장에서 교수형에 처해졌다.

나치가 폴란드를 정복하고 1년이 지난 1940년 늦가을까지 친위대는 유대인 약 40만 명을 체포해서 바르샤바의 나머지 지역과 높다란 담장으로 분리된 구역 안에 가두었다. 과거 중세의 게토 주변에 자리한 가로 4킬로미터, 세로 1.6킬로미터 정도의 구역이었다. 이 구역에는 보통 16만 명이 거주했으므로 40만 명은 과잉수용이었지만, 이것이 그나마 가장 가벼운 고난이었다. 프랑크 총독은 40만 명의 전반이 겨우 연명할 정도의 식량조차 배급하기를 거부했다. 발각 즉시 총살이라며 구역을 벗어나는 것을 금했으므로, 유대인은 국방군이나 노예노동으로 큰 수익을 올리는 법을 아는 탐욕스러운 독일인 사업가들이 구역 내에서 운영하는 소수의 군수공장 말고는 달리 일할 곳이 없었다. 적어도 10만 명의 유대인이 하루에 수프 한 그릇, 대개 타인이 측은지심으로 짚을 끓여 제공하는 수프 한 그릇으로 목숨을 부지하려 애썼다. 결국 질 게 뻔한 생존 투쟁이었다.

그러나 게토 인구가 굶주림과 질병으로 줄어드는 속도는 1942년 여름 "보안상의 이유"로 바르샤바 게토의 유대인을 모조리 제거하라고 명령한 힘러의 마음에 들 만큼 빠르지 않았다. 7월 22일, 대규모 "재정착" 작전이 시작되었다. 그때부터 10월 3일까지 슈트로프에 따르면 유대인 총 31만 322명이 "재정착"을 당했다. 다시 말해 그들은 절멸수용소들로, 대다수가 트레블링카로 이송되어 독가스로 살해되었다.

그래도 힘러는 만족하지 않았다. 1943년 1월 바르샤바를 불시에 방문해 아직 게토에 살아 있는 유대인 6만 명을 발견한 힘러는 2월 15일까지 "재정착"을 완료하라고 명령했다. 이것은 힘겨운 과제로 밝혀졌다. 혹독한 겨울 날씨, 그리고 스탈린그라드에서 참사를 겪고 그 결과로 남부 러시아에서 퇴각하기 위해 운송시설을 최우선으로 요구하던 육군 때문에 친위대는 최종 "재정착"을 수행하는 데 필요한 열차를 구하기가 어려웠다. 또한 슈트로프가 보고했듯이 유대인이 "가능한 모든 방법으로" 최종 처치에 저항하고 있었다. 봄이 되어서야 힘러의 명령을 실행할 수 있었다. 친위대는 사흘간의 "특수작전"으로 게토를 비우기로 결정했다. 하지만 실제로는 4주가 걸렸다.

이미 유대인을 30만 명 넘게 이송했으므로 독일 측은 담장을 두른 게토의 크기를 줄일 수 있었으며, 친위대 슈트로프 장군이 1943년 4월 19일 전차, 포, 화염방사기, 다이너마이트 부대를 게토로 보냈을 때에는 불과 900미터×275미터의 좁은 구역으로 남아 있었다. 그렇지만 필사적인 유대인들이 방어 지점으로 바꾸어놓은 하수관과 지하 저장실이 벌집처럼 얽혀 있었다. 그들은 무기가 별로 없었다. 밀반입한 약간의 권총과 소총, 10~20정의 기관총과 사제 수류탄뿐이었다. 하지만 그 4월의 아침에 그들은 무기를 사용하기로 결심했다—제3제국의 역사에서 유대인이 무기를 들고 나치 억압자에 저항한 것은 이번이 처음이자 마지막이었다.

슈트로프의 병력은 2090명이었다. 대략 절반은 정규군 또는 무장친위대였고, 나머지는 친위대 경찰, 리투아니아 민병대 335명, 약간의 폴란드 경찰 및 소방관이었다. 첫날 그들은 예상치 못한 저항에 직면했다.

[슈트로프가 텔레타이프로 여러 차례 송신한 일일 보고서들 중 첫 송신문에서 보고함] 우리는 작전을 개시하자마자 유대인과 폭도의 강력한 일제사격에 직면했다. 전차 1대와 장갑차 2대에 화염병이 날아들었다. … 적의 이런 반격 때문에 우리는 퇴각해야 했다.

독일 측은 공격을 재개했으나 전진하기가 어려웠다.

17시 30분경 우리는 길거리 한 블록에서 기관총 사격을 포함하는 아주 강력한 저항에 직면했다. 특별기습조가 적을 물리쳤지만 저항자들을 포획하지 못했다. 유대인과 범죄자들은 거점을 옮겨가며 저항하다가 마지막 순간에 도주했다. … 첫 공격에서 우리의 손실은 12명이었다.

이런 식으로 초반에 무장이 빈약한 방어 측은 전차, 화염방사기, 포의 공격에 물러나면서도 저항을 멈추지 않았다. 슈트로프 장군은 포위된 유대인들, "이 쓰레기 같은 인간 이하의 존재들"이 저항을 포기하고 처단을 받아들이지 않는 이유를 도저히 이해할 수가 없었다.

[슈트로프가 보고함] 며칠 만에 유대인이 더 이상 자진해 재정착할 생각이 없고 오히려 소개에 저항하기로 결심했다는 것이 분명해졌다. … 초반에는 본성상 겁쟁이인 상당수 유대인을 포획할 수 있었지만, 작전 후반에는 폭도와 유대인을 포획하기가 갈수록 어려워졌다. 20~30명의 유대인 남자들로 이루어진 새로운 전투조가 비슷한 수의 여자들과 함께 몇 번이고 새로운 저항에 불을 붙였다.

슈트로프가 썼듯이, 할루츠chalutz〔농장을 개척하기 위해 이주한 유대인〕에 속하는 여자들은 "양손으로 권총을 발사"하는가 하면 언제든 던질 수류탄을 블루머 바지에 숨겨두었다.

전투의 다섯째 날 힘러는 더는 참지 못하고 격분하여 슈트로프에게 게토를 "가장 가혹하게, 집요한 끈기"로 "일망타진"하라고 명령했다.

[슈트로프가 최종 보고서에서 말함] 따라서 본관은 모든 블록에 불을 질러 유

대인 구역 전체를 파괴하기로 결정했다.

이어서 그 후의 상황을 묘사했다.

유대인은 불타는 건물 속에 남아 있다가 산 채로 타서 죽을까 두려워 위층에서 뛰어내렸다. … 그들은 뼈가 부러지고도 기어서 길을 건너 아직 불이 붙지 않은 건물들로 들어가려고 애썼다. … 산 채로 불태워질 위험에도 불구하고 유대인과 폭도는 우리에게 붙잡히느니 화염 속으로 되돌아가는 편을 택했다.

슈트로프 같은 유형의 인간은 유대인 남녀가 가스실에서 평온하게 죽는 것보다 화염 속에서 싸우다 죽는 편을 택한 것을 도무지 이해할 수가 없었다. 그는 체포한 사람들을 즉석에서 죽이지 않고 트레블링카로 이송하고 있었기 때문이다. 4월 25일, 그는 친위대 본부에 텔레타이프로 메시지를 보내 유대인 2만 7464명을 체포했다고 보고했다.

본관은 내일 T2[트레블링카]행 열차를 구하려 노력할 것이다. 구하지 못하면 내일 이곳에서 처치를 실행할 것이다.

처치는 즉석에서 자주 이루어졌다. 이튿날 슈트로프는 상관들에게 "유대인 1330명을 방공호에서 끌어내 즉시 말살했다. 유대인 362명이 전사했다"라고 통지했다. 그저 30명의 포로만이 "소개"되었다.

반란 막바지에 방어 측은 하수관으로 들어갔다. 슈트로프가 수도 본관에 물을 가득 채워 그들을 몰아내려 했으나 유대인이 물살을 어렵사리 막아냈다. 어느 날 독일 측은 맨홀 183개를 통해 하수관에 연막탄을 떨어뜨렸지만, 슈트로프가 유감스럽다는 투로 보고했듯이 "바라던 결과를 얻지" 못했다.

최종 결과가 어떻게 될지는 의심할 여지가 없었다. 궁지에 몰린 유대인은 앞뒤 가리지 않는 용기로 한 달 내내 싸웠다. 슈트로프가 어느 일일 보고서에서 "유대인과 폭도가 구사하는 교활한 진술과 속임수"에 대해 불평하며 그 용기를 다르게 표현하긴 했지만 말이다. 4월 26일, 그는 방어 측 다수가 "열기와 연기, 폭발로 미쳐가고 있다"고 보고했다.

그날 몇 블록을 더 불살랐다. 쓰레기 같은 인간 이하의 존재들을 끌어내는 유일한 최종 방법이다.

5월 16일이 마지막 날이었다. 그날 밤 슈트로프는 마지막 일일 전투 보고서를 발송했다.

유대인, 폭도, 인간 이하의 존재 180명을 말살했다. 바르샤바의 옛 유대인 구역은 더 이상 존재하지 않는다. 20시 15분에 바르샤바의 유대교 회당을 폭파하는 것으로 대규모 작전을 종결했다. …
처치한 유대인 총수는 체포한 유대인과 절멸을 입증할 수 있는 유대인을 포함해 5만 6065명이다.

1주일 후 이 숫자에 관해 설명해달라는 요구를 받고서 그는 이렇게 답변했다.

체포한 총원 5만 6065명 가운데 약 7000명은 대규모 작전 도중 이전 게토에서 말살했다. 유대인 6929명은 트레블링카로 이송해 말살했다. 그러므로 말살한 유대인 총수는 1만 3929명이다. 그 외에 폭파하거나 화염으로 죽이는 방법으로 유대인 5000명에서 6000명을 말살했다.

슈트로프 장군의 계산은 그리 분명하지 않는데, 이 보고서는 약 3만 6000명의 유대인에 관해서는 설명하지 않기 때문이다. 그러나 말끔하게 장정된 최종 보고서에서 그가 "절멸을 입증할 수 있는 유대인 5만 6065명"을 붙잡았다고 쓴 것이 진실이라는 데에는 의심의 여지가 없다. 3만 6000명은 틀림없이 가스실로 처리했을 것이다.

슈트로프에 따르면 독일 측 손실은 사망 16명에 부상 90명이었다. 장군 본인이 오싹할 정도로 세세하게 묘사한, 집집마다 벌어진 야만적인 전투의 성격을 감안하면 아마도 실제 손실은 훨씬 더 컸을 테지만, 힘러의 예민한 성정을 건드리지 않으려고 줄여서 보고했을 것이다. 독일 군인과 경찰은 "충실한 동지애로 뭉쳐 불요불굴의 정신으로 임무를 완수하고 군인의 모범처럼 단결했다"라고 슈트로프는 결론지었다.

"최종 해결"은 전쟁 막판까지 계속되었다. 그 과정에서 얼마나 많은 유대인이 학살당했을까? 그 숫자는 논쟁거리였다. 뉘른베르크에 출석한 친위대 증인 두 사람에 따르면, 이 주제에 관한 나치의 전문가들 중 한 명인 아돌프 아이히만은 총 500만에서 600만 명으로 추정했다. 게슈타포 유대인과 과장 아이히만은 "최종 해결"이라는 말을 지어낸 하이드리히의 재촉을 받으며 유대인 학살을 수행했다.* 뉘른베르크 기소장에 적힌 숫자는 570만 명이며 이는 세계유대인회의의 추산과 일치한다. 라이틀링거는 최종 해결에 관한 비범한 연구에서 조금 낮은 숫자—419만 4200명에서 458만 1200명 사이—를 제시한다.[70]

1939년에는, 히틀러의 군대가 점령한 지역들에 유대인이 약 1000만 명 거주하고 있었다. 어떤 추정치를 택하더라도 그들 중 거의 절반이 독일에 의해 절멸된 것이 확실하다. 이것은 청년 시절 빈에서 밑바닥 생활을 하던 나치 독재자가 별안간 떠올린 이상한 생각, 그가 수많은 독일인 추종자에게 전달한—또는 그들과 공유한—생각의 최종 결과이자 경악스러운 대가였다.

인체 실험

———

단명한 신질서 기간에 대량 살해의 욕망보다 순전한 가학성에서 기인하는 몇 가지 관행이 있었다. 정신과 의사라면 두 욕망에 차이가 있다고 생각할 테지만, 첫 번째 욕망의 결과와 두 번째 욕망의 결과는 사망자의 수만 달랐을 뿐이다.

나치의 인체 실험은 가학성의 사례인데, 강제수용소 수감자나 전쟁포로를 인간 기니피그로 사용해 얻은 과학적 성과는 설령 있다 해도 매우 적었기 때문이다. 그것은 독일 의료계가 자랑스러워할 수 없는 공포의 이야기다. "실험"을 수행했던 흉악한 돌팔이 의사는 200명 미만이었지만—

———

* 한 부하에 따르면, 독일이 붕괴하기 직전 아이히만은 "500만 명이 양심에 걸린다는 느낌이 특별한 만족의 원천일 것이기 때문에 나는 웃으면서 무덤에 뛰어들 것"이라고 말했다.[71] 그는 웃으면서든 아니든 결코 무덤에 뛰어들지 않았다. 그는 1945년에 미국 포로수용소에서 탈출했다(이 책이 인쇄에 들어갈 무렵 이스라엘 정부가 아이히만을 체포했다고 발표했다). 〔아이히만은 1960년 5월 11일 아르헨티나에서 이스라엘 모사드 요원들에게 체포된 뒤 예루살렘에서 전범으로 재판을 받고 1962년 6월 1일 교수형에 처해졌다.〕

다만 그중 일부는 의학계의 저명인사였다—그들의 범죄적 작업은 독일의 지도급 의사 수천 명에게 알려졌거니와, 기록에 의하면 어느 누구도 사소한 공개 항의조차 하지 않았다.*

이 분야에서 살인은 유대인만을 겨냥하지 않았다. 나치 의사들은 남녀를 가리지 않고 소련군 전쟁포로나 폴란드인 강제수용소 수감자, 심지어 독일인까지 실험 대상으로 삼았다. "실험"은 매우 다양했다. 피실험자를 가압실에 넣고 숨이 멎을 때까지 고고도 테스트를 진행했다. 발진티푸스나 황달을 유발하는 물질을 치사량까지 주사했다. 인체를 얼음물에 담그거나 눈 내리는 실외에 알몸으로 두고서 얼어 죽을 때까지 "냉동" 실험을 했다. 독극물 총탄이나 겨자가스를 시험 삼아 써보았다. 여성 전용인 라펜스브뤼크 강제수용소에서는 폴란드인 수감자 수백 명—"토끼들"이라고 불렀다—에게 가스 괴저병을 감염시키고 뼈 이식 "실험"을 했다. 다하우와 부헨발트에서는 집시들을 골라내 소금물을 먹이면서 얼마나 오랫동안, 어떤 방식으로 살아 있을 수 있는지를 관찰했다. 몇몇 수용소에서 남녀 모두에게 다양한 방법으로 대규모 불임 실험을 진행하기도 했는데, 아돌프 포코르니Adolf Pokorny라는 친위대 의사가 언젠가 힘러에게 보낸 편지에 썼듯이 "적을 정복할 뿐 아니라 절멸시켜야 하기" 때문이었다. 만약에 적을 학살할 수 없다면—전쟁 막바지에는 노예노동이 필요해서 학살 관행이 의문시되었다—번식이라도 막아야 했다. 실제로 포

---

* 독일의 가장 유명한 외과의 페르디난트 자우어브루흐마저, 비록 반나치가 되어 저항 음모에 가담하긴 했지만, 인체 실험에 전혀 항의하지 않았다. 자우어브루흐는 1943년 5월 베를린 군의학교에서 가장 악명 높은 두 살인 의사 카를 게프하르트(Karl Gebhardt)와 프리츠 피셔(Fritz Fischer)가 포로에 대한 가스 괴저병 실험을 주제로 강연하는 내내 듣고 앉아만 있었다. 이 행사에서 자우어브루흐가 펼친 주장은 설파닐아미드보다 수술이 더 낫다는 것뿐이었다! 게프하르트는 이른바 '의사 재판'에서 사형을 선고받고 1948년 6월 2일 교수형에 처해졌다. 피셔는 종신형을 선고받았다.

코르니는 딱 알맞은 방도, 즉 영구적인 불임을 유발하는 칼라디움 세귀눔Caladium seguinum이라는 식물을 찾은 것 같다고 힘러에게 말했다.

[이 뛰어난 의사가 친위대 수장에게 씀] 현재 독일에 붙잡혀 있는 볼셰비키 300만 명을 불임으로 만들고 그리하여 번식 없이 부려먹을 수 있다는 생각만으로도 원대한 전망이 열립니다.[72]

"원대한 전망"을 품었던 또다른 독일 의사로는 스트라스부르 대학 해부학연구소 소장 아우구스트 히르트August Hirt 교수가 있었다. 히르트는 다른 의사들과 전문 분야가 다소 달랐는데, 1941년 크리스마스 시기에 힘러의 부관인 친위대 중장 루돌프 브란트Rudolf Brandt에게 보낸 편지에서 그 분야를 설명했다.

우리는 거의 모든 인종과 민족을 망라하는 두개골 수집물을 다수 소장하고 있습니다. 그렇지만 유대인의 두개골 표본은 구할 수 있는 개수가 아주 적습니다. … 현재 동부에서의 전쟁은 이 결핍을 채울 기회를 제공합니다. 혐오스럽지만 특징적인 인간 이하의 존재의 원형을 대표하는 유대-볼셰비키 정치위원들의 두개골을 입수함으로써 우리는 이제 과학적 자료를 얻을 수 있습니다.

히르트 교수는 이미 사망한 "유대-볼셰비키 정치위원들"의 두개골은 원하지 않았다. 그는 이들의 머리를 먼저 살아 있는 동안 측정해볼 것을 제안했다. 그런 다음 머리가 손상되지 않는 방식으로 유대인의 죽음을 유발한 뒤 외과의가 머리를 몸에서 절단해 … 밀봉된 양철통에 … 집어넣을 것입니다.

이어서 히르트 박사는 과학적 측정에 더욱 공을 들이겠다고 약속했다.[73] 힘러는 기뻐했다. 그리고 지시하기를 박사에게 "연구 작업에 필요한 모든 것을 제공"하라고 했다.

히르트는 자료를 넉넉히 제공받았다. 실제 제공자는 볼프람 지버스 Wolfram Sievers라는 흥미로운 나치였는데, 훗날 뉘른베르크 주재판에서 증인으로, 그리고 뒤이은 '의사 재판'에서 피고로 어지간히 시간을 보내야 했다.* 서적상이었던 지버스는 친위대 대령으로 신분 상승했고, 힘러가 여러 미친 짓을 벌이는 와중에 세운 터무니없는 '문화' 기관들 중 하나인 아네네르베Ahnenerbe('선조의 유산')라는 유전연구소의 사무장이 되었다. 지버스에 따르면 이 기관에는 50개의 "연구 부문"이 있었고, 그중 하나가 역시 지버스가 이끈 "군사과학연구소"였다. 눈매가 교활하고 메피스토처럼 생긴 그는 덥수룩한 먹빛 턱수염을 길렀던 까닭에 유명한 프랑스 살인마의 별명을 따서 뉘른베르크에서는 '나치 푸른 수염'이라 불렀다. 이 책에 등장하는 다른 수많은 인물들과 마찬가지로 그 역시 꼼꼼하게 쓴 일기에 더해 서신까지 간직했는데, 둘 다 잔존하여 그가 교수대에서 생을 마치는 데 기여했다.

1943년 6월까지 지버스는 아우슈비츠에서 스트라스부르 대학 히르트 교수의 "과학적 측정"을 위해 뼈를 제공할 남녀를 모았다. 그는 "유대인 남성 79명, 유대인 여성 30명, '아시아인' 4명, 폴란드인 2명 등 총 115명

---

* 결국 사형을 선고받고 교수형에 처해졌다.

을 처리했다"라고 보고하면서 베를린 친위대 본부에 그들을 아우슈비츠에서 스트라스부르 인근 나츠바일러 강제수용소로 이송해줄 것을 요청했다. 뉘른베르크에서 영국 측 심문관은 "처리"의 의미를 추궁했다.

"인류학적 측정입니다"라고 지버스가 답변했다.

"그들을 살해하기 전에 인류학적으로 측정했다는 것인가요? 그게 전부입니까?"

"그리고 석고 모형을 떴습니다"라고 지버스가 부언했다.

그 후의 일은 친위대 대위 요제프 크라머가 들려주었다. 아우슈비츠, 마우트하우젠, 다하우 등의 수용소에서 근무한 베테랑 학살자로서 '벨젠의 야수'라는 덧없는 명성을 얻은 크라머는 뤼네부르크의 영국 법정에서 사형을 선고받았다.

스트라스부르 해부학연구소의 히르트 교수가 제게 아우슈비츠에서 오고 있는 죄수들에 관해 말했습니다. 그는 이 사람들을 나츠바일러 수용소의 가스실에서 독가스로 죽인 뒤 시신들을 해부학연구소로 가져오라고 말했습니다. 그는 제게 반 파인트가량의 분말—저는 시안화물 분말이었다고 생각합니다—이 들어 있는 병을 주고서 아우슈비츠에서 오는 수감자들을 독살하는 데 쓸 적당량을 알려주었습니다.

1943년 8월 초에 저는 히르트가 준 가스로 살해할 수감자 80명을 넘겨받았습니다. 어느 밤에 저는 첫 번째로 여성 15명가량을 소형차에 태워 가스실로 데려갔습니다. 저는 여자들에게 소독하기 위해 가스실에 들어가야 한다고 말했습니다. 독가스로 살해할 거라고는 말하지 않았습니다.

이 무렵 나치의 독가스 살해 기법은 완벽한 수준이었다.

[크라머가 이어서 말함] 저는 친위대원 몇 명의 도움을 받아 여자들의 옷을 다 벗기고서 알몸 상태로 가스실로 떠밀었습니다.

문이 닫히자 그들은 비명을 지르기 시작했습니다. 저는 관을 통해 일정량의 분말을 넣고서 … 들여다보는 구멍으로 가스실 안에서 무슨 일이 벌어지는지 관찰했습니다. 여자들은 30초쯤 호흡한 뒤 바닥에 쓰러졌습니다. 저는 환풍기를 가동한 다음 문을 열었습니다. 여자들은 바닥에 맥없이 누워 있었고 배설물로 덮여 있었습니다.

크라머 대위는 "요구받은 대로" 수감자 80명 전원을 살해하고 시신들을 히르트 교수에게 넘길 때까지 독가스 살해를 반복했다고 증언했다. 심문관이 그때 감정이 어땠느냐고 묻자 크라머는 기억에 남는 답변, 인간의 이해력을 벗어나는 듯한 제3제국의 한 현상에 관해 통찰을 주는 답변을 했다.

저는 이런 일을 수행하면서 아무런 감정도 없었는데, 이미 말씀드린 방식대로 수감자 80명을 살해하라는 명령을 받았기 때문입니다.
그런데 그게 바로 제가 훈련받은 방식이었습니다.[74]

그 후의 사태는 또다른 목격자가 증언했다. 스트라스부르의 해부학연구소에서 연합군이 도착할 때까지 히르트 교수의 실험실 조수로 일한 프랑스인 앙리 에리피에르Henry Herypierre였다.

우리가 받은 첫 화물은 여성 시신 30구였습니다. … 이 여성 시신 30구는 아직 온기가 있는 상태로 도착했습니다. 눈은 크게 뜨고 있었고 반짝거렸습니다. 붉게 충혈되고 안구에서 튀어나와 있었습니다. 또 코와 입에 혈흔이 있었습니다. 사후경직은 뚜렷하지 않았습니다.

에리피에르는 여자들이 살해된 것은 아닌지 의심해 그들의 왼팔에 문신으로 새겨진 죄수 번호를 몰래 적어두었다. 다시 두 차례 남성 56명의 화물이 정확히 똑같은 상태로 도착했다. 히르트 박사의 능숙한 지시에 따라 그들을 알코올에 담갔다. 그런데 교수가 전체 과정이 다소 불안했던지 에리피에르에게 "페터, 주둥이를 함부로 놀렸다가는 자네도 저들처럼 될 줄 알아" 하고 말했다.

그럼에도 히르트 교수는 작업을 시작했다. 지버스의 편지에 따르면, 교수는 머리를 절단하고 "이전에 없던 골격 수집물을 모았다". 하지만 난관이 있었고, 아네네르베 사무장은 히르트 박사가 설명하는 문제를 들은 뒤—지버스 본인은 전문적인 의학 또는 해부학 지식이 없었다—1944년 9월 5일 힘러에게 보고했다.

과학적 연구가 방대하기 때문에 시신을 줄이는 작업은 아직 완료되지 않았습니다. 80구를 처리하려면 시간이 꽤 걸립니다.

그런데 시간이 줄어들고 있었다. 진군하는 미군과 프랑스군이 스트라스부르에 접근하고 있었다. 히르트는 "수집물을 어떻게 처분할지에 대한 지시"를 요청했다.

[지버스가 히르트 박사를 대신해 친위대 본부에 보고함] 시신에서 살을 벗겨내 신원을 확인할 수 없도록 만들 수 있다. 그렇지만 그렇게 할 경우 적어도 전

체 작업의 일부가 무위로 돌아가고 이 독특한 수집물의 과학적 가치가 사라질 텐데, 그 후로는 석고 모형을 만들기가 불가능할 것이기 때문이다.

골격 수집물 자체는 이목을 끌지 않는다. 살 부분은 우리가 해부학연구소를 접수했을 당시* 프랑스 측이 남겨둔 것이라고 주장할 수 있고, 화장하도록 넘겨줄 것이다. 다음 세 가지 제안 가운데 무엇을 실행해야 하는지 알려주기 바란다. 1. 수집물을 온전히 보존한다. 2. 수집물을 일부 해체한다. 3. 수집물을 완전히 해체한다.

"왜 시신에서 살을 발라내려 했습니까, 증인?" 정적에 잠긴 뉘른베르크 법정에서 영국 검사가 물었다. "왜 그 책임을 프랑스 측에 떠넘기려 했습니까?"

"비전문가로서 저는 그 사안에 대한 의견을 가질 수 없었습니다" 하고 '나치 푸른 수염'이 대답했다. "저는 그저 히르트 교수의 질의를 전달했을 뿐입니다. 저는 그 사람들을 살해한 일과는 아무런 관련도 없었습니다. 단지 우체부의 역할을 했을 뿐입니다."

"당신이 우체국이었고, 저 유명한 나치 우체국들 중 하나였다는 말인가요?" 하고 검사가 응수했다.

이는 여러 나치가 재판에서 펼친 허술한 변론이었으며, 다른 사건들과 마찬가지로 이 사건에서도 영국 검사는 유죄를 밝혀냈다.[75]

압수된 친위대 문서는 1944년 10월 26일 지버스가 "지령에 따라 스트라스부르의 수집물을 완전히 해체했다. 전체 상황을 고려할 때 이 처리법이 최선이다"라고 보고한 사실을 알려준다.[76]

---

* 독일은 1940년 프랑스 함락 이후 알자스 지방을 병합하고 스트라스부르 대학을 접수했다.

훗날 에리피에르는 흔적을 지우려던 시도—온전한 성공은 아니었다—를 묘사했다.

1944년 9월 연합군이 벨포르를 향해 진군했고, 히르트 교수는 봉Bong 씨와 마이어Maier 씨에게 이 시신들을 절단해 소각장에서 태우라고 지시했습니다. … 이튿날 저는 마이어 씨에게 모든 시신을 절단했는지 물었지만, 봉 씨가 답하기를 "너무 버거운 작업이라 전부 절단하지 못했습니다. 몇 구는 저장실에 남겨졌습니다"라고 했습니다.

저장실의 나머지 주검들은 한 달 후에 프랑스 제2기갑사단을 선두로 하는 미 제7군의 부대들이 스트라스부르에 입성했을 때 어느 연합군 팀에 의해 발견되었다.[77]

신질서의 지배자들은 인간의 골격뿐 아니라 피부도 수집했다. 다만 피부의 경우에는 과학적 연구를 위해서라는 핑계를 댈 수가 없었다. 강제수용소 수감자들의 피부, 특히 이 엽기적인 목표를 위해 처형된 이들의 피부는 장식용 가치밖에 없었다. 그 피부로 멋들어진 전등갓을 만들었고, 그중 몇 개는 부헨발트 수용소 소장의 아내로 수감자들이 '부헨발트의 암캐'라는 별명을 붙인 일제 코흐Ilse Kock 부인을 위한 맞춤용이었다.** 문신을 한 피부가 최고 인기였던 모양이다. 독일인 수감자 안드

---

* 히르트 박사는 사라졌다. 그는 스트라스부르를 떠나면서 아무도 자신을 생포하지 못할 거라고 큰소리쳤다고 한다. 실제로 아무도 그를 산 채로든 죽은 채로든 붙잡지 못한 듯하다. 〔아우구스트 히르트는 1944년 9월에 독일 남부로 달아났다가 1945년 6월에 슈바르츠발트에서 자살했다. 이 사실은 1960년대 중반 이스라엘 정보기관이 그의 유골을 파내 확인했다.〕

레아스 파펜베르거Andreas Pfaffenberger는 뉘른베르크에서 이에 대해 증언했다.

… 피부에 문신을 한 모든 수감자는 진료실에 보고하도록 지시받았습니다. … 수감자들을 검사한 뒤 가장 뛰어나고 예술적인 문신을 가진 이들을 주사로 살해했습니다. 그런 다음 시신들을 병리학부로 넘겨 원하는 문신 피부를 시신에서 분리하고 후속 처리를 했습니다. 완성품은 코흐의 아내에게 넘겼고, 그녀는 그것을 전등갓이나 그 밖의 가정용 장식품으로 만들었습니다.[78]

코흐 부인이 마음에 들어한 듯한 피부 조각에는 "헨젤과 그레텔"이라는 문신이 새겨져 있었다.

또다른 수용소 다하우에서는 그런 피부에 대한 수요가 종종 공급량을 상회했다. 체코인 의사 수감자 프란크 블라하Frank Bláha 박사는 뉘른베르크에서 이에 대해 증언했다.

때때로 좋은 피부의 시신이 충분하지 않았고 라셔 박사가 "괜찮아요, 시신이 들어올 겁니다"라고 말하곤 했습니다. 그러면 이튿날 청년 시신 20~30구를 받곤 했습니다. 피부가 상하지 않도록 목덜미를 쏘거나 머리를 타

** 부헨발트 수감자들의 생사여탈권을 쥐고 있었고 기분에 따라 끔찍한 처벌을 내릴 수 있었던 코흐 부인은 '부헨발트 재판'에서 종신형을 선고받았으나 4년형으로 감형된 뒤 곧 석방되었다. 1951년 1월 15일, 독일 법정은 부인에게 살인죄로 종신형을 선고했다. 남편은 전쟁 중에 친위대 법정에서 "월권행위" 죄목으로 사형을 선고받았으나 소련 전선에서 복무하는 선택지가 주어졌다. 하지만 이 선택지를 고르기도 전에 그 구역의 친위대 지도자 발데크(Waldeck) 공에 의해 처형되었다. 이탈리아 국왕 부부의 딸이자 헤센의 필리프 공의 아내인 마팔다 공주도 부헨발트에서 사망했다.

격한 것이었습니다. … 건강한 수감자의 피부여야 했고 흠집이 없어야 했습니다.[79]

한층 가학적인 인체 실험에 대한 책임은 첫째로 이 지크문트 라셔 Sigmund Rascher 박사에게 있었던 것으로 보인다. 이 끔찍한 돌팔이는 힘러의 관심을 끌었다. 힘러가 집착한 목표들 중 하나가 우수한 북방인의 자손을 점차 늘리는 것이었는데, 친위대 보고서에 따르면 라셔 부인이 48세 이후 아이를 셋이나 낳았기 때문이다. 하지만 사실 라셔 부부는 시간상으로 적당한 간격을 두고 아이들을 고아원에서 유괴했을 뿐이었다.

1941년 봄, 라셔 박사는 독일 공군이 뮌헨에서 개설한 의학 특별강좌를 듣다가 묘안을 떠올렸다. 1941년 5월 15일, 라셔는 힘러에게 편지를 써 그 묘안을 알렸다. 자신이 확인해보니 경악스럽게도 높은 고도가 비행사에게 끼치는 영향에 관한 연구가 답보 상태인데 "그런 실험이 매우 위험하고 아무도 자원하지 않으므로 인체로 시험해본 적이 없기" 때문이라고 했다.

전문 범죄자 두세 명을 이 실험에 제공해주실 수 있는지요. … 물론 피실험자가 죽을 수도 있는 그 실험은 저와의 협력하에 진행될 것입니다.[80]

친위대 수장은 1주일도 지나지 않아 "물론 고공비행 연구를 위해 수감자들을 기꺼이 내어줄 것"이라고 회답했다.

실제로 수감자들이 제공되었고, 라셔 박사는 연구에 착수했다. 그 결과물은 뉘른베르크와 뒤이은 친위대 의사 재판에 제출된 라셔 본인 및 다른 이들의 보고서로 확인할 수 있다.

라셔 본인의 보고서는 과학 전문용어의 본보기다. 그는 고고도 실험을 위해 뮌헨에 있던 공군 감압실을 인간 기니피그를 쉽게 구할 수 있는 다하우 강제수용소 근처로 옮겼다. 그리고 고고도의 산소 및 기압과 비슷해지도록 감압실에서 공기를 뺐다. 그러고는 다음과 같은 전형적인 관찰을 했다.

세 번째로 고도 2만 9400피트에 상응하는 실험을 산소통 없이 전반적으로 건강한 37세 유대인을 대상으로 진행했다. 호흡은 30분간 지속되었다. 4분 후 피실험자가 땀을 흘리고 고개를 흔들기 시작했다.
5분 후 경련이 나타났다. 6분에서 10분 사이에 호흡 빈도가 증가하여 피실험자가 의식을 잃었다. 11분부터 13분까지 호흡이 느려져 분당 3회 들이쉬다가 13분에 이르러 완전히 멈추었다. … 호흡이 멎고 약 30분 후에 부검이 시작되었다.[81]

라셔 박사의 연구실에서 일한 오스트리아인 수감자 안톤 파홀레크 Anton Pacholegg는 "실험들"을 덜 과학적으로 묘사했다.

저는 감압실의 관측창을 통해 내부의 수감자가 진공 상태를 견디다가 결국 폐가 파열될 때까지 직접 지켜보았습니다. … 그들은 고통을 덜어보고자 미친듯이 머리카락을 쥐어뜯었습니다. 정신 착란 상태에서 손가락과 손톱으로 머리와 얼굴을 할퀴며 자해하려 했습니다. 고막에 가해지는 압력을 줄여보고자 손과 머리로 벽을 치고 비명을 질렀습니다. 이런 사례는 대개 피실험자의 죽음으로 끝났습니다.[82]

라셔 박사가 끝마칠 때까지 대략 200명의 수감자가 이 실험을 당했다. '의사 재판'의 증언에 따르면, 그중 80여 명은 곧장 살해하고 나머지는 얼마 후에 처형하여 이야기가 밖으로 새지 않도록 했다.

　이 특수한 연구 프로젝트는 1942년 5월에 끝났으며, 이때 공군의 에르하르트 밀히 원수는 힘러에게 라셔 박사의 선구적 실험에 대한 괴링의 "사의"를 전했다. 얼마 후인 1942년 10월 10일, 공군 군의총감 에리히 히프케Erich Hippke 중장은 힘러에게 "독일 항공 의학 및 연구의 이름으로" "다하우 실험"에 대한 "심심한 사의"를 표했다. 그렇지만 그 실험에서 한 가지를 빼먹었다고 생각했다. 비행사가 높은 고도에서 직면하는 극심한 추위를 고려하지 않았던 것이다. 히프케는 힘러에게 이 누락 부분을 보충하기 위해 공군이 "냉각장치를 완비하고 고도 10만 피트로 설정한" 감압실을 짓고 있다고 알리고 "다하우에서 여러 계통의 냉각 실험을 계속 진행하고 있습니다"라고 부언했다.[83]

　실제로 실험이 진행되었다. 그리고 이번에도 라셔 박사가 선두에 섰다. 하지만 일부 의사 동료들은 양심의 가책을 느꼈다. 라셔 박사가 하는 일이 기독교도가 할 만한 일인가? 소수의 공군 의무병들도 의문을 품기 시작했던 듯하다. 이 소식을 듣고 격분한 힘러는 즉각 밀히 원수에게 편지를 써 공군의 "기독교도 의무병 무리" 때문에 곤경을 겪는다고 항의했다. 힘러는 밀히에게 라셔가 친위대로 소속을 옮길 수 있도록 공군 의무단에서 풀어달라고 당부했다. 그리고 공군이 라셔의 귀중한 연구에 협력할 "과학자로서 존경할 만한 비기독교도 의사"를 찾을 것을 제안했다. 또한 힘러 스스로 이렇게 강조했다.

　강제수용소에서 이런 실험을 위해 죽을 가치밖에 없는 비사회적인 개인과 범죄자를 공급하는 책임을 [제가] 직접 떠맡고 있습니다.

라셔 박사의 "냉각 실험"은 두 종류였다. 하나는 인간이 죽기 전까지 추위를 얼마나 견딜 수 있는지 확인하는 실험이었고, 다른 하나는 극심한 추위에 노출된 뒤에도 살아 있는 인체를 다시 데울 가장 적절한 방도를 찾는 실험이었다. 인간을 냉각하기 위해 채택한 방법은 두 가지였다. 얼음물을 담은 수조에 집어넣는 방법과 겨울철에 밤새 알몸으로 눈밭에 두는 방법이었다. 라셔가 힘러에게 제출한 "냉각" 실험과 "가열" 실험에 관한 보고서는 방대했다. 한두 가지 사례를 살펴보면 전반적인 성격을 알 수 있다. 다음은 1942년 9월 10일 진행한 초기 사례다.

후드까지 … 비행복을 완전 착용한 피실험자들을 물에 담갔다. 잠기는 것을 구명조끼가 방해했다. 실험은 섭씨 2.5도에서 12도의 수온으로 진행했다. 일련의 초반 실험에서는 후두부와 뇌간을 수면 위로 내놓았다. 다른 일련의 실험에서는 목덜미와 소뇌를 물에 잠기도록 했다. 위에서 26.4도, 직장에서 26.5도까지 내려간 체온이 전기장치에 기록되었다. 사망자는 연수와 소뇌를 냉각한 경우에만 발생했다.

그런 사망자를 부검하면 항상 두개강 안에서 최대 1파인트에 이르는 다량의 출혈이 발견되었다. 심장은 대개 우심실이 극도로 부풀어 있었다. 그런 실험의 피실험자들은 체온이 28도까지 내려가면 온갖 구명 시도에도 불구하고 불가피하게 사망했다. 이 부검 결과는 현재 개발 중인 기포고무 착용복에서 두부와 경부의 온열 보호구가 긴요하다는 것을 입증한다.[84]

라셔 박사가 첨부한 표는 6건의 "사망 사례"를 다루며 수온, 물에서 꺼낼 때의 체온, 사망 시의 체온, 물속에 머문 시간, 피실험자가 사망하기까지 걸린 시간 등을 보여준다. 얼음물에서 가장 강한 사람은 100분, 가장 약한 사람은 53분을 버텼다.

라셔의 잡역부로 일한 수용소 수감자 발터 네프Walter Neff는 '의사 재판'에서 어느 냉각 실험에 관한 비전문가의 묘사를 제공했다.

그것은 최악의 실험이었습니다. 러시아 장교 두 명을 포로 막사에서 데려왔습니다. 라셔는 그들의 옷을 벗기고 나체로 큰 통에 들어가도록 했습니다. 시간이 지났고, 대개는 늦어도 60분 후면 추위로 의식을 잃기 시작했지만 이 경우에 두 사람은 2시간 30분 후에도 온전하게 반응했습니다. 주사로 그들을 재우자고 라셔에게 아무리 호소해도 소용이 없었습니다. 3시간쯤 지났을 때 그중 한 사람이 다른 사람에게 "동지, 장교에게 우리를 총살하라고 말해주게"라고 했습니다. 다른 사람은 이 파시스트 개자식에게 자비를 기대하지 않는다고 대답했습니다. 두 사람은 "안녕, 동지"라고 말하며 악수했습니다. … 이 말을 폴란드인 청년이 라셔에게 통역했는데, 조금 다른 뜻으로 전했습니다. 그 폴란드인 청년은 두 희생자를 클로로포름으로 마취하려 했지만 라셔가 곧장 돌아와 우리를 총으로 위협했습니다. … 사망이 발생할 때까지 적어도 5시간 동안 실험을 지속했습니다.[85]

초기 냉수 실험의 명목상 "책임자"는 킬 대학의 의과 교수 에른스트 홀츨뢰너Ernst Holzlöhner 박사였고, 조수는 에리히 핀케Erich Finke 박사였다. 두 사람은 라셔와 두 달 동안 연구한 뒤 실험의 가능성을 전부 살펴보았다고 판단했다. 그런 다음 세 의사는 "인체 냉각 실험"이라는 제목의 32쪽짜리 극비 보고서를 작성해 공군에 제출했고, 실험 성과를 논의하고 의견을 듣기 위해 1942년 10월 26~27일 뉘른베르크에서 독일 과학자들의 회의를 개최했다. 회의 주제는 "해상 및 동계 긴급상황에서의 의학적 문제들"이었다. '의사 재판'의 증언에 따르면, 해당 분야에서 가장 저명한 몇 사람을 포함해 독일 과학자 95명이 참석했으며, 세 의사가 실험 중에 여러 명이 사망에 이른 사실을 확실히 밝혔음에도 그에 관해 아무런 질문도 나오지 않았고 따라서 항의도 전혀 없었다.

홀츨뢰너 교수*와 핀케 박사는 이 무렵 실험에서 손을 뗐지만, 끈질긴 라셔 박사는 1942년 10월부터 이듬해 5월까지 혼자서 계속 진행했다. 라셔는 무엇보다 "건조 냉각" 실험을 추진하고 싶어했다. 힘러에게 쓴 편지에서 라셔는 아우슈비츠에 대해 이렇게 말했다.

다하우보다 그런 실험에 훨씬 더 적합합니다. 그곳이 더 춥고 부지도 넓어 수용소 내에서 일어날지도 모르는 소란이 덜 생기기 때문입니다. (피실험자들은 냉각될 때 비명을 지릅니다.)

모종의 이유로 실험 장소 변경은 이루어지지 않았다. 그래서 라셔 박사는 다하우에서 연구를 진행하면서 진짜 겨울다운 날씨가 오기를 기도했다.

[1943년 초봄에 라셔가 힘러에게 씀] 신께 감사하게도 다하우에 다시 한파가 닥쳤습니다. 몇 명을 영하 6도의 야외에 14시간 동안 두었더니 체내 온도가 25도가 되고 말초 동상에 걸렸습니다. …[86]

---

* 홀츨뢰너 교수는 죄책감을 느꼈을지도 모른다. 영국 측에 체포된 그는 첫 심문 이후 자살했다.

'의사 재판'에서 증인 네프는 라셔의 "건조 냉각" 실험에 관한 비전문가의 관찰을 이렇게 다시 묘사했다.

저녁에 한 수감자를 나체 상태로 막사 외부의 들것에 두었습니다. 그에게 천을 덮고서 매 시간 찬물을 한 양동이씩 부었습니다. 피실험자는 그 상태로 아침까지 야외에 누워 있었습니다. 시간마다 체온을 쟀습니다.
나중에 라셔 박사는 피실험자를 천으로 덮어 물로 적신 것이 실수였다고 말했습니다. … 향후 실험에서는 사람들에게 천을 덮어서는 안 된다고 했습니다. 그다음 실험은 수감자 10명을 역시 나체 상태로 추위에 교대로 노출시키는 것이었습니다.

수감자들이 천천히 냉각되는 동안 라셔 박사나 그의 조수가 체온, 심박동, 호흡 등을 기록했다. 그럴 때면 고통의 비명이 밤의 정적을 깨곤 했다.

[네프가 법정에서 설명함] 처음에 라셔는 그런 실험을 마취 상태로 진행하는 것을 금했습니다. 하지만 피실험자들이 소란을 피웠기 때문에 라셔로서도 마취 없이 실험을 지속하기가 불가능했습니다.[87]

힘러가 실험을 위해 죽을 가치밖에 없다고 말했듯이, 독일 측은 피실험자들을 다하우의 얼음물 수조에 집어넣거나 겨울밤 막사 바깥에 알몸으로 누인 채로 죽도록 내버려두었다. 설령 살아남더라도 곧장 처형해버렸다. 그러나 이 실험의 명목상 수혜자인 독일의 용맹한 비행사나 수병은 최대한 살려야 했다. 그들은 북극해의 얼음물에 빠지거나 노르웨이,

핀란드, 북부 러시아의 북극권 한계선 이북에서 얼어붙은 불모지에 고립될 수 있었다. 그런 이유로 불굴의 라셔는 다하우의 인간 기니피그들을 대상으로 "가열 실험"을 실시했다. 다시 말해 냉각된 인체를 데워 생명을 구할 수 있는 최선의 방법이 무엇인지를 알고자 했다.

분주한 과학자 무리에게 "실용적" 해법을 제시하는 일에서 결코 뒤지지 않은 하인리히 힘러는 라셔에게 "동물 체온"으로 데울 것을 제안했지만, 처음에 라셔는 이 방안을 중시하지 않았다. "동물 체온—동물이나 여성의 몸—으로 가열하는 것은 너무 더딥니다"라고 친위대 수장에게 썼다. 하지만 힘러는 의견을 굽히지 않았다.

[힘러가 라셔에게 씀] 나는 동물 체온 실험이 무척 궁금하다. 개인적으로 나는 이 실험이 가장 훌륭하고 지속적인 결과를 가져올 수도 있다고 생각한다.

라셔는 회의적이긴 했으나 친위대 지도자의 제안을 무시할 만한 위인은 아니었다. 곧장 가장 기이한 일련의 "실험"에 착수한 그는 후세를 위해 소름 끼치는 세부까지 기록했다. 실험을 위해 라펜스브뤼크의 여성 강제수용소에서 수감자 4명을 다하우의 라셔에게 보냈다. 그렇지만 그들—매춘부로 분류되었다—중 한 명에게 라셔를 혼란스럽게 하는 무언가가 있었고, 그 이유로 라셔가 상관들에게 다음과 같이 보고했다.

배정된 여성들 중 한 명이 나무랄 데 없는 북방인의 특징들을 보여주었습니다. … 그 여성에게 무슨 이유로 위안부로 자원했는지 물었더니 "강제수용소에서 벗어나기 위해서"라고 답했습니다. 위안부로 자원하는 것은 수치스러운 일이라고 제가 반박하자 "강제수용소의 반년보다 위안소의 반년이 낫습니다"라고 했습니다. …

저의 인종적 양심은 외견상 순수한 북방인 여성을 인종적으로 열등한 강제수용소 놈들에게 내어준다는 것에 분개합니다. … 그런 이유로 저는 이 여성을 저의 실험 목적에 사용하는 것을 거부하겠습니다.[88]

하지만 머리카락이 덜 금발이고 눈이 덜 파란 다른 여성들은 사용했다. 라셔는 실험 결과를 1942년 2월 12일자 "기밀" 보고서에 담아 당연히 힘러에게 전달했다.[89]

피실험자들은 익숙한 방식 — 옷을 입었든 벗었든 — 으로 여러 온도의 냉수에 집어넣어 냉각했다. … 직장의 체온이 섭씨 30도일 때 물에서 꺼냈다.

여덟 경우에는 발가벗긴 두 여성을 넓은 침대 위에 눕혀놓고 피실험자를 그사이에 두었다. 냉각된 피실험자를 최대한 밀착해 끌어안으라고 여성들에게 지시했다. 그리고 세 피실험자에게 담요를 덮어주었다. …

피실험자들은 일단 의식을 되찾고 나면 다시 잃지 않았고, 금세 상황을 파악해 여성들의 나체에 바짝 달라붙었다. 그러자 담요를 덮어 따뜻하게 해준 피실험자들과 대략 같은 속도로 체온이 올라갔다. … 30도에서 32도 사이에서 성교를 한 네 피실험자는 예외였다. 이들은 성교 후에 체온이 매우 빠르게 올라갔는데, 온수로 목욕을 했을 때와 비슷한 속도였다.

라셔는 냉각된 남자의 체온을 한 명의 여자가 두 명의 여자보다 더 빠르게 높인다는 사실을 확인하고서 다소 놀랐다.

그것은 여자 한 명으로 체온을 높일 때 개인적인 어색함을 피할 수 있고 여자가 냉각된 피실험자에게 더 밀착할 수 있기 때문인 것으로 보인다. 또한 이 경우에 의식을 완전히 회복하는 속도가 현저히 빨랐다. 단 한 명의 피실험자만이 의식을 회복하지 못하고 체온이 조금만 상승한 것으로 기록되었다. 이 피실험자는 뇌출혈 증상으로 사망했고, 후에 부검으로 뇌출혈을 확인했다.

이 살인마 돌팔이는 실험을 요약하면서 "냉각된" 남성을 여성으로 데울 경우 체온이 "매우 더디게 상승"하며 온수 목욕이 더 효과적이라고 결론지었다.

[라셔가 결론지음] 성교를 할 만한 신체 상태의 피실험자들만이 놀라울 정도로 빠르게 체온이 상승했고, 또 완전한 신체 건강을 놀라울 정도로 빠르게 회복했다.

'의사 재판'의 증언에 따르면 300명을 대상으로 "냉각" 실험을 400여 회 진행했다. 그중 80~90명이 실험의 직접적인 결과로 사망했고, 나머지는 소수를 제외하고 뒤이어 제거되었으며, 몇몇은 정신이 나가버렸다. 그런데 이 재판의 증언자들 가운데 라셔 본인은 없었다. 그는 1944년 5월까지 너무 많아 일일이 거론하기도 어려운 잔혹한 프로젝트를 계속 수행하다가 아내와 함께 친위대에 체포되었다—살인적인 "실험" 때문이 아니라 자녀들이 어떻게 태어났는지를 속인 혐의로 체포된 듯하다. 독일인 어머니를 예찬하는 힘러로서는 그런 기만을 용납할 수 없었다—라셔 부인이 48세 이후 세 아이를 낳았다는 것을 진심으로 믿었던 힘러는 부인이 아이들을 유괴했다는 사실을 알고서 격분했다. 그리하여 라셔 박사는 익숙한 다하우 수용소의 정치범 벙커에 감금되었고, 아내는 박사가 "가열" 실험에 사용할 위안부를 구했던 라펜스브뤼크 수용소로 이송되었다. 둘 다 살아남지 못했는데, 힘러가 생애 마지막 조치 중 하나로 부부를 처형하라고 지시했던 것으로 보인다. 살려두었다가는 거북한 증인이 될 터였기 때문이다.

그렇게 거북한 증인 여럿이 살아남아 재판을 받았다. 그중 7명은 자신들의 치명적인 실험이 조국을 위한 애국 활동이었다고 끝까지 항변하다가 사형을 선고받고 교수형에 처해졌다. '의사 재판'의 유일한 여성 피고인 헤르타 오버호이저Herta Oberheuser 박사는 20년 징역형을 선고받았다. 그녀는, 라펜스브뤼크에서 온갖 "실험"에 동원되어 지독한 고문을 당한 수백 명 가운데 폴란드 여성 "대여섯 명"에게 치사량을 주사했다고 인정했다. 적국인 수백만 명을 불임으로 만들려던 악명 높은 포코르니를 비롯한 의사 여럿은 무죄판결을 받았다. 소수는 죄를 뉘우쳤다. 의료 하위직에 대한 제2차 공판에서 과거 하버드 의대 교수였던 에트빈 카첸엘레보겐Edwin Katzenellenbogen 박사는 스스로 재판부에 사형을 요청했다. "여러분은 제 이마에 카인의 낙인을 찍었습니다" 하고 소리쳤다. "저와 같은 혐의의 범죄를 저지른 의사는 죽어 마땅합니다." 그는 종신형을 선고받았다.[90]

하이드리히의 죽음과 리디체의 소멸
——

2차대전 중반, 피정복민에 대한 살육을 자행하던 신질서의 폭력배 지도부를 응징하는 사건이 일어났다. 바로 라인하르트 하이드리히, 즉 비밀경찰과 보안국의 두목, 게슈타포의 부두목, '최종 해결'의 천재, 점령지에서 '교수형 집행인 하이드리히'로 알려진, 기다란 코와 얼음처럼 차가운 눈매에 악마 같은 기질의 38세 경찰관이 횡사했던 것이다.

끊임없이 더 큰 권력을 추구하고 비밀리에 상관 힘러를 축출할 음모를 꾸미던 하이드리히는 기존의 다른 직책들에 '모라비아와 보헤미아 제국보호자 대리'라는 직책을 추가했다. 제국보호자인 가련하고 늙은 노이라트는 1941년 9월 히틀러의 지시로 무기한 병가를 떠났고, 하이드리히가 보헤미아 국왕들의 유서 깊은 본거지인 프라하의 흐라트차니 성을 대신 차지했다. 그러나 오래가지 않았다.

1942년 5월 29일 아침, 메르세데스 사의 무개 스포츠카를 타고 교외 저택에서 프라하 성으로 향하던 하이드리히에게 영국제 폭탄이 날아들어 차가 박살나고 그의 척추가 엉망이 되었다. 폭탄을 던진 이들은 영국 공군의 항공기에서 낙하산으로 강하한, 영국에 있던 체코슬로바키아 망명정부 군대의 두 체코인 얀 쿠비스Jan Kubis와 요세프 가프치크Josef Gabčík였다. 이 임무를 위해 장비를 잘 갖춘 그들은 거사 뒤 연막을 피워 도주했고, 프라하에 있는 카를로 보로메오 교회의 사제들이 그들을 숨겨주었다.

하이드리히는 그날의 부상으로 6월 4일에 사망했다. 그러자 독일 측은 과거 튜턴족의 영웅이 죽었을 때처럼 야만적인 복수에 나서 진정한 학살극을 벌였다. 게슈타포의 한 보고서에 따르면 여성 201명을 포함해 체코인 1331명이 즉각 처형되었다.[91] 카를로 보로메로 교회에 숨어 있던 실제 암살자들과 체코 레지스탕스 120명은 그곳에서 친위대에 포위되어 마지막 한 명까지 사살당했다.* 그렇지만 지배인종에 도전한 이 행위로 인해 가장 고통받은 집단은 유대인이었다. 독일 측은 "특권적"이라는 테레진슈타트 게토에서 유대인 3000명을 추린 뒤 동부로 이송해 몰살했다. 괴벨스는 폭탄 공격 당일 베를린에 남아 있던 유대인 500명을 닥치는 대로 체포했고, 하이드리히가 사망한 날 그중 152명을 "보복"으로 처형했다.

그러나 하이드리히 사망에 뒤이은 모든 결과 가운데 광업도시 클라드노 인근의 작은 마을 리디체의 운명이야말로 문명 세계에서 가장 오래도록 기억될 것이다. 감히 정복자들 중 한 명의 목숨을 앗아간 피정복민들에게 본때를 보여주겠다는 이유만으로 이 평화롭고 작은 농촌에서 끔찍한 만행을 저질렀기 때문이다.

1942년 6월 9일 아침, 막스 로스토크Max Rostock 대위**가 지휘하는 독일 보안경찰들이 트럭 10대를 타고 리디체에 도착해 마을을 에워쌌다. 아무도 마을을 떠나지 못했고, 마침 외부에 나가 있던 주민들만 집으로 돌아갈 수 있었다. 어느 12세 소년이 겁에 질려 몰래 도망치려다가 총에 맞아 죽었다. 한 여성은 마을 외곽의 밭으로 줄달음치다가 등에 총을 맞고 죽었다. 남성 주민들은 모두 마을 이장이기도 한 호라크Horak라는 농민의 헛간, 마구간, 지하 저장고에 갇혔다.

이튿날 새벽부터 오후 4시까지 남자들은 헛간 뒤뜰로 10명씩 끌려나와 보안경찰 총살대에 의해 사살되었다. 그곳에서 성인 남성과 16세 이상 청소년을 합해 총 172명이 처형되었다. 학살이 자행되는 동안 클라드노의 광산에서 일하고 있던 다른 남성 주민 19명은 나중에 프라하에서 체포되어 목숨을 잃었다.

---

* 그곳에 있었던 셸렌베르크에 따르면 게슈타포는 교회 사망자들 가운데 실제 암살자들이 있다는 것을 끝내 알지 못했다. (Schellenberg, *The Labyrinth*, p. 292)
** 1951년 8월, 프라하에서 교수형에 처해졌다.

리디체에서 붙잡힌 여성 7명은 프라하로 연행되어 사살되었다. 195명에 이르는 마을의 나머지 여자들 전원은 독일 내 라펜스브뤼크 강제수용소로 이송되어 7명은 독가스로 살해되고 3명은 '실종'되고 42명은 학대로 사망했다. 출산이 임박했던 리디체 여성 4명은 우선 프라하의 산부인과 병원으로 데려가 아이를 낳게 한 뒤 신생아들은 살해하고 산모들은 라펜스브뤼크로 이송했다.

독일 측으로서는 이제 아버지는 죽고 어머니는 수감된 리디체의 어린이들을 처리하는 문제가 남아 있었다. 독일 측이 이 아이들까지 총살하지는 않았다는 점은 말해두어야겠다. 남자아이들도 살려두었다. 이 아이들은 그나이제나우 강제수용소로 이송되었다. 총 90명이었으며, 힘러의 "인종 전문가들"이 적절히 조사한 뒤 나치는 채 돌도 지나지 않은 7명을 선발해 독일로 데려가 독일 이름을 붙이고 독일인으로 양육했다. 나중에 다른 아이들도 비슷하게 처리했다.

"그들의 모든 흔적이 사라졌다"라고 체코슬로바키아 정부는 뉘른베르크 재판에 제출한 리디체 관련 공식 보고서에서 결론지었다.

다행히도 나중에 적어도 일부 흔적이 발견되었다. 나는 1945년 가을 연합국이 통제하는 독일 신문들을 읽다가 리디체의 살아남은 어머니들이 잃어버린 자식을 찾도록 도와주고 "고향"으로 돌려보내달라고 독일 국민에게 부탁하는 애달픈 호소문을 접한 기억이 있다.[*]

사실 리디체 자체는 지표면에서 싹 지워졌다. 보안경찰은 남성을 학살하고 여성과 어린이를 이송하자마자 마을을 불태우고 폐허를 다이너

---

[*] 국제연합 구제부흥사무국(UNRRA)은 1947년 4월 2일 바이에른에서 리디체의 아이들 17명을 찾아 체코슬로바키아의 어머니들에게 돌려보냈다고 보고했다.

마이트로 폭파하여 평지로 만들어버렸다.

이런 나치 만행의 사례로 리디체가 가장 널리 알려지긴 했지만, 독일이 점령한 땅에서 그런 야만적인 최후를 맞은 유일한 마을은 아니었다. 체코슬로바키아의 레자키라는 마을, 그리고 폴란드, 소련, 그리스, 유고슬라비아의 다른 몇몇 마을도 같은 최후를 맞았다. 신질서의 만행을 상대적으로 덜 저지른 서부에서도 독일 측은 리디체의 사례를 되풀이했다. 다만 노르웨이 텔라보그의 경우처럼 대개는 마을의 모든 건물을 깡그리 파괴한 뒤 남성과 여성, 어린이를 각기 다른 강제수용소로 이송하는 정도로 그쳤다.

그러나 1944년 6월 10일, 리디체 학살이 일어나고 꼭 2년째 되는 날, 리모주 인근 프랑스 마을 오라두르-쉬르-글란에서 끔찍한 살육이 벌어졌다. 이미 소련에서 테러로—전투로는 아닐지언정—평판을 얻었던 무장친위대 다스라이히Das Reich사단의 한 분견대가 이 프랑스 마을을 에워싸고서 주민들에게 중앙 광장으로 모이라고 지시했다. 그곳에서 지휘관은 주민들에게 마을에 폭발물이 숨겨져 있다는 보고가 들어왔으니 샅샅이 수색하고 신분증을 확인하겠다고 말했다. 그러고는 주민 652명을 모조리 감금했다. 남성은 헛간에, 여성과 어린이는 교회에 몰아넣었다. 그런 다음 마을 전체에 불을 질렀다. 뒤이어 독일 군인들은 주민들에게 달려들었다. 헛간에서 불타 죽지 않은 남자들은 기관총으로 살해했다. 교회의 여자들과 어린이들에게도 기관총을 난사했고, 그래도 죽지 않은 이들은 교회에 불을 질러 태워 죽였다. 사흘 후 리모주의 주교는 다 타버린 제단의 뒤편에서 숯덩이인 양 쌓여 있는 어린이 시신 15구를 발견했다.

9년 후인 1953년, 프랑스 군사법정은 주민 642명—여성 245명, 어린이 207명, 남성 190명—이 오라두르 학살로 숨졌음을 확인했다. 10명은 살아남았다. 중화상을 입었으나 죽은 시늉을 해서 목숨을 건졌다.*

리디체와 마찬가지로 오라두르도 재건되지 않았다. 그곳의 폐허는 히틀러의 유럽 신질서를 보여주는 유물로 남아 있다. 평온한 시골 풍경에다 쓰러져가는 교회가 추수하기 직전 6월의 화창한 날, 마을과 주민들이 느닷없이 사라져버린 그날을 상기시키며 우뚝 서 있다. 한때 유리창이 있던 자리에 이제는 자그마한 안내판이 있다. "교회의 유일한 생존자 루팡스 부인은 이 유리창으로 탈출했다." 그 앞에는 녹슨 십자가의 작은 그리스도 상이 있다.

히틀러의 신질서는 이 장에서 약술한 것처럼 출범했다. 유럽에서 나치의 폭력배 제국은 이렇게 등장했다. 전 인류에게는 다행스럽게도 신질서는 초창기에 파괴되었다. 야만성으로 되돌아가려는 시도에 독일 국민이 반발했기 때문이 아니라 독일군이 패배하고 그 결과로 제3제국이 몰락했기 때문이다. 이제 그 이야기가 남아 있다.

---

* 친위대 분견대의 대원 20명은 이 법정에서 사형을 선고받았지만 단 2명만 처형되고 나머지 18명은 5~12년형으로 감형되었다. 다스라이히사단의 사단장 하인츠 라머딩(Heinz Lammerding) 친위대 중장은 궐석 재판에서 사형을 선고받았다. 내가 아는 한 라머딩은 끝내 발견되지 않았다(라머딩은 전후 서독에서 살다가 1971년 암으로 사망했다. 서독 정부는 라머딩을 프랑스 측에 끝까지 인도하지 않았다). 오라두르 분견대의 실제 지휘관인 오토 디크만(Otto Dickmann) 소령은 며칠 후 노르웨이에서 작전 중에 전사했다.

제28장

무솔리니의 실각

1942년 여름까지 전쟁의 첫 3년 동안 유럽 대륙에서 대공세를 개시한 쪽은 줄곧 독일군이었다. 그런데 1943년부터 전세가 뒤집혔다.

한때 북아프리카에서 막강했던 추축국 군대의 잔존 병력을 1943년 5월 초 튀니지에서 생포한 아이젠하워 장군의 영국–미국 군대는 뒤이어 이탈리아 본토를 겨냥할 것이 확실했다. 연합군의 이탈리아 공격은 지난 1939년 9월에 무솔리니를 괴롭혔던 악몽이자, 인접국 프랑스가 독일군에 점령당하고 영국 원정군이 해협 건너편으로 쫓겨날 때까지 이탈리아가 참전을 미룬 이유였다. 이제 그 악몽이 되살아났거니와, 지난번과 달리 빠르게 현실이 되어가고 있었다.

병든 몸의 무솔리니는 미몽에서 벗어났다. 그리고 겁을 먹었다. 패배주의가 이탈리아 국민과 군대 사이에 만연했다. 산업도시 밀라노와 토리노에서 대규모 파업이 일어났고 배고픈 노동자들이 "빵, 평화, 자유"를 위해 시위를 벌였다. 신뢰를 잃고 부패한 파시스트 체제 자체가 급속히 허물어지고 있었으며, 1943년 초 치아노 백작이 외무장관직에서 해임되고 바티칸 대사로 부임하자 독일 측은 루마니아 독재자 안토네스쿠가 이미 역설하던 방안처럼 치아노가 연합국과의 단독 강화를 협상하기 위해 바티칸으로 간 것은 아닌지 의심했다.

몇 달 전부터 무솔리니는 히틀러에게 스탈린과 강화를 맺자고 연신 호소했다. 그래야 독일군이 서부로 철수하여 이탈리아군과 함께 지중해에서 증대하는 영미군의 위협과, 그의 생각에 영불 해협을 건너 침공하기 위해 영국에서 집결하고 있는 군대의 위협을 막아낼 수 있었기 때문이다. 히틀러는 축 늘어진 파트너를 기운나게 하고 바로잡기 위해 무솔리니를 다시 만날 때가 왔다고 판단했다. 회담 일시와 장소는 1943년 4월 7일, 잘츠부르크로 정했다. 두체는 자신의 생각대로 하겠다고—또는 적어도 할 말은 하겠다고—결심하고 갔음에도 총통이 폭포수처럼 쏟아내는 말에 또다시 굴복했다. 나중에 히틀러는 자신이 어떻게 성공했는지 괴벨스에게 이야기했고, 괴벨스는 일기에 이렇게 기록했다.

정력을 남김없이 쏟아냄으로써 총통은 무솔리니를 다시 정상 궤도에 올려놓는 데 성공했다. … 두체는 완전히 바뀌었다. … 총통이 보기에 두체는 도착해 열차에서 내릴 때만 해도 쇠약한 노인 같았지만, [나흘 후] 떠날 때는 무슨 일이든 하려는 원기왕성한 상태였다.[1]

그러나 사실 무솔리니는 앞으로 연달아 일어날 사태에 대처할 각오가 되어 있지 않았다. 연합군은 5월에 튀니지를 정복한 데 이어 7월 10일 시칠리아에 상륙했다. 이탈리아군은 자국 본토에서조차 적을 막아내려는 투지가 거의 없었다. 곧 이탈리아군이 "붕괴 상태"라는 보고를 받은 히틀러는 OKW 고문들에게 이렇게 말했다.

[히틀러가 7월 17일 군사회의에서 말함] 1941년 스탈린에게, 또는 1917년 프랑스 측에 적용했던 야만적인 조치들만이 그 나라를 구하는 데 도움이 될 것이다. 이탈리아에 일종의 법정 또는 군사법정을 세워 바람직하지 않은 부류를 제거해야 한다.[2]

히틀러는 이 사안을 논의하기 위해 7월 19일 북부 이탈리아의 펠드레로 무솔리니를 다시 한 번 호출했다. 두 독재자의 13번째 회동이었던 이날의 대화도 최근 대화의 양상대로 흘러갔다. 히틀러가 발언을 독점했고, 무솔리니는 내내—점심식사 전에 3시간, 후에 2시간 동안—듣기만 했다. 광적인 독일 지도자는 병든 동지이자 동맹자의 가라앉은 기운을 다시 북돋우려 했으나 별 성공을 거두지 못했다. 우리는 모든 전선에서 싸움을 이어가야 한다. 우리의 임무를 "다른 세대"에 떠넘길 수는 없다. "역사의 목소리"가 여전히 우리를 부르고 있다. 시칠리아와 이탈리아 본토는 이탈리아군이 싸우기만 하면 사수할 수 있다. 독일 증원군을 추가로 보내서 이탈리아군을 도울 것이다. 새로운 U보트가 곧 작전에 들어가 영국군에 "스탈린그라드"를 선사할 것이다.

히틀러의 이런 약속과 호언장담에도 불구하고, 슈미트가 보기에 회담의 분위기는 몹시 침울했다. 무솔리니는 너무 지친 나머지 히틀러의 장광설을 따라가지 못하고 결국 슈미트에게 그의 메모를 보여달라고 부탁하게 되었다. 회담 도중 연합군이 처음으로 로마에 대한 대규모 주간 공습을 감행했다는 보고가 전해지자 두체의 절망감은 더욱 깊어졌다.[3]

겨우 60줄에 들어서는 나이에 벌써 지치고 노쇠한 베니토 무솔리니, 지난 20년간 유럽 무대를 오만하기 그지없게 활보한 사나이가 이제 진퇴양난의 처지에 몰렸다. 로마로 돌아간 그는 첫 대규모 폭격보다 더욱 심각한 사태에 직면했다. 파시스트당 간부진 가운데 최측근 일부가, 심지어 사위인 치아노까지 그에게 반기를 들었던 것이다. 그리고 그 배후에는 그를 실각시키려는, 국왕까지 포함하는 더 큰 세력의 음모가 도사리고 있었다.

디노 그란디Dino Grandi, 주세페 보타이Giuseppe Bottai, 그리고 치아노가 이끄는 파시스트당의 반두체 지도부는 1939년 12월 이래 열리지 않았고 두체가 철저히 장악한 거수기에 불과했던 협의 기구인 파시즘 대평의회Gran Consiglio del Fascismo의 소집을 요구했다. 대평의회는 1943년 7월 24일에서 25일에 걸친 밤에 소집되었고, 무솔리니는 독재자가 된 이후 처음으로 국가를 재앙으로 이끈 실책에 대한 맹렬한 비판을 받았다. 대평의회는 19표 대 8표로 민주적 의회를 갖춘 입헌군주정의 복원을 요구하는 결의안을 가결했다. 또한 군 통수권 전체를 국왕에게 반환할 것을 요구했다.

파시스트당의 반두체파는, 아마도 그란디를 예외로 하면, 여기서 더 나아갈 생각이 전혀 없었던 것으로 보인다. 하지만 몇몇 장군들과 국왕의 더 큰 두 번째 음모가 기다리고 있었고, 이제 그 음모가 드러나기 시작했다. 무솔리니는 고비를 넘겼다고 생각했던 듯하다―어쨌거나 이탈리아 국내의 사안은 대평의회의 다수결이 아니라 두체가 결정했다. 그래서 7월 25일 저녁 국왕의 왕궁에 불려갔다가 그 자리에서 총리직 해임을 통보받고 체포 상태로 구급차에 실려 어느 경찰서로 끌려가리라고는 꿈에도 생각지 못했다.*

---

* 나중에 무솔리니는 왕궁으로 출발할 때의 심정을 묘사하며 "나는 불길한 예감이 전혀 들지 않았다"라고 썼다. 비토리오 에마누엘레 3세는 무솔리니를 지체 없이 실각시켰다.

이렇게 해서 현대 로마의 카이사르가 불명예스럽게 실각했다. 호전적인 발언을 떠들어댄 이 사나이는 20세기의 혼란과 절망에서 이익을 얻는 법을 알았지만, 겉모습은 번지르르하되 내면은 대체로 부실했다. 한 인간으로서 우둔하지는 않았다. 역사를 폭넓게 읽었고 그 교훈을 이해했다고 생각했다. 하지만 독재자로서 호전적인 제국 열강이 되려는 치명적인 실책을 저질렀다. 이탈리아에는 그런 열강이 될 만한 산업 사원이 없었거니와, 독일인과 달리 이탈리아인은 그런 헛된 야망에 끌리기에는 너무 교양 있고 너무 세상 물정에 밝고 너무 현실적인 사람들이었다. 이탈리아인은 독일인처럼 파시즘을 진심으로 받아들인 적이 없었다. 그들은 파시즘이 또 하나의 지나가는 단계임을 알고서 그저 견뎠을 뿐이며, 무솔리니도 막판에 이를 깨달았던 듯하다. 그러나 모든 독재자와 마찬가지로 무솔리니는 권력에 도취했고, 아니나 다를까 권력은 그를 타락시키고 정신을 좀먹고 판단력을 망가트렸다. 그리하여 그는 자신의 운명과 이탈리아의 운명을 제3제국에 동여매는 두 번째 치명적인 실책을 저질렀다. 히틀러 독일의 조종이 울리기 시작하자 무솔리니 이탈리아의 조종도 울리기 시작했고, 1943년 여름이 왔을 때 무솔리니는 그 소리를 들었다. 하지만 자신의 운명에서 벗어날 방도가 없었다. 그 무렵 무솔리니는 히틀러의 포로였다.

무솔리니를 구하기 위한 총성은 단 한 발도 울리지 않았다─파시스트

"친애하는 두체" 하고 국왕은 처음부터 본론으로 들어갔다. "이제 어쩔 수 없습니다. 이탈리아는 산산조각이 났습니다. … 군인들은 더 이상 싸우려 하지 않습니다. … 이 순간 그대는 이탈리아에서 가장 미움받는 사람입니다. …"

"폐하는 극히 중대한 결정을 내리는 것입니다" 하고 무솔리니는 대꾸했다. 하지만 본인 말로도 무솔리니는 국왕의 마음을 돌려보려는 시도를 거의 하지 않았다. 그저 후임자에게 "행운을 빕니다" 하고 말았다. (Mussolini, *Memoirs, 1942-1943*, pp. 80-81)

민병대조차 그를 구하려 하지 않았다. 그를 옹호하는 목소리도 들리지 않았다. 아무도 그의 치욕스러운 실각─국왕의 면전에서 끌려나가 구급차에 실려 유치장으로 직행한─에 개의치 않는 듯했다. 오히려 대체로 그의 실각에 반색했다. 파시즘 자체도 창시자만큼이나 쉽게 무너졌다. 피에트로 바돌리오Pietro Badoglio 원수가 장군들과 관료들로 이루어진 비정당 정부를 구성했고, 파시스트당이 해체되었으며, 파시스트들이 요직에서 쫓겨나고 반파시스트들이 감옥에서 풀려났다.

군이 상상할 필요는 없지만, 히틀러의 본부가 무솔리니의 실각 소식에 어떻게 반응했는지 상상할 수 있다─실각에 관한 기밀 기록이 넘쳐나기 때문이다.[4] 그 소식은 큰 충격을 주었다. 나치라 할지라도 독일과 이탈리아의 특정한 유사점을 곧장 알아차렸고, 7월 26일 라스텐부르크 본부로 황급히 불려간 괴벨스는 로마가 끔찍한 선례가 될 가능성을 몹시 우려했다. 일기로 알 수 있듯이 선전장관이 먼저 고민한 문제는 무솔리니의 실각을 독일 국민에게 어떻게 설명하느냐는 것이었다. 괴벨스는 "도대체 국민에게 뭐라고 말해야 하는가?"라고 자문한 뒤 당분간 두체가 "건강상 이유로" 사임했다고만 말하기로 결정했다.

[괴벨스가 일기에 씀] 이 사태를 알게 되면 독일 국내의 일부 불온한 부류가 용기를 얻어 로마에서 바돌리오와 그의 부하들이 성취한 일을 이곳에서도 달성할 수 있다고 생각할 것이다. 총통은 힘러에게 이곳에서 그런 위험이 임박한 듯한 경우에 가장 엄중한 치안 조치를 취하라고 명령했다.

그렇지만 괴벨스가 부언했듯이 히틀러는 독일에서 그런 위험이 임박했다고 생각하지 않았다. 결국 선전장관은 독일 국민이 "로마의 위기를 선례로 여기지" 않을 것이라고 스스로를 위로했다.

총통은 불과 1주일 전의 회동에서 무솔리니가 무너져가는 징후를 목격했으면서도, 7월 25일 오후 로마발 소식이 조금씩 본부에 들어오기 시작하자 화들짝 놀랐다. 첫 소식은 단지 파시즘 대평의회를 소집한다는 것이었고, 히틀러는 그 이유가 의문이었다. "그런 평의회가 무슨 소용인가?" 하고 물었다. "떠들기만 하지 않나?"

그날 밤 총통이 가장 우려하던 사태가 현실로 드러났다. 오후 9시 30분에 시작한 회의에서 히틀러는 "두체가 사임했다"라고 통지하여 군사 고문들을 놀라게 했다. "우리의 철천지원수 바돌리오가 정부를 탈취했다."

히틀러는 지난날 여러 위기를 더 성공적으로 헤쳐나갈 때 보여주었던 냉철한 판단력으로 이탈리아 소식에 대처했다. 전쟁의 후반에 그런 판단력을 보여준 몇 안 되는 경우 중 하나였다. 요들 장군이 로마에서 더 상세한 보고가 들어올 때까지 기다릴 것을 권고하자 히틀러는 장군의 말을 잘랐다.

[히틀러가 말함] 물론 그렇지만 우리 측에서 먼저 계획을 세워야 한다. 틀림없이 그들은 기만술로 우리에게 계속 충성하겠다고 선언할 것이다. 물론 그들은 계속 충성하지 않을 것이다. … 아무개[바돌리오]가 즉각 전쟁을 지속하겠다고 선언하긴 했지만, 그래 봐야 달라지는 건 없다. 그렇게 말할 수밖에 없을 뿐, 어차피 반역이다. 우리는 종래와 같이 하면서 그 일당을 일망타진할 준비, 그 잔챙이들 전체를 체포할 준비에 만전을 기해야 한다.

이렇듯 무솔리니를 끌어내린 무리를 체포하고 두체를 복권시키는 것이 히틀러의 첫 구상이었다.

[히틀러가 이어서 말함] 내일 제3기갑척탄병사단 사령관에게 사람을 보내 로마로 진격하여 각료 전원, 국왕, 그 일당 전체를 체포하라는 취지의 상세한 특별 명령을 내릴 것이다. 무엇보다 왕세자를 체포하고 그 패거리 전체, 특히 바돌리오 일당을 체포해야 한다. 그런 다음 그들을 굴복시킬 것이고, 2~3일 내에 다른 쿠데타가 일어날 것이다.

히틀러는 OKW 작전참모장 쪽으로 돌아섰다.

히틀러: 요들, 돌격포를 가지고 로마로 진격해 ⋯ 각료, 국왕, 그 일당 전체를 체포하라는 ⋯ 명령서를 작성하게. 나는 무엇보다 왕세자를 원하네.

카이텔: 왕세자가 노인보다 중요합니다.

보덴샤츠[공군 장군]: 그들을 항공기 한 대에 밀어넣고 실어올 수 있도록 준비해야 합니다.

히틀러: 그들을 항공기에 태우자마자 이륙하게.

보덴샤츠: 비행장에서 아들〔왕세자〕을 놓쳐서는 안 됩니다.

자정 직후 다시 열린 회의에서 바티칸을 어떻게 하느냐는 문제가 제기되었다. 히틀러는 이렇게 답했다.

내가 곧장 바티칸으로 가겠다. 그대들은 내가 바티칸에 쩔쩔맬 거라고 생각하나? 그곳을 당장 장악할 것이다. ⋯ 그곳의 외교단 전체 ⋯ 그 어중이떠중이 ⋯ 그 돼지 떼거리를 쫓아내버릴 것이다. ⋯ 나중에 둘러대면 된다. ⋯

그날 밤 히틀러는 이탈리아와 독일 사이, 이탈리아와 프랑스 사이의 알프스 고갯길을 모두 확보하라는 명령도 내렸다. 이 목표를 위해 무려 독일군 8개 사단을 프랑스와 남부 독일에서 급히 그러모아 정력적인 로멜 지휘 하의 B집단군으로 편성했다. 괴벨스가 일기에 썼듯이, 이탈리아 측이 알프스의 터널과 교량을 폭파할 경우 이미 시칠리아에서 아이젠하워의 병력과 격전 중인 부대를 포함해 이탈리아 내 독일군 부대들의 보급이 끊길 수 있었다. 그렇게 되면 오래 버틸 수가 없었다.

그러나 이탈리아 측으로서도 하룻밤 사이에 별안간 독일군에 달려들 수가 없었다. 바돌리오는 우선 연합국에 연락해 휴전협정을 맺을 수 있을지, 독일군 사단들에 맞설 경우 연합군의 지원을 얻을 수 있을지부터 확인해야 했다. 히틀러는 바돌리오의 행보를 정확하게 예상하긴 했지만, 이탈리아와 연합국의 협의가 그렇게 오래 걸릴 줄은 전혀 생각하지 못했다. 실제로 7월 27일 괴링, 괴벨스, 힘러, 로멜, 신임 해군 총사령관 카를 되니츠 제독—1월에 히틀러의 총애를 잃은 레더 대제독의 후임자가 되었다*—등 나치 정부와 군대의 거물들이 거의 다 참석한 총통 본부의 군사회의에서는 신중론이 우세했다. 로멜을 비롯한 장군들 대다수는 이탈리아에서의 작전 구상을 면밀히 준비하고 심사숙고해야 한다면서 주의를 촉구했다. 히틀러는 소련군이 개전 이래 처음으로 하계 공세를 막 개

---

* 1928년부터 독일 해군을 통솔해온 레더가 북극해에서 러시아로 향하는 연합군 호송선단을 파괴하지 못하고 큰 손실을 입자 히틀러는 격분했다. 1월 1일 히틀러는 본부에서 히스테리 상태로 분노를 쏟아내다가 당장 독일 대양함대를 퇴역시키라고 명령했다. 함정들을 조각조각 해체하라고 지시했다. 1월 6일 늑대굴에서 히틀러와 레더는 험악한 언쟁을 벌였다. 총통은 해군이 행동하지 않고 싸우려는 의지가 없고 위험을 무릅쓰지 않는다고 비난했다. 그러자 레더는 총사령관직에서 해임해달라고 요구했고, 1월 30일 그의 사임이 공식적·공개적으로 수리되었다. 신임 총사령관 되니츠는 그전까지 U보트 사령관이었던 터라 수상함의 문제를 거의 알지 못했고, 이후 잠수함전에 집중했다.

시한(7월 15일) 동부전선에서 핵심 기갑사단들을 빼오는 한이 있더라도 당장 행동하기를 원했다. 그러나 이번만큼은 장군들이 의견을 굽히지 않고 히틀러를 설득해 행동을 보류했던 것으로 보인다. 그사이에 독일군 부대들을 최대한 그러모아서 알프스 너머 이탈리아로 돌격한다는 구상이었다. 괴벨스는 주저하는 장군들을 좋게 보지 않았다.

[괴벨스가 군사회의 후 일기에 씀] 그들은 적이 무엇을 하고 있는지를 고려하지 않는다. 틀림없이 영국은 우리가 조치를 고려하고 준비하는 동안 채 1주일도 기다리지 않을 것이다.

괴벨스와 히틀러는 걱정할 필요가 없었다. 연합국은 한 주가 아니라 여섯 주를 기다렸다. 그때까지 히틀러는 계획을 세우고 그것을 실행할 병력을 마련했다.

사실 히틀러는 7월 27일 군사회의를 소집했을 때 벌써 열에 들뜬 머리로 서둘러 계획을 구상한 터였다. 계획은 네 가지였다. (1) 무솔리니를 구출하기 위한 아이헤Eiche('떡갈나무') 작전. 무솔리니가 섬에 있으면 해군으로, 본토에 있으면 공군 낙하산부대로 구출한다. (2) 로마를 불시에 점령하고 무솔리니 정부를 복원하기 위한 슈투덴트Student('학생') 작전. (3) 이탈리아를 군사 점령하기 위한 슈바르츠Schwarz('검은색') 작전. (4) 이탈리아 함대를 탈취하거나 파괴하기 위한 악세Achse('추축') 작전. 나중에 뒤의 두 작전은 '추축'이라는 암호명으로 통합되었다.

1943년 9월 초의 두 사건이 총통의 계획을 발동시켰다. 9월 3일 연합군이 이탈리아 남단에 상륙했고, 9월 8일 이탈리아와 서방 열강의 휴전

협정(9월 3일 비밀리에 체결)이 공표되었다.

9월 8일 당일에 히틀러는 우크라이나 자포리자로 날아가 느슨해지는 독일 전선을 복구하려 했지만, 괴벨스에 따르면 "이상한 불안감"에 휩싸여 저녁에 동프로이센의 라스텐부르크 본부로 돌아갔다. 그곳에 도착하니 주요 동맹국이 변절했다는 소식이 기다리고 있었다. 히틀러는 그 변절을 예상하고 대비했으면서도 막상 현실로 닥치니 깜짝 놀랐고, 본부는 몇 시간 동안 대혼란 상태였다. 독일 측은 이탈리아의 휴전 소식을 런던 BBC 방송에서 처음 들었다. 라스텐부르크의 요들이 로마 인근 프라스카티에 있는 케셀링 원수에게 전화해 휴전 소식이 사실인지 물었을 때 남부 이탈리아의 독일군을 지휘하던 이 원수는 자기도 처음 듣는 이야기라고 털어놓았다. 그렇지만 케셀링은 그날 오전 연합군의 폭격으로 자신의 사령부가 파괴된 데다 서해안 어딘가에 새로 상륙할 연합군에 대응하기 위해 병력을 모으느라 정신이 없으면서도, 암호명 '추축'을 말함으로써 이탈리아 군대를 무장 해제하고 국토를 점령하기 위한 작전을 개시할 수 있도록 했다.

하루이틀 동안 이탈리아 중부와 남부에서 독일군의 상황은 극히 위태로웠다. 로마 부근에서 이탈리아군 5개 사단이 독일군 2개 사단에 대항했다. 케셀링과 참모진이 처음에 예상했듯이, 만약에 9월 8일 나폴리 앞바다에 나타났던 연합군의 강력한 침공 함대가 북상하여 수도 인근에 상륙하고 증원 병력인 낙하산부대가 근처 비행장들을 접수했다면, 이탈리아에서 전쟁의 향방이 달라졌을 것이고, 제3제국은 실제보다 1년 앞서 최종 파국을 맞았을지도 모른다. 훗날 케셀링은 9월 8일 저녁 히틀러와 OKW가 자신의 휘하 8개 사단 전체를 내심 잃을 수밖에 없는 병력으로 "치부했다"고 주장했다.[5] 이틀 후 히틀러는 괴벨스에게 남부 이탈리아를 상실했고 로마 북쪽 아펜니노 산맥에 새로운 전선을 구축해야 한다고 말했다.

그러나 연합군 사령부는 이탈리아의 동서 해안 거의 어디서나 상륙할 수 있도록 해주는 완전한 제해권을 활용하지도 않았고, 독일 측이 우려한 압도적인 제공권을 활용하지도 않았다. 더욱이 아이젠하워의 사령부는 대규모 이탈리아군 병력, 특히 로마 부근의 5개 사단과 공조하려는 노력을 거의 하지 않았던 것으로 보인다. 만약에 아이젠하워가 이탈리아군과 공조했다면 독일군은 속수무책이었을 것이다―적어도 훗날 케셀링과 그의 참모장, 아울러 지크프리트 베스트팔Siegfried Westphal 장군은 그렇게 주장했다. 세 사람이 단언했듯이 '장화' 코에서 출발해 반도를 북진하는 몽고메리의 제8군을 물리치고, 마크 클라크Mark Clark 장군의 침공군이 어디에 상륙하든 격퇴하고, 연합군 중앙과 배후에 있는 대규모 이탈리아군 대형들을 상대하는 것은 그야말로 그들의 능력 밖이었다.*6

독일의 두 장군은 미 제5군이 로마 인근이 아니라 나폴리 남쪽 살레르노에 상륙하고 연합군 공수부대가 로마의 비행장에 나타나지 않자 안도

---

* 아이젠하워의 해군 부관 해리 C. 버처(Harry C. Butcher)에 따르면, 미군 참모총장 조지 C. 마셜(George C. Marshall)과 영국군 참모총장 존 G. 딜(John G. Dill) 원수 모두 이탈리아에서 아이젠하워의 기선 제압이 충분하지 않다고 불평했다. 버처가 상관을 옹호하며 지적한 바로는 상륙주정이 부족해 아이젠하워의 계획에 차질이 빚어졌고, 로마 부근의 북쪽까지 올라가 해상 침공을 개시했다면 작전 영역이 시칠리아에서 이륙해야 하는 전투기의 항속거리 밖이었을 것이다. 아이젠하워 본인이 지적하기로는 시칠리아 함락 이후 미군 4개 사단과 영국군 3개 사단을 합해 7개 사단을 영불 해협 침공을 위해 잉글랜드로 보내라는 명령을 받았고, 그래서 병력이 한심할 정도로 부족했다고 한다. 또한 버처에 따르면 아이젠하워는 원래 독일군에 맞서 수도를 방어하는 이탈리아군을 지원하기 위해 로마의 비행장들에 공수부대를 강하시킬 계획이었지만, 막판에 바돌리오가 그 작전을 "일시 중지"해달라고 간청했다. 엄청난 개인적 위험을 무릅쓰고 비밀리에 로마로 가서 바돌리오와 협의한 맥스웰 D. 테일러(Maxwell D. Taylor) 장군은 이탈리아군의 패배주의와 독일군의 전력 때문에 미군 공수사단을 투입하는 것은 자살행위로 보인다고 보고했다. (Eisenhower, *Crusade in Europe*, p. 189; Butcher, *My Three Years with Eisenhower*, pp. 407-425 참조)

의 숨을 내쉬었다. 이탈리아군 사단들을 거의 총 한 발 쏘지 않고 포위하고 무장 해제했을 때 그들은 더더욱 안도했다. 이것은 독일군이 로마를 쉽게 장악할 수 있고 당분간 나폴리까지 확보할 수 있음을 의미했다. 이로써 독일군은 자국을 위해 무기를 생산할 공장들이 있는 북부 공업 지역을 포함해 이탈리아의 3분의 2를 손에 넣었다. 마치 기적처럼 히틀러의 수명은 다시 연장되었다.*

이탈리아가 전쟁에서 이탈하자 히틀러는 속이 아렸다. 다시 라스텐부르크로 불려온 괴벨스에게 "대단한 비굴함의 실례"라고 말했다. 게다가 무솔리니가 실각하고 나니 본인의 입지도 걱정되었다. "총통은 우리나라에서 비슷한 사태가 발생하지 않도록 미연에 영구히 차단하기 위한 최종 조치들을 거론했다"라고 괴벨스는 9월 11일 일기에 적었다.

9월 10일 저녁, 괴벨스가 한참을 설득한 뒤에야―"국민은 이 힘겨운 위기 상황에서 총통으로부터 격려와 위안의 말을 들을 자격이 있습니다"라고 선전장관은 말했다―겨우 승낙한 대국민 연설에서 히틀러는 이 주제에 대해 다소 시비조로 말했다.

이곳에서 반역자를 찾으려는 희망은 국가사회주의 국가의 성격에 대한 완전한 무지에서 비롯됩니다. 독일에서 7월 25일[무솔리니가 실각한 날]과 같은 일을 실현할 수 있다는 믿음은 저의 개인적 위치에 더해 저의 정치 협력자들과 저의 원수들과 제독들과 장군들의 태도에 대한 근본적인 환상에 근거합니다.

---

* 이탈리아의 국왕, 바돌리오, 정부 각료는 로마에서 탈출해 얼마 후 연합군이 해방한 남부 이탈리아에 자리를 잡아 히틀러를 매우 화나게 했다. 되니츠 제독이 이탈리아 함대를 탈취하거나 파괴하려는 정교한 계획을 세웠음에도, 함대 역시 대부분 몰타 섬으로 달아났다.

앞으로 살펴볼 것처럼, 실은 독일군의 좌절이 쌓여감에 따라 다시 한 번 반역적인 구상을 품기 시작한 소수의 독일 장군들과 한줌의 예전 정치 협력자들이 있었다. 그 구상은 이듬해 7월에, 무솔리니를 겨냥했던 행동보다 더 폭력적이지만 덜 성공적인 행동으로 전환될 터였다.

히틀러는 반역의 싹을 자르고자 취한 조치 중 하나로 독일의 모든 왕족을 국방군에서 해임하라고 지시했다. 지난날 히틀러의 서한을 무솔리니에게 전달했던 헤센의 필리프 공은 총통 본부에 드나들다가 체포되어 게슈타포에 넘겨졌다. 그의 아내이자 이탈리아 국왕의 딸인 마팔다 공주도 체포되어 남편과 함께 강제수용소에 감금되었다. 노르웨이 국왕 및 그리스 국왕과 마찬가지로 이탈리아 국왕은 히틀러의 손아귀에서 벗어났으며, 히틀러는 국왕의 딸을 체포함으로써 당장 할 수 있는 앙갚음을 했다.*

몇 주 동안 총통의 일일 군사회의는 히틀러의 속을 태우는 문제에 많은 시간을 할애했다. 바로 무솔리니 구출이었다. 기억하겠지만 '아이헤 작전'이 그 계획의 암호명이었고, 본부 회의 기록에서 무솔리니는 언제나 "귀중품"으로 불렸다. 대다수 장군들뿐 아니라 괴벨스까지도 이전의 두체가 지금도 아주 귀중한 대상인지 의심했지만, 히틀러는 여전히 그렇다고 생각해 구출할 것을 고집했다.

히틀러는 여전히 개인적인 애정을 느끼는 오랜 친구에게 호의를 베푸

---

* 히틀러는 개인적으로 마팔다에게 전혀 관심이 없었다. 1943년 5월 본부 군사회의 도중 히틀러는 장군들에게 "그때 마팔다 옆자리에 앉아 있어야 했네" 하고 말했다. "내가 왜 마팔다에게 신경쓰겠나? … 그녀의 지적 능력은 사람을 매료시킬 정도는 아니야. 외모는 말할 것도 없고." (히틀러의 일일 군사회의 기밀 기록에서. Felix Gilbert, *Hitler Directs His War*, p. 37)

는 데 그치려 하지 않았다. 무솔리니를 북부 이탈리아의 새로운 파시스트 정부의 수반으로 앉히는 방안까지 염두에 두었다. 그럴 경우 독일 측이 그곳 영토를 통치하지 않아도 되거니와, 비우호적인 이탈리아 민중에 맞서 기나긴 보급선과 통신선을 지키는 데에도 도움이 될 터였다. 당시 민중 사이에서 골치 아픈 빨치산이 출현하고 있었기 때문이다.

8월 1일, 되니츠 제독은 해군이 벤토테네 섬에서 무솔리니를 발견한 것으로 보인다고 히틀러에게 보고했다. 8월 중순, 힘러의 수사관들은 두 체가 사르데냐 섬 북단에서 가까운 또다른 섬 마달레나에 있다고 확신했다. 구축함과 낙하산부대로 이 섬을 덮치는 정교한 계획을 세웠지만, 계획을 실행하기 전에 무솔리니의 위치가 다시 바뀌었다. 휴전협정의 비밀 조항에 따르면 무솔리니를 연합국 측에 인도하기로 되어 있었지만, 바돌리오가 모종의 이유로 인도를 미루다가 9월 초에 아브루초 지역 아펜니노 산맥의 최고봉으로 강삭철도로만 도달할 수 있는 그란사소 디탈리아의 한 호텔로 "귀중품"을 빼돌렸다.

독일 측은 곧 무솔리니의 행방을 간파했고, 산꼭대기를 공중 정찰했으며, 글라이더부대가 착륙해 이탈리아 경찰 경비대를 제압하고 두체를 피젤러 사의 슈토르히 소형기에 태워 달아날 수 있을 것으로 판단했다. 이 대담한 계획은 9월 13일 힘러 휘하의 수완 좋은 친위대 지식인 깡패들 중 한 명인 오토 슈코르체니라는 오스트리아인이 주도해 실행했다―이 인물은 우리 이야기의 막바지에 다른 무모한 모험에서 다시 등장할 것이다.* 어느 이탈리아 장군을 사실상 납치해 자신의 글라이더에

---

* 슈코르체니는 무솔리니의 실각 이튿날 생애 처음으로 총통 본부로 호출되어 히틀러로부터 직접 구출 임무를 배정받았다.

밀어넣은 슈코르체니는 산꼭대기 호텔에서 90여 미터 떨어진 지점에 공수부대를 착륙시킨 뒤, 2층 창가에서 혹시나 하고 밖을 내다보는 두체를 발견했다. 이탈리아 경찰관 대다수는 독일군을 보자마자 산비탈로 달아났으며, 도망가지 않은 소수에게는 슈코르체니와 무솔리니가 무기를 사용하지 말라고 설득했다. 친위대 지휘관은 이탈리아 장군을 쏘지 말라고 외쳤고—납치한 장교를 친위대원들 앞에 세워두었다—어느 목격자의 기억대로 두체는 창가에서 "쏘지 마, 아무도. 절대 피를 흘려선 안 돼!" 하고 소리쳤다. 실제로 아무도 피 한 방울 흘리지 않았다.

나중에 썼듯이, 연합군의 수중에 떨어져 뉴욕 매디슨 스퀘어 가든에서 구경거리가 되느니* 차라리 자결하겠노라 다짐했던 파시스트 지도자는 미칠 듯이 기뻐했다. 무솔리니는 구출 몇 분 만에 피젤러 사의 슈토르히 소형기에 몸을 실었고, 호텔 아래쪽의 작은 돌투성이 초지에서 위태롭게 이륙해 로마까지 날아갔으며, 그곳에서 당일 저녁 독일 공군 수송기로 갈아타고 빈까지 이동했다.[7]

무솔리니는 구출에 고마워하고 이틀 후 라스텐부르크에서 히틀러를 만나 따뜻하게 포옹하긴 했지만, 이제 의지가 꺾이고 내면의 불꽃이 다 꺼져 재만 남은 사람이었고, 히틀러에게는 매우 실망스럽게도 독일 점령 하의 이탈리아 영토에서 파시스트 정권을 되살리겠다는 의욕을 거의 보이지 않았다. 9월 말, 괴벨스와 장시간 대화할 때 총통은 오랜 이탈리아 친구에 대한 환멸감을 전혀 감추려 하지 않았다.

---

* 무솔리니가 구출되기 직전, 해리 버처 대령은 아이젠하워의 사령부에 케이프타운의 한 극장 체인이 보낸 전보를 받았다고 보고했다. "만약 우리 케이프타운 극장들의 무대에 무솔리니가 직접 출현하도록 해준다면" "3주 계약 기간"을 조건으로 자선기금 1만 파운드를 기부하겠다는 내용이었다. (Butcher, *My Three Years with Eisenhower*, p. 423)

[괴벨스가 대화 후에 일기에 털어놓음] 두체는 이탈리아의 파국으로부터 총통이 예상하던 도덕적 결론을 도출하지 않았다. … 총통은 두체가 맨 먼저 배신자들에게 철저히 복수할 것으로 예상했다. 그러나 그는 그럴 기미를 전혀 보이지 않았고, 그리하여 자신의 실질적인 한계를 드러냈다. 그는 총통이나 스탈린 같은 혁명가가 아니다. 자국 이탈리아 국민에게 너무 집착하는 그에게는 전 세계를 아우르는 혁명가와 반란자의 폭넓은 자질이 없다.

히틀러와 괴벨스는 무솔리니가 치아노와 화해한 데다 자신의 딸이자 치아노의 아내인 에다Edda에게 휘둘리는 듯 보인다는 점에도 격분했다―치아노 부부는 이탈리아에서 뮌헨으로 피신을 와 있었다.* 두 사람은 무솔리니가 치아노를 즉시 처형해야 하고 에다에게 채찍질을 해야 한다(괴벨스의 표현)고 생각했다.** 그들은 무솔리니가 치아노―괴벨스는 "그 독버섯"이라고 불렀다―를 새로운 파시스트공화당의 전면에 내세우는 데 반대했다.

히틀러는 두체가 그런 정당을 당장 만들어야 한다고 강력히 주장했고, 9월 15일 총통의 채근에 무솔리니는 새로운 이탈리아 사회공화국의 수립을 선포했다.

그 공화국은 아무것도 아니었다. 무솔리니는 열의를 보이지 않았다. 아마도 이제 자신이 히틀러의 꼭두각시에 불과하다는 것, 총통이 독일의

---

* 실제로, 또는 적어도 나중에 비토리오 에마누엘레 국왕에게 보낸 서신에 따르면, 치아노가 8월에 독일로 향한 것은 그의 자녀가 위험하니 그와 가족을 기꺼이 (독일을 거쳐) 에스파냐로 데려다주겠다는 독일 정부의 농간에 속았기 때문이다. (*The Ciano Diaries*, p. v)
** "에다 무솔리니는 바이에른의 별장에서 마치 들고양이처럼 행동하고 있다. 조금만 성이 나도 도자기와 가구를 때려부순다"라고 괴벨스는 일기에 썼다. (*The Goebbels Diaries*, p. 479)

이해관계에 따라 권력을 하사하지 않으면 자신과 "파시스트 공화국 정부"에는 아무런 권한도 없고 이탈리아 국민이 자신과 파시즘을 다시 받아들이는 일은 결코 없다는 것을 알아챌 정도의 현실감각은 아직 유지하고 있었을 것이다.

무솔리니는 끝내 로마로 돌아가지 않았다. 로마냐 지방 북단의 고립된 장소, 가르다 호반의 가르냐노에서 가까운 로카 델레 카미나테Rocca delle Caminate에 거처를 정했다. 그곳에서 친위대 총통경호대 소속 특수파견대의 철저한 경호를 받았다. 그리고 친위대의 베테랑 폭력배 제프 디트리히가 소련에서 휘청거리던 제1SS기갑군단에서 파견을 나와 무솔리니의 악명 높은 애인 클라라 페타치Clara Petacci를 이 아름다운 호숫가 휴양지까지 데려다주었다―제3제국의 일처리는 이런 식이었다. 애인을 다시 품에 안은 실각한 독재자는 인생의 다른 일에는 별반 신경쓰지 않는 듯 보였다. 곁에 여러 명의 애인을 두고 있던 괴벨스는 충격을 받았다고 털어놓았다.

[괴벨스가 9월 9일 일기에 씀] 제프 디트리히가 데려다준 애인을 대하는 두체의 개인적인 행동은 큰 불안감의 원인이다.

며칠 전 괴벨스는 히틀러가 "두체를 정치적으로 단념하기" 시작했다고 적었다. 하지만 그에 앞서 총통이 두체에게 트리에스테, 이스트라, 남부 티롤을, 그리고 나중에 베네치아까지 독일에 "양도"하도록 강요했다는 사실을 덧붙여 말해야겠다. 한때 당당했던 폭군은 이제 치욕을 면할 수 없었다. 히틀러는 무솔리니를 압박해 11월에 사위 치아노를 체포하고 1944년 1월 11일 베로나의 감옥에서 처형하도록 만들었다.*

1943년 초가을에 아돌프 히틀러는 제3제국에 대한 중대한 위협을 극복했다고 주장할 수 있었다. 히틀러와 장군들이 결정적인 몇 주 동안 우려했듯이, 이탈리아에서 무실리니의 실각과 바돌리오 정부의 무조건 항복으로 인해 까딱하다가는 독일 남부 국경이 연합군의 직접 공격에 노출되고, 간신히 장악하고 있는 발칸으로 가는 길이 ─ 이탈리아 북부로부터 ─ 뚫려서 당시 남부 러시아에서 사투를 벌이던 독일군의 배후가 자칫 위험해질 판세였다. 두체가 로마의 권좌에서 순순히 내려온 사건은 독일 국내외에서 총통의 위신에 큰 타격을 주었고, 뒤이어 추축국의 동맹관계가 깨진 사건도 마찬가지였다. 그러나 히틀러는 두 달 만에 대담한 수법으로 무솔리니를 복권시켰다 ─ 적어도 세계의 눈에는 그렇게 보였다. 발칸, 그리스, 유고슬라비아, 알바니아의 이탈리아 점령 지역들, 늦여름이면 언제든 연합군의 공격을 받더라도 이상하지 않을 것으로 OKW가 예상했던 지역들도 지켜냈다. 몇 개 사단에 달하던 이곳의 이탈리아군 병력도 독일 측에 순순히 항복하고 전쟁포로가 되었다. 그리고 처음에는 없는 셈치고 북부 이탈리아로 퇴각시키려 했던 케셀링의 병력이 로마 남쪽에 눌러앉아 반도에서 북진하던 영국─미국─프랑스 병력을 손쉽게 저지하여 총통을 기쁘게 해주었다. 남부에서 히틀러가 본인의 대담성과 지략, 그리고 독일군의 용맹 덕에 운세를 상당히 회복했다는 데에는 이론

---

* 치아노의 마지막 일기는 "1943년 12월 23일, 베로나 감옥 27호실"에서 쓴 것이다. 그것은 감동적인 글이다. 치아노가 어떻게 이 마지막 글을, 그리고 같은 날 이탈리아 국왕에게 쓴 편지를 사형수 감방에서 몰래 빼냈는지 나는 알지 못한다. 하지만 치아노는 독일 측에 체포되기 전에 일기의 나머지 부분을 숨겨두었다고 말한다. 그 나머지 일기는 에다 치아노가 농민 여성으로 변장하고 치마 안에 감춘 채, 독일 점령 하의 이탈리아에서 국경 너머 스위스로 몰래 빼내는 데 성공했다. 대평의회에서 두체에게 반대표를 던졌고 나중에 두체가 체포할 수 있었던 다른 파시스트 지도자들은 모두 특별법정에서 반역죄로 재판을 받았고, 한 명을 제외하고 사형을 선고받고 치아노와 함께 총살되었다. 그들 중에는 두체의 가장 충실한 추종자였던 에밀리오 데 보노(Emilio de Bono) 원수가 있었는데, 지난날 로마 진군을 이끌어 무솔리니를 권좌에 앉힌 4인방 중 한 명이었다.

의 여지가 없었다.

하지만 다른 곳에서는 운세가 계속 기울었다.

1943년 7월 5일, 히틀러는 소련군을 상대로 이번 전쟁에서 마지막이 될 대규모 공세를 개시했다. 독일 육군의 정예 병력—신형 티거 중전차로 무장한 무려 17개 기갑사단을 포함하는 약 50만 명—이 쿠르스크 서쪽의 넓은 소련군 돌출부로 달려들었다. 히틀러는 이 '성채 작전'으로 소련군의 정예인 100만 병력—저번 겨울에 스탈린그라드와 돈 강에서 독일군을 몰아냈던 바로 그 병력—을 에워싸는 데 더해 돈 강까지, 어쩌면 볼가 강까지 밀어붙인 뒤 남동쪽에서 북진해 모스크바를 함락할 수 있을 것으로 믿었다.

결과는 참패였다. 소련군은 공세에 대비하고 있었다. 7월 22일경 기갑전력에서 전차의 절반을 잃은 독일군은 완전히 멈추고 후퇴하기 시작했다. 전력 우위를 확신한 소련군은 독일군 공세의 결과를 기다리지도 않고 7월 중순 쿠르스크 북쪽 오렐의 독일군 돌출부를 역으로 공격해 금세 전선을 돌파했다. 이것은 2차대전에서 소련군의 첫 번째 하계 공세였으며, 이 순간부터 붉은군대는 끝까지 주도권을 잃지 않았다. 8월 4일, 소련군은 오렐에서 드디어 독일군을 격퇴했다. 이곳은 지난 1941년 12월 독일군이 모스크바로 진격할 때의 남쪽 요충지였다.

그때부터 소련군의 공세가 전선 전체로 확대되었다. 8월 23일, 하르키우가 함락되었다. 한 달 후인 9월 25일, 독일군은 북서쪽으로 480킬로미터 떨어진 스몰렌스크에서 격퇴되었다. 과거 나폴레옹의 대육군과 마찬가지로, 독일군은 소련 작전의 초기 수개월 동안 이 도시에서 출발해 간선도로를 따라 모스크바를 향해 너무도 자신만만하게 진군한 바 있었다. 9월 말, 남부에서 고전하던 독일군은 드니프로 선과, 드니프로 강 만

곡부의 자포리자부터 남쪽 아조프 해에 이르는 방어선으로 퇴각했다. 공업 지역인 도네츠 분지도 상실했고, 크름 반도의 독일 제17군은 후방을 차단당할 위기였다.

히틀러는 독일군이 드니프로 강과 자포리자 남쪽의 요새화된 진지들, 합쳐서 '동계전선'이라 부르는 방어선을 지켜낼 수 있을 것으로 확신했다. 그러나 소련군은 독일군이 전열을 가다듬을 시간조차 주지 않았다. 10월 첫째 주에 키이우의 북쪽과 남동쪽에서 드니프로 강을 건너 11월 6일 이 도시를 함락했다. 운명적인 1943년이 끝나갈 무렵, 남부의 소련군은 지난 1941년 여름 히틀러의 병사들이 낙승을 거두며 소련 내륙으로 질주했던 전장들을 지나 폴란드와 루마니아의 국경에 육박하고 있었다.

그게 끝이 아니었다.

1943년에 히틀러의 운세를 꺾고 또 전세가 역전되었음을 보여주는 두 가지 사건이 더 있었다. 바로 대서양 전투 패배와 독일 본토 상공에서 밤낮을 가리지 않고 격화되는 치열한 공중전이었다.

앞에서 언급했듯이 1942년에 독일 잠수함들은 대부분 영국이나 지중해로 향하던 연합국 선박 625만 톤을 격침했는데, 이는 서방 조선소들의 손실 보충 능력을 한참 상회하는 톤수였다. 그러나 1943년부터 연합군은 기술 개선, 이를테면 장거리 항공기와 항공모함, 그리고 무엇보다 적 잠수함에 발각되기 전에 먼저 적함을 탐지하는 레이더를 장비한 수상함 등에 힘입어 U보트에 우위를 점하기 시작했다. 신임 해군 총사령관이자 현역 U보트 최고 전문가인 되니츠는 수많은 잠수함이 연합군 호송선단에 접근하기도 전에 기습당해 파괴되자 처음에는 반역을 의심했다. 하지만 반역이 아니라 레이더가 참담한 손실의 원인임을 금세 알아차렸다. 2월, 3월, 4월 석 달 동안 잠수함 손실이 정확히 50척에 달했고, 5월에만 37척이 격침되었다. 이는 독일 해군이 오래 버틸 수 없는 손실률이었고, 5월 말 이전에 되니츠는 자기 권한으로 북대서양에서 모든 잠수함을 철수시켰다.

9월에 잠수함을 다시 투입했지만, 그해 마지막 넉 달 동안 연합국 선박 67척을 격침하는 데 그쳤고 잠수함 추가 손실이 64척이었다—이 비율로 말미암아 잠수함전이 막을 내리고 대서양 해전이 확실하게 결판났다. 지난 1917년 1차대전 시기에 독일 육군이 교착 상태에 빠졌을 때 독일 잠수함은 영국을 거의 굴복시킬 뻔했다. 1942년 히틀러의 육군이 소련과 북아프리카에서 역시 저지당했을 때, 그리고 미국과 영국이 동남아시아에서 일본군의 진격을 저지하고 서방에서 히틀러의 유럽 제국을 침공하기 위해 병력과 무기, 물자를 모으느라 안간힘을 쓰고 있을 때, 독일 잠수함은 곧 영국을 굴복시킬 것 같았다.

U보트가 1943년에 북대서양의 항로를 심각하게 교란하는 데 실패한 것은, 실제로 침울한 소식이었거니와, 히틀러 본부에서 인식한 것보다 훨씬 큰 재앙이었다.* 이 결정적인 해의 12개월 동안 막대한 양의 무기와 보급품을 거의 아무런 방해도 없이 대서양 건너편으로 수송한 덕에 이듬해에 유럽 요새Festung Europa(2차대전 중에 나치 독일이 점령한 유럽 지역)를 공격할 수 있었기 때문이다.

그리고 독일 국민이 현대전의 공포를 실감한 것도 이 기간이었다—각자의 집 문간에서 실감했다. 독일 대중은 U보트의 상황이 어떠한지 거의

---

* 5월 31일 되니츠 제독이 북대서양에서 U보트를 철수시켰다고 알렸을 때, 히틀러는 "잠수함전 중지라니 말도 안 되는 소리"라고 호통을 쳤다. "대서양은 서부에서 나의 제1방어선이야."
말은 쉽지만 행하기는 어려웠다. 11월 12일, 되니츠는 절망하여 일기에 이렇게 썼다. "적이 장거리 초계기로 전 해역을 경계하고 우리가 아직도 대비하지 못하는 위치 탐지 장치를 사용하는 등 모든 패를 쥐고 있다. … 적은 우리의 모든 기밀을 알지만 우리는 적의 기밀을 하나도 모른다."[8]

알지 못했다. 소련, 지중해, 이탈리아에서 점점 더 나쁜 소식이 들려오긴 했지만, 어쨌거나 고국으로부터 수백 수천 킬로미터 떨어진 곳에서 발생하는 사건들에 관한 소식이었다. 그러나 영국 항공기가 야간에, 미국 항공기가 주간에 투하하는 폭탄이 이제 독일인의 집을, 독일인이 일하는 사무실과 공장을 파괴하기 시작했다.

히틀러는 맹폭을 당한 도시를 끝까지 방문하지 않았다. 너무 괴로운 의무여서 도저히 감당하지 못하는 것처럼 보였다. 이 일로 괴벨스는 매우 괴로워했고, "왜 총통이 고통받는 공습 지역들을 방문하지 않고 왜 괴링이 어디서도 보이지 않는지 물어보는" 편지들이 자신에게 쇄도한다고 불평했다. 선전장관의 일기는 공습으로 갈수록 커져가는 독일 도시와 공장의 피해를 권위 있게 묘사한다.

1943년 5월 16일 — … 미국 폭격기의 주간 공습이 현저한 곤경을 야기하고 있다. 킬에서 … 해군의 군사시설과 기술시설에 매우 심각한 피해. … 현 상황이 지속된다면 길게 볼 때 견딜 수 없는 중대한 결과에 직면할 것이다. … 5월 25일 — 도르트문트에 대한 영국군의 야간 공습이 이례적으로 심각했으며, 아마도 독일 도시를 겨냥한 공습 가운데 최악이었을 것이다. … 도르트문트발 보고서들은 매우 끔찍하다. … 공업시설과 탄약 공장이 극심한 타격을 입었다. … 주거지가 없는 주민이 약 8만에서 10만 명이다. … 서부의 국민은 점차 용기를 잃고 있다. 그런 지옥은 견디기 어렵다. … 저녁에 도르트문트에 관한 [다른] 보고서를 받았다. 사실상 전면 파괴다. 거주할 만한 주택이 거의 한 채도 없다. …

7월 26일 — 밤중에 함부르크에 대한 맹폭으로 … 주민과 군비 생산에 극심한 피해. … 정말 파국이다. …

7월 29일 ― 밤중에 ⋯ 폭격기 800대에서 1000대가 ⋯ 함부르크를 전에 없이 맹폭했다. ⋯ 카우프만[현지 대관구장]이 내게 첫 보고서를 보냈다. ⋯ 그는 도저히 상상할 수도 없을 정도의 파국을 말했다. 주민 100만 명의 도시가 역사상 유례가 없는 방식으로 파괴되었다. 우리는 거의 해결 불가능한 문제들에 직면해 있다. 이 100만 명의 주민을 위한 식량을 찾아야 한다. 주거지를 확보해야 한다. 주민을 최대한 대피시켜야 한다. 그들을 입혀야 한다. 간단히 말해 우리는 몇 주 전만 해도 전혀 알지 못했던 문제들에 직면해 있다. ⋯ 카우프만은 약 80만 명의 노숙자가 무얼 해야 할지 모른 채 거리를 배회한다고 말했다. ⋯

독일의 특정한 군수 공장들, 특히 전투기, 볼베어링, 군함, 강철, 신형 제트기용 연료를 생산하는 공장들, 그리고 히틀러가 큰 희망을 걸었던 페네뮌데의 핵심 로켓 시험장이 상당히 손상되긴 했지만,* 또 철도와 운하 수송에 계속 지장을 받긴 했지만, 독일의 전반적인 군수생산은 1943년 영국과 미국이 폭격을 강화한 기간에 실질적으로 감소하지 않았다. 이것은 어느 정도는 점령 지역들, 특히 폭격을 면한 체코슬로바키아, 프랑스, 벨기에, 북부 이탈리아의 공장들에서 생산량을 늘린 덕분이었다.

괴벨스가 일기에서 밝히듯이, 영국과 미국 공군의 폭격으로 가장 크

---

* 1943년 5월, 폴란드 지하조직이 페네뮌데 시험장에서 무인 분사추진식 항공기(나중에 V-1 또는 폭명탄(buzz bomb)으로 알려졌다)와 로켓(V-2)을 개발하고 있다는 첩보를 런던 측에 전한 뒤, 영국 공군의 정찰기가 이곳 사진을 찍었다. 8월에 영국 폭격기들이 페네뮌데를 공격해 시설에 심각한 손상을 입히고 연구와 시험을 수개월 지연시켰다. 11월에 영국과 미국의 공군은 영불 해협 연안에서 V-1 발사장을 63곳 발견했고, 12월부터 이듬해 2월까지 그 무렵 96곳으로 늘어난 발사장 가운데 73곳을 폭격해 파괴했다. 'V-1'과 'V-2'라는 용어는 독일어 단어 보복무기(Vergeltungswaffen)에서 유래했다. 괴벨스는 암울한 1944년에 이 무기를 선전에 한껏 활용했다.

게 손상된 것은 독일의 주택과 국민의 사기였다. 내가 기억하기로 전쟁 초기 수년간 독일 사람들은 자국 공군이 적을, 특히 영국 측을 폭격한다는 끔찍한 보도를 접하고 기운을 냈다. 그들은 폭격이 전쟁을 조기에 승리로 끝내는 데 도움이 된다고 확신했다. 그런데 1943년 들어 그들 자신이 맹렬한 공습을 역으로 당하기 시작했다. 독일 공군이 타국민에게, 심지어 1940~41년 런던 민중에게 가했던 것보다도 훨씬 피괴적인 공습이었다. 독일 국민은 영국 국민처럼 용감하고 의연하게 공습을 견뎌냈다. 하지만 전쟁을 4년간 치른 터라 그만큼 시련이 더 가혹했다. 그러니 1943년이 끝나갈 무렵 소련과 북아프리카, 이탈리아에서 모든 희망이 꺾이고 제3제국의 한쪽 끝에서 반대쪽 끝까지 도시들이 공습으로 가루가 되는 가운데 독일 국민이 패배라는 종말의 시작을 깨닫고 절망하게 된 것은 놀랄 일이 아니었다.

이제 실업자가 된 할더 장군은 "늦어도 1943년 말에는 전쟁에서 군사적으로 패했다는 것이 명명백백해졌다"라고 훗날 썼다.[9]

요들 장군은 1943년 11월 7일—맥주홀 폭동 기념일의 전날—뮌헨에서 나치 대관구장들에게 침울한 비공개 강연을 할 때 할더만큼 비관적으로 말하지는 않았다. 하지만 전쟁 5년째에 접어드는 시점에 요들이 묘사한 전황은 충분히 암울했다.

[요들이 말함] 현재 국내 전선을 가장 무겁게 짓누르고 그리하여 최전선에 영향을 주는 것은 우리의 가정을 겨냥하고 따라서 우리의 아내와 자녀를 겨냥하는 적의 테러 공습입니다. 이 측면에서 … 전쟁은 오로지 잉글랜드의 악행으로 인해 인종 전쟁과 종교 전쟁의 시대 이래로 더 이상 가능하지 않다고 믿어온 형태를 띠게 되었습니다.

이런 테러 공습의 효과, 심리적·도덕적·물질적 효과가 너무 크기 때문에 공습을 완전히 저지하지는 못할지언정 줄여야만 합니다.

1943년의 패배와 폭격의 결과로 독일 측의 사기가 어떠했는지는 이 권위자가 총통을 대변하며 생생하게 묘사했다.

나라 곳곳에서 전복 분자들이 활개를 치고 있습니다. 온갖 겁쟁이들이 탈출로, 또는 그들의 표현대로라면 정치적 해법을 찾고 있습니다. 그들은 아직 우리 수중에 무언가가 있을 때 교섭해야 한다고 말합니다. …*

"겁쟁이들"만 그랬던 것은 아니다. 히틀러의 추종자들 가운데 가장 충성스러운—그리고 광신적인—괴벨스 본인도, 일기를 보면 알 수 있듯이, 1943년이 저물기 전에 탈출로를 찾고자 머리를 쥐어짜고 있었다. 그의 고민거리는 독일이 강화협정을 교섭해야 할지 여부가 아니라 소련과 서방 중에 어느 쪽과 교섭해야 하느냐는 문제였다. 괴벨스는 특정한 인물들이 이미 시작한 것처럼 히틀러 몰래 뒤에서 강화의 필요성을 이야기하지는 않았다. 자신의 생각을 지도자에게 직접 털어놓을 정도의 용기는 있었다. 1943년 9월 10일, 이탈리아의 항복 소식에 라스텐부르크의 총

---

* "전쟁 5년째 초기의 전략적 입지"라는 제목의 요들 강연은 1943년 말에 히틀러와 장군들이 바라본 독일의 곤경에 대한, 우리가 가진 가장 포괄적인 당사자 서술일 것이다. 그것은 나치 정치 간부들에 대한 기밀 강연 그 이상이다. 요들은 강연하면서 "총통 본부" 직인이 찍힌 수십 통의 극비 의견서와 문서를 거론했는데, 이 문서들을 종합해서 보면 강연 준비를 감독한 듯한 총통이 바라본 2차대전의 역사가 드러난다. 요들은 눈앞의 전황도 음울하게 보았지만 향후의 전황은 더욱 비관적으로 보았고, 장차 서부에서 영미군의 침공이 "전쟁을 판가름할 것"이고 그 침공을 격퇴하기에 "우리 수중의 병력은 충분하지 않을 것"이라고 올바르게 예측했다.[10]

통 본부로 호출된 괴벨스는 일기에서 강화 교섭의 가능성이라는 주제를 처음으로 꺼냈다.

어느 쪽과 먼저 대화해야 하느냐는 문제가 제기되기 시작한다 — 모스크바인가 영국-미국인가? 어느 쪽이든 우리는 양편 모두를 상대로 전쟁을 성공리에 수행하기가 매우 어렵다는 것을 분명하게 자각해야 한다.

괴벨스가 보기에 히틀러는 연합군이 서부를 침공할 전망과 소련 전선의 "위기" 상황을 "다소 우려했다".

음울한 사실은 스탈린이 예비 병력을 얼마나 남겨두고 있는지를 우리가 짐작조차 못한다는 것이다. 이런 판국에 우리가 동부의 사단들을 유럽의 다른 전장들로 이동시킬 수 있을지 나는 심히 의문이다.

이렇듯 괴벨스는 비밀 일기에 자기 생각 — 몇 달 전이었다면 스스로 반역적이고 패배주의적이라고 치부했을 법한 생각 — 을 적은 다음 히틀러를 찾아갔다.

총통에게 조만간 스탈린과 무언가를 할 수 있을지 물어보았다. … 그런데 총통은 어쨌든 소비에트보다는 잉글랜드 측과 거래하기가 더 쉬울 것으로 생각한다. 때가 되면 잉글랜드 측이 정신을 차릴 거라고 총통은 생각한다. … 나는 스탈린 쪽에 접근하기가 더 쉬울 것으로 생각하는데, 처칠보다는 스탈린이 더 실용적인 정치가이기 때문이다. 처칠은 낭만적인 모험가여서 분별 있는 대화를 나눌 수 없다.

이 암담한 시점에 이르러서야 히틀러와 부관들은 지푸라기 같은 희망을 붙잡기 시작했다. 연합국 국가들의 사이가 서로 틀어질 것이고, 영국과 미국이 붉은군대가 유럽을 석권할 전망에 놀라 결국 독일과 함께 대륙에서 볼셰비즘을 막아낼 것이라는 희망이었다. 히틀러는 8월에 되니츠와 상의할 때 이 가능성을 꽤 길게 논한 바 있었다. 그리고 이제 9월에 괴벨스와 논의했다.

[괴벨스가 일기에 덧붙임] 잉글랜드 측은 어떠한 경우에도 볼셰비키 유럽을 원하지 않는다. … 그들은 볼셰비즘을 택할 것이냐 아니면 국가사회주의에 대한 태도를 다소 누그러뜨릴 것이냐의 선택지밖에 없음을 … 깨닫고 나면 틀림없이 우리와 타협하려는 의향을 보일 것이다. … 처칠 자신은 예전부터 반볼셰비키이며 현재 그가 모스크바와 공조하는 것은 임시방편에 지나지 않는다.

히틀러와 괴벨스 둘 다 누가 모스크바와 먼저 공조했는지, 누가 소련을 전쟁에 끌어들였는지를 잊어버렸던 모양이다. 강화 가능성에 관한 히틀러와의 논의를 요약하며 괴벨스는 이렇게 결론지었다.

조만간 우리는 어느 쪽의 적을 상대할 것이냐는 문제에 직면할 것이다. 독일은 양면 전쟁에서 운이 따랐던 적이 없다. 그렇다고 이런 상황을 오랫동안 견딜 수도 없을 것이다.

그런데 이렇게 고민해본들 만시지탄 아니었을까? 9월 23일에 총통 본부를 다시 찾은 괴벨스는 오전에 지도자와 산책하던 중 한쪽 적과의 강화 교섭을 통해 전선을 하나로 줄일 가능성에 관해 히틀러가 2주 전보다 훨씬 더 비관적으로 생각하고 있음을 확인했다.

> 총통은 현재 교섭을 통해 무언가를 달성할 수 있다고 믿지 않는다. 잉글랜드는 아직 충분히 휘청거리지 않고 있다. … 당연히 동부에서는 지금 매우 불리하다. … 현재는 스탈린이 유리하다.

그날 저녁 괴벨스는 히틀러와 단 둘이서 식사를 했다.

> 총통에게 처칠과 교섭할 용의가 있는지 물었다. … 총통은 처칠이 적대적인 견해를 고집하는 데다 이성이 아닌 증오에 이끌리기 때문에 그와의 교섭에서 어떤 성과가 나올 것이라고는 기대하지 않는다고 말했다. 오히려 스탈린과 교섭하는 편을 선호하지만, 그 교섭이 성공할 거라고는 생각하지 않는다고 총통은 말했다. …
> 현 상황이 어떻든 간에 어느 한쪽과 합의를 봐야 한다고 총통에게 말했다. 제국은 양면 전쟁에서 승리한 적이 없다. 그러므로 우리는 어떻게 해서든 양면 전쟁에서 벗어날 방도를 찾아야 한다.

그 방도를 찾는 것은 독일을 너무나 가볍게 양면 전쟁으로 밀어넣은 두 장본인이 짐작하던 것보다 훨씬 더 힘겨운 과제였다. 그러나 1943년 9월의 그날 저녁, 적어도 잠시 동안, 나치 통수권자는 마침내 비관주의를 털어버리고 평화의 맛이 얼마나 달콤할지 곰곰이 생각했다. 괴벨스에 따르면 히틀러는 평화를 "갈망한다"고 말하기까지 했다.

총통은 예술계와 다시 교제하고, 저녁이면 극장에 가고, 예술가 클럽을 방문할 수 있으면 행복하겠다고 말했다.[11]

전쟁이 5년째로 접어들던 때에 독일에서 히틀러와 괴벨스만이 평화를 얻을 기회와 방법을 숙고한 것은 아니었다. 거듭 좌절한 수다스러운 반나치 음모단, 인원이 조금 늘긴 했으나 여전히 측은한 소수인 음모단이 동일한 문제를 얼마간 생각하고 있었다. 히틀러의 군대가 외국 땅에서 아직 싸우고 있었지만, 그들은 이제 전쟁에서 패했다고 보았다. 결코 전부는 아니지만 그들 대다수는, 썩 내키지 않아 주저한 끝에, 그리고 엄청난 양심의 가책을 극복한 후에야, 평화를 구하여 조국이 그나마 품위 있게 살아남을 가능성을 남겨두려면 히틀러를 살해하는 동시에 국가사회주의를 쓸어버려야 한다는 결론에 이르렀다.

1944년이 다가오는 시점에 음모단은 이듬해가 그리 많이 지나기 전에 영미군이 영불 해협을 건너 공세를 개시할 것이고, 붉은군대가 제3제국 본토의 국경에 접근할 것이고, 독일의 유서 깊은 대도시들이 머지않아 연합군의 폭격에 돌무더기로 변해버릴 것이라고 확신했다.* 절박해진 음모단은 나치 정권이 독일을 벼랑에서 구렁텅이로 밀어넣기 전에 독재자를 처단하고 그의 정권을 전복하기 위해 최후의 시도를 해보기로 마음먹었다.

그들은 시간이 별로 없음을 알고 있었다.

---

* "천 년의 성과가 돌무더기뿐입니다." 서부에서 맹폭을 당한 지역들을 방문한 뒤 괴르델러는 1943년 7월 클루게 원수에게 이렇게 썼다. 이 편지에서 괴르델러는 우유부단한 원수에게 히틀러와 그의 "미친 짓"에 종지부를 찍기 위해 음모단에 합류해달라고 간청했다.

제29장

연합군의 서유럽 침공과 히틀러 살해 시도

음모단은 1943년에 히틀러 암살 시도를 적어도 대여섯 차례 했고, 그중 한 번은 총통 전용기에 설치해둔 시한폭탄이 소련 전선 후방을 비행하는 동안 터지지 않는 바람에 아깝게 실패했다.

그해에는 변변찮은 저항운동에도 상당한 변화가 있었다. 음모단은 마침내 원수들을 단념했다. 원수들은 워낙 겁이 많아서—또는 우둔해서—지위와 군사력을 활용해 최고사령관을 타도하려 들지 않았다. 1942년 11월 스몰렌스크 숲에서의 비밀 회합에서 음모단의 정치적 주동자인 괴르델러는 동부전선 중부집단군 사령관 클루게 원수에게 히틀러 제거 거사에서 적극적인 역할을 맡아달라고 간청했다. 얼마 전 총통으로부터 멋진 선물을 받았던* 이 불안한 장군은 일단 찬동했지만, 며칠 뒤 겁을 집

---

* 1942년 10월 30일 60세 생일에 클루게는 총통에게서 25만 마르크의 수표(공정 환율로 10만 달러)와 이 금액의 절반을 사택 보수비로 써도 된다는 특별 허가를 받았다. 독일 장교의 청렴과 명예에 대한 이런 모욕에도 불구하고, 원수는 둘 다 받아들였다. (Schlabrendorff, *They Almost Killed Hitler*, p. 40) 나중에 클루게가 히틀러를 배반했을 때 총통은 본부에서 장교들에게 이렇게 말했다. "나는 그를 두 차례 직접 진급시켰고, 최고의 훈장을 수여했고, 대저택을 선사했고 … 원수의 봉급

어먹고서 베를린의 베크 장군에게 자신을 빼달라는 편지를 보냈다.

몇 주 후 음모단은 스탈린그라드에서 휘하의 제6군과 함께 포위당한 파울루스 장군을 설득하려 했다. 음모단은 장군이 전황을 그 지경으로 만든 총통에게 깊은 환멸을 느꼈을 것으로 짐작하고서 독일 군인 25만 명에게 터무니없는 최후를 강요한 폭군을 타도하자는 호소문을 육군에 보내도록 설득했다. 이를 위해 베크 장군이 파울루스에게 보내는 친서를 소지한 공군 장교가 그 포위된 도시로 날아갔다. 그러나 앞에서 언급했듯이 파울루스는 총통에게 충성을 바치는 내용의 무전 메시지를 계속 보냈고, 소련의 포로가 되어 모스크바로 끌려간 뒤에야 비로소 현실을 자각했다.

파울루스에게 실망한 음모단은 며칠 동안 클루게와 만슈타인에게 희망을 걸었다. 음모단은 스탈린그라드 재앙 이후 라스텐부르크로 날아가고 있는 두 장군이 총통에게 소련 전선 지휘권을 넘겨달라고 요구할 것으로 생각했다. 만약에 성공한다면 이 전환책이 베를린 쿠데타의 신호탄이 될 터였다. 하지만 이번에도 음모단의 희망은 부질없는 기대로 끝나고 말았다. 두 원수는 히틀러 본부로 날아가긴 했으나 최고사령관에 대한 충성을 재확인했을 뿐이다.

"우리는 버림받았다"라고 베크는 쓸쓸하게 불평했다.

베크와 동지들은 분명 전선의 상급 지휘관들로부터 실질적인 지원을 기대할 수 없었다. 절망한 그들은 유일하게 남은 군사력의 원천인 국내예비군Ersatzheer으로 관심을 돌렸다. 국내예비군은 도저히 군대라고 할

을 많이 보충해주었다." (Gilbert, *Hitler Directs His War*, pp. 101-102, 1944년 8월 31일 히틀러 본부 회의에 관한 속기록)

수 없었고, 훈련 중인 신병 무리와 국내에서 경비 임무를 수행하는 현역 연령 이상의 여러 수비대 무리에 지나지 않았다. 하지만 적어도 무장은 하고 있었고, 정규군과 무장친위대 부대가 저 멀리 전선에 가 있는 상황에서 히틀러 암살 순간에 음모단이 베를린과 다른 핵심 도시들을 점령하기에는 국내예비군만으로 충분할 수도 있었다.

그러나 그 살해 행위가 꼭 필요한가—혹은 심지어 바람직한가—를 놓고 반대파는 아직도 의견 일치를 보지 못하고 있었다.

예를 들어 크라이자우 서클은 그런 폭력 행위에 한결같이 반대했다. 그들은 독일에서 명문가로 꼽히는 귀족 가문의 두 자제인 헬무트 야메스 폰 몰트케 백작과 페터 위오르크 폰 바르텐부르크Peter Yorck von Wartenburg 백작을 중심으로 모인 청년 지식인 이상주의자들의 혼성 집단이었다. 전자는 1870년 프로이센군을 승리로 이끈 몰트케 원수의 조카의 손자였고, 후자는 나폴레옹 시대에 차르 알렉산드르 1세와의 타우로겐 협약에 클라우제비츠와 함께 서명함으로써 프로이센군의 편을 바꾸고 보나파르트의 몰락에 일조한 유명한 장군의 직계 후손이었다.

슐레지엔 크라이자우에 있는 몰트케의 사유지에서 이름을 따온 크라이자우 서클은 음모단이 아니라 토론회였으며* 구성원들은 나치 시대 이전에 그러했듯이, 그리고 히틀러라는 악몽이 지나간 후에도 그러하기를 바랐듯이, 독일 사회의 횡단면을 대표했다. 서클은 예수회 사제 2명, 루터교회 목사 2명, 보수주의자, 자유주의자, 사회주의자, 부유한 지주, 전 노동조합 지도자, 대학교수, 외교관 등을 망라했다. 서로 배경과 생각이 다름에도 불구하고 그들은 폭넓은 공통 기반을 찾아 반히틀러 저항

---

* "우리는 함께 사유했다는 이유로 교수형에 처해질 거요"라고 몰트케는 처형 직전 아내에게 썼다.

운동에 지적·정신적·윤리적·철학적 이념, 어느 정도는 정치적 이념까지 제공할 수 있었다. 그들—거의 모두 전쟁 종결 이전에 교수형에 처해졌다—이 남긴 문서, 미래 정부와 새로운 사회의 경제적·사회적·정신적 토대를 놓기 위한 계획을 포함하는 문서로 판단하건대, 그들의 목표는 모든 사람이 형제가 되고 현대의 끔찍한 병폐들—인간 정신을 왜곡시키는 문제들—을 치유할 수 있는 일종의 기독교사회주의였다. 그들의 이상은 뜬구름 잡는 소리처럼 들릴 만큼 고결했고, 여기에 독일 신비주의가 조금 가미되었다.

그러나 이 고매한 청년들은 믿기 어려우리만치 인내심이 강했다. 그들은 히틀러와 그가 독일과 유럽에 가져온 퇴폐를 증오했다. 그러나 히틀러를 타도하는 데에는 관심이 없었다. 장차 독일이 패전하면 그 목표가 달성되리라 생각했다. 그들의 관심은 온통 패전 이후에 쏠려 있었다. 당시 몰트케는 이렇게 썼다. "우리에게 ⋯ 전후 유럽의 과제는 동료 시민들의 가슴속에서 인간상을 어떻게 재정립하느냐는 것이다."

독일에 수년간 주재한 유명한 미국 기자로 이 서클을 잘 알았던 도러시 톰슨Dorothy Thompson은 오랜 친구인 몰트케에게 산꼭대기에서 내려오라고 호소했다. 1942년 여름에 뉴욕에서 "한스Hans"에게 전한 일련의 단파 방송에서 톰슨은 몰트케와 그의 친구들에게 악마 같은 독재자를 제거하기 위해 무언가를 하라고 간청했다. "우리는 성인聖人들의 세계에 살고 있는 것이 아니라 인간들의 세계에 살고 있습니다"라며 현실을 일깨우려 했다.

한스, 지난번에 우리가 호숫가의 아름다운 테라스에서 만나 함께 차를 마셨을 때 ⋯ 나는 당신이 언제가 행동, 극적인 행동으로 당신이 어디에 서 있는지를 입증해야 할 거라고 말했고 … 내가 기억하기로 당신과 친구들에게 과연 행동할 용기가 있는지 물어보았습니다. …[1]

이는 정곡을 찌르는 질문이었고, 그 답은 몰트케와 친구들에게 말할 용기―이것 때문에 처형되었다―는 있었으나 행동할 용기는 없었다는 것으로 판명난 듯하다.

그들의 심장이 아니라 정신에 있었던 이 결점―모두 잔혹한 죽음을 아주 용감하게 받아들였기 때문이다―이 크라이자우 서클과 베크-괴르델러-하셀 음모 집단이 서로 언쟁을 벌인 주된 이유였다. 나치로부터 정권을 넘겨받을 정부의 성격이나 구성을 놓고도 언쟁을 벌였지만 말이다.

두 집단은 1943년 1월 22일 페터 위오르크의 자택에서 정장 차림으로 모여 회의한 데 이어 몇 차례 회합을 가졌다. 이날 회의는 베크 장군이 주재했는데, 하셀이 일기에 적었듯이 "다소 유약하고 조심스러웠다".[2] "청년파"와 "노인파"―하셀의 표현―가 향후 경제 정책과 사회 정책에 대해 치열하게 논쟁했고, 몰트케와 괴르델러가 충돌했다. 하셀은 라이프치히 시장을 지낸 괴르델러가 매우 "반동적"이라고 생각했고, 몰트케의 "앵글로색슨적·평화주의적 성향"에 주목했다. 게슈타포 역시 이날 회의에 주목했고 이후 참가자들에 대한 재판에서 놀라우리만치 상세한 토의 내용을 제출했다.

이미 힘러는 음모단 어느 누구의 짐작보다도 가까운 거리에서 그들을 추적하고 있었다. 그런데 이 책의 아이러니 중 하나로 1943년의 이 시점에, 전쟁에서 승리할 전망이 사라지고 패배가 임박한 시점에, 성품이 온화하고 피에 굶주린 친위대 대장, 제3제국 경찰 총수가 저항운동에 개인적이고 완전히 비우호적이지도 않은 관심을 기울이기 시작했고, 한 명

이상의 우호적인 연락원들을 두게 되었다. 그리고 음모단의 심중을 알려주는 지표로서 그들 중 한 명 이상이, 특히 포피츠가 히틀러를 대체할 후보로서 힘러를 염두에 두기 시작했다! 겉으로는 총통에게 광적으로 충성한 친위대 수장은 이런 흑심을 품기 시작했으면서도 거의 마지막까지 표리부동하게 처신했고, 그 과정에서 용감한 음모자 여럿의 목숨을 앗아갔다.

당시 저항운동은 세 영역에서 펼쳐졌다. 크라이자우 서클은 천년대계의 수립을 위한 논의를 끝없이 이어갔다. 더 현실적인 베크 집단은 어떻게 해서든 히틀러를 죽이고 권력을 탈취하고자 분투했다. 그리고 민주적인 연합국 측에 무슨 일이 일어나는지 알리고 그들이 새로운 반나치 정부와 어떤 형태의 강화 교섭에 나설 의도인지 알아보고자 서방 측과 접촉했다.* 이 접촉은 스톡홀름과 스위스에서 이루어졌다.

스웨덴 수도에서 괴르델러는 오랜 친구인 은행가 마르쿠스 발렌베리Marcus Wallenberg와 야코프 발렌베리Jacob Wallenberg 형제를 자주 만났는데, 런던에는 두 사람의 사업 파트너들과 지인들이 있었다. 1942년 4월 어느 날 괴르델러는 야코프 발렌베리를 만나 처칠에게 연락해달라고 부탁했다. 음모단은 자신들이 히틀러를 체포하고 나치 정권을 타도할 경우 연합국이 독일과 강화를 맺을 것이라는 확약을 사전에 영국 총리로부터

---

* 독일인이 쓴 회고록 몇 편은 1942년과 1943년에 나치 측이 소련 측과 접촉해 강화 교섭의 가능성을 타진했고 스탈린이 단독 강화를 위한 회담을 시작할 것을 제안하기까지 했다고 전한다. 리벤트로프는 뉘른베르크 증인석에서 자신이 소련 측과 접촉하기 위해 노력했다고 역설하고 실제로 스톡홀름에서 소련 요원들과 접촉했다고 말했다. 스톡홀름에서 리벤트로프를 위해 활동한 페터 클라이스트는 저서에서 이 접촉에 관해 말했다.³ 나는 독일 기밀문서를 모두 분류하고 나면 이 에피소드의 내막이 밝혀지지 않을까 생각한다.

받아두고 싶어했다. 발렌베리는 자신이 알기로 영국 정부로부터 그런 확약을 받기란 불가능하다고 대답했다.

한 달 후에 루터교회의 두 성직자가 스톡홀름에서 영국 측과 직접 접촉했다. 영국 국교회 치체스터 주교인 조지 벨George Bell이 스톡홀름을 방문한다는 소식을 듣고서 급히 찾아간 독일 복음교회 국제관계부의 일원인 한스 쉬펠트Hans Schönfeld 박사와, 저명한 신학지이자 옴모딘의 적극적 일원인 디트리히 본회퍼 목사였다—본회퍼는 방첩국의 오스터 대령이 제공한 위조 여권을 가지고서 신분을 숨긴 채 여행하고 있었다.

두 목사는 영국 주교에게 음모단의 계획을 알리고, 괴르델러와 마찬가지로 히틀러 타도 이후 서방 연합국이 비나치 정부와 관대한 강화협정을 맺을 의향이 있는지 물었다. 그들은 비공개 메시지로든 공개 발표로든 답변을 달라고 요청했다. 주교에게 반히틀러 음모가 진지한 시도라는 인상을 주기 위해 본회퍼는 지도부 명단을 건넸다—이 경솔한 행동은 훗날 그의 목숨을 앗아가고 다른 많은 이들이 확실히 처형되는 데 일조할 터였다.

그것은 독일 내 반대파 및 그 계획과 관련해 연합국이 입수한 가장 권위 있는 최신 정보였으며, 벨 주교는 6월에 런던으로 돌아가자마자 영국 외무장관 앤서니 이든에게 그 정보를 넘겼다. 그러나 지난 1938년에 체임벌린의 히틀러 유화책에 반대해 한 차례 외무장관직을 사임했던 이든은 그 정보에 회의적이었다. 뮌헨 협정 이래 자칭 독일 음모단이 영국 정부에 비슷한 정보를 전달했지만, 아무런 일도 일어나지 않았다. 결국 영국 측은 답변하지 않았다.[4]

스위스에서 이루어진 독일 지하조직과 연합국 측의 접촉은 주로 그곳에서 1942년 11월부터 전쟁 종결 때까지 미국 전략사무국(CIA의 전신)을 이끈 앨런 덜레스Allen Dulles를 통해 이루어졌다. 앞에서 언급했듯이 음모단의 적극적인 일원으로 베를린에서 베른까지 자주 여행한 한스 기제비우스가 주요 접촉자였다. 기제비우스는 방첩국을 위해 일했고 실제로 취리히 독일 총영사관에 부영사로 부임했다. 그의 주요 임무는 덜레스에게 베크와 괴르델러의 메시지를 전달하고 여러 반히틀러 음모의 진행 상황을 꾸준히 알리는 것이었다. 다른 독일 접촉자로는 쉰펠트 박사와 트로트 추 졸츠Trott zu Soltz가 있었는데, 후자는 크라이자우 서클의 일원인 동시에 음모단의 일원으로서 다른 많은 이들처럼 만약에 서방 민주국가들이 반나치 독일 정권과의 관대한 강화협정을 고려하지 않는다면 음모단이 소련 쪽으로 돌아설 수도 있음을 덜레스에게 '경고'하기 위해 스위스를 방문했다. 덜레스는 개인적으로 음모단에 공감하긴 했으나 아무런 확약도 할 수 없었다.[5]

독일 저항운동 지도부가 서방으로부터 우호적인 강화협정을 보장받아야 한다는 입장을 그토록 고집하고 그 보장을 받아낼 때까지 히틀러 제거 거사를 그토록 주저했다는 사실에 우리는 놀라게 된다. 그들 스스로 줄기차게 주장했듯이 나치즘을 그토록 괴물 같은 악으로 여겼다면—틀림없이 진심이었다—서방 측이 새로운 독일 정권을 어떻게 대할지 상관없이 나치즘을 타도하는 데 주력했어야 마땅하지 않은가 하고 우리는 생각하게 된다. 이 "선량한 독일인들" 대다수가 그들 자신의 실패를 외부 세계의 탓으로 돌리는 함정, 1차대전 이후 독일의 불운과 심지어 히틀러의 출현까지 외부의 탓으로 돌렸던 지난날의 함정에 너무나 쉽게 다시 빠졌던 것은 아닌가 하는 인상을 우리는 받게 된다.

점화 작전

―――

1943년 2월, 괴르델러는 스톡홀름의 야코프 발렌베리에게 "3월에 쿠데타 계획이 있습니다"라고 말했다.

실제로 그랬다.

1월과 2월에 육군총무국 국장 프리드리히 올브리히트 장군과 클루게 휘하 동부전선 중부집단군의 참모장인 트레스코브 장군이 이른바 점화 작전을 구상했다. 신앙심이 깊은 올브리히트는 음모단으로 전향한 지 얼마 되지 않았지만 새로운 직책 때문에 금세 음모단의 핵심 인물로 떠올랐다. 국내예비군 사령관 프리드리히 프롬 장군의 부관인 올브리히트는 베를린과 그 밖의 독일 대도시들에서 수비대를 모아 음모단을 지지하게 할 수 있는 위치에 있었다. 프롬 자신은 클루게와 마찬가지로 총통에게 환멸을 느끼긴 했으나 음모단으로부터 음모를 귀띔 받을 정도의 신뢰는 얻지 못하고 있었다.

2월 말에 올브리히트는 "우리는 준비되었다. 점화할 때다"라고 트레스코브 참모진의 하급 청년 장교 파비안 폰 슐라브렌도르프에게 말했다. 3월 초, 음모단은 스몰렌스크의 중부집단군 사령부에서 만나 마지막 회의를 했다. 실행에 가담하진 않았으나 작전을 알고 있었던 방첩국 국장 카나리스 제독이 회의를 준비했고, 참모진 중 한스 폰 도흐나니, 에르빈 라호우젠 장군과 함께 국방군 정보장교들의 회의라는 명목으로 스몰렌스크로 날아갔다. 과거 오스트리아군의 정보장교였으며 방첩국의 음모자들 중에서 유일하게 전후까지 살아남은 라호우젠이 폭탄 몇 발을 가져갔다.

슐라브렌도르프와 트레스코브는 실험을 거듭한 끝에 독일제 폭탄이 거사에 적합하지 않음을 확인했다. 훗날 슐라브렌도르프가 설명했듯이,[6] 독일제 폭탄은 신관이 타들어갈 때 쉿쉿 하는 낮은 소리가 나서 발각될 게 뻔했다. 그들은 영국제 폭탄이 더 낫다는 것을 알았다. 슐라브렌도르프의 말마따나 "영국제는 폭발하기까지 아무런 소리도 내지 않았다". 영국 공군은 피점령 유럽 지역의 연합국 요원들에게 파괴 공작 용도로 이런 폭탄을 다량 투하했는데—그중 한 발이 하이드리히 암살에 사용되었다—방첩국이 몇 발을 모아서 음모단에 건넸다.

스몰렌스크 회의에서 구상한 계획은 히틀러가 중부집단군 사령부를 방문하도록 유도한 뒤 그곳에서 제거한다는 것이었다. 이 사건은 베를린 쿠데타의 신호탄이 될 터였다.

당시 대다수 장군들을 의심하던 통수권자를 함정으로 유인하기란 쉽지 않은 일이었다. 하지만 트레스코브가 히틀러의 부관인 오랜 친구 슈문트 장군(이제 장군이었다)을 설득해 그의 상관의 방문을 유도했으며, 총통은 한동안 주저하고 한 차례 이상 취소한 끝에 1943년 3월 13일 스몰렌스크를 방문한다는 데 확실히 동의했다. 슈문트 본인은 음모를 전혀 몰랐다.

그동안 트레스코브는 **자신의** 상관인 클루게가 히틀러 제거에 앞장서도록 설득하려는 노력을 재개했다. 트레스코브는 클루게 원수에게 사령부에서 기병부대를 지휘하는 게오르크 폰 뵈젤라거Georg von Boeselager 중령을 시켜 히틀러와 경호단 일행이 도착했을 때 기병부대로 처단하는 방책을 제안했다. 뵈젤라거는 의욕이 넘쳤다. 그에게 필요한 것은 원수의 명령뿐이었다. 그러나 우유부단한 원수는 차마 그 명령을 내리지 못했다. 그래서 트레스코브와 슐라브렌도르프는 자신들이 직접 결행하기로 마음먹었다.

그들은 그저 되돌아가는 히틀러 전용기에 영국제 폭탄들 중 하나를 설치할 작정이었다. 슐라브렌도르프는 훗날 이렇게 설명했다. "사고처럼 보이면 살해에 뒤따르는 정치적 불이익을 피할 수 있었다. 그 무렵 히틀러에게는 그런 사건 이후 우리의 반란에 완강히 저항할 만한 추종자들이 아직 많았기 때문이다."

두 반나치 장교는 3월 13일 히틀러가 도착한 뒤 오후에 한 번, 저녁에 한 번 두 차례 기존 계획을 변경하여 당장 폭탄을 터트릴까 생각했다. 오후의 장소는 히틀러가 중부집단군의 최고위 장군들과 상의한 클루게의 개인 숙소였고, 저녁의 장소는 총통 일행이 식사를 한 장교 식당이었다.*
하지만 그럴 경우 총통에 대한 충성 맹세라는 제약에서 풀려나기만 하면 음모단이 권력을 장악하는 데 기여할 만한 장군들까지 살해하는 꼴이 될 터였다.

저녁식사가 끝나면 곧장 출발할 예정인 총통 전용기에 폭탄을 몰래 집어넣는 과제가 아직 남아 있었다. 슐라브렌도르프는 본인 말대로라면 "폭발물 꾸러미 두 개"를 묶어 브랜디 두 병처럼 보이는 소포 하나로 만들었다. 식사 중에 트레스코브는 히틀러 일행으로 온 육군 참모본부의 하인츠 브란트Heinz Brandt 대령에게 자신의 오랜 친구이며 육군 최고사령부 편제과장인 헬무트 슈티프Helmuth Stieff 장군**에게 선물로 브랜디 두 병을 전해줄 수 있겠느냐며 태연하게 부탁했다. 의심하지 않은 브란트는 선뜻 전해주겠다고 했다.

비행장에서 슐라브렌도르프는 초조한 마음으로 소포의 작은 구멍에

---

* 슐라브렌도르프는 오후 회의 때 히틀러의 특대 모자를 살펴볼 기회가 있었다. 그는 모자의 무게에 놀랐다. 살펴보니 1.6킬로그램의 강철판이 덧대어져 있었다.
** 나치에 의해 처형되었다.

손을 넣어 시한폭탄을 작동시킨 뒤 총통 전용기에 오르려는 브란트에게 건넸다. 그것은 교묘하게 설계된 무기였다. 겉으로 드러나는 시계 장치가 없었다. 이 청년 장교가 버튼을 누르자 작은 병이 깨지고 부식성 화학 물질이 흘러나와 스프링을 받치고 있는 철사를 부식시켰다. 철사가 다 녹아버리면 스프링이 공이를 밀고, 공이가 뇌관을 쳐서 폭탄을 터트리는 메커니즘이었다.

히틀러 전용기가 스몰렌스크에서 이륙하고 30분쯤 비행하여 민스크를 지난 직후 추락할 것으로 예상했다고 슐라브렌도르프는 말한다. 흥분하여 열에 들뜬 그는 베를린에 전화를 걸어 음모단에게 암호로 점화 작전이 시작되었다고 알렸다. 그런 다음 트레스코브와 함께 쿵쾅대는 심장을 부여잡고서 희소식을 기다렸다. 그들은 총통 전용기를 호위하는 전투기들 중 한 대가 먼저 무전을 보낼 것으로 예상했다. 몇 분, 20분, 30분, 40분, 1시간 … 시계를 계속 확인했으나 아무런 무전도 오지 않았다. 결국 2시간이 넘게 지나 소식이 왔다. 히틀러가 라스텐부르크에 착륙했다는 보통의 전문이었다.

[슐라브렌도르프가 훗날 상술함] 우리는 망연자실했고, 실패의 원인을 도통 알 수가 없었다. 나는 당장 베를린에 전화해 암살 기도가 불발로 끝났음을 뜻하는 암호를 전했다. 그런 다음 트레스코브와 나는 이제 어떻게 할지 상의했다. 우리는 몹시 상심했다. 실패 자체가 대단히 심각한 일이었다. 그러나 폭탄이 발견되는 것은 더더욱 심각한 일로, 그렇게 되면 꼼짝없이 우리가 발각되고 긴밀한 협력자들이 대거 목숨을 잃을 터였다.

그 폭탄은 끝내 발견되지 않았다. 그날 밤 트레스코브는 브란트 대령에게 전화해 소포를 슈티프 장군에게 전할 여유가 있었느냐고 태연하게 물었고, 브란트는 그럴 시간이 없었다고 답했다. 트레스코브는 술에 문제가 있으니 소포를 그냥 가지고 있으라면서 이튿날 슐라브렌도르프가 업무차 그곳을 들르는데 자신이 선물하려는 진짜 좋은 브랜디를 그때 주겠다고 말했다.

슐라브렌도르프는 믿기 어려운 용기를 내서 히틀러 본부로 날아가 브랜디 두 병과 폭탄을 맞바꾸었다.

[슐라브렌도르프가 훗날 말함] 브란트가 폭탄을 건넬 때 자칫 놓치기라도 해서 당장 폭발하지 않을까 간담이 서늘했던 순간을 지금도 잊을 수 없다. 나는 침착하게 폭탄을 받아들고는 곧장 차에 올라 인근 코르셴 역으로 갔다.

그곳에서 베를린행 야간열차를 탄 그는 침대칸에서 폭탄을 해체했다. 폭탄에 무슨 일이 일어났는지, 아니 왜 아무 일도 일어나지 않았는지 금세 알 수 있었다.

장치는 작동했다. 작은 병이 깨져 있었다. 부식성 액체가 철사를 녹여버렸다. 공이가 앞쪽을 때렸다. 그러나 뇌관이 발화하지 않았다.

몹시 실망했으나 용기를 잃지 않은 베를린의 음모단은 히틀러의 목숨을 다시 노리기로 결정했다. 곧 좋은 기회가 생겼다. 히틀러가 괴링, 힘러, 카이텔과 함께 3월 21일 베를린 초이크하우스Zeughaus에서 열리는 영웅추모일Heldengedenktag 기념식에 참석할 예정이었다. 총통뿐 아니라 그의 핵심 동료들까지 제거할 수 있는 기회였다. 클루게 참모진의 선임 정보장교 게르스도르프Gersdorff 대령은 훗날 회고하기를 "다시없을 기회였다"라고 말했다. 트레스코브는 폭탄을 다룰 사람으로 게르스도르프를 선정했는데, 이번에는 자살 임무일 수밖에 없었다. 대령이 외투 주머니 안에 신관이 장착된 폭탄을 감춘 채 기념식이 열리는 동안 총통과 수행단에 최대한 가까이 붙어 있다가 자신과 함께 그들을 저승으로 날려버린다는 계획이었다. 비범한 용기로 게르스도르프는 목숨을 바치는 임무에 선뜻 자원했다.

3월 20일 저녁, 게르스도르프는 베를린 에덴 호텔의 방에서 슐라브렌도르프를 만났다. 슐라브렌도르프는 10분 시한 신관이 장착된 폭탄 두 발을 가져왔다. 하지만 초이크하우스의 유리로 덮인 중정에서는 0도에 가까운 기온 때문에 폭발까지 15분에서 20분이 걸릴 수도 있었다. 히틀러가 연설을 마친 뒤 바로 이 중정에서 게르스도르프의 참모가 준비한 대소련 전쟁의 전리품 전시회를 30분간 둘러볼 예정이었다. 그곳은 대령이 총통을 살해할 수 있을 정도로 가까이 다가갈 수 있는 유일한 장소였다.

훗날 게르스토르프는 당시 무슨 일이 일어났는지 술회했다.[7]

이튿날 나는 외투 양쪽 주머니에 10분 시한 신관이 달린 폭탄을 한 발씩 넣고 갔다. 히틀러에게 최대한 접근해서 적어도 폭발로 산산조각을 낼 작정이었다. 히틀러가 … 전시회장에 들어섰을 때 슈문트가 내게로 와서 전시회 참관에 겨우 8분에서 10분만 쓸 거라고 말했다. 암살을 실행할 기회가 사라졌다. 평소의 기온이라 해도 신관 작동에 최소 10분은 필요했기 때문이다. 히틀러의 교묘한 보안 대책의 전형인 이 막판 일정 변경이 다시 한 번 그의 목숨을 구했다.[*]

게스르도르프에 따르면, 트레스코브 장군은 스몰렌스크에서 "손에 스톱워치를 든 채" 그 기념식 관련 방송을 불안하면서도 기대하는 마음으로 기다렸다. 그러나 방송에서 히틀러가 불과 8분 만에 전시회장을 떠났다고 했을 때, 장군은 암살 기도가 또다시 실패했음을 알았다.

그 후에도 히틀러의 목숨을 노리는 "외투" 작전—음모단의 표현—이 적어도 세 차례 더 있었고, 앞으로 보겠지만 매번 비슷하게 실패했다.

1943년 초에는 독일에서 자발적인 봉기가 일어났다. 이 봉기는 비록 작은 규모였지만 그때까지 히틀러를 제거하려다 번번이 좌절을 맛본 저항운동의 시무룩한 사기를 되살리는 데는 도움이 되었다. 또한 나치 당국이 미미한 저항 징후마저 얼마나 무자비하게 탄압할 수 있는지 알려주는 경고의 역할도 했다.

앞에서 언급했듯이 독일 대학생들은 1930년대 초에 가장 광적인 나치에 속했다. 그러나 그들은 히틀러의 통치 10년 동안 환멸을 느꼈고, 독일이 전쟁에서 이기지 못하고 특히 1943년에 이르러 스탈린그라드에서 파국을 맞자 환멸감이 더욱 깊어졌다. 나치즘을 낳은 도시 뮌헨의 대학은 학생 반란의 온상이 되었다. 주동자는 25세 의학생 한스 숄Hans Scholl과 생물학을 전공하는 21세 여동생 조피 숄Sophie Scholl이었다. 철학 교수 쿠르트 후버Kurt Huber가 두 사람의 멘토였다. 그들은 '백장미 편지'라고

---

* 음모단의 행위를 정리하기 어려운 이유 중 하나는 소수 생존자들의 회고담에 빈틈이 많고, 그래서 경우에 따라 서로의 서술이 다를 뿐 아니라 상충되기도 한다는 데 있다. 예를 들어 게르스도르프에게 폭탄을 가져다준 슐라브렌도르프는 저서에서 시한이 충분히 짧은 신관을 찾을 수 없어서 초이크하우스 거사 기도를 "포기해야 했다"고 술회한다. 슐라브렌도르프는 게르스도르프가 임무를 수행하고자 실제로 초이크하우스에 갔다는 것을 알지 못했거나 잊었던 것으로 보인다. 대령의 기억으로는 전날 밤에 슐라브렌도르프에게 당시 가지고 있는 신관으로 "결행하기로 결심했다"고 말했다고 한다.

알려지게 된 방법으로 다른 대학들에서도 반나치 선전을 전개했고, 베를린 음모단과도 접촉했다.

1943년 2월의 어느 날, 게슈타포로부터 백장미 편지 다발을 건네받았던 바이에른 대관구장 파울 기슬러Paul Giesler는 이 학생 단체를 소집한 뒤 신체 부적격 남학생들은 더 유용한 전쟁 관련 일에 투입될 것이라고 통지하고—신체 적격 남자들은 벌써 육군에 징병되고 없었다—음흉한 시선으로 여학생들을 바라보며 조국을 위해 해마다 아이를 한 명씩 낳을 것을 제안했다.

"매력이 부족해 배우자를 찾지 못하는 일부 여성들에게는 나의 부관들을 한 명씩 배정해주겠다. … 내 장담하건대 대단히 즐거운 경험이 될 것이다."

바이에른 사람들이 다소 거친 유머로 유명하긴 해도, 학생들에게 이 천박한 농담은 선을 넘은 짓이었다. 그들은 아우성을 쳐 대관구장의 발언을 저지하고 그를 경호하러 온 게슈타포와 친위대 대원들을 강당에서 몰아냈다. 그날 오후 제3제국 역사상 처음으로 뮌헨 거리에서 반나치 학생 시위가 벌어졌다. 숄 남매가 이끈 학생들은 독일 청년층의 궐기를 공공연히 촉구하는 팸플릿을 나누어주기 시작했다. 2월 18일, 한 건물 수위가 대학 발코니에서 전단을 뿌리는 한스와 조피 숄을 목격하고 게슈타포에 밀고했다.

남매는 순식간에 야만적인 최후를 맞았다. 제3제국에서 하이드리히 이래로 가장 사악하고 피에 굶주린 나치로 꼽을 만한 롤란트 프라이슬러(뒤에서 다시 등장할 것이다)가 수장으로 있던 공포의 인민재판소로 끌려간 남매는 반역죄로 사형을 선고받았다. 조피 숄은 심문받는 동안 게슈타포에게 얼마나 심하게 시달렸던지 한쪽 다리가 부러진 채로 법정에 나타났다. 그러나 그녀의 정신은 빛을 잃지 않았다. 프라이슬러의 잔인한 위협에 조피는 "우리만이 아니라 당신도 전쟁에서 졌다는 것을 알고 있습니다. 당신은 얼마나 겁이 많기에 패전을 인정하지 않으려 합니까?"라고 차분하게 응수했다.

조피는 목발을 짚고 절뚝거리며 교수대로 올라가 숭고한 용기로 죽음을 맞았다. 오빠도 마찬가지였다. 후버 교수와 다른 학생 몇 명도 며칠 후 처형되었다.[8]

이 백장미단 사건은 베를린 음모단에게 그들이 어떤 위험을 마주하고 있는지 다시 한 번 상기시켰다. 당시 지도부 일부가 무분별한 행동으로 나머지 지도부에게 끊임없이 걱정을 끼치고 있었다. 괴르델러는 말이 너무 많았다. 힘러와 여타 친위대 고급장교들에게 음모 가담 의사를 타진하는 포피츠의 시도는 위험천만했다. 전후에 완강한 저항자로 비치도록 비길 데 없이 노력한 바이츠제커는 당시 얼마나 겁을 먹었던지 막역한 친구 하셀과의 연락을 완전히 끊었는가 하면 하셀을 (하셀 부인과 짜기라도 한 듯이) "믿기 어려울 정도로 무분별하다"고 비난하고 게슈타포가 그의 뒤를 쫓는다고 경고했다.*

게슈타포는 다른 많은 음모자들, 특히 쾌활하고 자신만만한 괴르델러도 주시했지만, 1943년 3월 음모단의 두 차례 거사 시도가 수포로 돌아

---

* 하셀은 일기에서 괴로운 장면을 묘사한다. "그는 난처하니까 자기를 만나러 오지 말라고 부탁했다. 내가 항변하려 하자 그는 모질게 내 말을 잘랐다." (The Von Hassell Diaries, pp. 256-257) 바이츠제커는 나중에 바티칸에서 독일 대사로 안전하게 자리를 잡고 나서야 음모단에게 행동을 촉구했다. "바티칸에서 그렇게 발언하기는 쉽다"라고 하셀은 적었다. 바이츠제커는 살아남아 다소 비열한 회고록을 썼다. 하셀의 일기는 그가 처형당한 후에 간행되었다.

간 직후에 게슈타포가 가한 타격은 아이러니하게도 치밀한 추적의 결과가 아니라 두 정보기관 간 경쟁의 결과였다. 바로 국방군의 방첩국과 힘러의 제국보안본부였는데, 후자는 친위대의 첩보기관을 운영했으며 카나리스 제독을 해임하고 그의 방첩국을 접수하고 싶어했다.

1942년 가을, 뮌헨의 한 사업가가 국경 너머 스위스로 외화를 밀반출하다가 체포되었다. 사실 그는 방첩국의 첩자였지만, 그가 전부터 국경 너머로 보낸 돈은 스위스 국내의 유대인 망명자 집단에게 전해졌다. 설령 그가 방첩국 첩자라 할지라도, 이것은 제3제국에서 독일인이 저지를 수 있는 가장 중대한 범죄였다. 카나리스가 이 첩자를 보호하는 데 실패하자 그는 방첩국에 관해 아는 바를 게슈타포에 털어놓기 시작했다. 그는 한스 폰 도흐나니가 오스터 대령과 함께 음모단의 중추라고 일러바쳤다. 또한 1940년 바티칸에서 교황을 통해 영국 측과 접촉한 요제프 뮐러 박사의 임무에 관해 힘러의 수하들에게 말했다. 본회퍼 목사가 방첩국에서 건넨 위조 여권을 사용해 1942년 스톡홀름에서 치체스터 주교를 만난 사실도 폭로했다. 오스터가 히틀러를 제거하려고 여러 계획을 짜고 있다는 것도 슬쩍 흘렸다.

몇 달간 조사한 끝에 게슈타포는 행동에 나섰다. 1943년 4월 5일에 도흐나니, 뮐러, 본회퍼가 체포되었고, 그동안 증거가 될 만한 대부분의 문서를 어렵사리 파기한 오스터는 12월에 방첩국에서 부득이 사임한 뒤 라이프치히에서 가택 연금에 처해졌다.*

이 사건은 음모단이 휘청거릴 정도의 타격이었다. 오스터―슐라브렌

---

* 본회퍼, 도흐나니, 오스터는 1945년 4월 9일, 독일의 항복이 채 한 달도 남지 않은 시점에 친위대에 의해 처형되었다. 이는 힘러의 보복 행위였던 것으로 보인다. 뮐러만 살아남았다.

도르프의 말마따나 "신께서 사나이의 본보기로 삼은 듯, 명석하고 차분하며 위기에 동요하지 않는 남자"였다—는 1938년부터 거사의 중추였고, 법학자인 도흐나니는 지략이 풍부한 조력자였다. 개신교도인 본회퍼와 가톨릭교도인 뮐러는 저항운동에 강력한 정신적 힘을 주었을 뿐 아니라 외국에서의 여러 임무에서 개인적 용기의 모범을 보여주기도 했다—두 사람은 체포되어 고문을 당하고도 동지들을 배반하지 않음으로써 디시금 용기를 보여주었다.

그러나 가장 심각한 타격은 방첩국이 해체된 탓에 음모단이 '위장술'을 상실한 데다 그들이 서로간의 연락 수단, 주저하는 장군들이나 서방 친구들과의 주된 연락 수단을 잃었다는 사실이었다.

힘러의 수사관들이 몇몇 사건을 추가로 밝혀낸 뒤, 방첩국과 그 수장 카나리스는 수개월 만에 완전히 퇴출되었다.

그중 한 사건은 나치들 사이에서 "졸프 부인 다과회"로 알려진 모임에서 1943년 9월 10일에 일어났다. 빌헬름 2세 시기에 식민장관을 지냈고 바이마르 공화국 시기에 일본 주재 대사를 지낸 빌헬름 졸프Wilhelm Solf의 과부인 한나 졸프Hanna Solf는 베를린에서 오래전부터 반나치 살롱을 열고 있었다. 부인의 살롱에는 여러 저명한 손님이 자주 찾아왔다. 비스마르크의 손녀인 한나 폰 브레도브Hanna von Bredow 백작부인, 1차대전 시기 미국 주재 독일 대사의 조카인 알브레히트 폰 베른슈토르프 백작, 유명한 예수회 사제인 프리드리히 에르크슬레벤Friedrich Erxleben 신부, 외무부 고위 관료로서 지난날 뉴욕에서 아인슈타인 교수를 축하하는 공식 오찬에 참석했다는 이유로 독일 총영사직에서 해임되었으나 결국 외교관으로 복직한 오토 키프Otto Kiep, 그리고 활기 넘치고 신앙심이 깊은 여성으로 하이델베르크 인근 바이블링겐에서 유명한 여학교를 운영하는 엘리자베트 폰 타덴Elisabeth von Thaden 등이었다.

9월 10일 졸프 부인의 다과회에 타덴 양이 레크체Reckzeh라는 매력적인 스위스 청년 의사를 데려왔다. 베를린 샤리테 병원의 자우어브루흐 교수 밑에서 일하는 의사였다. 대다수 스위스 의사들과 마찬가지로 레크체는 격한 반나치 감정을 드러냈고, 이에 다른 참석자들, 특히 키프가 동조했다. 다과회가 끝나기 전에 이 친절한 의사는 졸프 부인이나 손님들이 스위스에 있는 친구—독일인 반나치 망명자, 영국과 미국 외교관—에게 편지를 보내고 싶으면 자신이 전해주겠다고 제안했다. 금세 참석자 여럿이 이 제안에 응했다.

그들에게는 불운하게도 레크체 박사는 게슈타포의 첩자여서 다과회에 관한 보고서뿐 아니라 유죄의 증거가 되는 편지 몇 통까지 게슈타포에 제출했다.

몰트케 백작은 항공부에서 이 스위스인 의사와 게슈타포의 전화 통화를 여러 차례 엿들은 친구를 통해 이 사실을 알게 되었다. 몰트케는 곧장 친구 키프에게 경고했고, 키프는 졸프 부인 다과회의 나머지 참석자들에게 귀띔했다. 그러나 힘러는 증거를 쥐고 있었다. 힘러는 행동하기까지 넉 달을 기다렸는데, 아마도 자기 그물에 더 많이 걸려들기를 바랐을 것이다. 1944년 1월 12일, 다과회에 참석했던 사람들 모두가 체포되어 재판을 받았고, 졸프 부인과 그녀의 딸 발레스트렘 백작부인을 제외한 전원이 처형되었다.* 졸프 모녀는 라펜스브뤼크 강제수용소에 수감되었다가 기적처럼 죽음을 모면했다.** 친구 키프에게 동조한 몰트케 백작도 이

---

* 힘러는 **이미** 넉 달간 개입하며 그물을 넓혀두었던 것으로 보인다. 라이틀링거에 따르면, 레크체 박사의 밀정행위 결과로 무려 74명이 체포되었다. (Reitlinger, *The S.S.*, p. 304)

무렵 체포되었다. 하지만 키프 체포의 후폭풍은 그 정도로 그치지 않았다. 저 멀리 터키까지 영향이 미쳤고, 결국 방첩국이 해산되고 그 기능이 힘러에게로 넘어갔다.

키프와 가까운 반나치 친구들 중에는 에리히 페르메렌Erich Vermehren과, 결혼 전 엘리자베트 폰 플레텐베르크Elisabeth von Plettenberg 여백작이었던 놀라우리만치 아름다운 그 아내가 있었다. 이 부부는 다른 반체제 인사들처럼 방첩국에 들어갔고, 방첩국 요원으로서 이스탄불에 파견되었다. 부부는 게슈타포로부터 키프 사건 심문을 위해 베를린으로 오라는 통보를 받았다. 어떤 운명이 기다리는지 알아챈 부부는 소환을 거부하고 1944년 2월 초 영국 정보기관과 접촉하여 카이로로 날아갔다가 다시 잉글랜드로 향했다.

베를린에서는 페르메렌 부부가 방첩국의 모든 기밀 암호를 빼돌려 영국 측에 넘겼다고 믿었다―나중에 사실이 아닌 것으로 밝혀졌다. 방첩국의 도흐나니를 비롯한 요원들이 체포된 가운데 카나리스에 대한 의심을 키워가던 히틀러에게 페르메렌 부부 사건은 결정타였다. 1944년 2월 18일, 히틀러는 방첩국을 해체하고 그 기능을 제국보안본부로 넘기라고 명령했다. 이로써 지난 1938년 프리치 장군에게 날조 혐의를 뒤집어씌운 이래 육군 장교단과 전쟁을 벌여온 힘러는 또 하나의 전과를 올리게

** 먼저 일본 대사가 모녀의 재판을 미루기 위해 개입했다[졸프 부인의 죽은 남편이 바이마르 공화국 시기에 일본 주재 독일 대사를 지냈다]. 그런 다음 1945년 2월 3일 미군의 주간 폭격으로 섬뜩한 반역 재판을 주재하던 롤란트 프라이슬러가 목숨을 잃었을 뿐 아니라, 인민재판소의 서류철에 들어 있던 졸프 모녀 관련 문서도 소실되었다. 그럼에도 4월 27일에 인민재판소에서 재판을 받을 예정이었지만, 그 무렵이면 소련군이 베를린에 진입해 있었다. 사실 졸프 모녀는 4월 23일 모아비트 형무소에서 석방되었는데, 이는 착오 때문이었던 듯하다. (Wheeler-Bennett, *Nemesis*, p. 595n; Pechel, *Deutscher Widerstand*, pp. 88-93)

되었다. 이제 독일 군부는 자체 정보기관이 전혀 없었다. 장군들에 대한 힘러의 권력은 더욱 강해졌다. 활용할 만한 비밀기관을 잃어버린 음모단에게도 또 한 번의 타격이 되었다.*

음모단은 히틀러 살해 기도를 멈추지 않았다. 1943년 9월부터 1944년 1월까지 대여섯 차례의 거사 계획을 세웠다. 8월에 야코프 발렌베리가 베를린에 와서 괴르델러를 만났을 때 후자는 9월에 쿠데타를 감행하기 위한 준비를 모두 마쳤고 그 시점에 슐라브렌도르프가 스톡홀름에 가서 처칠의 대리인을 만나 강화를 논의할 것이라고 확언했다.

훗날 이 스웨덴 은행가는 앨런 덜레스에게 "나는 그 9월을 몹시 긴장하며 기다렸습니다"라고 말했다. "그런데 아무 일도 없이 지나갔습니다."⁹

한 달 후 슈티프 장군, 즉 1943년 3월에 트레스코브가 "브랜디" 두 병을 선물로 주려 했고 나중에 힘러가 "독이 든 작은 난쟁이"라고 부른, 입이 험한 꼽추 장군이 라스텐부르크에서 히틀러의 정오 군사회의 장소에 시한폭탄을 설치하려다가 마지막 순간에 겁을 먹었다. 며칠 후, 슈티프가 방첩국에서 넘겨받아 총통 본부 구내의 감시탑 아래에 숨겨두었던 영국제 폭탄들이 폭발했다. 음모단이 발각되지 않은 것은 오로지 음모에 관여한 베르너 슈라더Werner Schrader가 히틀러로부터 조사 임무를 위임받은 덕분이었다.

---

* 카나리스는 무역경제전쟁 사무국(Sonderstab für Handelskrieg und Wirtschaftliche Kampfmassnahmen) 국장에 임명되었다. 이 허울뿐인 직책을 맡고서 '작은 제독'은 독일 역사의 뒤안길로 사라졌다. 카나리스가 얼마나 베일에 싸인 인물이었던지 어느 두 저술가도 그가 어떤 부류의 사람인지, 그가 무엇을 믿었는지, 아니 무언가를 믿거나 했는지에 관해 의견의 일치를 보지 못할 정도다. 냉소적이고 숙명론적이었던 그는 바이마르 공화국을 증오했고, 은밀히 공화국 반대 활동을 하다가 나중에 제3제국 반대 활동으로 넘어갔다. 앞으로 살펴볼 것처럼, 방첩국에서 단 한 명(라호우젠 장군)을 제외한 나머지 간부들 전원과 마찬가지로 카나리스가 살아갈 날도 이제 얼마 남지 않은 상황이었다.

11월에 또 한 번의 "외투" 거사 계획이 세워졌다. 음모단은 히틀러가 디자인을 지시했고 이제 제작을 승인하기 전에 직접 점검하기를 원하는 새로운 군용 외투와 전술배낭을 "입어볼 모델"로 24세의 보병 대위 악셀 폰 뎀 부셰Axel von dem Bussche를 골랐다. 부셰는 게르스도르프의 실패를 되풀이하지 않기 위해 견본 외투의 주머니에 신관을 작동시키면 몇 초 만에 폭발하는 독일제 폭탄 두 발을 넣어서 가기로 결심했다. 히틀러가 신형 외투를 점검할 때 순식간에 그를 붙잡아 둘이 함께 산산조각이 난 다는 계획이었다.

그런데 시연 전날 연합군의 폭격으로 견본품이 파손되었고, 부셰는 소속 중대와 함께 소련 전선으로 돌아갔다. 부셰는 12월에 새로운 견본 품으로 다시 거사를 시도하고자 총통 본부를 찾았지만, 총통이 돌연 베르히테스가덴으로 크리스마스 휴가를 떠났다. 그 직후 부셰가 전선에서 중상을 입자 음모단은 전선의 또다른 청년 보병 장교에게 억지로 대역을 맡겼다. 바로 음모단의 최연장자 축에 드는 에발트 폰 클라이스트의 아들인 하인리히 폰 클라이스트Heinrich von Kleist였다. 시연 날짜가 1944년 2월 11일로 잡혔지만, 총통은 무슨 이유에서인지—덜레스는 공습 때문이었다고 말한다—나타나지 않았다.*

이 무렵 음모단은 일정을 끊임없이 바꾸는 히틀러의 수법 때문에 거사 계획을 철저히 점검해야 한다는 결론에 이르렀다.** 히틀러가 나타날

---

* 클라이스트 부자는 나중에 체포되었다. 아버지는 1945년 4월 16일 처형되었고, 아들은 살아남았다.
** 히틀러는 이 수법에 관해 오랜 당 동지들과 자주 의논했다. 1942년 5월 3일 총통 본부에서 히틀러가 전형적인 독백을 했을 때의 속기록이 남아 있다. "나는 역사상 암살의 90퍼센트가 성공한 이유를 아주 잘 알고 있다. 암살을 피할 수 있는 유일한 예방책은 불규칙하게 생활하는 것이다. 산책도, 차로 이동하는 것도, 여행도 불규칙하게, 예상을 벗어나서 한다. … 나는 차로 이동할 때마다 가급적

것으로 확신할 수 있는 때는 하루 두 차례, OKW와 OKH에서 여는 군사회의 시간뿐임을 그들은 깨달았다. 그때를 노려 제거하는 수밖에 없었다. 1943년 12월 26일, 슈타우펜베르크라는 청년 장교가 올브리히트 장군을 대리해 정오 회의에 참석하고자 라스텐부르크 본부에 나타났다. 그는 육군 보충에 관해 보고할 예정이었고, 서류가방 안에 시한폭탄이 들어 있었다. 회의는 취소되었다. 히틀러가 크리스마스를 보낸다며 오버잘츠베르크로 떠났던 것이다.

이 젊고 잘생긴 중령의 첫 거사 시도였다. 하지만 마지막 시도는 아니었다. 반나치 음모단은 마침내 클라우스 필리프 솅크 폰 슈타우펜베르크Claus Philipp Schenk von Stauffenberg 백작이라는 적임자를 발견했다. 그 후로 슈타우펜베르크는 당시 유일하게 가능해 보인 방법으로 히틀러를 직접 살해할 임무를 넘겨받았을 뿐 아니라, 음모단에 새로이 생기와 빛과 희망과 열의를 불어넣고 실질적인 지도자—명목상 지도자였던 적은 없지만—가 되었다.

불시에 출발하고 경찰에 통지하지 않는다." (*Hitler's Secret Conversations*, p. 366)

앞에서 언급했듯이 히틀러는 늘 암살 가능성을 의식했다. 1939년 8월 22일 폴란드 침공 전야의 군사회의에서 히틀러는 장군들에게 자신이 필수불가결한 존재이긴 해도 "범죄자나 미치광이에 의해 어느 때고 제거될 수 있다"고 강조했다.

1942년 5월 3일에는 주저리주저리 말하던 중 이렇게 덧붙였다. "광신자나 이상주의자는 결코 완벽하게 막아낼 수가 없다. … 만약 어떤 광신자가 나를 사살하거나 폭탄으로 죽이고자 한다면, 나는 서 있으나 앉아 있으나 안전하지 않다." 그러면서도 "이상주의적인 이유로 내 목숨을 노리는 광신자의 수는 현저히 줄어들고 있다. … 정말로 위험한 부류는 비겁한 성직자가 행동하도록 부추기는 광신자, 혹은 우리가 점령한 나라의 민족주의적인 애국자뿐이다. 나는 오랫동안 경험을 쌓았기 때문에 그런 부류라 할지라도 녹록하지 않을 것이다." (*Ibid.*, p. 367)

슈타우펜베르크 백작의 임무

———

이 사나이는 직업 장교로서 놀라운 재능을 타고났다. 그는 1907년 남부 독일의 유서 깊은 명문가에서 태어났다. 그는 어머니 윅스퀼-귈렌반트Uexküll-Gyllenband 백작녀 가문의 혈통으로 과거 나폴레옹에 맞선 해방전쟁의 군사 영웅이자 샤른호르스트와 함께 프로이센 참모본부를 창설한 주역인 그나이제나우의 증손자인 동시에, 역시 어머니 혈통으로 나폴레옹 시대의 유명한 장군인 위오르크 폰 바르텐부르크의 후손이었다. 클라우스의 아버지는 뷔르템베르크 왕국 마지막 왕의 시종장이었다. 이 가문은 친절하고 로마가톨릭에 독실하고 교양 수준이 매우 높았다.

이런 배경과 분위기 속에서 클라우스 폰 슈타우펜베르크는 성장했다. 체격이 좋고 누구나 동의했듯이 눈에 띄게 잘생긴 그는 명석하고 탐구심 강하고 눈부실 정도로 균형 잡힌 정신을 가꾸었다. 승마와 스포츠뿐 아니라 예술과 문학에도 열의가 있어서 폭넓게 책을 읽었고, 청년 시절 슈테판 게오르게Stefan George와 이 천재 시인의 낭만적 신비주의에 영향을 받았다. 한동안 음악을, 나중에는 건축을 직업으로 삼을까 생각했지만, 1926년 19세에 제17밤베르크 기병연대—유명한 '밤베르크 기마상'—의 사관후보생으로 육군에 입대했다.

1936년, 베를린 육군대학에 입학한 그는 다재다능함으로 교관들과 최고사령부 양측의 눈길을 끌었다. 2년 후에는 참모본부의 청년 장교로서 두각을 나타냈다. 같은 계급의 대다수 사람들과 마찬가지로 내심 군주제를 지지하긴 했으나 이 무렵까지는 국가사회주의에 반대하지 않았다. 1938년 반유대인 포그롬을 계기로 히틀러에게 처음으로 의구심을 품었던 듯하고, 1939년 여름 총통이 독일을 길게 이어지고 끔찍한 인명 손실이 발생하고 결국 패배할 법한 전쟁으로 이끄는 모습을 보고서 의구심을 더욱 키웠다.

그럼에도 막상 전쟁이 발발하자 특유의 에너지로 전장에 뛰어들었고, 폴란드와 프랑스 전선에서 회프너 장군의 제6기갑사단 참모장교로서 이름을 날렸다. 슈타우펜베르크가 제3제국에 완전히 환멸을 느낀 것은 그가 소련에 있을 때였던 듯하다. 그는 됭케르크 강습 직전인 1940년 6월에 육군 최고사령부로 전속되었고, 소련 작전 초기 18개월 동안 소련 영내에서 다른 무엇보다 소련군 전쟁포로에 의한 '자원병' 부대들을 편성하며 대부분의 시간을 보냈다. 그의 친구들에 따르면 이 무렵 슈타우펜베르크는 독일군으로 히틀러의 폭정을 끝내는 한편 이 소련인 부대들을 활용해 스탈린의 폭정을 타도할 수 있을 것으로 믿었다고 한다. 아마도 이것은 슈테판 게오르게의 아리송한 사상의 영향을 보여주는 한 사례일 것이다.

볼셰비키 정치위원을 사살하라는 히틀러의 명령은 말할 것도 없고 소련에서 친위대가 저지르는 잔혹행위를 목도한 슈타우펜베르크는 자신이 섬기는 주인의 정체에 눈을 떴다. 때마침 소련에서 그 주인을 끝장내기로 결심한 두 명의 주요 음모자 트레스코브 장군과 슐라브렌도르프를 만났다. 슐라브렌도르프는 몇 차례 더 만나보고는 슈타우펜베르크가 동지임을 확신했다고 한다. 그는 적극적인 음모자가 되었다.

그러나 아직 하급장교에 지나지 않았던 그는 이내 히틀러를 제거하거나 전선 후방에서 유대인과 러시아인, 전쟁포로를 살육하는 무시무시한 사태를 멈추기에는 원수들의 태도가 너무나 불분명하다—너무나 비겁하지는 않을지라도—는 것을 확인했다. 게다가 스탈린그라드의 불필요한 재앙에 넌더리가 났다. 이 전투가 끝난 직후인 1943년 2월에 그는 전선으로 보내달라고 요청하여 튀니지의 제10기갑사단에 작전장교로 배속되었고, 카세린 고개 전투의 막판에 부임하여 소속 부대와 함께 이 협곡에서 미군을 몰아냈다.

4월 7일, 슈타우펜베르크는 자동차가 지뢰밭에 들어가는 바람에―일각에서는 저공비행하는 연합군 항공기에 공격당했다고 한다―중상을 입었다(지뢰밭에 들어간 것이 아니라 미군 커티스 P-40 워호크 전투기의 공격을 받은 것으로 확인되었다). 왼눈, 오른손 전체, 왼손의 두 손가락을 잃었고, 왼쪽 귀와 무릎에 부상을 입었다. 몇 주 동안은 설령 살아난다 해도 시력을 전부 잃을 가능성이 높아 보였다. 하지만 뮌헨 병원에서 자우어브루흐 교수의 능숙한 처치 덕에 목숨을 건졌다. 다른 사람이었다면 십중팔구 군에서 퇴역하고 음모단에서 빠졌을 것이다. 그러나 슈타우펜베르크는 한여름에 올브리히트 장군에게 편지를 써―붕대를 감은 왼손의 세 손가락으로 글씨 쓰는 연습을 한참 한 끝에―석 달 안에 현역으로 복귀할 것을 기대한다고 말했다. 장기간 요양하면서 그는 앞날을 고민했고, 비록 장애를 입은 몸이긴 해도 신성한 임무를 수행해야 한다는 결론에 이르렀다.

네 자녀의 어머니인 아내 니나Nina 백작부인이 병상에 찾아왔을 때 그는 "독일을 구하기 위해 지금 무언가를 해야 한다고 생각하오"라고 말했다. "우리 참모본부 장교들은 모두 우리 몫의 책임을 받아들여야 하오."[10]

1943년 9월 말, 그는 중령이자 육군 총무국장 올브리히트 장군의 참모장으로서 베를린으로 복귀했다. 그리고 이내 왼손의 세 손가락으로 집게를 쥐고서 방첩국의 영국제 폭탄을 작동시키는 연습을 시작했다.

그는 다른 일들에도 매달렸다. 그의 정력적인 개성, 명민한 정신, 포용적인 이념, 조직가로서의 뛰어난 재능은 음모단에 새로운 활기와 결의를 불어넣었다. 불화도 있었다. 베크, 괴르델러, 하셀 등 나이 많고 구식인 음모단 지도부가 국가사회주의를 타도하고 구현하려던 진부하고 보수적이고 특색 없는 정권에 슈타우펜베르크가 만족하지 않았기 때문이다. 크라이자우 서클의 친구들보다 실제적이었던 그는 새롭고 역동적인 사회 민주주의를 원했고, 새로 사귄 친구로 총명한 사회주의자인 율리우스 레버나 전 노동조합 간부 빌헬름 로이슈너를 신생 반나치 내각에 포함시킬 것을 고집했다. 두 사람 모두 음모에 깊숙이 관여해 적극적으로 활동하고 있었다. 치열한 논쟁이 벌어졌지만, 슈타우펜베르크가 금세 음모단의 정치 지도부를 제압했다.

그는 군부 인사들도 대부분 제압했다. 그는 베크 장군을 음모단의 명목상 지도자로 인정하고 이 전 참모총장을 매우 존경하긴 했지만, 베를린으로 복귀해 마주한 베크, 암으로 대수술을 받고 회복 중이던 베크는 지치고 다소 의기소침한 모습으로 과거의 껍데기만 남아 있었고, 정치의 개념이 아예 없어서 그 분야에서는 괴르델러에게 완전히 휘둘리고 있었다. 베크의 명망은 군인들 사이에서 유용하고 더 나아가 쿠데타를 결행하는 데 꼭 필요했다. 그러나 실제로 병력을 공급하고 지휘하는 도움을 받으려면 현직에 있는 더 젊은 장교들을 동원해야 했다. 슈타우펜베르크는 곧 거사에 필요한 핵심 장교들을 대부분 포섭했다.

여기에는 상관인 올브리히트 외에 OKH 편제과장 슈티프 장군, 육군병참감 에두아르트 바그너 장군, OKW 통신본부장 에리히 펠기벨Erich Fellgiebel 장군, OKH 포병대 참모장 프리츠 린데만Fritz Lindemann 장군, 베를린 방위군 사령관 파울 폰 하제Paul von Hase 장군(베를린 장악을 위한 부대를 제공할 수 있는 인물), 서부외인부대과 과장 알렉시스 폰 뢰네Alexis von Roenne 대령과 그의 참모장 미하엘 폰 마투슈카Michael von Matuschka 등이 포함되었다.

핵심 장군은 두세 명이었으며, 그중 가장 중요한 인물은 국내예비군의 실제 사령관 프리드리히 프롬이었다. 그런데 클루게와 마찬가지로 프롬은 변덕이 심해 신뢰할 수가 없었다.

한편 음모단에는 아직까지 현직 원수가 없었다. 초기부터 음모단의 일원인 비츨레벤 원수가 국방군 총사령관이 될 예정이었으나 이제는 현역이 아니라서 휘하에 병력이 없었다. 당시 서부전선 총사령관 룬트슈테트 원수에게 접근했지만 그는 총통에 대한 충성 맹세를 어기지 않겠다는 입장이었다—혹은 적어도 그렇게 설명했다. 총명하지만 기회주의적인 만슈타인 원수도 마찬가지였다.

1944년 초의 이 시점에 매우 적극적이고 인기 있는 원수가 처음에는 슈타우펜베르크에 관해 모르는 채로 음모단에 얼마간 협력하려 했다. 바로 로멜 원수였다. 로멜이 음모단에 가세하려 한다는 소식에 저항운동 지도부는 매우 놀랐으며 거의 모두가 승인하지 않으려 했다. 다들 '사막의 여우'를 나치로, 그리고 노골적으로 히틀러의 총애를 구하다가 이제 오로지 패전할 것 같다는 이유로 총통을 배신하려는 기회주의자로 치부했기 때문이다.

1944년 1월, 로멜은 서부전선의 B집단군 사령관에 임명되었다. B집단군은 영불 해협을 건너 침공해올 것으로 예상되는 영미군을 격퇴할 독일군의 주력이었다. 프랑스에서 로멜은 오랜 친구들인 벨기에-북프랑스 군정청장 알렉산더 폰 팔켄하우젠 장군과, 프랑스 군정청장 카를 하인리히 폰 슈튈프나겔 장군을 자주 만나게 되었다. 이미 반히틀러 음모에 관여하고 있던 두 장군은 서서히 로멜을 끌어들였다. 그들은 로멜의 오랜 민간인 친구이며 슈투트가르트 시장인 카를 슈트뢸린Karl Strölin의 도움을 받았는데, 이 책에 등장하는 다른 수많은 인물들과 마찬가지로 열렬한 나치였다가 이제 패전의 그림자가 어른거리고 본인의 도시를 포함해 독일 도시들이 연합군의 폭격에 급속히 돌무더기로 변해가자 생각을 고쳐먹은 인물이었다. 슈트륄린이 노선을 변경한 데에는 괴르델러의 역할이 컸다. 1943년 8월, 괴르델러는 슈트륄린을 설득해 내무부—당시 힘러가 이끌고 있었다—에 제출할 의견서를 함께 작성했고, 여기서 유대인과 기독교 교회에 대한 박해 중지, 시민권 회복, 나치당 및 친위대-게슈타포가 파괴해버린 사법제도의 재건 등을 공동으로 요구했다. 슈트륄린은 로멜 부인을 통해 이 의견서로 로멜의 관심을 끌었는데, 이 방법이 주효했던 것으로 보인다.

1944년 2월 말, 두 친구는 울름 인근 헤를링겐에 있는 로멜의 자택에서 만나 허심탄회하게 대화했다.

[슈트륄린이 훗날 술회함] 나는 그에게 동부 육군의 몇몇 상급 장교로부터 히틀러를 포로로 잡고서 라디오를 통해 사임을 발표하도록 강요하자는 제안을 받았다고 말했다. 로멜은 그 방안에 찬성했다.

이어서 나는 그가 우리 측의 가장 뛰어나고 인기 있는 장군이며 국외에서 다른 어떤 장군보다도 존경을 받는다고 말했다. "독일에서 내전을 막을 수 있는 사람은 그대뿐이야. 그대가 운동에 지지를 표명해야 하네"라고 나는 말했다.[11]

로멜은 망설이다가 마침내 결정을 내렸다.

"독일을 구하는 것이 내 의무라고 생각하네"라고 친구에게 말했다.

이 회합과 뒤이어 음모단과 만난 모든 회합에서 로멜은 히틀러 암살에 반대했다. 도덕적인 이유가 아니라 현실적인 이유 때문이었다. 독재자를 살해한다면 그를 순교자로 만들어주는 꼴이라고 로멜은 주장했다. 육군이 히틀러를 체포하고 독일 법정에 세워 독일 국민과 피점령국 국민에게 저지른 범죄를 추궁해야 한다고 로멜은 역설했다.[12]

이 무렵 1944년 4월 15일에 로멜의 참모장이 된 한스 슈파이델Hans Speidel 장군이 원수에게 다시 운명적인 영향을 주었다. 슈파이델은 동료 음모자 슈타우펜베르크와 마찬가지로—서로 전혀 딴판이긴 했지만—비범한 장교였다. 그는 군인일 뿐 아니라 1925년에 튀빙겐 대학에서 최우등으로 철학 박사학위를 받은 철학자이기도 했다. 그는 지체 없이 상관에게 공을 들였다. 한 달 후인 5월 15일, 슈파이델은 파리 근교 별장에서 로멜과 슈튈프나겔 장군, 휘하 참모장들의 회동을 주선했다. 그의 말대로 회동의 목표는 "서부에서 전쟁을 끝내고 나치 정권을 전복하기 위해 필요한 조치들"을 강구하는 데 있었다.[13]

이것은 힘겨운 과제였고, 슈파이델은 고민하다가 국내의 반나치들, 특히 괴르델러-베크 집단과 더 긴밀하게 접촉할 필요가 있음을 절실히 깨달았다. 변덕스러운 괴르델러는 몇 주 전부터 로멜과 (하고 많은 사람들 중에 하필이면) 노이라트의 비밀 회동을 추진하고 있었다. 우선 외무장관으로서, 뒤이어 보헤미아 제국보호자로서 히틀러의 더러운 일을 처리했던 노이라트 역시 이제 조국에 끔찍한 재앙이 닥치기 직전임을 불현듯 깨닫고 있었다. 로멜은 노이라트와 슈트룁린을 직접 만나는 것은 너무 위험하다고 판단해 슈파이델 장군을 대신 보냈고, 5월 27일 프로이덴슈타트에 있는 슈파이델의 자택에서 회합이 열렸다. 세 참석자 슈파이델, 노이라트, 슈트룁린은 로멜 본인과 마찬가지로 모두 슈바벤 지역 출신이었는데, 이 지연地緣 덕에 회동 분위기가 화기애애했을 뿐 아니라 서로 의견을 모으기가 더 쉬웠던 듯하다. 결론은 히틀러를 서둘러 타도해야 하고 과도기에 로멜이 국가원수나 독일군 최고사령관을 맡아야 한다는 것이었다—로멜 본인은 두 직책을 단 한 번도 요구한 적이 없다는 사실을 말해두어야겠다. 휴전협정을 위해 서방 연합국과 접촉하는 계획, 독일 내 음모단과 로멜 사령부 간 통신을 위한 암호 등 여러 세부사항도 논의했다.

슈파이델 장군은 로멜이 서부전선의 직속상관인 룬트슈테트 원수에게 거사 계획을 솔직하게 알려야 할 뿐 아니라 원수의 "완전한 동의"까지 얻어야 한다고 강력하게 주장했다. 그렇지만 이 육군 원수의 성격에는 결점이 있었다.

> [훗날 슈파이델이 씀] 히틀러에 대한 공동 요구의 문안에 관해 논의할 때 룬트슈테트가 로멜에게 말했다. "자네는 젊어. 자네는 국민을 알고 있고 사랑하네. 자네가 하게."[14]

그들은 그해 늦봄에 몇 차례 더 회동한 뒤 후속 계획을 세웠다. 슈파이델이 서부 육군의 음모단 가운데 거의 홀로 살아남아 그 계획에 대해 다음과 같이 서술했다.

서방 연합국과 즉각 휴전하되 무조건 항복은 배제. 서부전선의 독일군은 본국으로 철수. 연합군의 독일 폭격 즉각 중단. 히틀러를 체포해 독일에서 재판에 회부. 나치 정권 타도. 베크, 괴르델러, 노동조합 대표 로이슈너를 지도부로 하는 각계각층의 저항세력이 임시로 독일의 실권을 장악. 군부 독재 금지. 유럽 합중국의 틀 내에서 "건설적 평화" 준비. 동부에서는 전쟁 지속. 도나우 강 어귀, 카르파티아 산맥, 비스와 강, 메멜

을 잇는 단축 전선 유지.[15]

음모단의 장군들은 휴전협정 이후에 영국군과 미군이 그들 말마따나 유럽의 볼셰비키화를 막기 위해 독일군 편에서 대소련 전쟁에 가담하리라는 것을 추호도 의심하지 않았던 모양이다.

베를린의 베크 장군은 적어도 동부에서 전쟁을 지속하는 방책에는 찬성했다. 5월 초에 베크는 기제비우스를 통해 스위스에 있는 덜레스에게 환상적인 계획의 개요를 적은 메모를 전달했다. 영미군의 침공 이후 서부의 독일 장군들이 병력을 독일 국경까지 철수시킬 예정이었다. 베크는 서부 독일군이 철수하는 동안 연합군이 세 가지 전술작전을 수행할 것을 촉구했다. 첫째, 3개 공수사단을 베를린 지역에 착륙시켜 음모단이 수도를 접수하도록 도울 것. 둘째, 함부르크와 브레멘 인근 독일 연안에서 대규모 상륙작전을 실시할 것. 셋째, 영불 해협으로부터 프랑스에 대군을 상륙시킬 것. 그동안 믿음직한 반나치 독일군 병력으로 뮌헨 지역을 장악하고 오버잘츠베르크의 산장에 있는 히틀러를 포위한다. 대소련 전쟁은 지속한다. 이 메모를 받은 덜레스는 곧장 베를린 음모단에게 현실을 일깨우려 했다. 서방 연합국과의 단독 강화는 있을 수 없다고 답변했던 것이다.[16]

슈타우펜베르크, 크라이자우 서클의 친구들, 전 모스크바 대사 슐렌부르크 같은 음모자들은 이런 현실을 깨닫게 되었다. 사실 슈타우펜베르크를 포함해 그들 대다수는 '동방주의자', 즉 반볼셰비키이긴 해도 친러시아파였다. 한동안 그들은 "무조건 항복"만을 거듭 주장하는 서방 연합국*

---

* 1943년 1월 24일 카사블랑카 회동에서 처칠과 루스벨트는 독일의 무조건 항복을 요구하는 공동 선언을 발표했다. 괴벨스는 당연히 이 선언을 한껏 활용해 독일 국민을 총력 저항으로 몰아가려 했지만, 내가 보기에는 서방 저술가들이 괴벨스의 성과를 지나치게 부풀렸다.

보다 소련과 더 나은 조건으로 강화를 맺는 편이 더 수월할지도 모른다고 생각했다—소련 측은 라디오 선전에서 스탈린 본인의 성명으로 자신들은 독일 국민이 아니라 "히틀러파"와 싸우고 있다고 강조했다. 하지만 1943년 10월에는 그런 부질없는 희망을 접을 수밖에 없었다. 연합국 4개국 외무장관이 모인 모스크바 회의에서 소련 정부가 무조건 항복을 요구하는 카사블랑카 선언을 정식으로 지지했기 때문이다.

운명을 가를 1944년 여름이 다가오는 시점에 음모자들은 향후 어떤 형태의 강화협정이라도 체결하여 독일이 유린당하고 전멸하는 파국을 피하려면 하루 빨리 히틀러와 나치 정권을 제거해야 한다는 것을 깨달았다. 당시 붉은군대가 독일 국경으로 다가오고 있었고, 영국군과 미군이 영불 해협을 건너 대규모로 침공할 태세였으며, 이탈리아에서 해럴드 알렉산더 장군의 연합군에 독일군의 저항이 허물어지고 있었다.

베를린에서 슈타우펜베르크와 그 동지들은 마침내 계획을 완성했다. 공동 작전의 암호명은 '발퀴레Walküre'였다. 이는 적절한 명칭이었는데, 스칸디나비아–독일 신화에서 발퀴레는 고대 전장의 상공을 맴돌다가 죽어야 할 자들을 고르는, 아름답지만 무서운 처녀들이기 때문이다. 이 경우에 죽어야 할 인간은 아돌프 히틀러였다. 퍽 아이러니하게도 카나리스 제독은 실각하기 전에 발퀴레 아이디어를 하나의 보안 계획으로, 즉 베를린과 그 밖의 대도시들에서 고되게 일하는 외국인 노동자 수백만 명이 반란을 일으킬 경우 국내예비군이 이들 대도시에 대한 치안 조치를 취하도록 한다는 계획으로 꾸며서 히틀러의 승인을 얻어냈다. 외국인 노동자들은 무기도 조직도 없었으므로 그런 반란을 일으킬 가능성이 거의 없었지만—사실상 불가능했다—의심 많은 총통은 그 무렵 어디에나 위험이 도사린다고 생각했다. 게다가 신체 건강한 군인들 거의 모두가 전선에 배치되었거나 저 멀리 떨어진 점령 지역들에서 민중을 억압하느라 국내에 없었으므로 총통은 부루퉁한 노예노동자 무리에 맞서 제국의 국내 안보를 유지할 만한 계획이 있어야 한다는 생각을 선뜻 받아들였다. 그리하여 발퀴레는 군부 음모자들에게 완벽한 위장막, 즉 히틀러를 암살하자마자 국내예비군으로 베를린, 빈, 뮌헨, 쾰른 등지를 장악하기 위한 계획을 대놓고 세울 수 있도록 해주는 위장막이 되었다.

베를린에서 음모단의 주된 곤경은 휘하 병력이 매우 적다는 것과 친위대 부대들의 병력이 더 많다는 것이었다. 게다가 수도 일대에서 대공방어를 담당하는 공군 부대들의 병력도 상당했으며, 육군이 신속하게 움직이지 않을 경우 이 병력은 설령 히틀러가 사망하더라도 공군 총사령관 괴링에게 계속 충성하면서 나치 정권을 유지하기 위해 싸울 것이 확실했다. 그들은 대공포로 육군 분견대들을 공격할 수 있었다. 한편, 베를린의 경찰력은 그 수장 헬도르프 백작을 음모에 끌어들여 포섭해둔 상황이었다.

친위대와 공군의 병력을 고려하여 슈타우펜베르크는 수도 장악을 위한 작전의 타이밍을 매우 강조했다. 특히 초기 2시간이 중요했다. 그 짧은 시간 내에 육군 병력으로 전국 방송 본부, 수도의 2개 라디오 방송국, 전신국과 전화국, 총리 관저, 각 부처, 친위대-게슈타포 본부를 장악해야 했다. 좀처럼 베를린을 떠나지 않는 유일한 나치 고관인 괴벨스는 친위대 장교들과 함께 반드시 체포해야 했다. 한편 히틀러를 살해한 순간부터 라스텐부르크의 총통 본부를 독일로부터 고립시켜서 괴링이나 힘러, 카이텔과 요들 같은 나치 장군들이 나치 정권 존속을 위해 경찰력이나 군사력을 모으려 시도하는 것을 막아야 했다. 총통 본부에서 근무하는 통신본부장 펠기벨 장군이 이 고립 임무를 맡기로 했다.

그런 후에야, 이 모든 과제를 쿠데타 개시 2시간 내에 완수하고 나서야, 미리 작성해둔 메시지를 무전과 전화, 전신을 통해 다른 도시의 국내예비군 사령관들, 그리고 전선과 점령지에서 부대를 지휘하는 고위 장군들에게 발송하여 히틀러가 서거하고 베를린에서 새로운 반나치 정부가 구성되었다고 알릴 터였다. 반란은 24시간 내에 성공적으로 끝내고 새 정부를 확고히 수립해야 했다. 그러지 않으면 동요하는 장군들이 딴마음을 먹을 수 있었다. 괴링이나 힘러가 그들을 규합하여 내전에 돌입할 수 있었다. 그럴 경우 전선이 허물어져 음모단이 막으려는 혼돈과 붕괴를 피할 수 없었다.

히틀러가 암살당한—슈타우펜베르크가 직접 암살을 처리한—이후 쿠데타의 성공은 음모단이 베를린 일대의 동원 가능한 육군 병력을 어떻게 최대한 신속하고 정력적으로 활용하는가, 그 능력 여하에 달려 있었다. 이것이 난관이었다.

명목상으로는 국내예비군 사령관 프리츠 프롬 장군만이 발퀴레 작전의 실행을 명령할 수 있었다. 그런데 프롬의 태도가 마지막 순간까지 물음표였다. 1943년 내내 음모단은 프롬에게 공을 들였다. 그리고 이 조심성 많은 장교는 반란이 성공했음을 목도한 후에야 확실하게 협조할 것이라는 결론에 이르렀다. 하지만 음모단은 성공을 확신했기에 프롬에게 알리지 않은 채 그의 이름이 들어간 일련의 명령서를 미리 작성해두었다. 결정적인 순간에 프롬이 흔들릴 경우, 모스크바 전투 이후로 히틀러에 의해 파면되고 군복 착용까지 금지당한 뛰어난 전차부대 지휘관 회프너 장군을 국내예비군 사령관직에 대신 앉힐 작정이었다.

베를린의 또다른 핵심 장군도 음모단을 괴롭혔다. 베를린과 브란덴부르크를 포함하는 제3군관구를 통솔하는 철저한 나치 요아힘 폰 코르츠플라이슈Joachim von Kortzfleisch 장군이었다. 음모단은 이 장군을 체포하고 카를 폰 튕겐Karl von Thüngen 장군으로 교체하기로 결정했다. 베를린 방위군 사령관 파울 폰 하제 장군은 음모에 가담했고, 지역 수비대를 먼저 지휘하는, 수도를 장악하는 데 지극히 중요한 조치를 취할 것으로 믿을 수 있었다.

베를린을 통제하기 위해 상세한 계획을 세우는 한편, 슈타우펜베르크와 트레스코브는 괴르델러, 베크, 비츨레벤 등과 협력하여 각 관구의 사령관들에게 어떻게 관할 지역의 행정권을 장악하고, 친위대를 제압하고, 주요 나치들을 체포하고, 강제수용소를 점거할 것인지를 지시하는 문서들을 작성했다. 여기에 더해 적절한 시점에 군대, 독일 국민, 신문, 라디오 방송국에 배포할 요량으로 심금을 울리는 선언문도 몇 편 써두었다. 그중 일부는 새로운 국가원수가 될 베크가 서명했고, 다른 일부는 신임 국방군 총사령관이 될 비츨레벤 원수와 신임 총리가 될 괴르델러가 서명했다. 이런 명령과 호소문의 사본은 음모단의 용감한 두 여성이 심야에 벤틀러슈트라세에서 극비리에 타이핑했다. 음모의 진척에 너무도 크게 기여한 에리카 폰 트레스코브Erika von Tresckow 부인과, 퇴역 장군의 딸이며 오랫동안 두 명의 전 육군 총사령관 하머슈타인 장군과 프리치 장군의 충직한 비서로 일했던 마르가레테 폰 오펜Margarethe von Oven이었다. 타이핑한 문서들은 올브리히트 장군의 금고에 숨겨두었다.

이렇게 해서 계획이 준비되었다. 실은 1943년 말에 계획을 완성했지만 수개월 동안 거의 실행하지 않았다. 하지만 이제 더는 기다릴 수 있는 상황이 아니었다. 1944년 6월이 왔을 때 그들은 남은 시간이 별로 없음을 깨달았다. 우선 게슈타포가 포위망을 좁히고 있었다. 몰트케 백작과 크라이자우 서클을 비롯해 음모에 가담했던 인사들이 한 주 한 주 지날수록 점점 더 많이 체포되었고, 그중 다수가 처형되었다. 베크, 괴르델러, 하셀, 비츨레벤 등의 핵심층은 힘러의 비밀경찰이 그림자처럼 미행하는 터라 서로 만나기가 갈수록 어려워졌다. 1944년 봄에 힘러는 실각한 카나리스에게 독일 장군들과 그들의 민간인 친구들이 반란을 도모하고 있음을 잘 안다고 경고했다. 그리고 베크와 괴르델러를 주시하고 있다고 말했다. 카나리스는 이 경고를 올브리히트에게 전했다.[17]

군사적 상황도 불길하기는 마찬가지였다. 조만간 소련군이 동부에서 총력 공세를 개시할 것으로 전망되었다. 로마는 연합군의 수중으로 넘어가고 있었다. (6월 4일 함락되었다.) 서부에서는 영미군이 금방이라도 침공할 기세였다. 머지않아, 나치즘을 타도하기도 전에 독일이 패전할 수도 있었다. 실제로 음모단 중에서는 아마도 크라이자우 서클의 사고방식에 영향을 받았기 때문인지 거사 계획을 취소하고 파국의 책임을 히틀러와 나치당에 지우는 편이 더 나을지도 모른다고 생각하는 이들이 늘어나고 있었다. 이제는 나치 정권을 타도해봐야 1차대전 이후 수많은 독일인을 속였던 '등 뒤에서 찌르기' 신화를 다시 만들어내는 꼴밖에 되지 않는다는 생각이었다.

1944년 6월 6일, 영미군의 침공

슈타우펜베르크는 그해 여름 서부 연합군이 프랑스에 상륙을 시도할 것이라고 믿지 않았다. 방첩국에서 힘러의 제국보안본부로 소속을 옮긴 게오르크 한젠Georg Hansen 대령이 5월 초에 6월의 어느 때고 연합군이 서부 침공을 개시할 수 있다고 경고한 후에도 슈타우펜베르크는 이 믿음을 고집했다.

독일 육군은 적어도 침공의 시기 및 장소와 관련해 의혹에 휩싸여 있었다. 5월에 날씨와 풍랑, 조류의 여건상 상륙하기에 딱 알맞은 날이 18일 있었지만 아이젠하워 장군이 그런 호조건을 활용하지 않았다는 데 독일 측은 주목했다. 5월 30일, 서부전선 총사령관 룬트슈테트는 히틀러에게 침공이 "목전에 닥쳤다"는 징후는 없다고 보고했다. 6월 4일, 파리의 공군 기상관은 악천후 때문에 연합군이 적어도 2주 동안은 작전을 펼 수 없을 것으로 예상한다고 통지했다.

6월 5일 아침, 로멜은 이 정보와 기존의 변변찮은 정보─독일 공군은 당시 아이젠하워의 부대들이 떼를 지어 승선하던 잉글랜드 남해안의 항구들을 공중에서 정찰하지 못했고, 해군은 격랑 때문에 영불 해협에서 정찰선을 철수시켰다─에 근거해 침공이 임박하지 않았다는 전황 보고서를 작성하여 룬트슈테트에게 제출한 뒤, 저녁시간을 가족과 함께 보내기 위해 곧장 차편으로 헤를링겐의 자택으로 출발했고, 이튿날 히틀러와 상의하기 위해 다시 베르히테스가덴으로 떠날 예정이었다.

로멜의 참모장 슈파이델 장군은 훗날 6월 5일이 "한적한 날이었다"고 회고했다. 로멜이 독일로 돌아가는 다소 한가한 여행을 그만둘 이유가 없어 보였다. 평소처럼 독일 요원들이 연합군의 상륙 가능성─이번에는 6월 6일에서 6월 16일 사이─을 보고했지만, 4월부터 그런 보고가 수백 차례 올라왔던 터라 진지하게 받아들여지지 않았다. 연합군이 상륙하려는 해변이 있는 노르망디에서 제7군 사령관 프리드리히 돌만Friedrich Dollmann 장군은 오히려 경계를 잠시 풀라고 지시했고, 해변에서 남쪽으로 200킬로미터쯤 떨어진 렌Rennes에서 도상연습을 하고자 상급 장교들을 소집했다.

독일군은 침공 날짜에 깜깜했을 뿐 아니라 침공 장소도 몰랐다. 룬트슈테트와 로멜은 해협을 사이에 두고 거리가 가장 짧은 파-드-칼레가 침공 예정 장소라고 확신했다. 그들은 가장 강력한 제15군을 그곳에 집결시키고, 봄에 보병을 10개 사단에서 15개 사단으로 증강했다. 그러나 아돌프 히틀러는 기묘한 직감으로 침공의 중심이 노르망디일 것으로 예상했고, 뒤이은 몇 주 동안 센 강과 루아르 사이 지역에서 병력을 대폭 증강하라고 지시했다. 그리고 "노르망디를 주시하라!"고 장군들에게 계속 주의를 주었다.

그래도 보병부대든 기갑부대든 독일군 전력의 압도적 다수는 센 강의 북쪽, 르아브르와 됭케르크 사이에 머물렀다. 룬트슈테트와 휘하 장군들은 노르망디보다 파-드-칼레를 주시했고, 4월과 5월에 영미군 최고사령부가 구사한 여러 기만술에 속아 넘어가 자신들의 예상이 옳다고 판단했다.

6월 5일은 독일 측에서 보면 비교적 조용히 지나갔다. 영미군이 몇 차례 공습으로 독일군의 보급창, 레이더 기지, V-1 발사장, 통신시설, 운송 수단 등을 교란했지만, 이런 일은 몇 주 전부터 밤낮 없이 벌어져왔고 다른 날에 비해 더 격렬한 공격으로 보이지 않았다.

어둠이 내린 직후 룬트슈테트의 사령부는 런던 BBC에서 유달리 많은 암호 메시지를 프랑스 레지스탕스 측에 보내고 있어서 셰르부르와 르아브르 사이의 독일 레이더 기지들이 먹통이라는 보고를 받았다. 오후 10시, 제15군은 BBC에서 프랑스 레지스탕스 측에 보낸 암호 메시지를 방수했고, 그것이 침공 개시 직전임을 알리는 내용이라고 판단했다. 제15군은 경계 태세에 들어갔지만, 룬트슈테트는 제7군에까지 경보를 발령할 필요는 없다고 생각했다. 그런데 자정 무렵, 제7군 관할 구역의 서쪽 해안,

캉과 셰르부르 사이 해안을 향해 연합군을 태운 1000여 척의 함정이 다가오고 있었다.

6월 6일 오전 1시 11분까지 제7군은 무슨 일이 벌어지는지 알아채지 못했다. 제7군 사령관은 렌에서 도상연습을 하느라 아직 복귀하기 전이었다. 미군 2개 공수사단과 영국군 1개 공수사단이 제7군의 구역 한복판에 강하하기 시작했다. 오전 1시 30분 전투 경보기 울렸다.

45분 후, 제7군 참모장 막스-요제프 펨젤Max-Josef Pemsel 소장은 로멜 사령부의 슈파이델 장군에게 전화해 "대규모 작전"으로 보인다고 말했다. 슈파이델은 이 보고를 믿지 않으면서도 룬트슈테트에게 전달했고, 후자 역시 보고에 회의적이었다. 두 장군은 낙하산부대 투입이 칼레 일대의 주요 상륙작전을 감추기 위한 연합군의 양동작전에 불과하다고 생각했다. 오전 2시 40분, 펨젤은 룬트슈테트로부터 "이것을 주요 작전으로 여기지 않는다"라는 통지를 받았다.[18] 6월 6일 새벽, 비르 강과 오른 강 사이 노르망디 해안에서 연합군의 대규모 함대가 군함들의 맹렬한 엄호포격을 받으며 대군을 하선시킨다는 소식이 들어오기 시작했을 때에도 서부전선 총사령관은 그것이 연합군의 주력 공격이라고는 믿지 않았다. 6월 6일 오후까지 주력 공격인지 여부가 명확히 드러나지 않았다고 슈파이델은 말한다. 그 무렵이면 미군이 두 곳의 해변에서 발판을 마련하고, 영국군이 세 번째 발판을 획득하고 내륙으로 3~10킬로미터가량 진입한 후였다.

슈파이델은 오전 6시에 로멜 자택으로 전화를 걸었다. 로멜은 히틀러와의 만남을 취소하고 급거 자동차로 복귀 길에 올랐으나 오후 늦게야 B집단군 사령부에 도착했다.* 그사이에 슈파이델, 룬트슈테트, 후자의 참모장 블루멘트리트 장군은 당시 베르히테스가덴에 있던 OKW에 전화했다. 히틀러의 멍청한 명령 때문에 서부전선 총사령관마저 총통의 명확한 승인 없이는 휘하의 기갑사단들을 운용할 수 없었다. 6일 아침 일찍 세 장군이 2개 기갑사단을 노르망디로 급파하도록 허락해달라고 간청했을 때, 요들은 히틀러가 먼저 무슨 상황인지 확인하기를 원한다고 답변했다. 그런 다음 총통은 잠자리에 들었으며, 서부 장군들은 미친듯이 전화를 걸었음에도 오후 3시까지 총통을 깨울 수 없었다.

잠에서 깬 나치 통수권자는 수면 중에 도착한 흉보를 듣고서 마침내 행동에 나섰다. 우선 기갑교도사단Panzer-Lehr-Division과 제12SS기갑사단의 노르망디 교전을 승인했다―너무 늦은 조치로 판명났다. 또한 제7군의 일지에 기록되어 후대에 전해진 유명한 명령을 내렸다.

1944년 6월 6일 16:55

서부 사령부 참모장은 해상과 공중으로 지원 병력이 추가로 상륙할 위험이 있어 교두보의 적군을 6월 6일 저녁까지 섬멸하라는 최고사령부의 요구를 강조한다. … 교두보를 늦어도 금일 밤까지는 괴멸시켜야 한다.

히틀러는 오버잘츠베르크의 아찔하게 높은 산장에서 이번 전쟁을 통틀어 가장 결정적인 전투―몇 달 전부터 독일의 운명은 서부에서 판가름날 것이라고 말해온 터였다―를 지휘한답시고 위와 같은 기막힌 명령을 진심으로 하달했던 모양이다. 이 명령에 요들과 카이텔도 동의했다. 독일에서 복귀하고 한 시간 후인 오후 5시 직전에 전화로 이 명령을 전

---

* 히틀러는 서부에서 연합군이 제공권을 쥐고 있다는 이유로 고위 지휘관이 비행기로 이동하는 것을 금했다.

달받은 로멜마저도 진지하게 받아들였던 듯하다. 제7군 사령부에 관할 구역의 유일한 기갑부대인 제21기갑사단으로 "증원군의 도착 여부와 상관없이 즉시" 공격을 개시하라고 명령했기 때문이다.

이 사단은 로멜의 지휘를 기다리지 않고 벌써 공격에 돌입해 있었다. 로멜이 제7군 사령부에 전화했을 때 통화한 펨젤 장군은 히틀러가 연합군의 해안 교두보—당시 교두보는 한 곳이 아니라 세 곳에 있었다—를 "금일 밤까지 괴멸"시킬 것을 요구한다고 무뚝뚝하게 대답했다.

"그건 불가능할 것이다"라고 로멜은 답변했다.

히틀러가 요란하게 선전한 대서양 장벽은 몇 시간 만에 구멍이 났다. 큰소리 떵떵 치던 독일 공군이 공중에서, 해군이 바다에서 완전히 쫓겨나자 육군은 기습을 당했다. 전투가 끝나려면 아직 멀었으나 오래지 않아 어떻게 결판날지가 드러났다. "6월 9일부터 주도권은 연합군 쪽에 있었다"라고 슈파이델은 말한다.

룬트슈테트와 로멜은 히틀러를 마주보고서 그렇게 말하고 이제 전쟁의 결과를 받아들이도록 요구할 때가 왔다고 판단했다. 두 사람은 6월 17일 수아송 인근 마르지발에서, 지난 1940년 여름 영국 침공을 위해 지었으나 한 번도 사용하지 않은 그곳 총통 본부에 있는 방공호에서 히틀러와 만나기로 했다. 여름이 네 번 지난 후에야 나치 통수권자는 그곳에 처음으로 나타났다.

[훗날 슈파이델이 씀] 그는 창백하여 수면 부족으로 보였고, 안경과 손가락 사이에 끼운 색연필을 초조하게 만지작거렸다. 그는 의자에 구부정하게 앉아 있었고 원수들은 서 있었다. 최면을 거는 그의 능력은 쇠한 듯했다. 그는 퉁명스럽고 쌀쌀맞게 인사했다. 그러더니 목소리를 높여 연합군의 상륙 성공

에 대한 불만을 신랄하게 토로하고 두 야전사령관에게 책임을 물으려 했다.[19]

그러나 또다시 참패를 당할 전망에 두 장군은, 적어도 로멜은 대담하게 의견을 냈다. 히틀러가 잠시 독설을 멈추었을 때, 룬스튜테트는 로멜이 거의 혼자 말하도록 내버려두었다. 당시 동석한 슈파이델에 따르면 "로멜은 … 공중, 해상, 지상에서 [연합군의] 우위에 맞서 싸워도 가망이 없다고 가차없이 솔직하게 지적했다".*[20] 만약에 히틀러가 땅을 한 뼘도 잃지 않고 연합군을 다시 바다로 내쫓겠다는 터무니없는 결심을 단념했다면, 아주 가망이 없지는 않았을 것이다. 룬트슈테트의 동의를 얻어 로멜은 독일군을 적의 막강한 함포의 사거리 밖으로 후퇴시키고 기갑부대들을 전열에서 빼내 나중에 "적의 함포 사거리 밖에서" 벌이는 전투에서 연합군을 공격하여 무찌를 수 있도록 재편하자고 제안했다.

그러나 최고사령관은 퇴각 제안이라면 도통 들으려 하지 않았다. 독일 군인이라면 맞서 싸워야 했다. 불쾌했을 게 뻔한 그 주제를 히틀러는 다른 주제로 재빨리 바꾸었다. 슈파이델의 말마따나 "냉소주의와 그릇된 직관의 기이한 혼합" 상태에 있던 히틀러는 전날 런던을 겨냥해 처음 발사한 신형 V-1 무기, 즉 폭명탄이 "영국 측에 치명적일 것이고 … 영국은 강화를 맺으려 할 것"이라고 장군들에게 장담했다. 두 원수가 서부에서 공군이 참패한 문제를 거론하자 총통은 "제트전투기 무리"―연합

---

* "설령 적 공군의 우세에도 불구하고 위태로운 해안 방어 구역들에서 우리가 초기 몇 시간 내에 기갑전력을 대부분 투입할 수 있다 해도, 저는 해안에서의 적의 공격으로 기갑전력이 첫날에 완전히 붕괴할 것이라고 확신합니다." 로멜은 얼마 전 4월 23일에 요들 장군에게 이렇게 쓴 바 있었다. (*The Rommel Papers*, ed. Liddell Hart, p. 468) 그런데 히틀러의 엄명 탓에 기갑사단들을 "초기 몇 시간 내에", 아니 초기 며칠 내에 투입하는 것마저 불가능해졌다. 마침내 도착한 기갑사단들은 조금씩 분산 투입된 탓에 목적을 이루지 못했다.

군은 아직 제트전투기가 없었고 독일군은 막 생산에 들어간 터였다—가 곧 하늘에서 영국과 미국의 비행사들을 몰아낼 것이라고 대꾸했다. 그렇게 되면 영국이 붕괴할 거라고 했다. 그 순간 연합군 항공기들이 접근해오는 바람에 세 사람은 총통의 방공호로 자리를 옮겨야 했다.

안전한 지하 콘크리트 벙커에서 그들은 대화를 재개했다.[*] 이제 로멜은 대화의 주제를 정치 쪽으로 돌리려 했다.

[슈파이델이 말함] 로멜은 노르망디의 독일 전선이 무너지고 독일로 돌입하는 연합군을 저지할 수 없을 것으로 예측했다. … 그리고 소련 전선을 유지할 수 있을지 의문을 품고 있었다. 그는 독일이 정치적으로 완전히 고립되어 있음을 지적했다. … 마지막에는 … 전쟁을 종결해달라고 간절히 요청했다.

히틀러는 로멜의 발언에 몇 차례 끼어들다가 결국 말을 잘랐다. "자네는 전쟁의 향방은 걱정 말고 자네의 침공전선이나 걱정하게."

두 원수의 군사적 주장도 정치적 주장도 전혀 먹히지 않았다. "히틀러는 그들의 경고에 전혀 주의하지 않았습니다"라고 요들은 훗날 뉘른베르크에서 술회했다. 마지막으로 두 장군은 최고사령관에게 로멜의 B집단군 사령부라도 방문하여 일부 야전사령관들과 노르망디의 전황에 관해 상의해달라고 요청했다. 히틀러는 마지못해 이틀 후인 6월 19일에 방문하기로 했다.

---

[*] 대화는 점심식사—"한 접시 식사"—시간을 빼고 오전 9시부터 오후 4시까지 이어졌다. 슈파이델에 따르면 식사시간에 "시식자가 먼저 맛을 본 뒤, 히틀러는 접시에 수북이 쌓인 밥과 채소를 게눈 감추듯 먹어치웠다. 알약과 여러 약물이 들어간 혼성주가 그의 주변에 놓였고, 그는 차례로 복용했다. 두 명의 친위대 대원이 그의 의자 뒤에서 경호를 섰다."

하지만 그날 나타나지 않았다. 6월 17일 오후에 두 원수가 마르지발을 떠난 직후, 런던을 향해 발사한 V-1이 도중에 엉뚱하게 방향을 틀더니 하필이면 총통의 벙커 윗부분에 떨어졌다. 사상자는 없었지만, 히틀러는 즉시 더 안전한 장소를 찾아 출발했고 결국 베르히테스가덴의 산중에 당도해서야 멈추었다.

곧이어 그곳으로 더 나쁜 소식이 전해졌다. 6월 20일, 소련군이 한동안 뜸들이던 중부전선 공세를 개시하여 압도적인 힘으로 밀어붙였다. 히틀러가 최정예 전력을 투입한 독일 중부집단군이 며칠 만에 완전히 분쇄되어 전선에 큰 구멍이 뚫리고 폴란드로 가는 길이 열렸다. 7월 4일, 소련군은 1939년 당시의 폴란드 동부 국경을 넘어 동프로이센으로 돌진했다. 국방군 최고사령부는 서둘러 가용한 예비 병력을 모두 그러모아—2차대전 개시 이래 처음으로—본토 자체를 방어하기 위해 급파했다. 이로써 서부전선 독일군의 파멸이 더욱 확실해졌다. 이제부터 그들은 큰 규모의 증원군을 전혀 기대할 수 없었다.

6월 29일, 룬트슈테트와 로멜은 히틀러에게 동부와 서부의 현실을 직시하고 아직 독일 육군의 상당 부분이 남아 있는 때에 전쟁을 종결해달라고 다시 한 번 호소했다. 최고사령관은 오버잘츠베르크로 찾아온 두 원수를 쌀쌀맞게 대하며 그들의 호소를 단칼에 일축하더니 새로운 "기적의 무기"로 어떻게 승전할지에 대해 독백을 늘어놓기 시작했다. 슈파이델의 말마따나 히틀러의 이야기는 "기막히게 옆길로 새버렸다".

이틀 후 서부 총사령관이 룬트슈테트에서 클루게 원수로 교체되었다.*

---

* 룬트슈테트가 해임된 것은 어느 정도는 전날 밤에 카이텔에게 직설적으로 발언했기 때문일 것이다. 카이텔은 룬트슈테트에게 전화를 걸어 전황이 어떠한지 물었다. 그런데 영국군 전열을 겨냥한

7월 15일, 로멜은 히틀러에게 장문의 편지를 써 육군 텔레타이프로 전송했다. "각 부대는 모든 곳에서 영웅처럼 싸우고 있지만 중과부적으로 싸움이 끝나가고 있습니다." 이 자필 편지에 로멜은 추신을 붙였다.

저는 지체 없이 적절한 단안을 내려주실 것을 간청할 수밖에 없습니다. 이 점을 명확히 말씀드리는 것이 집단군 사령관으로서 저의 의무라고 생각합니다.[21]

"나는 그에게 마지막 기회를 주었네"라고 로멜은 슈파이델에게 말했다. "그가 받아들이지 않는다면 우리는 행동할 걸세."[22]

이틀 후인 7월 17일 오후, 로멜과 참모진을 태운 자동차가 노르망디 전선에서 사령부로 복귀하던 도중 저공비행하는 연합군 전투기들의 공격을 받았다. 로멜의 부상이 너무 심해서 처음에는 그날을 넘기지 못할 것으로 보였다. 이 사건은 음모단에게 낭패였는데, 당시 로멜이 독일을 히틀러의 통치로부터 구하기 위해 며칠 내로 감행할 거사에서 일익을 담당하기로(여전히 총통 암살에 반대하긴 했지만) 확고히 결심한 상태였기 때

친위대 4개 기갑사단의 총공격이 막 무위로 돌아간 터여서 전화를 받았을 때 룬트슈테트는 침울한 기분이었다.
"우리가 어떻게 해야겠소?" 하고 카이텔이 외쳤다.
"강화를 맺어, 이 멍청아" 하고 룬트슈테트가 쏘아붙였다. "그거 말고 당신이 뭘 할 수 있나?"
대다수 육군 원수들이 '고자질쟁이 알랑쇠'라고 부른 카이텔은 곧장 히틀러에게 가서 이 발언을 일러바쳤던 모양이다. 당시 총통은, 자동차 사고로 부상을 입어 지난 몇 달간 병가를 냈던 클루게와 상의하고 있었다. 클루게는 그 자리에서 룬트슈테트의 후임자로 임명되었다. 이런 식으로 나치 통수권자는 최고위 사령관들을 교체했다. 블루멘트리트 장군은 룬트슈테트와 카이텔의 통화 사실을 윌멋(Wilmmot, *The Struggle for Europe*, p. 347)과 리델 하트(*The German Generals Talk*, p. 205)에게 말했다.

문이다—이렇게 슈파이델이 증언했다.[23] 1944년 7월, 동부와 서부에서 독일군이 허물어지는 가운데 드디어 히틀러와 국가사회주의를 무너뜨리기 위한 최후의 시도에 나선 육군 장교들은 이후 로멜의 저돌성과 대담함을 애타게 그리워했다.

슈파이델의 말대로 음모단은 "대들보를 잃었다는 것을 통감했다".[*][24]

막판의 음모

연합군이 노르망디 상륙에 성공하자 베를린 음모단은 큰 혼란에 빠졌다. 앞에서 언급했듯이 슈타우펜베르크는 연합군이 1944년에 상륙을 시도하리라 생각하지 않았고, 설령 시도하더라도 실패할 확률이 반반이라고 믿었다. 그는 상륙 실패를 바랐던 것으로 보이는데, 그토록 많은 출혈로 대가를 치른 후라면 미국과 영국 정부가 서부에서 새로운 반나치 정부와 강화를 교섭하는 데 더 열의를 보일 테고 그럴 경우 더 좋은 조건을 얻어낼 수 있었기 때문이다.

연합군이 상륙에 성공해서 독일군이 또다시 참패하고 게다가 동부에서도 참패를 당할 위기라는 것이 분명해지자 슈타우펜베르크, 베크, 괴르델러는 자기들의 계획을 추진해봐야 무슨 의미가 있을지 고민하게 되었다. 설령 거사에 성공한다 해도 파국을 초래했다는 비난만 들을 판이었다. 그들은 이제 파국이 불가피하다는 것을 알고 있었지만 보통의 독

---

* 슈파이델은 한때 나치 독일에서 저서로 인기를 얻었으나 결국 전향하여 음모단의 파리파에 합류한 작가 에른스트 윙어(Ernst Jünger)의 글을 인용한다. "7월 17일 리바로 도로에서 로멜을 엄습한 타격으로 우리의 계획은 전쟁과 내전의 끔찍한 부담을 동시에 짊어질 만큼 강인한 단 한 사람을 잃어버렸다." (Speidel, *Invasion 1944*, p. 119)

일 국민은 아직 모르고 있었다. 베크는 이제 반나치 반란에 성공한다 해도 적군의 독일 점령을 피할 수 없을 테지만, 그래도 전쟁을 끝내 더 이상의 인명 손실과 조국의 파괴를 막을 수 있을 것이라고 결론지었다. 또한 강화를 성사시키면 소련군이 독일을 짓밟고 볼셰비키화하는 사태도 막을 수 있을 터였다. 거사를 통해 나치 독일 외에 "또다른 독일"이 있음을 세계에 보여줄 수 있었다. 그리고 어쩌면 서방 연합국이 비록 무조건 항복을 고집하기는 해도 피점령 독일을 아주 모질게 대하지는 않을지도 모를 일이었다. 괴르델러는 베크의 결정에 동의하고 서방 민주국가들에 더욱 큰 희망을 걸었다. 처칠이 "러시아의 전면적 승리"의 위험을 얼마나 우려하는지, 괴르델러는 그 점을 잘 안다고 말했다.

슈타우펜베르크가 이끄는 음모단 소장파는 전적으로 확신하지 못했다. 그래서 당시 붕괴 직전의 소련 전선에서 제2군 참모장을 맡고 있던 트레스코브에게 조언을 구했다. 흔들리던 소장파는 트레스코브의 답변을 받고서 마음을 다잡았다.

어떤 대가를 치르더라도 암살을 시도해야 합니다. 설령 실패하더라도, 수도에서 권력을 잡으려는 시도를 결행해야 합니다. 독일 저항운동에 나선 사람들이 용기를 내 결정적인 조치를 취하고 그것을 위해 목숨을 걸었다는 것을 우리는 전 세계와 미래 세대에 보여주어야 합니다. 이 목표와 비교하면 그 무엇도 중요하지 않습니다.[25]

이 결의에 찬 답변은 논쟁을 정리하고 슈타우펜베르크와 소장파의 기백을 되살리며 회의감을 씻어냈다. 소련, 프랑스, 이탈리아에서 금방이라도 무너질 듯한 전선은 당장 행동에 나서도록 음모단을 재촉했다. 그리고 또다른 사건이 음모단이 속도를 내도록 도와주었다.

처음부터 베크-괴르델러-하셀 파는 공산당 지하운동과 관계 맺기를 거부했고, 그 역도 마찬가지였다. 공산당은 음모단이 나치당만큼이나 반동적이며, 음모단이 성공할 경우 국가사회주의 독일의 뒤를 이어 공산주의 독일이 들어서지 못할 것이라고 보았다. 베크와 친구들은 공산당의 이런 노선을 잘 알고 있었고, 공산당 지하운동이 모스크바로부터 지령을 받고 소련 측을 위한 간첩 활동에 주력한다는 사실도 알고 있었다.* 게다가 게슈타포 요원들이 그 지하운동에 잠입했다는 사실도 알고 있었다— 게슈타포 수장으로 소비에트 내무인민위원회(NKVD)의 연구자이자 예

---

* 이 사실은 1942년 '로테 카펠레(Rote Kapelle)' 사건으로 드러났다. 전략적으로 배치된 다수의 독일인, 대체로 유서 깊은 명문가 출신 사람들이 소련 측을 위해 광범한 첩보망을 운영한다는 사실을 방첩국이 밝혀낸 사건이었다. 한때 그들은 독일 국내와 서부의 피점령국들에서 무려 100대가 넘는 비밀 무전 송신기를 사용해 모스크바로 첩보를 보냈다. '로테 카펠레'(붉은 관현악단)의 지도자는 하로 슐체-보이젠(Harro Schulze-Boysen)이었다. 그는 티르피츠 대제독의 조카의 아들이었고, 1차대전 이후 '잃어버린 세대'의 개성 강한 대표 주자였으며, 그 무렵 베를린에 흔했던 보헤미안형 인물로서 검은 스웨터, 텁수룩한 금발, 혁명적인 시와 정치에 대한 열정으로 이목을 끌었다. 당시 그는 좌파를 자처하면서도 나치즘과 공산주의를 모두 거부했다. 개전 무렵 어머니 연줄을 통해 독일 공군에 중위로 입대하여 괴링의 '연구소(Froschungsamt)'에 들어갔는데, 앞에서 언급했듯이 오스트리아 병합과 관련해 전화 도청을 전문으로 한 부서였다. 그리고 곧 베를린 각 부처나 군부의 믿을 만한 동지들과 함께 모스크바를 위한 광범한 첩보 활동을 조직했다. 이 동지들 가운데 유명한 신학자[아돌프 폰 하르나크]의 조카이며 위스콘신 대학에서 만난 밀드러드 피시(Mildred Fish)를 아내로 둔 경제부의 총명하고 젊은 경제학자 아르피트 하르나크(Arvid Harnack), 외무부의 프란츠 셸리하(Franz Scheliha), 선전부의 호르스트 하일만(Horst Heilmann), 노동부의 에리카 폰 브로크도르프(Erika von Brockdorff) 백작부인이 있었다.
소비에트 요원 두 명이 낙하산을 타고 독일에 강하했다가 나중에 붙잡혀 '로테 카펠레'에 대해 실토하는 바람에 이 조직의 다수가 체포되었다.
반역 혐의로 기소된 지도부 75명 중 슐체-보이젠과 하르나크를 포함해 50명이 사형을 선고받았다. 밀드러드 하르나크와 브로크도르프 백작부인은 징역형을 선고받았으나 히틀러가 두 사람도 처형할 것을 고집하여 실제로 처형되었다. 총통은 반역 도모자들에게 강한 인상을 심어주기 위해 교수형을 지시했다. 하지만 예로부터 도끼로 처형해온 베를린에 교수대가 없어서, (도축장에서 빌려온) 고기 갈고리에 동여맨 밧줄을 희생자들의 목에 두르고서 천천히 들어올려 교살했다. 그 시점부터 이 교수형 방법이 감히 총통에게 반항한 자들을 처형하는 잔혹행위의 특별한 형태로 사용되었다.

찬자인 하인리히 뮐러는 그 요원들을 별도의 은어로 불렀다.

6월에 음모단은 괴르델러를 비롯한 노장파의 조언을 거부하고 공산당과 접촉하기로 결정했다. 이것은 사회주의자 파벌, 특히 사회주의 철학자이자 반더포겔 운동Wandervogel('철새'라는 뜻으로 여러 지방을 돌아다니며 견문을 쌓고 자연과 교감하려던 독일 청년운동)으로 유명한, 당시 베를린 민속박물관 관장을 맡고 있던 아돌프 라이히바인Adolf Reichwein의 제안이있다. 라이히바인은 공산당과 모호한 접촉을 유지해오고 있었다. 슈타우펜베르크 본인은 공산당을 의심했지만, 그의 사회주의자 친구들인 라이히바인이나 율리우스 레버가 공산당은 무엇을 도모하고 있고 쿠데타가 성공할 경우 어떻게 대응할 것인지를 확인하고 또 가능하다면 마지막 순간에 그들을 활용해 반나치 저항운동의 기반을 넓히기 위해서라도 모종의 접촉이 필요하다고 설득했다. 슈타우펜베르크는 6월 22일 레더와 라이히바인이 공산당 지하운동 지도부와 만나는 방안에 마지못해 동의했다. 하지만 공산당 측에 되도록 정보를 흘려서는 안 된다고 두 친구에게 주의를 주었다.

사회주의자를 대표하는 레버, 라이히바인과 공산당 지하운동의 지도부를 자처하는—사실이었던 듯하다—프란츠 야코프Franz Jacob, 안톤 제프코브Anton Saefkow가 동베를린에서 회동했다. 공산당 측에서 '람보브Rambow'라고 소개한 제3의 남자도 참석했다. 이야기를 나눠보니 공산당 측은 반히틀러 음모를 꽤 알고 있었고 더 알고자 했다. 그리고 7월 4일에 자기네 군부 지도부와 함께 만나자고 제안했다. 슈타우펜베르크는 거절하면서도 자기 대신에 라이히바인이 그 회동에 참석하는 것을 인정했다. 회동 장소에 도착한 라이히바인은 야코프, 제프코브와 함께 곧바로 체포되었다. 알고 보니 '람보브'라는 자가 게슈타포의 끄나풀이었다.

슈타우펜베르크가 새 정부에서 지배적인 정치 세력을 키울 것이라고 기대하던 레버도 이튿날 체포되었다.[*]

슈타우펜베르크는 막역한 친구이자 새 정부에서 없어서는 안 될 재목으로 점찍어둔 레버가 체포되자 몹시 낙심했을 뿐 아니라, 힘러의 부하들이 턱밑까지 추적해온 터라 이제 음모 전체가 사그라질 절체절명의 위기 상황임을 곧장 간파했다. 레버와 라이히바인 둘 다 용감한 사람이고 고문을 당하더라도 비밀을 끝까지 발설하지 않을 것으로 슈타우펜베르크는 생각했다. 혹시 그들이 입을 열 수도 있을까? 음모단 일부는 확신하지 못했다. 아무리 용감한 사람이라도 육체에 견딜 수 없는 고통이 가해지면 입을 열게 될지도 몰랐다.

레버와 라이히바인 체포로 당장 거사를 결행할 필요성이 더욱 커졌다.

1944년 7월 20일의 쿠데타

6월 말, 음모단에 뜻밖의 행운이 찾아왔다. 슈타우펜베르크가 대령으로 진급하고 국내예비군 사령관 프롬 장군의 참모장으로 임명되었던 것이다. 이 직책에서 그는 프롬의 이름으로 국내예비군에 명령을 내릴 수 있을 뿐 아니라 히틀러 면전에 자주 얼굴을 내밀 수도 있었다. 실제로 히틀러는 1주일에 두세 번 국내예비군 사령관이나 그 부관을 본부로 불러들여 소련 전선에서 큰 손실을 입은 사단들을 보충할 새로운 병력을 요구하곤 했다. 슈타우펜베르크는 그렇게 총통 본부에 들렀을 때 폭탄을 설치할 작정이었다.

---

[*] 레버, 라이히바인, 야코프, 제프코브 네 명 모두 처형되었다.

슈타우펜베르크는 이제 음모의 핵심 인물이었다. 유일한 성공의 기회가 오로지 그의 양 어깨에 달려 있었다. 경비가 삼엄한 총통 본부를 드나들 수 있는 음모단원은 그뿐이었으므로 히틀러 살해는 그의 몫이었다. 히틀러 제거 이후 베를린을 장악할 병력을 지휘하는 역할도 국내예비군 참모장인 그가 맡아야 했다—프롬은 음모에 완전히 가담한 상태는 아니라서 신뢰할 수 없었기 때문이다. 게다가 두 가지 목표를 같은 날에, 300킬로미터 혹은 600킬로미터 떨어진 두 장소에서 달성해야 했다—총통 본부가 오버잘츠베르크인가 아니면 라스텐부르크인가에 따라 베를린과의 거리가 달라졌다. 제1막과 제2막 사이에 항공편으로 수도로 복귀하는 두세 시간의 막간에는 베를린의 공모자들이 계획을 정력적으로 개시하기를 바랄 수밖에 없었다. 그런데 곧 살펴볼 것처럼 계획 착수 자체가 난관이었다.

다른 난관들도 있었다. 그중 하나는 당시 필사적인 음모단이 떠올린 문제로, 돌이켜 보면 거의 불필요한 걱정이었던 듯하다. 그들은 아돌프 히틀러를 죽이는 것으로는 충분하지 않다는 결론에 이르렀다. 괴링과 힘러가 지휘하는 부대들이 음모단에 대항하지 못하도록 히틀러와 더불어 두 사람까지 동시에 제거해야 했다. 또한 그들은 히틀러의 수석 부관 두 명을 함께 제거할 경우 아직 포섭하지 못한 전선의 최고위 장군들이 더 빨리 전향할 것이라고 생각했다. 평소 괴링과 힘러가 총통 본부의 일일 군사회의에 참석했으므로 폭탄 하나로 세 사람을 전부 폭살하는 것이 그리 어렵지 않은 일로 보였다. 하지만 이 어리석은 결정 때문에 슈타우펜베르크가 절호의 기회를 두 번이나 놓치게 되었다.

7월 11일, 오버잘츠베르크로 불려간 그는 전선에 긴급히 필요한 보충병 공급에 관해 총통에게 보고했다. 그는 베르히테스가덴으로 가는 비행기에 방첩국의 영국제 폭탄 한 발을 가지고 탑승했다. 전날 밤 베를린 회의에서 음모단은 이번이 히틀러뿐 아니라 괴링과 힘러까지 제거할 순간이라고 판단했다. 그러나 그날 힘러가 회의에 참석하지 않았으며, 슈타우펜베르크가 군사회의 도중 잠시 빠져나와 베를린의 올브리히트 장군에게 전화해 그래도 히틀러와 괴링을 제거할 수 있다고 강조했을 때, 장군은 세 사람을 모두 없앨 수 있는 다른 날을 기다리자고 주장했다. 그날 밤 베를린으로 돌아온 슈타우펜베르크는 베크와 올브리히트를 만나 다음번에는 괴링 및 힘러의 참석 여부와 상관없이 히틀러 암살을 시도해야 한다고 역설했다. 두 장군도 동의했다.

머지않아 다음 기회가 찾아왔다. 7월 14일, 슈타우펜베르크는 이튿날 국내예비군의 상황을 총통에게 보고하라는 지시를 받았다—중부집단군이 27개 사단을 잃고 전력으로서의 존재감을 상실한 소련 전선의 빈틈을 메우기 위해 신병을 모조리 동원할 필요가 있었다. 14일, 히틀러는 붉은군대가 동프로이센에서 불과 100킬로미터 떨어진 지점까지 도달한 중부전선의 복구를 직접 관장하기 위해 라스텐부르크의 늑대굴로 이동했다.

7월 15일 아침, 슈타우펜베르크 대령은 또다시 서류가방에 폭탄을 넣은 채 총통 본부*로 향하는 비행기에 올랐다. 이번에 음모단은 성공을

---

* 역사가들은 슈타우펜베르크가 라스텐부르크로 향했는지 아니면 오버잘츠베르크로 향했는지를 놓고 이견을 보인다. 이 주제에 관한 최고 권위자인 두 독일 저술가 에버하르트 첼러(Eberhard Zeller)와 게르하르트 리터(Gerhard Ritter) 교수는 상반된 주장을 한다. 첼러는 히틀러가 아직 베르히테스가덴에 있었다고 생각하지만, 리터는 그게 아니라 총통이 라스텐부르크로 돌아갔다고 확신한다. 불행히도 여기까지 나를 확실하게 인도해준 히틀러의 일지는 온전한 상태로 압수되지 않았고 이 시기를 다루지 않는다. 그러나 7월 22일 총통 본부에서 작성한, 슈타우펜베르크의 이동에 관한 보고를 포함하는 최상의 증거는 7월 15일에 히틀러가 라스텐부르크에 있었고 그곳에서 슈타우

확신하여, 오후 1시로 예정된 히틀러의 군사회의 두 시간 전에 첫 발퀴레 지령―베를린에서 국내예비군으로 행군을 시작하고 크람프니츠의 기갑병과 학교에서 수도를 향해 전차를 출동시키라는 신호―을 하달하기로 합의했다. 조금도 지체하지 말고 수도를 장악해야 했다.

7월 15일 토요일 오전 11시, 올브리히트 장군이 베를린에서 발퀴레 지령 제1호를 발령했고, 정오 전에 수비대가 빌헬름슈트라세 지구를 점거하라는 명령을 받고서 수도 중심부로 이동하기 시작했다. 오후 1시에 서류가방을 든 슈타우펜베르크가 총통의 회의실에 도착해 국내예비군에 관해 보고한 뒤 자리를 비우고 베를린의 올브리히트에게 전화해, 미리 정해둔 암호로 히틀러가 참석했고 자신은 다시 회의실로 돌아가 폭탄을 터뜨릴 작정이라고 말했다. 올브리히트는 베를린에서 수비대가 이미 진군 중이라고 알렸다. 드디어 대업을 이룩할 참이었다. 그러나 슈타우펜베르크가 회의실로 돌아갔을 때 히틀러는 그곳에 없었고 다시 돌아오지 않았다. 암담해진 슈타우펜베르크는 황급히 올브리히트에게 전화해 소식을 전했다. 장군은 부리나케 발퀴레 경보를 취소하고 수비대를 최대한 신속하고 눈에 띄지 않게 병영으로 복귀시켰다.

또다시 실패했다는 소식은 슈타우펜베르크가 돌아오는 대로 후속 조치를 논의하기 위해 베를린에 모여 있던 음모단에 큰 타격이었다. 괴르델러는 이른바 '서방 해결책'을 주장했다. 괴르델러 본인과 베크가 파리로 날아가 클루게 원수와 상의하여 서방 연합군이 프랑스-독일 국경 너

펜베르크가 히틀러를 암살할 계획이었다는 것을 아주 결정적으로 보여준다. 히틀러가 전쟁을 지휘하려 한 두 장소―무자비한 폭격에 시달리는 베를린에는 거의 머무르지 않았다―가 수도에서 얼추 같은 거리에 있긴 했지만, 음모단으로서는 지리적으로 중심에 있고 뮌헨에서 가까우며 현지 육군 수비대가 베크에게 충성할 것으로 여겨진 베르히테스가덴이 라스텐부르크보다 확실히 유리했다.

머로 진격하지 않는다는 내용의 서부 휴전협정을 맺고, 그리하여 서부전선의 독일군을 동부전선으로 보내 소련군과 볼셰비즘으로부터 제국을 구한다는 구상이었다. 베크는 괴르델러보다는 냉철했다. 서방 측과 단독 강화를 맺을 수 있다는 생각은 그저 몽상에 불과하다는 것을 베크는 잘 알고 있었다. 그럼에도 무슨 대가를 치르든 오로지 독일의 명예를 지키기 위해서라도 음모를 추진하여 히틀러를 죽이고 나치즘을 타도해야 한다고 베크는 주장했다. 슈타우펜베르크도 동의했다. 그리고 다음번에는 결단코 실패하지 않겠노라 맹세했다. 베를린에서 병력을 움직였다는 이유로 카이텔로부터 질책을 당한 올브리히트 장군은 음모가 송두리째 탄로 날 테니 똑같은 위험을 다시 무릅쓸 수는 없다고 선언했다. 이번은 실전 연습이었다고 둘러대 카이텔과 프롬에게 가까스로 들키지 않았다고 말했다. 히틀러의 사망 사실이 명확해질 때까지는 더 이상 병력을 움직이지 않으려는 이 태도는 결정적인 다음주 목요일에 파멸적인 결과를 가져올 터였다.

7월 16일 일요일 저녁, 슈타우펜베르크는 반제의 자택으로 몇몇 가까운 친구와 친척을 초대했다. 해군 사령부의 국제법 고문으로 일하는 조용하고 내성적이고 학구적인 친형 베르톨트Berthold, 슈타우펜베르크의 사촌이며 서부 장군들과의 연락을 맡고 있는 체자어 폰 호파커Caesar von Hofacker 중령, 한때 나치였으며 여전히 베를린 경찰청 부청장인 프리츠 폰 데어 슐렌부르크Fritz von der Schulenburg 백작, 그리고 트로트 추 졸츠였다. 호파커는 서부에서 여러 장군—팔켄하우젠, 슈틸프나겔, 슈파이델, 로멜, 클루게—과 상의하고 막 돌아온 터였다. 그는 서부전선의 독일군이 조만간 무너질 것이라고 알렸지만, 더 중요한 소식은 로멜이, 비록 여전히 히틀러 살해에 반대하긴 해도, 클루게의 노선이 어떻게 바뀌든 상관없이 음모에 다시 가담할 것이라는 사실이었다. 젊은 음모자들은 오랜 논의 끝에 이제 히틀러의 목숨을 끊는 것이 유일한 탈출로라고 의견을 모았다. 이 무렵 그들은 목숨을 거는 행동으로 독일을 무조건 항복으로 부터 구할 수 있다는 환상을 품고 있지 않았다. 심지어 서방 민주국가들 뿐 아니라 소련 측에도 무조건 항복해야 할 것이라고 전망했다. 중요한 것은 독일인─외국 정복자가 아니라─이 히틀러의 폭정에서 독일을 해방하는 것이라고 그들은 말했다.[26]

그러나 음모단은 너무나 늦었다. 나치 전제정이 벌써 11년이나 이어지는 가운데 그들은 독일이 개시했고 그들이 거의 반대하지 않은─혹은 많은 경우에 전혀 반대하지 않은─전쟁에서 완패할 것이 확실해지고 나서야 행동에 나섰다. 늦게라도 행동하는 편이 낫기는 했다. 그렇지만 남은 시간이 얼마 없었다. 전선의 장군들은 동부에서나 서부에서나 몇 주 후면 독일군이 붕괴할 것이라고 알려오고 있었다.

음모단은 결행할 시간이 며칠밖에 남지 않았다고 보았다. 7월 15일 베를린에서 때 이르게 수비대를 움직이는 바람에 OKW의 의심을 샀다. 그날 서부 음모단 지도부의 일원인 팔켄하우젠 장군이 벨기에-북프랑스 군정청장에서 돌연 해임되었다는 소식이 전해졌다. 분명 누군가가 음모를 누설한 것으로 우려되었다. 7월 17일에는 로멜이 중상을 입어 계획에서 무기한 빠질 수밖에 없다는 소식이 날아들었다. 이튿날 경찰 본부의 친구들이 괴르델러에게 힘러가 그를 체포하라는 명령을 내렸다고 귀띔해주었다. 슈타우펜베르크의 강력한 주장에 괴르델러는 반대하다가 결국 숨어 지내기로 했다. 또한 같은 날 음모단의 극소수 해군 장교들 중 한 명인 알프레트 크란츠펠더Alfred Kranzfelder 대령이 친구 슈타우펜베르크에게 며칠 내로 총통 본부가 폭파될 것이라는 소문이 베를린에서 돌고 있다고 알려주었다. 이번에도 음모단의 누군가가 경솔하게 행동한 게 분명해 보였다. 어느 모로 보나 게슈타포가 음모단의 중추를 궁지로 몰아넣고 있었다.

7월 19일 오후, 슈타우펜베르크는 다시 라스텐부르크로 호출되었다. 와해 중인 동부전선에 투입하기 위해 국내예비군 측에서 급히 훈련시키고 있는 새로운 국민척탄병Volksgrenadier 사단들의 상황에 관해 히틀러에게 보고하라는 지시였다. 이튿날 7월 20일 오후 1시에 총통 본부의 첫 일일 회의에서 보고할 예정이었다.* 베를린 외곽에서 조금 떨어진 곳에 거주하던 비츨레벤 원수와 회프너 장군은 슈타우펜베르크로부터 적절한 때에 수도에 나타나라는 통지를 받았다. 베크 장군은 슈타우펜베르크가 암살을 결행하고 항공편으로 돌아올 때까지 쿠데타를 지휘하기 위한 막판 준비를 했다. 베를린 일대 수비대의 핵심 장교들은 7월 20일이 '그날'이라고 통지받았다.

슈타우펜베르크는 벤틀러슈트라세에서 땅거미가 질 때까지 히틀러에게 보고할 문서를 작성하고 8시 정각 직후에 집무실을 떠나 반제의 자택으로 향했다. 귀가 도중 달렘의 성당에 들러 기도를 드렸다.** 밤에는 자택에서 형 베르톨트와 조용히 시간을 보내고 일찍 잠자리에 들었다. 19일 오후와 저녁에 슈타우펜베르크를 만난 모든 사람은 그가 큰일을

---

* 육군 최고사령부 작전과장 아돌프 호이징거(Adolf Heusinger) 장군은 7월 19일 우크라이나 전선으로부터 전해진 소식이 너무 나빠서 OKW에 폴란드에서 훈련 중인 국내예비군 부대가 있는지, 어느 부대를 동부전선에 투입할 수 있는지 타진했다고 술회한다. 카이텔은 "내일 슈타우펜베르크가 와서 보고할 것"이라고 말했다. (Heusinger, *Befehl im Widerstreit*, p. 350)
** "그는 앞서 고해를 했으나 당연히 용서받지 못했다고 한다"라고 프리츠기번(FritzGibbon)은 말한다. (*20 July*, p. 150) 이 저자에 따르면 슈타우펜베르크는 베를린 주교인 프라이징 추기경에게 자신의 의도를 말했고, 주교는 대령의 동기를 존중하며 신학적인 이유로 그를 만류하는 것이 정당하다고는 생각하지 않는다고 답변했다.

앞두고 있는 사람이라고는 전혀 짐작할 수 없을 만큼 상냥하고 차분한 모습이었다고 기억했다.

1944년 7월 20일

———

1944년 7월 20일 따사롭고 화창한 여름날 오전 6시 정각 직후, 슈타우펜베르크 대령은 부관 베르너 폰 헤프텐Werner von Haeften 중위와 함께 차편으로 베를린의 폭격당한 건물들을 지나 랑스도르프의 공항으로 갔다. 불룩한 서류가방에는 오후 1시에 동프로이센 라스텐부르크의 '늑대굴'에서 히틀러에게 보고할 새로운 국민척탄병 사단들에 관한 서류가 들어 있었다. 그리고 그 서류 사이에 셔츠로 감싼 시한폭탄이 한 발 있었다.

그것은 1년 전에 트레스코브와 슐라브렌도르프가 총통 전용기에 설치했다가 불발로 그친 폭탄과 동일한 종류였다. 앞에서 언급했듯이 영국제인 그 폭탄은 유리 캡슐을 으깨면 산성 물질이 흘러나와 작은 철사를 부식시키고, 철사가 다 녹아버리면 공이가 뇌관을 치는 작동 방식이었다. 철사의 두께가 폭발까지 걸리는 시간을 좌우했다. 그날 아침에는 폭탄에 최대한 가느다란 철사를 끼워넣었다. 불과 10분이면 다 녹아 없어질 터였다.

공항에서 슈타우펜베르크는 전날 밤에 폭탄을 조정한 슈티프 장군을 만났다. 공항에는 육군 제1병참감이자 음모의 주모자들 중 한 명인 에두아르트 바그너 장군이 단연 중요한 이번 비행을 위해 준비해둔 그의 전용기가 기다리고 있었다. 비행기는 7시 정각에 이륙해 10시 직후에 라스텐부르크에 착륙했다. 헤프텐은 조종사에게 정오 이후 언제든 회항할 수 있도록 준비해두라고 지시했다.

비행장에서 한 참모장교가 두 사람을 차에 태워 동프로이센의 음산하고 축축하고 수목이 우거진 지역에 자리잡은 늑대굴 본부로 데려갔다. 그곳은 들어가기도, 또 슈타우펜베르크가 틀림없이 알고 있었듯이, 나오기도 쉬운 장소가 아니었다. 본부는 삼중의 보안 구역으로 이루어졌으며, 각 구역을 지뢰밭과 사격진지, 전기가 흐르는 철조망으로 방어했고 광적인 친위대원들이 밤낮으로 순찰을 돌았다. 히틀러가 거주하고 집무를 보는, 경비가 삼엄한 중앙 구역으로 들어가려면 최고위 장군이라 할지라도 1회만 유효한 특별 허가증을 소지해야 했고, 힘러의 보안대장이자 친위대 경호대 수장인 상급지도자 요한 라텐후버Johann Rattenhuber 또는 그의 부관들에게 직접 검사를 받아야 했다. 그렇지만 히틀러 본인이 슈타우펜베르크에게 보고를 지시했기 때문에 그와 헤프텐은, 번번이 멈춰 서서 통행증을 검사받긴 했지만, 세 곳의 검문소를 별 문제 없이 통과할 수 있었다. 아침식사 후 슈타우펜베르크는 본부 사령관의 부관인 묄렌도르프Möllendorff 대위와 함께 OKW 통신본부장 프리츠 펠기벨 장군을 찾았다.

펠기벨은 음모의 핵심 인물들 중 한 명이었다. 슈타우펜베르크는 베를린의 음모단이 곧장 작전에 착수할 수 있도록 펠기벨이 폭파 소식을 그들에게 급보할 준비를 마쳤다는 것을 확인했다. 폭파 이후 펠기벨은 전화, 전보, 무전 통신을 전부 차단하여 총본 본부를 고립시킬 계획이었다. 이 임무를 해내기에 OKW 통신본부장만큼 완벽한 지위에 있는 사람은 없었으며, 음모단은 장군을 포섭한 것이 행운이라고 생각했다. 펠기벨은 음모 전체의 성공을 위해 없어서는 안 될 존재였다.

OKW의 육군 대표 발터 불레Walther Buhle 장군을 찾아가 국내예비군 문제를 논의한 뒤, 슈타우펜베르크는 카이텔의 숙소로 가서 곁방에 모자와 벨트를 걸어둔 다음 OKW 총장의 집무실에 들어갔다. 그곳에서 사전 계획보다 더 신속하게 행동해야 한다는 것을 알게 되었다. 당시는 정오를 조금 지난 시각이었는데, 카이텔은 오후 2시 30분에 무솔리니가 열차편으로 도착할 예정이라서 총통의 첫 일일 회의를 오후 1시에서 12시 30분으로 앞당겼다고 알려주었다. 그러면서 대령에게 간결하게 보고할 것을 권했다. 히틀러는 회의를 일찍 끝내고 싶어했다.

회의 종료 전에 폭탄을 터뜨릴 수 있을까? 틀림없이 슈타우펜베르크는 아마도 이번이 마지막 시도가 될 텐데 운명이 성공의 기회를 빼앗는 것은 아닌지 다시 한 번 고민했을 것이다. 또한 이번에 히틀러와의 회의가 총통의 지하 벙커에서 열려서 지상 건물에 비해 폭탄의 위력이 몇 배 더 강해지기를 바랐을 것이다. 하지만 카이텔은 장소가 회의용 병영 Lagebaracke일 것이라고 말했다.[*] 그 병영은 조잡한 목조 막사로 자주 묘사되긴 했으나 그런 건축물과는 딴판이었다. 그전 겨울에 히틀러가 본부 인근에 떨어질 수도 있는 소이탄이나 투하 폭탄의 파편을 막아내기 위해 45센티미터 두께의 콘크리트 벽으로 본래의 목조 구조를 보강하라고 지시했기 때문이다. 이 두꺼운 벽이 슈타우펜베르크의 폭탄의 위력을 키울 터였다.

---

[*] 다수의 저술가들은 라스텐부르크에서 히틀러의 일일 군사회의가 보통 지하 벙커에서 열렸지만 그곳이 수리 중인 데다 날이 덥고 습해서 7월 20일 회의 장소를 지상 건물로 옮겼다고 단언한다. 예컨대 "이 우연한 장소 변경이 히틀러의 목숨을 구했다"라고 불록은 썼다(*Hitler*, p. 681). 그렇지만 장소 변경이 과연 우연이었을지 의심해볼 여지는 있다. 회의용 병영은 그 이름이 암시하듯이, 내가 알기로는, 평소 일일 회의를 여는 장소였다. 공습 위험이 있을 경우에만 지하 벙커로 회의 장소를 옮겼는데, 후텁지근했던 당일에는 벙커 쪽이 더 시원했을 것이다. (Zeller, *Geist der Freibeit*, p. 360, n. 4)

신속히 폭탄을 작동시켜야 했다. 슈타우펜베르크는 히틀러에게 보고할 내용을 카이텔에게 브리핑했다. 브리핑이 끝나갈 즈음 OKW 총장은 초조한 표정으로 손목시계를 흘끗거렸다. 12시 30분을 몇 분 앞두고 카이텔은 당장 회의장으로 가지 않으면 늦겠다고 말했다. 두 사람은 카이텔의 숙소에서 출발했지만, 몇 걸음 떼기도 전에 슈타우펜베르크가 곁방에 모자와 벨트를 두고 왔다고 말하더니, 카이텔이 옆에서 걷고 있던 부관에게 대신 가져오라고 지시할 틈도 없이 재빨리 숙소로 되돌아갔다.

곁방에서 슈타우펜베르크는 부리나케 서류가방을 열고는 남아 있는 세 손가락만으로 집게를 잡고서 캡슐을 으깼다. 기술적 결함이 없다면 불과 10분 내에 폭탄이 터질 예정이었다.

상급자에게 알랑거리는 것만큼이나 하급자를 괴롭히던 카이텔은 시간이 지체되자 짜증이 치민 나머지 숙소로 돌아가 슈타우펜베르크에게 서두르라고 소리쳤다. 회의에 늦겠다고 고함을 질러댔다. 슈타우펜베르크는 늦어서 죄송하다고 했다. 카이텔은 대령처럼 불구가 된 사람은 벨트를 매는 데 시간이 좀 더 걸리기 마련이라고 생각했던 게 틀림없다. 히틀러의 병영으로 걸어가는 동안 슈타우펜베르크는 온화해 보였고 카이텔은 노여움을 가라앉힌 듯했다—아직까지 의심의 징후는 없었다.

그럼에도 카이텔의 우려대로 두 사람은 지각했다. 벌써 회의를 시작한 뒤였다. 카이텔과 슈타우펜베르크가 회의실에 들어설 때, 후자는 잠시 입구에서 멈춰 전화 교환을 담당하는 원사에게 베를린 집무실에서 긴급 전화가 올 테고 최신 현황을 보고하는 데 필요한 정보를 알려주기로 했으니(카이텔의 귀에 들어가라고 한 말이었다) 전화가 오면 즉시 자신을 불러달라고 말했다. 분명 지극히 이례적으로 들렸을 법한 이 말—설령 원수라 할지라도 도중에 나가라는 지시를 받거나 회의가 끝나고 히틀러가

먼저 떠나지 않는 이상 감히 나치 통수권자의 면전에서 자리를 비울 엄두를 내지 못했을 것이다―역시 카이텔의 의심을 사지 않았다.

두 사람은 회의실로 들어갔다. 슈타우펜베르크가 서류가방에 손을 집어넣어 집게로 캡슐을 으깬 지 4분가량 지난 때였다. 6분이 남아 있었다. 회의실은 가로와 세로가 약 9미터와 4.5미터로 비교적 좁았고, 후텁지근한 날씨에 바람이 들어오도록 창문 10개를 모두 활짝 열어두고 있었다. 그렇게 많은 창문이 열려 있으면 어떤 폭탄이라도 폭발 위력이 줄어들게 뻔했다. 회의실 중앙에는 두꺼운 참나무 판자로 만든 길이 5.5미터, 너비 1.5미터의 직사각형 탁자가 놓여 있었다. 구조가 독특한 그 탁자는 여러 개의 다리로 지탱하는 것이 아니라 양쪽 가장자리 근처에서 탁자 너비 정도의 크고 무거운 받침대가 달려 상판을 떠받치는 형태였다. 이 흥미로운 구조는 이후의 역사에 큰 영향을 주었다.

슈타우펜베르크가 들어갔을 때, 히틀러는 탁자의 기다란 면 중앙에 문을 등지고 앉아 있었다. 바로 우측에는 육군 작전과장 겸 참모차장 호이징거 장군, 공군 참모총장 귄터 코르텐Günther Korten 장군, 호이징거의 참모장 하인츠 브란트 대령이 있었다. 카이텔은 총통 바로 좌측에 자리 잡았고, 그 옆에 요들 장군이 있었다. 탁자 주위에 삼군과 친위대의 다른 장교 18명이 도열해 있었지만, 괴링과 힘러는 보이지 않았다. 돋보기를 든 히틀러―눈앞에 펼쳐둔 지도의 작은 글자를 읽으려면 돋보기가 필요했다―와 속기사 두 명만이 의자에 앉아 있었다.

호이징거가 소련 중부전선이 돌파당한 최근 전황과 그 결과로 중부뿐 아니라 북부와 남부의 전선에서도 위태로워진 독일군의 처지에 관해 침울하게 보고하는 중이었다. 카이텔이 끼어들어 슈타우펜베르크 대령을 소개하고 참석 이유를 알렸다. 히틀러는 한쪽 눈에 안대를 댄 외팔 대령을 힐끗 보고 건성으로 인사한 뒤 대령의 보고를 받기 전에 호이징거의 보고를 마저 듣겠다고 했다.

그러자 슈타우펜베르크는 탁자에서 코르텐과 브란트 사이, 히틀러로부터 오른쪽으로 몇 걸음 떨어진 위치에 자리잡았다. 서류가방은 바닥에 내려놓고 탁자 아래로 밀어서 견고한 참나무 받침대의 **안쪽**에 기대어 두었다. 총통의 다리에서 1.8미터 떨어진 지점이었다. 이제 12시 37분이었다. 폭발까지 5분이 남아 있었다. 호이징거는 탁자에 펼쳐둔 상황도를 연신 가리키며 발언을 이어갔다. 히틀러와 장교들은 몸을 숙인 채 지도를 살펴봤다.

아무도 슈타우펜베르크가 빠져나가는 것을 눈치채지 못했던 듯하다. 어쩌면 브란트 대령은 예외였을 것이다. 이 장교는 상관의 발언에 정신이 팔려서 지도를 더 잘 보려고 탁자 위로 몸을 기울이다가 슈타우펜베르크의 불룩한 서류가방이 걸리적거리자 발로 옆으로 밀치려 했다. 그런데 잘 되지 않자 결국 손을 뻗어 무거운 받침대의 **바깥쪽**으로 옮겨놓았다. 폭탄과 히틀러 사이에 받침대가 위치하게 되었던 것이다.* 이 대수롭지 않아 보이는 행동이 아마도 총통의 목숨을 구하고 브란트의 목숨을 앗아갔을 것이다. 불가해한 운명이 개입한 순간이었다. 기억할 테지만 브란트 대령은 지난 1943년 3월 13일 저녁 총통 전용기를 타고 스몰렌스크에서 라스텐부르크로 돌아갈 때 트레스코브로부터 '브랜디 두 병'을 전해달라는 부탁을 받고서 그것이 실은 폭탄─방금 탁자 아래에서 눈에 띄지 않게 히틀러로부터 먼 위치로 옮겨진 것과 동일한 종류의 폭탄─

---

* 회의에 참석했던 쿠르트 아스만(Kurt Assmann) 제독이 연합국 심문관들에게 말한 바에 따르면, 슈타우펜베르크는 브란트에게 "나가서 전화해야 합니다. 제 서류가방을 봐주십시오. 기밀문서가 들어 있습니다"라고 속삭였다고 한다.

임을 털끝만큼도 의심하지 않은 채 부탁을 들어준 순진한 장교였다. 이 무렵이면 폭탄의 공이를 누르는 철사를 화학물질이 거의 다 녹여버린 때였다.

슈타우펜베르크를 본부로 호출한 카이텔은 대령이 어디쯤 서 있는지 확인하려고 탁자 아래쪽을 흘긋 보았다. 호이징거가 암울한 보고를 끝내가고 있었으므로 OKW 총장은 슈타우펜베르크에게 뒤이어 보고하도록 지시하려 했다. 대령이 서류가방에서 문서를 꺼낼 때 도와주어야 할지도 모른다고 생각했다. 그런데 곤혹스럽게도 대령이 보이지 않았다. 회의실에 들어설 때 슈타우펜베르크가 전화 교환원에게 했던 말을 떠올린 카이텔은 기묘하게 행동하는 청년 장교를 데려오기 위해 슬며시 밖으로 나갔다.

슈타우펜베르크는 통화하고 있지 않았다. 전화 담당 원사는 대령이 급히 떠났다고 말했다. 카이텔은 어찌할 바를 몰라 회의실로 돌아갔다. 호이징거가 마침내 당일의 참혹한 전황에 대한 보고를 끝마치고 있었다. **"러시아군이 막강한 전력으로 뒤나 강 서쪽에서 북으로 진격 중입니다. 선봉부대는 벌써 뒤나부르크 남서쪽에 도달해 있습니다. 페이푸스 호수 주변 아군 집단군을 즉시 퇴각시키지 않는다면, 파국을 …"[27]**

이 대목은 끝마칠 수가 없었다.

정확히 오후 12시 42분, 폭탄이 터졌다.

슈타우펜베르크는 이후의 광경을 지켜보았다. 180여 미터 떨어진 제88벙커에 자리한 펠기벨의 집무실 앞에 장군과 함께 서서 초조한 마음으로 손목시계의 초침과 회의용 병영을 번갈아 힐끗거렸다. 그가 나중에 말했듯이, 병영은 마치 155밀리 포탄에 직격당한 것처럼 꽝음과 함께 연기와 화염을 내뿜으며 박살이 났다. 시체들이 창문 밖으로 튕겨져 나오고 파편이 공중으로 날아올랐다. 흥분한 슈타우펜베르크는 회의실에 있던 전원이 죽었거나 죽어가고 있다는 것을 조금도 의심하지 않았다. 급히 펠기벨과 작별했다. 이제 펠기벨이 할 일은 베를린의 음모단에 전화해 거사가 성공했음을 알린 뒤 그들이 수도를 장악하고 새 정부를 선포할 때까지 총통 본부의 통신을 차단하는 것이었다.[*]

슈타우펜베르크의 다음 과제는 라스텐부르크 본부에서 신속히 살아서 빠져나가는 것이었다. 세 검문소의 위병대는 총통 회의실 폭발을 직접 보거나 폭발음을 듣고서 곧장 모든 출입을 차단했다. 펠기벨의 벙커에서 불과 몇 미터 떨어진 첫 검문소에서 슈타우펜베르크의 차량이 멈추었다. 대령은 차에서 내려 위병소의 당직 장교와 대화하고 싶다고 했다. 그 장교의 면전에서 대령은 누군가—누구인지는 알려지지 않았다—에게 전화를 걸어 짧게 통화하고 끊은 뒤 장교를 돌아보며 "중위, 통행 허가를 받았네"라고 말했다.

순전히 허풍이었지만 먹혀들었다. 게다가 중위는 일지에 "**12:44, 슈타우펜베르크 대령 통과**"라고 착실하게 적고서 다음 검문소에 차량을 통과시키라고 연락했던 것으로 보인다. 세 번째이자 마지막인 검문소는 더 까다로웠다. 그곳은 이미 경보를 받고서 가로대를 내리고 경비 인력을 두 배로 늘린 상태였고, 아무도 들어오지도 나가지도 못하도록 했다.

---

[*] 꽤 많은 저자들이 이 순간 펠기벨 장군이 계획대로 통신시설을 폭파해야 했으며 그렇게 하지 못한 것이 음모에 재앙을 불러왔다고 주장했다. 예컨대 휠러-베넷은 "펠기벨 장군은 안타깝게도 임무 수행에 실패했다"라고 썼다(*Nemesis*, p. 643). 그렇지만 다수의 통신시설이 몇 군데의 지하 벙커에 분산되어 있었고 친위대가 엄중히 경비하고 있었으므로 슈타우펜베르크의 계획을 위해 그 통신시설들을 전부 폭파한다는 것은 어불성설이었다—장군으로서는 불가능한 임무였다. 펠기벨이 동의한 임무는 베를린 측에 폭발 사실을 통지한 뒤 두세 시간 동안 바깥과의 통신을 차단하는 것이었다. 한두 가지 불가피한 실수는 있었지만, 펠기벨은 임무를 수행했다.

슈타우펜베르크와 부관 헤프텐 중위의 차량은 콜베Kolbe라는 매우 완고한 원사에게 저지당했다. 이번에도 슈타우펜베르크는 전화 사용을 요구해 본부 사령관의 부관인 밀렌도르프 대위에게 전화를 걸었다. 그러고는 위병대가 "폭발 때문에" 통과시켜주지 않는다고 불평했다. "급하네. 프롬 장군이 비행장에서 나를 기다리고 있네." 역시 허풍이었다. 슈타우펜베르크가 잘 알듯이 프롬은 베를린에 있었다.

대령은 전화를 끊고서 원사를 돌아보았다. "자네도 들었듯이, 원사, 통행을 허가받았네." 하지만 원사는 허풍에 속지 않았다. 직접 밀렌도르프에게 전화를 걸어 확인했다. 밀렌도르프는 확인해주었다.[28]

검문소를 통과한 차량은 공항으로 질주했고, 도중에 헤프텐 중위는 **자신의** 서류가방에 넣어둔 두 번째 폭탄을 급히 분해하여 부품들을 도로변에 내던졌다. 나중에 게슈타포가 그 부품들을 발견했다. 비행장 지휘관은 아직 아무런 경보도 받지 않은 터였다. 두 장교를 태운 차량이 비행장에 들어서기 전부터 조종사는 엔진을 예열하고 있었다. 그들이 도착하고 1~2분 내에 비행기가 이륙했다.

오후 1시를 막 지난 때였다. 그 후로 세 시간이 슈타우펜베르크에게는 인생에서 가장 길게 느껴졌을 것이다. 하인켈 사의 느린 항공기가 모래투성이 독일 평원의 상공에서 서쪽으로 날아가는 동안 그가 할 수 있는 일이라곤 펠기벨이 베를린에 가장 중요한 신호를 전달했기를, 수도의 동료 음모자들이 즉시 행동에 돌입해 수도를 장악하고 미리 준비해둔 메시지를 국내와 서부전선의 군 사령관들에게 보냈기를, 그리고 자신의 비행기가 경보를 받은 독일 공군 전투기나 동프로이센 상공에서 갈수록 활동적인 소련 전투기에 격추되지 않기를 바라는 것밖에 없었다. 그의 비행기에는 장거리 무전기가 없어서 베를린에 주파수를 맞추어 자신이 착륙하기 전에 음모단이 결행할 것으로 예상되는 작전에 관한 짜릿한 첫 방송을 들을 수가 없었다. 아울러 수도의 동지들에게 연락해 펠기벨 장군이 곧장 전송하지 못했을지도 모르는 신호를 보낼 수도 없었다.

그를 태운 항공기는 초여름 오후의 하늘을 윙윙거리며 날았다. 오후 3시 25분, 랑스도르프에 내린 슈타우펜베르크는 비행장의 가장 가까운 전화기로 기세등등하게 달려가, 모든 것이 달려 있는 운명의 세 시간 동안 정확히 무엇을 달성했는지 알기 위해 올브리히트 장군에게 전화를 걸었다. 그런데 경악스럽게도 무엇 하나 달성한 일이 없었다. 오후 1시 직후에 펠기벨이 전화해서 폭발에 대해 말했지만 연결 상태가 나빠서 히틀러의 피살 여부를 음모단은 확실하게 알 수가 없었다. 그래서 아무것도 하지 않았다. 발퀴레 명령서를 올브리히트의 금고에서 꺼냈으나 발송하지 않았다. 벤틀러슈트라세의 모두가 슈타우펜베르크가 돌아오기만을 기다리며 하릴없이 서 있었다. 각각 새로운 국가원수와 국방군 총사령관으로서 미리 준비해둔 선언문과 명령문을 즉시 하달하고 곧장 방송에 나가 독일의 새날이 밝았음을 공표하기로 되어 있던 베크 장군과 비츨레벤 원수는 어디에 있는지 아직 보이지도 않았다.

슈타우펜베르크가 랑스도르프에서 전화로 올브리히트에게 전달한 확신과는 반대로, 히틀러는 피살되지 않았다. 브란트 대령이 견고한 참나무 받침대의 바깥쪽으로 서류가방을 옮겨놓은 거의 무의식적인 행동이 히틀러의 목숨을 구했다. 히틀러는 몹시 동요했으나 중상을 입지는 않았다. 머리카락이 그슬리고, 두 다리에 화상을 입고, 오른팔에 멍이 든 데다 일시적으로 마비되고, 양쪽 고막이 파열되고, 떨어지는 들보에 맞아 등이 찢어졌다. 어느 목격자가 훗날 회상했듯이, 폭파되어 불타는 건물에서 카이텔의 부축을 받으며 빠져나온 히틀러는 누군지 알아보기 힘들 지경이었다. 얼굴은 거무칙칙했고 머리카락에서는 연기가 났으며 바지 는 너덜너덜했다. 카이텔은 기적처럼 부상을 입지 않았다. 그러나 폭탄 이 터진 탁자 가장자리에 있었던 사람들은 대다수가 죽었거나, 죽어가고 있거나, 중상을 입은 상태였다.[*]

초기의 흥분 속에서 폭발의 원인에 대한 추측이 몇 가지 제기되었다. 처음에 히틀러는 적 폭격기의 급습일지 모른다고 생각했다. 피투성이 머리—하필이면 샹들리에가 머리로 떨어졌다—에 응급처치를 하던 요들은 인부들 중 누군가가 회의실 바닥에 시한폭탄을 설치한 것이라고 확신 했다. 슈타우펜베르크의 폭탄이 터지면서 바닥에 생긴 깊은 구멍이 이 추측을 뒷받침하는 듯했다. 대령을 의심하기까지는 얼마간 시간이 걸렸 다. 폭발 소식을 듣고 현장으로 달려온 힘러는 무슨 영문인지 몰라 어리 둥절했고, 첫 조치로—펠기벨이 통신을 차단하기 1~2분 전에—베를린 형사경찰 수장 아투르어 네베에게 전화해 현장을 조사해야 하니 일군의 수사관들을 항공편으로 급파하라고 지시했다.

혼란과 충격 속에서 처음에는 아무도 슈타우펜베르크가 폭발 직전 회 의실을 빠져나갔다는 사실을 떠올리지 못했다. 그가 건물 안에 있다가 병원으로 급히 실려간 중상자들에 섞여 있을 것으로 생각했다. 히틀러는 아직 슈타우펜베르크를 의심하지 않은 채 병원에 확인해보라고 했다.

폭탄이 터지고 약 두 시간 후부터 실마리가 잡히기 시작했다. 회의용 병영에서 전화 교환을 담당하는 원사가 보고하기를 베를린에서 장거리

---

[*] 공식 속기사 베르거는 죽었고, 브란트 대령, 히틀러의 부관 슈문트 장군, 코르텐 장군은 부상으로 사망했다. 요들 장군과 보덴샤츠 장군(괴링의 참모장), 호이징거를 포함한 나머지 참석자들은 정도의 차이는 있어도 모두 중상을 입었다.

전화가 올 거라던 "외눈 대령"이 회의실에서 나오더니 전화를 기다리지도 않고 다급히 떠났다고 했다. 또 회의 참석자 몇 명이 슈타우펜베르크가 탁자 아래 서류가방을 두었던 사실을 기억했다. 검문소 위병대는 슈타우펜베르크와 그의 부관이 폭발 직후에 통과했다고 알렸다.

그러자 히틀러의 의심에 불이 붙었다. 라스텐부르크 비행장에 전화해 슈타우펜베르크가 오후 1시 직후 그곳에서 부랴부랴 이륙했고 랑스도르프 공항을 목적지로 밝혔다는 흥미로운 정보를 얻었다. 힘러는 당장 슈타우펜베르크가 착륙하자마자 체포하라고 명령했지만, 펠기벨이 용감하게 통신을 차단한 탓에 그 명령은 베를린에 도달하지 못했다. 이 순간까지 총통 본부의 어느 누구도 베를린에서 뜻밖의 사태가 벌어질 것이라고는 의심하지 않았던 듯하다. 당시 모두가 슈타우펜베르크의 단독 행동이라고 믿었다. 일부가 우려했듯이 그가 소련군 전열 너머에 착륙하지 않는 이상, 체포하기는 어렵지 않을 터였다. 당시 상황에서 충분히 침착하게 행동한 듯한 히틀러는 다른 무언가를 염두에 두고 있었다. 열차가 지연되어 오후 4시에 도착할 예정인 무솔리니를 영접해야 했다.

1944년 7월 20일 오후, 두 파시스트 독재자의 마지막 만남은 어딘가 괴상하고 기이했다. 두 지도자는 회의장의 잔해를 둘러보며 자신들이 유럽 대륙을 지배하고자 손잡은 '추축'은 이런 난장판이 아니라는 생각으로 스스로를 속이려 했다. 한때 자신만만하고 거드름을 피워대던 두체, 구금 중에 나치 폭력배들에 의해 구출되어 히틀러와 친위대의 지원을 받은 두체는 이제 롬바르디아 대관구장에 지나지 않았다. 그럼에도 실각한 이탈리아 폭군에 대한 총통의 우정과 존경심은 결코 흔들리지 않았고, 몸 상태가 허락하는 한 최대한 따뜻하게 맞이하려 했다. 몇 시간 전에 목숨을 잃을 뻔한, 아직도 연기가 나는 회의용 병영의 잔해를 보여주었고,

모든 곤경에도 불구하고 그들의 공동 대의가 승리할 것이라고 전망했다.

통역관으로 함께 있었던 슈미트 박사는 그때의 광경을 이렇게 회고했다.[29]

무솔리니는 잔뜩 겁을 먹었다. 어떻게 본부에서 그런 일이 일어날 수 있는지 이해하지 못했다. …

"[히틀러가 말함] 나는 이 탁자의 이 자리에 앉아 있었습니다. 내 발 바로 앞에서 폭탄이 터졌어요. … 내게는 아무 일도 생기지 않을 것이 분명합니다. 나의 길을 계속 걸으며 나의 임무를 완수하는 것이 나의 운명입니다. … 오늘 이곳에서 일어난 일이야말로 최후의 고비입니다! 죽음을 면한 지금 … 내가 추구하는 대의로 현재의 역경을 극복하고 모든 일을 멋지게 끝마칠 수 있다는 것을 나는 어느 때보다도 확신합니다."

이전에도 히틀러의 말에 자주 휩쓸렸던 무솔리니는 이번에도 맞장구를 쳤다.

"[무솔리니가 말함] 우리의 형세가 나쁘고 누군가는 절망적이라고까지 말할지도 모르지만, 오늘 이곳에서 일어난 일이 내게 다시 용기를 줍니다. 이 기적 이후로는 우리의 대의에 불운이 닥칠 리 없습니다."

그런 다음 두 독재자는 수행단과 함께 차를 마시러 갔다. 오후 5시경이었다. 제3제국이 엄중한 위기를 맞은 그 순간 그 자리에서 나치 수뇌부가 얼마나 비열하고 형편없이 망가졌는지를 여실히 보여주는, 놀랄 것도 없는 웃지 못할 광경이 벌어졌다. 그때쯤 히틀러의 직접 지시에 따라

라스텐부르크의 통신망을 복구한 터라 베를린에서 막 보고가 들어오고 있었는데, 수도에서 군사 반란이 일어났고 어쩌면 서부전선에서도 일어났을지 모른다는 내용이었다. 그러자 총통의 수하들이 오랫동안 참아온 맞비난을 퍼붓기 시작하더니 천장이 울릴 정도로 서로에게 고함을 질러댔다. 처음에 히틀러는 잠자코 시무룩하게 앉아 있었고 무솔리니는 당황하여 얼굴을 붉혔다.

암살 기도 소식에 급히 라스텐부르크로 날아간 되니츠 제독은 다과 시작 이후 도착해 육군의 반역 행위를 힐난했다. 괴링은 공군을 대표해 제독을 거들었다. 그러자 되니츠는 공군의 참담한 실패를 거론했고, 뚱보 원수는 자신을 변호한 다음 눈엣가시로 여기는 리벤트로프가 독일 외교 정책을 파탄냈다고 공격하면서 거만한 외무장관을 원수장으로 때릴 듯이 위협하기까지 했다. 괴링이 "이 더럽고 하찮은 샴페인 장사꾼아! 빌어먹을 입 다물어!" 하고 소리쳤지만, 원수에게도 약간의 존중을 요구하는 리벤트로프의 입을 막을 수는 없었다. "나는 아직 외무장관이고 내 이름은 **폰** 리벤트로프야!"[*]

그때 누군가 나치 정권 초기의 '반란', 즉 1934년 6월 30일의 룀의 '음모'를 끄집어냈다. 이 사건이 거론되자 히틀러는—침울하게 앉아 돌팔이 의사 테오도어 모렐이 처방한 선명한 색깔의 알약들을 삼키고 있었다—격분했다. 목격자들에 따르면 의자에서 벌떡 일어나 입에 거품을 물고서 고함을 치고 화를 쏟아냈다. 룀과 반역자 일당에게 했던 보복은 오늘의 반역자들에게 가할 보복에 비하면 아무것도 아닐 거라고 소리쳤다. 그놈

---

[*] 리벤트로프는 샴페인 판매상으로 일하다가 독일의 주요 포도주 생산업자의 딸과 결혼했다. 이름의 '폰'은 1925년 32세 때 큰어머니—게르트루트 폰 리벤트로프(Gertrud von Ribbentrop) 부인—의 양자로 들어가 얻은 것이다.

들을 전부 뿌리뽑고 말살하겠다고 했다. "그놈들의 마누라와 자식을 강제수용소에 집어넣고 결코 자비를 베풀지 않겠다!" 이와 비슷한 그전의 수많은 경우들처럼, 이 경우에도 히틀러는 자기 말을 지켰다.

어느 정도는 지쳐서, 아울러 베를린에서 전화로 군사 봉기에 관한 상세한 정보가 들어오기 시작해서, 히틀러는 독백을 멈추었다. 하지만 화를 가라앉히지는 못했다. 히틀러는 무솔리니를 열차까지 배웅하고—두 사람의 마지막 작별이었다—본부로 돌아왔다. 6시경, 아직 쿠데타를 진압하지 못했다는 소식을 듣고는 직접 전화기를 들고 베를린의 친위대에 누구든 조금이라도 의심되면 사살하라고 악을 쓰며 명령했다. 불과 한 시간 전에 수행단과 차를 마실 때 친위대 수장에게 베를린으로 날아가 반란을 무자비하게 진압하라고 지시했고 아직 힘러가 도착하지 못했으리라는 것을 까맣게 잊고는 "힘러는 어디 있나? 왜 그곳에 없는가!"라고 고함을 쳤다.[30]

오랫동안 신중하게 준비한 베를린 반란은, 슈타우펜베르크가 오후 3시 45분 랑스도르프에 착륙해 알고서 경악했듯이, 한참 늦게 시작되었다. 총통 본부가 외부와 차단된 천금 같은 세 시간을 그냥 흘려보냈다.

그 이유를 슈타우펜베르크는 도저히 이해할 수가 없었다. 이 운명적인 날의 사건들을 재구성하려 애쓰는 역사가도 마찬가지다. 어쩌면 그날 찌는 듯이 더웠던 날씨가 영향을 주었을 것이다. 회프너 장군의 말마따나 음모단 지도부는 그날 아침 "중책을 짊어진" 슈타우펜베르크가 오후 1시 총통 회의에 참석하기 위해 라스텐부르크로 떠났다는 사실을 알고 있었다. 그러나 그들 중 소수만이, 그나마도 대다수 하급장교들만이 정오 무렵 벤틀러슈트라세의 국내예비군 사령부—동시에 음모의 본부—

로 여유롭게 들어가기 시작했다. 기억하겠지만 지난번 7월 15일 슈타우 펜베르크의 암살 시도 때 올브리히트 장군은 폭탄이 터지기 두 시간 전에 베를린 수비대에 진군 개시를 명령했다. 그런데 7월 20일에는 아마도 지난번의 위험이 마음에 걸려서 그랬는지 비슷한 명령을 내리지 않았다. 전날 밤 베를린 부대 지휘관들과 인근 되베리츠, 위터보크, 크람프니츠, 뷘스도르프 훈련소의 지휘관들은 20일에 십중팔구 발퀴레 명령이 하달될 것이라는 귀띔을 받았다. 그러나 올브리히트는 다시 병력을 움직이기 전에 라스텐부르크의 펠기벨로부터 확답이 오기를 기다리기로 결정했다. 양복 아래에 히틀러가 착용을 금지한 군복을 입은 회프너 장군은 12시 30분—슈타우펜베르크가 폭탄의 캡슐을 으깨던 순간—에 벤틀러 슈트라세에 도착해 올브리히트와 함께 점심을 먹으러 나가서는 포도주 반병으로 거사 성공을 위해 축배를 들었다.

두 사람이 올브리히트의 집무실로 돌아오고 얼마 지나지 않아 OKH의 주임 통신장교 프리츠 틸레Fritz Thiele가 불쑥 들어왔다. 그러더니 흥분한 목소리로 방금 펠기벨과 통화했는데 연결이 좋지 않고 장군이 매우 조심스럽게 말하긴 했지만 폭발이 일어났음에도 히틀러가 목숨을 잃지는 않은 듯하다고 말했다. 만약에 사실이라면 발퀴레 명령을 내리지 말아야 한다고 틸레는 결론지었다. 올브리히트와 회프너도 동의했다.

그리하여 1시 15분경부터 슈타우펜베르크가 랑스도르프에 내려 급히 전화한 3시 45분까지 아무것도 실행하지 않았다. 병력을 집결시키지도, 다른 도시 지휘관들에게 명령을 하달하지도 않았다. 가장 이상한 점은 라디오 방송국이나 전신전화국을 점거할 생각을 아무도 하지 않았다는 사실일 것이다. 두 군사 지도자 베크와 비츨레벤은 아직까지도 보이지 않았다.

슈타우펜베르크가 도착하자 음모단은 마침내 행동에 돌입했다. 랑스도르프에서 전화를 건 슈타우펜베르크는 올브리히트에게 자신이 벤틀러슈트라세에 도착할 때까지—비행장에서 45분은 걸릴 터였다—기다리지 말고 당장 발퀴레를 개시하라고 재촉했다. 드디어 지시를 내리는 사람—그런 지시가 내려오지 않자 이 중차대한 날에 독일 장교들은, 심지어 반역을 꾀하는 장교들임에도 어찌할 바를 몰랐다—이 나타나자 음모단은 행동하기 시작했다. 올브리히트의 참모장이자 슈타우펜베르크의 친구인 메르츠 폰 크비른하임Mertz von Quirnheim 대령이 발퀴레 명령서를 가져와 텔레타이프와 전화로 발송하기 시작했다. 첫 번째 명령서는 베를린 일대의 병력에 경보를 발령했고, 비슐레벤이 '국방군 총사령관'으로서 서명하고 슈타우펜베르크 백작이 부서한 두 번째 명령서—명령서들은 수개월 전에 작성해두었다—는 총통이 서거했고 비슐레벤이 국내 각 관구 사령관들과 전선에서 싸우는 수뇌부 사령관들에게 "권한을 주고" 있다고 알렸다. 비슐레벤 원수는 아직 벤틀러슈트라세에 도착하기 전이었다. 원수는 베를린에서 남동쪽으로 32킬로미터 떨어진 초센에 가서 제1병참감 바그너 장군과 상의하고 있었다. 비슐레벤을 불러오기 위해 사람을 보냈다. 베크 장군에게도. 음모단의 두 고위 장군은 이 운명적인 날에 몹시 느긋하게 움직였다.

발송 중인 명령서 일부에는 프롬 장군 모르게 그의 서명이 들어갔다. 올브리히트는 국내예비군 사령관의 집무실을 찾아가 펠기벨이 히틀러 암살을 보고했다고 알리고, 발퀴레를 관장하고 국내 안보를 확보할 것을 촉구했다. 음모단은 프롬의 명령이라면 수신자들이 무조건 복종할 것을 알고 있었다. 그 순간 프롬은 음모단에 매우 중요했다. 그러나 프롬은 클루게와 마찬가지로 양다리 걸치기의 명수였다. 자신이 어디에 착지할지 확인하기 전까지는 뛰어오르지 않는 사람이었다. 그는 어떻게 할지 정하기 전에 히틀러가 죽었다는 명확한 증거를 원했다.

그 순간 올브리히트가 그날 음모단이 저지른 재앙적인 실책들 중 하나를 범했다. 슈타우펜베르크의 전화를 받은 올브리히트는 총통이 죽었다고 확신했다. 또한 펠기벨이 라스텐부르크의 전화선을 오후 내내 차단하는 데 성공했음을 알고 있었다. 그래서 과감하게 전화기를 들고 프롬에게 카이텔과 '긴급' 통화를 해달라고 요청했다. 그런데 천만뜻밖에도 전화를 걸기 무섭게 카이텔이 받았다—앞에서 언급했듯이 총통 본부의 통신이 재개되었으나 올브리히트는 이를 알지 못했다.

> 프롬: 본부에 무슨 일이 생겼습니까? 베를린에 해괴한 소문이 돕니다.
> 카이텔: 무슨 문제 말입니까? 이곳은 평소와 다를 바 없습니다.
> 프롬: 방금 총통이 암살되었다는 보고를 받았습니다.
> 카이텔: 전부 헛소문입니다. 기도가 있었던 것은 사실이지만, 다행히 실패했습니다. 총통은 살아계시고 부상을 조금 입으셨을 뿐입니다. 그런데 귀관의 참모장 슈타우펜베르크 백작 대령은 어디에 있습니까?
> 프롬: 슈타우펜베르크는 아직 복귀하지 않았습니다.[31]

그 순간부터 프롬은 음모에 등을 돌렸고, 그 결과는 곧 파국으로 드러났다. 아연실색한 올브리히트는 아무 말 없이 집무실에서 나왔다. 그때 베크 장군이 어두운 색깔의 사복 차림—아마도 반란의 군사적 성격을 강조하지 않으려는 제스처였을 것이다—으로 도착해 지휘를 맡았다. 하지만 모두가 금세 깨달았듯이 실제 지휘자는 오후 4시 30분에 옛 전쟁부의 계단을 모자도 쓰지 않은 채 헐레벌떡 올라온 슈타우펜베르크 대령이었다. 그는 폭발에 대해 간략하게 보고하고 자신이 180여 미터 거리에서 직접 봤다고 강조했다. 올브리히트 장군이 끼어들어 방금 카이텔 본인이 전화를 받아 히틀러가 경상을 입는 데 그쳤음을 단언했다고 지적하자 슈타우펜베르크는 카이텔이 거짓말로 시간을 버는 중이라고 대꾸했다. 아무리 못해도 히틀러는 틀림없이 중상이라고 대령은 주장했다. 어쨌거나 이제 그들이 할 수 있는 일은 하나밖에 없었다. 단 1분도 허비하지 않고 나치 정권을 타도하는 것이었다. 베크도 동의했다. 그 폭군이 살았든 죽었든 자신에게는 별 차이가 없다고 말했다. 거사를 계속 추진해 폭군의 사악한 지배를 끝장내야 했다.

문제는 치명적인 지연과 현재의 혼란 때문에 온갖 계획을 세웠음에도 불구하고 어떻게 추진해야 할지 모른다는 것이었다. 심지어 히틀러가 살아 있다는 뉴스를 곧 독일 전국 라디오망으로 방송할 것이라는 소식을 텔레 장군이 전한 후에도, 음모자들은 당장 먼저 방송국을 점거하여 나치의 해명이 퍼지는 것을 막고 오히려 새 정부에 대한 그들 자신의 성명으로 전파를 가득 채우기 시작해야 한다는 발상을 떠올리지 못했던 모양이다. 이 목표를 달성하는 데 필요한 병력이 아직 수중에 없다 해도, 베를린 경찰을 동원해 달성할 수 있었다. 베를린 경찰청장으로서 음모에 깊숙이 관여한 헬도르프 백작이 이미 대기 태세인 상당한 규모의 경찰력으로 행동에 돌입하려고 정오부터 조바심을 내며 기다리고 있었다. 그러나 아무런 연락도 오지 않자 결국 4시에 차를 몰고 벤틀러슈트라세로 가서 무슨 영문인지 확인했다. 올브리히트는 헬도르프에게 경찰은 육군의 명령을 따르라고 말했다. 그러나 아직까지 반란군은 어디에도 없었다─지휘할 병사도 없이 사령부에서 서성거리는 당황한 장교들만 있었다.

슈타우펜베르크는 당장 방송국을 점거하는 대신 슈튈프나겔 장군의 파리 사령부에 있는 사촌 체자어 폰 호파커 중령에게 긴급 전화를 걸어 그곳 음모단에 분주히 움직일 것을 촉구했다. 이것은 분명 지극히 중요한 조치였는데, 프랑스에서 음모단이 더 잘 조직되어 있었고 베를린을 제외한 다른 어떤 장소보다도 중요한 육군 장교들의 지지를 더 많이 받았기 때문이다. 실제로 슈튈프나겔은 반란 중심부의 동료 장군들보다 정력적인 모습을 보여주었다. 어둠이 내리기 전에 파리에서 친위대의 무시무시한 사령관 카를 오베르크Karl Oberg 소장을 포함해 친위대와 보안국의 장병 총 1200명을 체포해 구금했다. 그날 오후 베를린에서 슈튈프나겔과 비슷한 정력이나 지휘력을 보여주었다면, 역사의 향방이 달라졌을지도 모른다.

파리에 통지한 후, 슈타우펜베르크는 자신이 참모장으로서 모시는 완고한 프롬에게로 주의를 돌렸다. 프롬은 카이텔로부터 히틀러가 살아 있다고 들은 뒤 반란파와 동행하기를 거부하여 음모를 심각한 위기에 빠뜨리고 있었다. 베크는 이제 시작인데 벌써 프롬과 언쟁하고 싶지 않아서 슈타우펜베르크와 올브리히트가 프롬을 만나러 갈 때 함께하지 않았다. 올브리히트는 프롬에게 슈타우펜베르크가 히틀러의 사망을 확인해줄 수 있다고 말했다.

"그건 불가능하오"라고 프롬은 잘라 말했다. "카이텔이 내게 그렇지 않다고 확언했소."

"카이텔은 평소처럼 거짓말을 하고 있습니다"라고 슈타우펜베르크가 끼어들었다. "히틀러의 시체를 끌어내는 것을 제가 직접 봤습니다."

참모장이자 목격자가 이렇게 말하자 프롬은 잠시 생각에 잠겨 아무 말도 없었다. 하지만 올브리히트가 프롬의 우유부단함을 활용하고자 발퀴레 암호표를 이미 발송했다고 말하자 프롬은 벌떡 일어나 "그건 명령

불복종이오! 누가 명령을 내렸소?" 하고 소리쳤다. 메르츠 폰 크비른하임 대령이라고 들은 프롬은 그 장교를 불러 체포하겠다고 말했다.

슈타우펜베르크는 상관을 설득하고자 마지막으로 노력했다. "장군, 제가 직접 히틀러의 회의실에서 폭탄을 터뜨렸습니다. 마치 155밀리 포탄에 맞은 것처럼 폭발했습니다. 그 방의 어느 누구도 지금까지 살아 있을 수 없습니다."

그러나 프롬은 워낙 약삭빠른 사람이라 이 호언장담에 넘어가지 않았다. "슈타우펜베르크 백작, 거사는 실패했네. 그대는 당장 자결해야 하네." 슈타우펜베르크는 냉랭하게 거부했다. 그러자 우람하고 얼굴이 붉은 프롬은 곧바로 세 방문자 슈타우펜베르크, 올브리히트, 메르츠를 모두 체포하겠다고 선포했다.

"착각하고 있군" 하고 올브리히트가 대꾸했다. "이제 우리가 당신을 체포하겠소."

뒤이어 장교들의 때 아닌 몸싸움이 벌어졌고, 어느 서술에 따르면 프롬이 외팔이 슈타우펜베르크의 얼굴을 때렸다. 장군은 금세 제압되어 부관의 집무실에 감금되었고, 루트비히 폰 레온로트Ludwig von Leonrod 소령에게 감시를 맡겼다.* 반란파는 예방 조치로 그 집무실의 전화선을 끊었다.

슈타우펜베르크가 집무실로 돌아가서 보니 친위대 상급지도자 피프레더Piffraeder가 그를 체포하러 와 있었다. 특무집단이 발트 지역에서 살해했던 유대인 22만 1000명의 유해를 그곳으로 진군 중인 소련군이 발

---

* 몇 주 전에 레온로트는 군목인 친구 헤르만 베를레(Hermann Wehrle) 신부에게 가톨릭교회가 폭군 살해를 용서하는지 물었고 그렇지 않다는 답변을 받았다. 인민재판소에서 이 사실이 밝혀지자 베를레 신부는 당국에 알리지 않았다는 이유로 체포되어 레온로트와 마찬가지로 처형되었다.

견하기 전에 파내서 흔적 없이 처리하는 작업을 얼마 전에 감독하여 이름을 날린 친위대 악한이었다. 피프레더와 사복 차림의 보안국 요원 두 명은 인접한 빈 집무실에 감금되었다. 그런 다음 베를린-브란덴부르크 관구(제3군관구)의 병력에 대한 총지휘권을 가진 코르츠플라이슈 장군이 찾아와 무슨 상황인지 알려달라고 했다. 이 골수분자 나치 장군은 프롬을 만나야겠다고 고집을 부리다가 올브리히트에게 안내되었지만 대화를 거부했다. 그러자 베크가 대신 맞이했고, 코르츠플라이슈가 요지부동임을 확인하고는 역시 감금했다. 계획대로 튕겐 장군이 후임자로 임명되었다.

피프레더가 출현하자 슈타우펜베르크는 음모단이 건물 주위에 경비대를 배치하는 일을 깜빡했음을 깨달았다. 그래서 경비 임무를 맡기로 했으나 수행하고 있지 않던 대독일경비대대의 한 분견대를 건물 입구에 배치했다. 오후 5시를 조금 지난 무렵, 반란파는 적어도 국내예비군 사령부는 통제하고 있었지만, 베를린을 통틀어 그곳만이 그들의 수중에 있었다. 새로운 반나치 정부를 위해 수도를 점령하고 확보하기로 했던 육군 병력은 어떻게 되었던 걸까?

오후 4시를 조금 지나 슈타우펜베르크의 복귀로 음모단이 마침내 활기를 찾았을 때, 베를린 방위군 사령관 하제 장군은 되베리츠에 있는 정예 대독일경비대대의 지휘관에게 전화해 부대에 경보를 발령하고 본인은 당장 운터 덴 린덴의 사령부로 찾아와 보고하라고 지시했다. 최근 임명된 대대 지휘관 오토 레머Otto Remer 소령은 당일 핵심 역할을 맡아야 하지만 음모단이 신뢰하지 않는 인물이었다. 이 대대가 단연 중요한 임무를 배정받았기 때문에 음모단은 사전에 레머를 조사했고, 만족스럽게도 그가 직속상관의 명령에 복종하는 비정치적인 장교임을 확인했다. 레머의 용맹함은 의심할 바가 없었다. 여덟 차례 부상을 입었고 얼마 전 히틀러로부터 보기 드문 훈장인 백엽기사철십자장까지 받은 장교였다.

레머는 지시대로 대대에 경보를 발령하고 하제로부터 구체적인 명령을 받기 위해 급히 시내로 향했다. 하제는 레머에게 히틀러 암살과 친위대의 쿠데타 시도를 알리고 빌헬름슈트라세의 부처들과 근처 안할트 철도역 지구에 있는 친위대 보안본부를 봉쇄하라고 지시했다. 신속하게 행동한 레머는 오후 5시 30분까지 봉쇄를 마친 뒤 추가 지시를 받기 위해 운터 덴 린덴으로 돌아갔다.

그때 또다른 단역이 드라마에 슬쩍 들어와 레머가 음모를 망치도록 도왔다. 곧잘 흥분하고 자만심이 강한 청년 한스 하겐Hans Hagen 중위가 레머의 경비대대에 국가사회주의 경비장교로 배속되어 있었다. 그는 선전부에서 괴벨스를 위해서도 일했고, 당시 실제로 선전장관의 지시로 바이로이트에 파견되어 그곳에 머물면서 히틀러의 비서 마르틴 보어만이 쓰고 싶어하는 책―"국가사회주의 문화사"―을 작업하던 중이었다. 하겐이 당일 베를린에 있었던 것은 그야말로 우연이었다. 그는 전선에서 쓰러진 어느 무명작가를 추모하는 연설을 하기 위해 베를린에 온 김에 오후에 대대에 가서―푹푹 찌는 날씨임에도―"국가사회주의 지도指導의 문제"에 대해 강연하려 했다. 그 정도로 대중 연설에 열정이 있었다.

곧잘 흥분하는 이 중위는 되베리츠로 가는 도중 옆으로 지나가는 육군 차량에서 제복을 차려입은 브라우히치 원수를 보았다고 확신했고, 순간 노장군들이 모종의 반역을 꾀하고 있다고 생각했다. 그전에 이미 히틀러에 의해 지휘권을 빼앗긴 브라우히치는 제복을 입었든 안 입었든 그날 베를린에 없었지만, 하겐은 장군을 보았다고 맹세했다. 하겐은 빌헬름슈트라세 점거 명령을 받은 레머를 우연히 만나 대화하면서 자신의 의심에 대해 말했다. 그 명령을 전해 듣고서 의심에 불이 붙은 하겐은 레머에게서 사이드카가 달린 오토바이를 한 대 얻자마자 괴벨스에게 알리기 위해 선전부로 질주했다.

선전장관은 방금 히틀러로부터 첫 전화를 받은 터였다. 히틀러는 자신을 살해하려던 시도에 관해 말하고 최대한 신속히 방송으로 거사 실패를 발표하라고 지시했다. 평소 기민한 선전장관은 이 전화를 통해 라스텐부르크 사건을 처음 들었던 것으로 보인다. 곧이어 하겐이 도착해 지금 베를린에서 무슨 일이 벌어지려 하는지 알려주었다. 괴벨스는 처음에 회의적이었고—하겐을 성가신 사람으로 치부했다—어느 서술에 따르면 중위가 창가로 가서 직접 보시라고 말하자 이 방문객을 내쫓을 뻔했다. 하겐의 히스테리성 발언보다 직접 본 광경에 더 설득력이 있었다. 육군 병력이 선전부 주변에 배치되고 있었다. 비록 미련하긴 해도 눈치가 무척 빠른 괴벨스는 하겐더러 레머에게 가서 당장 그를 데려오라고 말했다. 하겐은 이 지시를 이행한 다음 역사의 뒤안길로 사라졌다.

이렇듯 벤틀러슈트라세의 음모단이 유럽 각지의 장군들과 연락하느라 레머처럼 중책을 맡은 하급장교에게 전혀 유의하지 않는 동안, 괴벨스는 계급이 얼마나 낮든 간에 이 특정한 순간에 가장 중요한 장교와 접촉하고 있었다.

그 접촉은 불가피했는데, 레머가 선전장관을 체포하라는 명령을 받은 터였기 때문이다. 그리하여 소령은 괴벨스를 체포하라는 명령과 자신을 만나러 오라는 괴벨스의 메시지를 동시에 받게 되었다. 레머는 대원 20명과 함께 선전부에 들어가 자신이 몇 분 내에 장관실에서 나오지 않으면 구하러 오라고 지시했다. 그런 다음 레머와 부관은 권총을 꺼내 든 채로 그날 베를린에서 가장 중요한 나치 관료를 체포하기 위해 장관실로 들어갔다.

요제프 괴벨스로 하여금 제3제국에서 출세할 수 있도록 해준 재능 중에는 긴박한 상황에서 상대를 구슬리는 재주가 있었다—그리고 당시는 그의 다사다난한 인생을 통틀어 가장 긴박하고 위태로운 순간이었다. 젊은 소령 앞에서 괴벨스는 최고사령관에게 충성하겠다는 맹세를 상기시켰다. 레머는 히틀러가 죽었다고 딱딱하게 대꾸했다. 괴벨스는 총통이 건재하며 방금 총통과 통화했다고 말했다. 그러고는 입증하려 했다. 전화기를 들어 라스텐부르크의 최고사령관에게 긴급 전화를 걸었다. 베를린 전화국을 점거하거나 적어도 그곳의 전화선을 끊지 않은 음모단의 실책이 다시 한 번 재앙을 불러왔다.* 실제로 1~2분 내에 히틀러가 전화를 받았다. 괴벨스는 재빨리 레머에게 수화기를 넘겨주었다. 통수권자는 자기 목소리를 알아듣겠냐고 소령에게 물었다. 라디오에서 수백 번을 들었는데 독일의 어느 누가 그 허스키한 목소리를 못 알아들었겠는가? 더구나 레머는 몇 주 전에 총통에게서 훈장을 받을 때 그 면전에서 목소리를 직접 들은 적이 있었다. 소령은 곧바로 차려 자세를 취했다고 한다. 히틀러는 레머에게 봉기를 진압하고 괴벨스와 힘러의 지휘만 따르라고 명령했다. 그러면서 방금 힘러를 국내예비군 사령관으로 임명했고 지금 항공편으로 베를린에 가는 중이며, 마침 수도에 있는 헤르만 라이네케Hermann Reinecke 장군에게 수도 내 모든 병력의 지휘를 맡길 것을 명령했다고 말했다. 또한 총통은 당장 소령을 대령으로 진급시켰다.

---

* "전화선을 끊어버릴 생각조차 못한 혁명가들이라니!"라고 괴벨스는 이후에 외쳤다고 한다. "그 정도는 내 막내딸이라도 생각해냈을 거야." (Curt Riess, *Joseph Goebbels: The Devil's Advocate*, p. 280)

레머에게는 이것으로 충분했다. 최고사령관의 명령을 받은 그는 벤틀러슈트라세의 무리에게는 없는 열정으로 명령을 이행했다. 휘하 대대를 빌헬름슈트라세에서 철수시키고, 운터 덴 린덴의 사령부를 점거하고, 순찰대를 보내 시내에서 행군하고 있을지 모르는 다른 부대들을 저지하고, 직접 음모 본부를 찾아 주동자들을 체포하기 위해 나섰다.

바라을 꾀한 장군들과 대령들은 우선 어째서 레머에게 그토록 중차대한 역할을 맡겼을까? 왜 마지막 순간에 음모에 열과 성을 바치는 장교로 교체하지 않았으며 왜 믿을 만한 장교를 경비대대에 보내 레머가 명령에 복종하는지 확인하지 않았을까—이 의문들은 7월 20일의 여러 수수께끼 중 일부다. 그건 그렇다 치고, 베를린에 있는 가장 중요하고 위험한 나치 관료인 괴벨스는 왜 당장 체포하지 않았을까? 선전부는 무방비 상태였으므로 헬도르프 백작의 경찰관 두 명만 보냈더라도 2분 안에 체포할 수 있었을 것이다. 그건 그렇다 치고, 프린츠-알브레히트슈트라세에 자리한 게슈타포 본부를 장악하여 비밀경찰을 진압하고 레버를 포함해 그곳에 감금되어 있는 여러 동료 음모자들을 구하지 않은 이유는 무엇일까? 게슈타포 본부는 사실상 무방비 상태였으며, 보안국과 친위대의 신경중추인 제국보안본부의 본청도 마찬가지였다. 이 두 곳은 누구든 먼저 점거해야 한다고 생각했을 법한 장소였다. 이런 의문들에 답하기란 불가능하다.

레머의 급선회를 벤틀러슈트라세 사령부에서는 한동안 알지 못했다. 베를린에서 벌어지는 사태를 이 사령부에서는 더 이상 돌이킬 수 없을 때에야 알아차렸던 것으로 보인다. 오늘날에도 당시 상황을 확인하기가 어렵다. 무엇보다 목격자들의 진술이 당혹스러운 모순으로 가득하기 때문이다. 수도 외곽 주둔지들에서 온다던 전차와 병력은 어디에 있었던 걸까?

오후 6시 30분 직후, 유럽 전역에서 들을 수 있을 정도로 강력한 송신기를 갖춘 독일방송국에서 짧은 방송을 통해 히틀러를 시해하려는 기도가 있었으나 실패했다고 알렸다. 이 소식은 벤틀러슈트라세에서 우왕좌왕하던 사람들에게 심각한 타격이었을 뿐 아니라, 독일방송국을 점거하기로 되어 있던 분견대가 실패했다는 경보였다. 괴벨스는 레머가 오기를 기다리는 동안 전화로 방송국에 발표문을 알려줄 수 있었다. 6시 45분, 슈타우펜베르크는 텔레프린터로 육군 사령관들에게 신호를 보내 라디오 방송은 거짓이고 히틀러는 죽었다고 알렸다. 그러나 반란파가 입은 타격은 회복 불능일 정도였다. 이미 친위대와 나치당 지도부 체포에 나섰던 프라하와 빈의 사령관들은 조치를 철회하기 시작했다. 그 후 8시 20분, 카이텔이 총통 본부에서 육군 텔레프린터를 사용해 모든 육군 사령부에 메시지를 보내 힘러가 국내예비군 사령관에 임명되었다고 알리고 "힘러와 나의 명령에만 복종하라"고 지시했다. 그리고 "프롬이나 비츨레벤, 회프너가 내리는 명령은 일체 무효다"라고 덧붙였다. 히틀러가 살아 있다는 독일방송국의 발표와 자신의 지휘에만 복종하고 음모단의 지휘에는 복종하지 말라는 카이텔의 간명한 명령은, 앞으로 살펴볼 것처럼, 프랑스에서 음모단과 운명을 같이하려던 찰나의 클루게 원수에게 결정적인 영향을 주었다.*

* 베를린 라디오 방송국을 점거하지 않은 이유에 관한 이야기들은 서로 엇갈린다. 한 이야기에 따르면, 되베리츠 보병학교의 한 부대가 이 임무를 배정받았고 음모에 관여한 이 학교 교장 오토 히츠펠트(Otto Hitzfeld) 장군이 임무를 수행할 예정이었다. 그러나 음모단은 히츠펠트에게 7월 20일이 결행일이라고 통지하지 않았고, 당일 그는 친지 장례식에 참석하느라 바덴에 가 있었다. 학교의 부지휘관 뮐러(Müller) 대령도 군사 임무로 다른 곳에 가 있었다. 오후 8시경 마침내 뮐러가 복귀했을 때 학교의 정예 대대는 야간 훈련을 나간 터였다. 뮐러는 자정에 휘하 병력을 소집했으나 너무 늦은 조치였다. 다른 이야기에 따르면, 야코프(Jacob) 소령이 보병학교 병력으로 라디오 방송국을 포위하는 데 성공했으나 올브리히트로부터 명확한 후속 명령을 받지 못했다. 괴벨스가 전화로

반란파 장교들이 그토록 기대했던 전차마저 도착하지 않았다. 탁월한 기갑부대 장군인 회프너가 전차를 준비할 거라고 생각했던 모양이지만, 그는 그렇게 하지 않았다. 전차를 제공해야 할 크람프니츠 기갑병과 학교의 교장 볼프강 글레제머Wolfgang Glaesemer 대령은 음모단으로부터 전차를 시내로 진입시키고 후속 지시를 받으러 직접 벤틀러슈트라세로 오라는 명령을 받았다. 그러나 이 전차부대 대령은 반나치 군사 폭동에 관여할 마음이 전혀 없었으며, 올브리히트는 애원해도 소용이 없자 대령역시 사령부에 감금했다. 하지만 글레제머는 체포되지 않은 부관에게 지시사항을 귀띔할 수 있었다. 전차부대에 대한 관할권을 가진 베를린 기갑부대 감찰감실에 가서 무슨 일이 벌어졌는지 알리고 감찰감의 지휘에만 복종하도록 조치하라는 지시였다.

이렇게 해서 반란파는 절실히 필요한 전차를 손에 넣지 못했다. 전차몇 대가 시내 중심부 티어가르텐의 전승기념탑에 도착하기는 했지만 말이다. 글레제머 대령은 경비대에 올브리히트의 명령을 받아들여 전차를지휘하기로 결심했다고 말하는 계략으로 감금 상태에서 벗어나 건물을빠져나갔다. 시내의 전차들은 곧 도시 밖으로 철수했다.

음모단은 거사에 동참하지 않으려는 자들을 계획도 없이 정중하게 감금했는데, 그 상태에서 벗어난 장교는 이 전차 대령만이 아니었다—이상황도 반란이 급속히 종결되는 데 일조했다.

방송국에 첫 발표문을 알린 뒤 야코프는 그 방송을 방해하지 않았다. 훗날 소령은 만약 올브리히트가 필요한 명령을 내렸다면 독일방송에서 나치의 접근을 손쉽게 차단하고 음모단을 위해 방송국을 활용할 수 있었을 것이라고 주장했다. 첫째 이야기는 7월 20일 음모에 관한 가장 권위 있는 독일 역사가인 첼러(*Geist der Freiheit*, pp. 267-268)가 제시했고, 둘째 이야기는 휠러-베넷(*Nemesis*, pp. 654-655n)과 루돌프 잠러(Rudolf Sammler, *Goebbels: The Man Next to Hitler*, p. 138)가 제시했으며 둘 다 야코프 소령이 위의 증언을 했다고 말한다.

오후 8시 직전, 새로운 국방군 총사령관으로서 임무를 맡기 위해 마침 내 제복 차림으로 원수장을 흔들며 도착한 비츨레벤 원수는 반란이 실패 했음을 단번에 알아챘던 모양이다. 비츨레벤은 거사를 망쳤다며 베크와 슈타우펜베르크에게 호통을 쳤다. 재판에서 비츨레벤은 방송국조차 점 거하지 않았음을 알고서 반란 시도의 불발을 확신했다고 말했다. 그러 나 원수로서의 권위로 베를린과 국외의 사령관들을 더 규합할 수 있었 을 만한 때에 그는 아무런 도움도 주지 않았다. 벤틀러슈트라세의 건물 로 들어선 지 45분 후에 그곳에서—아울러 확실히 실패한 듯한 음모에 서—빠져나간 그는 메르세데스 차량을 타고 그 결정적인 날에 7시간을 허비한 초센으로 돌아가 바그너 병참감에게 반란이 실패했다고 말한 뒤 다시 50킬로미터를 달려 시골 자택으로 갔고, 이튿날 그곳에서 리네르 츠Linnertz라는 동료 장군에게 체포되었다.

이제 음모의 최종막이 오를 참이었다.

오후 9시 직후, 좌절한 음모단은 총통이 늦은 밤에 독일 국민에게 직 접 방송할 것이라는 독일방송국의 발표를 듣고서 말문이 턱 막혔다. 몇 분 후, 레머 소령—이제 대령—에게 운명적인 용무를 맡겼던 베를린 방 위군 사령관 하제 장군이 체포되었고, 친위대의 지지를 받는 나치 장군 라이네케가 베를린 내 모든 병력에 대한 지휘권을 넘겨받았으며 이제는 벤틀러슈트라세 기습을 준비 중이라는 소식이 전해졌다.

마침내 친위대도 결집했는데, 무엇보다 산꼭대기에 감금된 무솔리니 를 구출할 때 용맹을 떨쳤던 친위대의 거친 지도자 오토 슈코르체니 덕 분이었다. 그날 무슨 일이 벌어질지 몰랐던 슈코르체니는 오후 6시에 빈 으로 가는 야간 급행열차에 올랐지만, 열차가 교외 리히터펠데에 멈췄을 때 보안국의 2인자인 친위대 셸렌베르크 장군의 연락을 받고서 베를린으로 돌아갔다. 슈코르체니가 도착했을 때 보안국 본부는 경비도 없고 그야말로 히스테리 상태였지만, 냉혈한인 데다 훌륭한 조직가인 그는 신속히 무장 부대들을 소집하여 행동에 돌입했다. 히틀러에게 계속 충성하도록 기갑병과 학교의 편제부대들을 처음 설득한 사람도 그였다.

라스텐부르크의 정력적인 대응 조치, 레머를 설득하고 라디오를 활용하겠다는 괴벨스의 기민한 판단, 베를린 친위대의 집결, 벤틀레슈트라세 반란파의 믿기 어려운 혼란과 무대책 등으로 인해 음모단과 한배를 타려던 찰나의, 혹은 이미 한배를 탄 상당수 장교들이 마음을 고쳐먹었다. 그중에는 체포된 코르츠플라이슈의 참모장 오토 헤르푸르트Otto Herfurth 장군도 있었는데, 처음에는 벤틀러슈트라세 측과 협력하며 병력을 집결하려 했지만 돌아가는 상황을 보고는 변절하여 오후 9시 30분에 히틀러 본부로 전화를 걸어 자신이 군사 반란을 진압하는 중이라고 말했다.*

반란에 가담하기를 거부하여 처음부터 음모단을 위험에 빠뜨리고 그 결과로 체포된 프롬 장군은 이제 기운을 냈다. 부관의 집무실에 감금된지 4시간이 지난 오후 8시경, 프롬은 아래층에 있는 자신의 방으로 가도록 해달라고 요청했다. 장교로서 명예를 걸고 탈출하거나 외부와의 연락을 시도하지 않겠다고 약속했다. 회프너 장군은 그 요청을 들어주었을 뿐 아니라 프롬이 배고프고 갈증이 난다고 불평하자 샌드위치와 포도주 한 병을 넣어주기까지 했다. 그보다 조금 전에는 프롬 참모진의 세 장군이 도착해 반란 가담을 거부하고 상관에게 데려가달라고 요구한 터였다. 무슨 영문인지 그들은 비록 체포되긴 했지만 프롬의 방으로 들어갈 수

---

* 헤르푸르트는 음모단을 배반했음에도 공모 혐의로 체포되어 교수형에 처해졌다.

있었다. 그들이 도착하자마자 프롬은 평소 잘 쓰지 않는 뒤쪽 출구를 통해 빠져나갈 수 있다고 알려주었다. 회프너에게 한 약속을 어기고서 프롬은 세 장군에게 구조대를 꾸리고 이 건물을 기습하여 자신을 구출하고 반란을 진압하라고 명령했다. 세 장군은 들키지 않고 빠져나갔다.

올브리히트의 참모진 가운데 반란에 동조했거나 반란이 어떻게 흘러가는지 보려고 벤틀러슈트라세에서 대기하던 일군의 하급장교들은 벌써 실패를 예감하고 있었다. 또한 훗날 한 장교가 말했듯이, 그들은 반란이 실패하고 자신들이 제때 변절하지 않을 경우 모두 반역자로서 처형당할 운명임을 깨닫기 시작했다. 그들 중 전 경찰관이자 확고한 나치인 프란츠 헤르버Franz Herber라는 중령이 사전에 슈판다우 무기고에서 톰슨 기관단총 몇 정과 탄약을 가져와 2층에 숨겨둔 터였다. 10시 30분경, 이 장교들은 올브리히트를 찾아가 장군과 동료들이 반란 성공을 위해 어떤 노력을 하고 있는지 정확히 알려달라고 요구했다. 장군이 대답하자 그들은 언쟁 없이 물러갔다.

20분 후 돌아온 그들—6~8명이었고 헤르버 중령과 보도 폰 데어 하이데Bodo von der Heyde 중령이 이끌었다—은 무기를 휘두르며 올브리히트에게 추가 설명을 요구했다. 슈타우펜베르크는 무슨 소란인지 확인하러 들어왔다가 붙잡혔다. 탈출하고자 문 밖으로 뛰쳐나가 복도를 달리던 그는 하나밖에 없는 팔에 총을 맞았다. 이 반란 반대파는 비록 슈타우펜베르크 말고는 아무도 맞히지 못한 것으로 보이긴 하지만 총을 난사하기 시작했다. 그런 다음 음모의 본부인 부속 건물로 쳐들어가 음모단을 일망타진했다. 그들은 베크, 회프너, 올브리히트, 슈타우펜베르크, 헤프텐, 메르츠를 프롬의 빈 집무실로 몰아넣었고, 잠시 후 프롬이 권총을 휘두르며 나타났다.

"자, 여러분, 이제 내게 했던 짓을 그대로 갚아드리지" 하고 프롬은 말했다. 하지만 그 말대로 하지는 않았다.

"무기를 내려놓게"라고 명령하고는 자신을 감금했던 자들에게 이제 체포되었다고 통보했다.

"그대의 옛 부대장인 나에게까지 그런 요구는 하지 않겠지"라고 베크가 조용히 말하며 권총으로 손을 뻗었다. "이 불운한 상황을 나 스스로 끝내겠네."

"그렇다면 총구를 자신에게 겨누시오"라고 프롬이 경고했다.

이 뛰어나고 교양 있는 전 참모총장은 기묘한 행동력 결핍 때문에 인생 최대의 고비에서 결국 몰락하고 말았다. 그 결핍은 생의 마지막 순간에도 여지없이 드러났다.

"이 순간 옛 시절이 떠오르네…" 하고 베크가 입을 열기 시작했지만 프롬이 가로막았다.

"지금 그런 얘기 듣고 싶지 않소. 그만 말하고 뭐든 하시오."

베크는 행동했다. 방아쇠를 당겼지만 총알이 머리를 살짝 긁는 데 그쳤다. 그는 피를 조금 흘리며 의자에 풀썩 주저앉았다.

"노장군을 거들게"라고 프롬이 두 청년 장교에게 지시했고 그들이 권총을 낚아채려 하자 베크가 거부하며 다시 기회를 달라고 했다. 프롬은 고개를 끄덕여 동의했다.

그런 다음 나머지 음모자들을 돌아보았다. "그리고 여러분, 편지를 쓰겠다고 하면 시간을 몇 분 더 주겠소." 올브리히트와 회프너는 종이와 펜을 부탁하고 자리에 앉아 각자 아내에게 작별 편지를 짧게 썼다. 슈타우펜베르크, 메르츠, 헤프텐 등은 묵묵히 서 있었다. 프롬은 집무실에서 나갔다.

프롬은 음모단을 제거하고 그들의 흔적을 지울 뿐 아니라—비록 음모에 적극 관여하기를 거부했지만 지난 몇 달 동안 음모를 알고서 암살자들을 숨겨주고 그들의 계획을 보고하지 않았기 때문이다—반란을 진압한 주역으로서 히틀러의 환심까지 사기로 금세 마음먹었다. 나치 폭력배들의 세계에서는 너무 늦은 결심이었지만 프롬은 그것을 알지 못했다.

5분 후에 돌아간 그는 "총통의 이름으로" "군사재판"을 요청했고(그가 요청했다는 증거는 없다) 네 장교에게 사형이 선고되었다고 알렸다. "참모장 메르츠 대령, 올브리히트 장군, 이제 나로서는 이름을 모르는 이 대령[슈타우펜베르크], 그리고 이 중위[헤프텐]."

두 장군 올브리히트와 회프너는 아직도 아내에게 보내는 편지를 갈겨쓰고 있었다. 베크 장군은 총알에 긁혀 얼굴이 피범벅이 된 채로 의자에 늘어져 있었다. 사형을 '선고받은' 네 장교는 말없이 장대처럼 서 있었다.

"자, 여러분" 하고 프롬이 올브리히트와 회프너에게 말했다. "준비됐소? 다른 사람들을 너무 힘들게 하지 않으려면 서두르라고 요구하는 수밖에 없소."

회프너는 편지를 다 써서 탁자에 올려놓았다. 올브리히트는 봉투를 달라고 해 편지를 집어넣고 봉했다. 의식을 되찾기 시작한 베크는 다시 권총을 달라고 했다. 외팔에 총상을 입어 소매가 피로 물든 슈타우펜베르크와 '유죄 선고를 받은' 세 동료는 밖으로 끌려나갔다. 프롬은 회프너에게 따라오라고 했다.

아래의 중정에서 군용차의 등화관제용 덮개가 씌워진 전조등이 희미하게 앞쪽을 비추는 가운데 네 장교는 총살대에 의해 금세 처리되었다.

목격자들은 폭격 위험―그해 여름 거의 매일 밤마다 영국 항공기들이 베를린 상공에 나타났다―때문에 마음이 급한 경비대 등이 꽤나 소란을 피우고 소리를 질렀다고 전한다. 슈타우펜베르크는 "거룩한 독일 만세!"라고 울부짖으며 죽었다.[32]

그동안 프롬은 회프너 장군에게 한 가지 선택지를 주었다. 3주 후, 회프너는 교수대가 어른거리는 인민재판소에서 그 선택지에 대해 말했다.

"[프롬이 말함] 음, 회프너, 이번 일로 정말 마음이 아프군. 그대도 알다시피 우리는 좋은 친구이자 동료였네. 그대는 이번 일에 엮였으니 그 결과를 받아들여야 하네. 베크와 똑같은 길을 걷겠나? 그게 아니라면 지금 그대를 체포해야 하네."

회프너는 "그렇게 죄를 졌다고 느끼지 않"고 자신의 행위를 "정당화"할 수 있을 것으로 생각한다고 대답했다.

프롬은 "이해하네"라고 말하며 회프너와 악수를 했다. 회프너는 모아비트의 군 형무소로 연행되었다.

회프너는 끌려가는 동안 옆방에서 문을 통해 흘러나오는 베크의 지친 목소리를 들었다. "이번에 되지 않으면 부디 나를 도와주게." 권총 발사 소리가 들렸다. 베크의 두 번째 자살 시도도 실패했다. 프롬은 문틈으로 고개를 내밀고서 어느 장교에게 "노장군을 거들게"라고 다시 한 번 말했다. 이 이름 모를 장교는 최후의 일격을 거부하고 한 부사관에게 떠넘겼고, 그 부사관은 두 번째 상처로 의식을 잃은 베크를 방 밖으로 끌어내 목덜미에 한 방을 쏴서 마무리했다.[33]

이제 자정이 조금 지난 시각이었다. 제3제국에서 11년하고 반년 만에 진지하게 결행했던 유일한 반히틀러 반란은 11시간 30분 만에 사그라졌다. 무장한 친위대원들을 거느리고서 벤틀러슈트라세에 도착한 슈코르체니는 더 이상의 처형을 금하고—경찰관으로서 그는 고문을 가해 음모의 **범위**에 관한 귀중한 증언을 얻어낼 수 있는 자들을 죽여서는 안 된다는 것 정도는 알고 있었다—나머지 음모단에 수갑을 채워 프린츠-알브레히트슈트라세에 있는 게슈타포 형무소로 보내고, 수사관들을 투입해 음모단이 미처 파기하지 못한, 유죄를 입증할 문서를 수집하도록 했다. 조금 전 베를린에 도착해 이제 레머의 경비대대 일부의 보호를 받는 괴벨스의 선전부에 임시 본부를 세운 힘러는 히틀러에게 전화해 반란을 진압했다고 보고했다. 동프로이센에서는 총통이 한참 전에 예고한 방송, 독일방송국에서 오후 9시부터 몇 분 간격으로 계속 약속해온 방송을 할 수 있도록 라디오 중계차가 쾨니히스베르크에서 라스텐부르크로 질주하고 있었다.

오전 1시 직전, 아돌프 히틀러의 쉰 목소리가 여름밤의 공기 속으로 터져나왔다.

독일 동지들이여!

내가 오늘 여러분에게 말하는 까닭은 첫째로 내 목소리를 들려주어 내가 다치지 않고 무사하다는 것을 알리기 위함이요, 둘째로 독일 역사상 유례가 없는 범죄를 알리기 위함이다.

야심차고 무책임한 동시에 무분별하고 어리석은 극소수 장교 일당이 나와 더불어 국방군 최고사령부 참모진을 제거하려는 음모를 꾸몄다.

슈타우펜베르크 백작 대령이 설치한 폭탄이 나의 우측 2미터 지점에서 폭발했다. 나의 진실하고 충직한 동료 여러 명이 중상을 입었고 한 명은 사망했다. 나는 몇 군데 작은 찰과상과 멍, 화상을 입은 것을 제외하고는 전혀 다치지 않았다. 나는 이 사실이 나의 임무가 신의 섭리에 의해 부여된 것임을 확인해준다고 생각한다. …

이 찬탈자 일당은 극소수이며 독일 국방군의 정신, 무엇보다 독일 국민과는 아무런 공통점도 없다. 무자비하게 말살해야 할 범죄자 패거리다.

그러므로 지금 나는 어떠한 군 당국도 … 이 찬탈자 패거리의 명령에 복종하지 말 것을 명령한다. 또한 그런 명령을 내리거나 수행하는 자는 누구든 체포하고 혹여 저항할 경우 곧장 사살하는 것이 모두의 의무라고 명령한다. …

이번에 우리는 국가사회주의자인 우리에게 익숙한 방식으로 그들을 처단할 것이다.

유혈 복수

———

이번에도 히틀러는 자기 말을 지켰다.

독일 동포에 대한 나치의 만행은 그 절정에 이르렀다. 체포 광풍에 뒤이어 섬뜩한 고문, 약식 재판, 사형이 진행되었다. 대다수 희생자는 정육점과 도축장에서 빌려온 갈고리에 걸린 피아노 줄에 매달려 서서히 목이 졸렸다. 또 용의자의 친척과 친구 수천 명이 붙잡혀 강제수용소로 보내졌고, 그중 다수가 사망했다. 몸을 숨기려는 자들에게 피신처를 제공한 용감한 소수는 즉결 처분을 당했다.

거대한 분노와 억누를 수 없는 복수심에 휩싸인 히틀러는 감히 자신을 없애려는 음모를 꾸민 자들을 최후의 한 명까지 체포하기 위해 더욱 분발하라며 힘러와 칼텐브루너를 닦달했다. 그리고 그들을 처단하는 절차를 직접 정했다.

라스텐부르크에서 폭발 이후 열린 초기 회의에서 히틀러는 호통을 쳤다. "이번 범죄자들은 지체 없이 처단한다. 군사재판은 없다. 그들을 인민재판소에 세운다. 그들에게 길게 말할 시간을 주지 않는다. 재판부는 전광석화의 속도로 판결한다. 그리고 선고 2시간 후에 집행한다. 교수형으로, 자비 없이."[34]

상부의 이 지시를 인민재판소장 롤란트 프라이슬러는 문자 그대로 이행했다. 비열한 독설가 프라이슬러는 1차대전 시기 러시아에서 전쟁포로로 잡혀 광적인 볼셰비키가 되었고, 1924년 똑같이 광적인 나치가 된이후에도 여전히 소비에트식 테러를 예찬하고 그 방법을 열심히 연구한인물이었다. 특히 1930년대에 '구 볼셰비키들'과 대다수 주요 장군들을 '반역' 혐의로 유죄 판결하고 숙청한 모스크바 재판의 수석 검사였던 안드레이 비신스키의 수법을 연구했다. "프라이슬러는 우리의 비신스키다"라고 히틀러는 방금 언급한 회의에서 힘주어 말했다.

7월 20일의 음모 가담자들에 대한 인민재판소의 첫 재판은 8월 7일과 8일 베를린에서 열렸다. 비츨레벤 원수, 회프너 장군, 슈티프 장군, 하제장군, 그리고 자신들의 우상인 슈타우펜베르크와 긴밀하게 협력한 하급장교 하겐, 클라우징Klausing, 베르나르디스Bernardis, 페터 위오르크 폰 바르텐부르크 백작이 피고석에 앉았다. 그들은 벌써 꼴이 말이 아니었는데, 게슈타포 지하실에서 학대를 당한 데다 괴벨스가 재판의 매 순간을촬영해 영화로 편집하여 장병과 민간인에게 본보기—아울러 경고—로보여줄 요량으로 사전에 최대한 초라한 행색으로 만들었기 때문이다. 법정에 들어설 때 그들은 특징 없는 외투와 스웨터 차림이었고, 칼라와넥타이 없이 수염을 깎지 않은 몰골이었으며, 바지를 잡아줄 멜빵과 벨트마저 없었다. 특히 한때 자신만만했던 비슬레벤 원수는 치아가 없어 쇠약한 노인처럼 보였다. 틀니를 빼고 피고석에 선 원수는 악랄한 재판장이 사정없이 들볶는 동안 바지가 흘러내리지 않도록 붙들고 있어야 했다.

"이 더러운 노친네, 왜 자꾸 바지를 만지작거리는 건가?" 하고 프라이슬러가 소리쳤다.

그러나 피고인들은 자신들의 운명이 이미 정해졌음을 알면서도, 프라이슬러가 그들의 품위과 위신을 떨어뜨리려 부단히 노력함에도 불구하고, 의연하고 용감하게 행동했다. 슈타우펜베르크의 사촌인 젊은 페터 위오르크가 가장 용감했을 텐데, 무척 모욕적인 질문에도 침착하게 답변했고 국가사회주의에 대한 경멸감을 결코 숨기려 하지 않았다.

"왜 입당하지 않았나?" 하고 프라이슬러가 물었다.

"나는 나치가 아니고 결코 나치일 수 없기 때문이오" 하고 백작이 대답했다.

이 답변의 충격을 떨쳐낸 프라이슬러가 다시 추궁하자 위오르크는 설명하려 했다. "재판장, 이미 심문받을 때 그런 나치 이데올로기에 나는—"

재판장이 말을 잘랐다. "—동의할 수 없다. … 당신은 국가사회주의 정의관에, 이를테면 유대인 근절에 동의하지 않는다는 건가?"

"중요한 것, 이 모든 질문을 하나로 묶는 것은 개인에게 신에 대한 도덕적·종교적 의무를 포기하도록 강요하는 국가의 전체주의적 요구요"라고 위오르크가 답변했다.

"헛소리!" 프라이슬러가 고함을 치며 위오르크의 입을 틀어막았다. 그런 발언은 괴벨스 박사의 영화를 망치고 "그들에게 길게 말할 시간을 주지 않는다"라고 명했던 총통의 분노를 살 수 있었다.

피고 측 국선변호인들은 가관이었다. 공판 기록을 읽노라면 그들이 얼마나 비굴하게 임했는지 믿기 어려울 지경이다. 예컨대 비츨레벤의 변호를 맡은 바이스만Weissmann이라는 박사는 검사 이상으로, 거의 프라이슬러에 버금갈 정도로 자기 의뢰인을 완전 유죄이며 극형을 받아 마땅한 "살인범"으로 매도했다.

그 형벌은 8월 8일 재판이 끝나자마자 부과되었다. "그들 모두 짐승처럼 목을 매달아야 한다"라고 히틀러가 명령했고, 이 명령대로 집행되었다. 플뢰첸제 감옥에서 사형수 8명은 천장에 고기 갈고리가 걸려 있는 작은 방으로 끌려 들어갔다. 한 명씩 차례로 허리까지 탈의한 뒤 갈고리에 묶은 피아노 줄에 목이 졸렸다. 그들이 공중에 매달려 숨통이 조이고 결국 벨트 없는 바지가 떨어져 죽음의 고통 속에서 나체가 되는 동안 촬영 카메라가 그 광경을 찍었다.[35] 그날 저녁, 히틀러의 지시대로 그가 볼 수 있도록 재판 광경을 찍은 사진뿐 아니라 영상 필름까지 총통에게 곧장 가져갔다. 괴벨스는 실신하지 않으려고 양손으로 눈을 가렸다고 한다.*[36]

그해 여름과 가을, 겨울을 지나 1945년 새해 들어서까지 무시무시한 인민재판소는 쉼 없이 죽음의 공판을 처리하고 사형 선고를 남발했다. 그러다 결국 1945년 2월 3일 오전, 슐라브렌도르프가 막 법정으로 들어서던 순간 미군의 폭탄이 재판소를 직격하여 프라이슬러의 목숨을 앗아가고 아직 살아 있던 피고들 대다수의 기록을 파괴했다. 그 덕에 슐라브

---

* 이 재판 필름은 연합국이 발견했지만(나는 뉘른베르크에서 상영할 때 처음 보았다) 처형 장면을 담은 필름은 끝내 발견되지 않았다. 아마도 적의 손에 들어가지 않도록 히틀러의 명령에 따라 파기했을 것이다. 앨런 덜레스에 따르면 두 필름—본래 48킬로미터였던 것을 13킬로미터로 줄였다—을 괴벨스가 합쳐서 일종의 교훈이자 경고로서 일부 육군 관객들에게 보여주었다. 하지만 군인들은 관람을 거부했고—리히터펠데의 사관학교에서 필름을 틀자마자 나가버렸다—이 필름은 오래지 않아 더 이상 상영되지 않게 되었다. (Dulles, *Germany's Underground*, p. 83)

렌도르프는 기적처럼 목숨을 부지했고—음모단 가운데 운명이 미소를
지어준 극소수 중 한 명이었다—마침내 티롤에서 미군의 도움으로 게슈
타포의 손아귀에서 벗어났다.

나머지 음모단의 운명도 밝혀두어야겠다.

새 정권의 총리로 내정되었던 괴르델러는 게슈타포가 체포 명령을 내
렸다는 경고를 듣고서 7월 20일의 사흘 전에 몸을 숨겼다. 그는 3주 동
안 베를린, 포츠담, 동프로이센을 돌아다니며 여간해서는 한 장소에서
이틀 밤을 보내지 않았다. 그래도 매번 친구나 친척이 은신처를 제공해
주었다. 그것은 목숨을 건 도움이었는데, 당시 히틀러가 그에게 건 현상
금이 100만 마르크였기 때문이다. 8월 12일 아침, 동프로이센에서 며칠
밤낮을 걸어서 배회하느라 지치고 굶주린 그는 마린베르더 부근의 마을
콘라츠발데에 있는 작은 여관에 투숙했다. 아침식사를 기다리는 동안 공
군의 여군 군복 차림의 한 여자가 자신을 유심히 지켜보는 것을 알아챈
그는 음식이 나오기 전에 빠져나가 근처 숲으로 피신했다. 하지만 너무
늦었다. 괴르델러 가족의 오랜 지인이라서 그를 쉽게 알아본 그 여자 헬
레네 슈베르첼Helene Schwaerzel은 곧바로 함께 앉아 있던 공군 남성 두 명
에게 일러바쳤다. 괴르델러는 금세 숲에서 체포되었다.

괴르델러는 1944년 9월 8일 인민재판소에서 사형을 선고받았지만,
포피츠와 함께 이듬해 2월 2일에야 처형되었다.* 힘러가 교수형을 미룬
것은 만약에 자신이 침몰 중인 국가의 원수직을 넘겨받을 경우—이 무

---

* 크라이자우 서클의 예수회 수사 알프레트 델프(Alfred Delp) 신부도 함께 처형되었다. 괴르델
러의 동생 프리츠(Fritz)도 며칠 후 교수형을 당했다. 크라이자우 서클의 지도자 몰트케 백작은 암살
음모에 관여하지 않았음에도 1945년 1월 23일 처형되었다. 이 서클과 음모의 주요 인물인 트로트
추 졸츠는 1944년 8월 25일 교수형에 처해졌다.

럽 그가 떠올리기 시작한 전망―스웨덴과 스위스를 통해 서방 연합국과 접촉한 두 사람, 특히 괴르델러가 도움이 될지도 모른다고 생각했기 때문이다.[37]

전 모스크바 대사 프리드리히 베르너 폰 슐렌부르크 백작과 전 로마 대사 하셀, 새로운 반나치 정권에서 외교 정책을 책임지기로 했던 두 사람은 각각 11월 10일과 9월 8일에 처형되었다. 프리츠 폰 데어 슐렌부르크 백작은 8월 10일 교수대에서 숨을 거두었다. 앞서 7월 20일 라스텐부르크에서 어떤 역할을 했는지 살펴본 OKW 통신본부장 펠기벨 장군도 같은 날 처형되었다.

사망자 명부는 길다. 한 전거에 따르면 무려 4980명이다.[38] 게슈타포는 7000명을 체포했다고 기록했다. 이 책에서 언급한 저항운동 지도부 가운데 처형된 이들로는 프리츠 린데만 장군, 뵈젤라거 중령, 디트리히 본회퍼 목사, 방첩국의 게오르크 한젠 대령, 헬도르프 백작, 호파커 중령, 옌스 페터 예센 박사, 오토 키프, 카를 랑벤Carl Langbehn 박사, 율리우스 레버, 레온로트 소령, 빌헬름 로이슈너, 아르투어 네베(베를린 형사경찰 수장), 아돌프 라이히바인 교수, 클라우스의 형 베르톨트 폰 슈타우펜베르크 백작, OKH 주임 통신장교 틸레 장군, 그리고 반란 당일 베크가 코르츠플라이슈 장군의 후임자로 임명한 튕겐 장군 등이 있었다.

힘러가 자신이 집권해 강화협정을 맺어야 할 경우 유용할지도 모른다고 생각해 살려둔 듯한 사형수 20명은 소련군이 수도 중심부로 진격하기 시작한 4월 22일에서 23일에 걸친 밤에 즉각 사살되었다. 이 죄수들은 레르터슈트라세 형무소에서 프린츠-알브레히트슈트라세의 게슈타포 지하 감옥으로 끌려가던 도중―제3제국의 마지막 나날에 상당수 죄수들이 이런 경우에 때때로 등화관제를 틈타 달아났다―맞닥뜨린 친위대 분견대의 지시로 벽에 일렬로 늘어서 총살을 당했으며, 단 두 명만이 달아나 이 사연을 전했다. 이때 목숨을 잃은 이들로는 알브레히트 폰 베른슈토르프 백작, 디트리히 목사의 형인 클라우스 본회퍼Klaus Bonhoeffer, 헤스의 친구이자 유명한 지정학자의 아들인 알브레히트 하우스호퍼Albrecht Haushofer 등이 있었다. 알브레히트의 아버지 카를 하우스호퍼는 얼마 후 자살했다.

프롬 장군은 운명적인 7월 20일 밤의 행동에도 불구하고 처형을 면하지 못했다. 국내예비군 사령관 자리를 빼앗은 힘러의 지시로 이튿날 체포된 프롬은 1945년 2월 인민재판소에 불려가 '비겁함'이라는 죄목으로 사형을 선고받았다.* 아마도 나치 정권을 구하는 데 긴요한 일조를 했음을 작게나마 인정받았기 때문인지 그는 7월 20일 밤에 체포한 사람들처럼 고기 갈고리에 목이 졸리지 않고 1945년 3월 19일 그저 총살대에 의해 처형되었다.

카나리스 제독, 음모단을 힘껏 도왔으나 7월 20일 사태에 직접 관여하지 않은, 해임된 방첩국장의 생애를 둘러싼 수수께끼는 오랫동안 그의 죽음까지도 에워쌌다. 히틀러 암살 시도 이후 카나리스가 체포된 사실은 알려져 있었다. 그런데 OKW에 재임할 때 좀처럼 보여준 적 없는 품위를 드러낸 카이텔이 카나리스가 인민재판소로 넘어가는 것을 어렵사리 막아냈다. 그러자 일처리 지연에 화가 난 총통은 카나리스를 친위대 즉결심판소에 넘기라고 지시했다. 이 절차도 지연되었지만, 카나리스는 전 부관 오스터 대령 및 다른 네 사람과 함께 결국 전쟁 종결이 채 한 달

---

* 프린츠-알브레히트슈트라세에서 프롬과 한동안 함께 지낸 슐라브렌도르프는 훗날 "그 선고에 프롬은 낙담했다. 그는 사형을 예상하지 못했다"라고 술회했다. (Schlabrendorff, *They Almost Killed Hitler*, p. 121)

도 남지 않은 1945년 4월 9일 플로센뷔르크 강제수용소에서 재판을 받고 사형을 선고받았다. 하지만 카나리스의 처형 여부는 확실하게 알려지지 않았다. 수수께끼가 풀리기까지 10년이 걸렸다. 1955년 해당 사건의 게슈타포 검사가 재판에 회부되었고 다수의 목격자들이 1945년 4월 9일 교수형을 당하는 카나리스를 보았다고 증언했다. 덴마크인 목격자 룬딩Lunding 대령은 카나리스가 나체로 감방에서 교수대로 끌려가는 모습을 보았다고 말했다. 같은 날 오스터도 처형되었다.

체포된 사람들 중 일부는 재판을 모면한 뒤 결국 진군해온 연합군에 의해 게슈타포의 손아귀에서 구출되었다. 그중 할더 장군과 샤흐트 박사가 있었다. 샤흐트는 7월 20일의 반란에서 아무런 역할도 맡지 않았지만 뉘른베르크 증인석에서 자신이 반란을 "가르쳐주었다"고 주장했다. 할더는 몇 달간 칠흑 같은 독방에 감금되었다. 두 사람과 더불어 슈슈니크와 레옹 블룸, 슐라브렌도르프, 팔켄하우젠 장군 등을 포함하는 독일과 외국의 유명 죄수들은 1945년 5월 4일 남부 티롤의 니더도르프에서 게슈타포 경비대가 그들 모두를 막 처형하려는 찰나에 미군에 의해 구조되었다. 팔켄하우젠은 나중에 벨기에 정부에 의해 전범으로 재판에 회부되었고, 재판을 기다리며 감옥에서 4년을 보낸 뒤 1951년 3월 9일 12년 징역형을 선고받았다. 그렇지만 2주 후 석방되어 독일로 돌아갔다.

음모에 가담한 상당수 장교들은 인민재판소에 넘겨져 모욕을 당하느니 차라리 자살하는 편을 택했다. 7월 21일 아침, 동부전선 장교들 사이에서 음모에 열과 성을 다했던 헤닝 폰 트레스코브 장군은 친구이자 부관인 슐라브렌도르프에게 작별을 고했고, 후자가 훗날 그 고별사를 회고했다.

이제 모두가 우리에게 달려들어 욕을 퍼부을 걸세. 하지만 나의 확신은 흔들리지 않아. 우리는 옳은 일을 했네. 히틀러는 독일만의 숙적이 아니라 전 세계의 숙적일세. 몇 시간 후면 나는 신 앞에 서서 나의 행동과 태만을 책임지고 있을 거야. 히틀러와의 싸움에서 내가 했던 모든 일을 떳떳한 마음으로 옹호할 수 있을 거라 생각하네. …

이 저항운동에 동참한 사람은 누구든 네소스의 겉옷〔그리스 신화에서 유래한 표현으로 반드시 화를 입는다는 뜻으로 쓰인다〕을 입은 셈이야. 한 사람의 가치는 자신의 신념을 위해 목숨을 바칠 각오가 되어 있느냐로 정해진다네.[39]

그날 아침 트레스코브는 제28엽병사단을 향해 차를 몰아 중간지대에 몰래 들어가 수류탄의 핀을 뽑았다. 머리가 날아갔다.

닷새 후 육군 제1병참감 바그너도 스스로 목숨을 끊었다.

서부에서는 고위 장교들 중 원수 두 명과 장군 한 명이 자살했다. 앞에서 언급했듯이 파리에서는 프랑스 군정청장 하인리히 폰 슈튈프나겔 장군이 친위대와 보안국-게슈타포를 일망타진하며 기세 좋게 반란을 개시했다. 이제 트레스코브가 지난 2년간 소련 전선에서 음모에 적극 끌어들이고자 공을 들였던 신임 서부전선 총사령관 클루게 원수의 행동에 모든 것이 달려 있었다. 클루게는 비록 변덕이 죽 끓듯 했지만, 히틀러가 죽었을 경우 반란을 지지한다는 데 마침내 동의했다—혹은 음모단은 그렇게 알아들었다.

7월 20일 저녁, 로멜의 사고 이후 클루게가 사령관을 겸하게 된 B집단군의 사령부로 사용되는 라 로슈-기용에서 운명적인 만찬회가 열렸다. 클루게는 주요 조언자들과 함께 히틀러의 생존 여부에 관한 상반된 보고들을 의논하려 했다. 클루게의 참모장 귄터 블루멘트리트 장군, B집단군의 참모장 슈파이델 장군, 슈튈프나겔 장군, 그리고 슈타우펜베르크가 오후에 전화해 폭발과 베를린 쿠데타에 관해 알려준 호파커 대령이 참석했다. 이 장교들이 식사 자리에 모였을 때 적어도 몇몇은 평소 조심스러운 클루게가 반란과 운명을 같이하기로 거의 마음을 정했다고 보았다. 베크가 식사 직전 클루게에게 전화해 히틀러가 살았든 죽었든 지원해달라고 간청했다. 그때 비츨레벤 원수가 서명한 첫 번째 일반명령이 도착했다. 클루게는 감명받았다.

하지만 클루게는 현 상황에 관한 정보를 더 원했고, 반란파에게는 불운하게도 이번에는 슈티프 장군에게서 정보가 왔다. 슈티프는 당일 아침 슈타우펜베르크와 함께 라스텐부르크로 날아가 거사 성공을 기원하고, 폭발을 지켜보고, 히틀러가 죽지 않았음을 확인한 뒤, 날이 저물자 음모의 흔적을 지우려 애쓰고 있었다. 블루멘트리트가 전화를 걸었고 슈티프는 당일 일어난 일, 아니 정확히 말하면 일어나지 않은 일에 관한 진실을 알려주었다.

"그렇다면 실패로군" 하고 클루게가 블루멘트리트에게 말했다. 클루게는 진심으로 실망했던 듯한데, 만약 성공했다면 지체 없이 아이젠하워에게 연락해 휴전을 요청했을 거라고 부언했기 때문이다.

식사 자리에서―훗날 슈파이델이 회상했듯이 "마치 초상집에 앉아 있는 것처럼" 처량했다―클루게는 설령 히틀러가 살아 있더라도 반란을 강행해야 한다는 슈튈프나겔과 호파커의 열띤 주장을 잠자코 들었다. 그 후의 일을 블루멘트리트가 이렇게 묘사했다.

그들이 말을 마치자 실망한 기색이 역력한 클루게가 말했다. "자, 여러분, 거사는 실패했습니다. 모든 게 끝났습니다." 그러자 슈튈프나겔이 외쳤다.

"원수, 저는 원수가 계획을 잘 안다고 생각했습니다. 무언가를 해야 합니다."⁴⁰

클루게는 계획을 전혀 몰랐다고 했다. 슈튈프나겔에게 체포된 친위대-보안국 사람들을 풀어주라고 지시한 뒤, 클루게는 "이보게, 지금 그대에게 최선은 사복으로 갈아입고 몸을 숨기는 걸세"라고 조언했다.

하지만 그것은 슈튈프나겔처럼 긍지 높은 장군이 택할 길이 아니었다. 파리 라파엘 호텔에서 오베르크 장군 등 풀려난 친위대 및 보안국 장교들과 그들을 체포했던 육군 지도부─반란이 성공했다면 십중팔구 그들을 총살했을 사람들─가 한데 어울려 밤새 기이한 샴페인 파티를 벌인 뒤, 베를린으로 보고하러 오라는 지시를 받은 슈튈프나겔은 차를 타고 독일로 출발했다. 그는 1차대전 때 대대를 지휘했던 베르됭에 이르자 이 유명한 전장을 잠시 둘러보고 싶다며 차를 멈추었다. 하지만 개인적인 결단을 실행하기 위해서이기도 했다. 운전병과 호위병이 권총 소리를 들었다. 슈튈프나겔이 수로에 빠져 허우적대고 있었다. 총알에 안구 하나가 빠지고 다른 안구도 손상이 워낙 심해서 장군을 데려간 베르됭 군병원에서 적출할 수밖에 없었다.

그 지경인데도 슈튈프나겔은 끔찍한 최후를 피하지 못했다. 눈이 멀고 속수무책인 그는 히틀러의 명확한 명령에 따라 베를린으로 이송된 뒤 인민재판소에 끌려가 간이침대에 누운 채로 프라이슬러에게 폭언을 들었고, 8월 30일 플뢰첸제 감옥에서 교수형에 처해졌다.

반란 가담을 거부한 클루게 원수의 결정적인 행동도 베를린에서 비슷하게 행동한 프롬의 경우와 마찬가지로 그를 구해주지 못했다. 이 우유부단한 장군과 관련해 슈파이델은 "운명은 신념이 있어도 그것을 실행하려는 각오가 없는 사람을 구해주지 않는다"라고 말했다. 호파커 대령이 끔찍한 고문을 이기지 못하고—12월 20일까지 처형되지 않았다—클루게, 로멜, 슈파이델의 음모 가담을 실토했다는 증거가 있다. 블루멘트리트가 오베르크로부터 들은 바로는, 첫 심문에서 호파커가 클루게를 "언급"했고 이 사실을 오베르크에게 직접 들은 클루게는 "안색이 점점 어두워지기 시작했다".[41]

전선에서 들려온 소식도 클루게의 기운을 되살리지 못했다.

7월 26일, 브래들리의 미군이 생로에서 독일군 전선을 돌파했다. 나흘 후, 새로 편성된 패튼 장군의 제3군이 전선의 빈틈으로 질주해 아브랑슈에 도달함으로써 브르타뉴와 남쪽의 루아르로 가는 길을 열었다. 이는 연합군의 진격에서 하나의 전환점이 되었으며, 7월 30일 클루게는 히틀러 본부에 "서부전선 전체가 뚫렸다. … 좌측면이 무너졌다"라고 알렸다. 8월 중순, 노르망디의 잔여 독일군은 히틀러가 더 이상의 퇴각을 금한 팔레즈 일대의 좁은 고립지대에 모조리 갇혔다. 당시 총통은 클루게에게 진절머리를 내며 원수가 서부에서 후퇴했다고 비난하고 휘하 병력을 데리고 아이젠하워에게 항복하는 선택지를 고민하는 것은 아닌지 의심했다.

8월 17일, 발터 모델 원수가 도착해 클루게의 자리를 넘겨받았다—모델이 갑자기 나타나고서야 클루게는 비로소 자신이 해임되었음을 알았다. 클루게는 독일 내 행선지를 밝혀두라는 히틀러의 통보를 받았다—그가 7월 20일의 반란과 관련해 용의선상에 올랐다는 경고였다. 이튿날 클루게는 히틀러에게 장문의 편지를 쓴 다음 차편으로 귀국길에 올랐다. 그리고 메스 부근에서 독약을 삼켰다.

총통에게 보내는 클루게의 고별 편지는 압수된 독일군 문서고에서 발견되었다.

이 편지를 받을 때면 나는 이 세상에 없을 겁니다. ⋯ 삶은 더 이상 내게 의미가 없습니다. ⋯ 로멜과 나는 ⋯ 현 국면을 예견했습니다. 우리의 말을 들어주지 않았지만 ⋯.

모든 분야에서 능력을 입증한 모델 원수가 현 상황을 타개할 수 있을지 나는 알지 못합니다. ⋯ 그렇지만 타개하지 못할 경우, 그리고 당신이 소중히 여기는 신형 무기가 성공하지 못할 경우, 총통, 전쟁을 종결하기로 결정해주십시오. 독일 국민이 이루 말할 수 없는 고통을 겪었으니, 이제 이 참상에 종지부를 찍을 때입니다. ⋯

나는 항상 당신의 위대함에 감탄했습니다. ⋯ 운명이 당신의 의지와 천재성보다 더 강하다면, 섭리 역시 그러합니다. ⋯ 이제 필요할 때 가망 없는 싸움을 끝내는 위대한 면모까지 보여주십시오. ⋯

뉘른베르크에서 요들이 증언한 바에 따르면, 히틀러는 이 편지를 조용히 읽고서 아무 말 없이 그에게 넘겨주었다. 며칠 후인 8월 31일 군사회의에서 최고사령관은 이렇게 말했다. "클루게가 자살하지 않았다면 어쨌든 체포되었을 것이라는 유력한 근거가 있다."[42]

그다음은 독일 대중의 우상인 로멜 원수의 차례였다.

슈튈프나겔 장군은 그리 성공적이지 못한 자살 시도 이후 베르됭 군 병원의 수술대에 눈이 멀고 의식이 없는 상태로 누워 있을 때, 불쑥 로멜의 이름을 말했다. 그 후 호파커 대령이 베를린 프린츠-알브레히트슈트라세에 있는 게슈타포의 지하 감옥에서 참혹한 고문을 견디지 못하고 로멜이 음모에서 맡은 역할을 털어놓았다. "베를린 사람들에게 나를 믿어도 된다고 전하게"라고 로멜이 약속한 사실을 실토했다. 이 발언은 히틀러의 뇌리에서 떠나지 않았고, 결국 자신이 총애하는 장군, 자신이 알기로 독일에서 가장 인기 있는 장군을 죽이기로 결정했다.

머리뼈, 관자놀이뼈, 광대뼈를 심하게 다치고, 왼쪽 눈에 중상을 입고, 머리에 포탄 파편이 박힌 로멜은 진격하는 연합군에 붙잡히지 않도록 우선 베르네의 야전병원에서 생제르맹으로 이송된 뒤 8월 8일 울름 인근 헤를링겐의 자택으로 옮겼다. 로멜은 전 참모장 슈파이델 장군이 헤를링겐을 방문한 다음날인 9월 7일 체포되었을 때, 자신이 무슨 봉변을 당할지 처음으로 알게 되었다.

전날 슈파이델과 대화하던 중 히틀러가 거론되자 로멜은 "그 병적인 거짓말쟁이는 이제 완전히 미쳤네. 7월 20일의 음모단에 가학성을 분출하고 있고 그것으로 끝나지 않을 걸세!" 하고 소리쳤다.[43]

로멜은 보안국이 자택을 감시하고 있음을 알아챘다. 아버지를 보살피기 위해 대공부대에서 잠시 휴가를 얻은 15세 아들과 함께 근처 숲으로 산책을 갔을 때, 부자 모두 권총을 소지했다. 라스텐부르크 본부에서는 히틀러가 로멜의 유죄를 입증하는 호파커 증언의 사본을 받은 터였다. 그 증언을 읽은 히틀러는 로멜을 죽이되 특별한 방법으로 없애라고 명했다. 훗날 카이텔이 뉘른베르크에서 심문관에게 설명했듯이, 총통은 "이 유명한 원수, 우리의 가장 인기 있는 장군이 체포되어 인민재판소로 끌려갈 경우 독일에서 끔찍한 스캔들이 될 것"을 알고 있었다. 그래서 히틀러는 카이텔과 상의해 로멜에게 유죄 증거를 알리고 자결하거나 인민재판소에서 반역 혐의로 재판을 받는 양자택일 선택지를 주기로 했다. 그리고 로멜이 자결을 택한다면 군례를 갖추어 국장을 치르고 그의 가족을 괴롭히지 않기로 약속했다.

그리하여 1944년 10월 14일 정오에 두 장군이 히틀러 본부에서 차량에 올라 로멜의 자택으로 출발했다. 이미 친위대 부대에 더해 장갑차 다섯 대가 그 집을 에워싸고 있었다. 두 장군은 알코올 중독자로 얼굴이 불그레하며 히틀러에게 굽실거리기로 카이텔에 버금가는 육군 인사국장 빌헬름 부르크도르프Wilhelm Burgdorf와, 이 상관과 성격이 비슷한 부관 에른스트 마이젤Ernst Maisel이었다. 두 장군은 사전에 로멜에게 그의 "다음 임무"를 의논하기 위해 히틀러의 지시로 찾아간다고 알렸다.

훗날 카이텔은 이렇게 증언했다. "총통의 재촉에 저는 로멜에게 불리한 증언의 사본과 함께 부르크도르프를 그곳으로 보냈습니다. 만약 증언이 사실이라면, 그는 결과를 책임져야 했습니다. 사실이 아니라면, 법정에서 무고함을 밝혀야 했습니다."

"그런데 당신은 부르크도르프에게 독약을 조금 가져가라고 지시하지 않았습니까?" 카이텔이 질문을 받았다.

"그렇습니다. 부르크도르프에게 정당한 사유가 있으면 로멜이 사용할 수 있도록 독약을 조금 가져가라고 말했습니다."

부르크도르프와 마이젤이 도착하자마자 확실해졌듯이, 그들은 로멜의 다음 임무를 의논하러 찾아온 게 아니었다. 그들은 원수와 따로 이야기하고 싶다고 말하고는 로멜의 서재로 들어갔다.

훗날 만프레트 로멜Manfred Rommel은 말했다. "몇 분 후 나는 아버지가 위층으로 올라와 어머니 방으로 들어가는 소리를 들었다." 그런 다음

우리는 내 방으로 갔다. "방금 어머니에게 말했는데" 하며 아버지가 천천히 입을 열었다. "나는 15분 후에 죽을 거다. … 히틀러가 내게 대역죄 혐의를 씌우고 있다. 아프리카에서의 전공을 고려해서 독약으로 죽는 선택지를 준다는구나. 두 장군이 독약을 가져왔다. 3초면 죽는다. 내가 받아들이면,

우리 가족을 상대로 통상적인 절차를 취하지 않을 거다. … 내 경우에는 국장을 치른다고 한다. 벌써 세세하게 준비했다는구나. 15분 후에 울름 병원에서 전화가 와서 내가 회의하러 가는 길에 뇌 발작을 일으켰다고 알려 줄 거다."

실제로 이 말대로 되었다.

로멜은 옛 아프리카 군단의 가죽재킷을 걸치고 원수장을 쥐고서 두 장군과 함께 차에 올라 숲 언저리의 도로를 몇 킬로미터 달리다 멈추었다. 마이젤 장군과 친위대원 운전사는 내리고 로멜과 부르크도르프 장군은 뒷좌석에 남았다. 1분 후 두 사람이 차로 돌아왔을 때 로멜은 좌석에 축 늘어져 죽어 있었다. 부르크도르프는 마치 점심식사와 대낮 음주가 늦어질까 걱정하는 사람처럼 초조하게 이리저리 걷고 있었다. 남편에게 작별을 고한 지 15분 후, 로멜 부인은 예상대로 병원에서 걸려온 전화를 받았다. 주임 의사는 뇌색전증으로 사망한 원수의 시신을 두 장군이 실어왔다며 과거 머리뼈 골절의 결과로 보인다고 말했다. 실은 부르크도르프가 검시를 험악하게 막은 터였다. "시체에 손대지 마시오"라고 윽박질렀다. "베를린에서 벌써 다 준비했소."

과연 그랬다.

모델 원수는 당일 로멜이 "7월 17일 입은 부상"으로 사망했음을 공표하고 "우리나라의 가장 위대한 사령관 중 한 명"을 잃었다고 애도했다.

히틀러는 로멜 부인에게 조전을 보냈다. "부군의 서거로 부인께서 느끼는 커다란 상실감에 진심으로 조의를 표합니다. 로멜 원수의 이름은 북아프리카에서의 영웅적인 전투와 영원히 함께할 것입니다." 괴링은 "말로 다할 수 없는 연민"을 담아 조전을 쳤다.

부군이 독일 국민 곁에 남아 있기를 우리 모두 바랐건만 부상으로 영웅의 죽음을 맞았다는 사실에 저는 깊이 감동했습니다.

히틀러는 국장을 지시했고, 독일 육군의 선임 장교 룬트슈테트 원수가 국장에서 추도 연설을 했다. 스와스티카로 장식한 로멜의 관 옆에 서서 룬트슈테트는 "그의 심장은 총통과 함께했습니다"라고 말했다.*

슈파이델은 이렇게 말한다. "그 늙은 군인[룬트슈테트]은 참석자들이 보기에 망가지고 당황한 모습이었다. … 그때 운명은 그에게 마르쿠스 안토니우스의 역할을 맡을 독특한 기회를 주었다. 그는 도덕적 무관심 상태에 머물렀다."**[44]

---

* 공정을 기하기 위해 덧붙이자면, 룬트슈테트는 아마도 로멜의 사망 경위를 알지 못했을 것이고, 뉘른베르크에서 카이텔의 증언을 듣고서야 비로소 알았던 것으로 보인다. 룬트슈테트는 증인석에서 이렇게 증언했다. "저는 이런 소문을 듣지 못했고, 만약에 들었다면 국장에서 총통의 대리인 역할을 거부했을 겁니다. 알고도 했다면 말도 안 되는 파렴치한 짓입니다."[45] 그럼에도 로멜 가족은 이 구식 신사가 국장 이후 화장에 동행하지 않았고 다른 대다수 장군들처럼 로멜 자택을 찾아와 부인에게 조의를 표하지 않았다는 사실에 주목했다.

** 슈파이델 장군 본인은 베를린 프린츠-알브레히트슈트라세에 있는 게슈타포 지하 감옥에 감금되어 끊임없이 심문을 받으면서도 망가지지도 당황하지도 않았다. 군인인 동시에 철학자라는 사실이 어쩌면 도움이 되었을 것이다. 보안국 고문관들보다 한 수 위였던 그는 아무것도 인정하지 않았고 아무도 밀고하지 않았다. 슈파이델이 알기로 고문만 당한 것이 아니라 실토까지 한 호파커 대령과 대면했을 때가 위험한 순간이었다. 하지만 그때 호파커는 슈파이델을 배신하지 않았고 자신의 이전 발언을 부인했다.

비록 재판은 받지 않았지만 슈파이델은 게슈타포에 의해 일곱 달 동안 감금되었다. 남부 독일 보덴호 인근의 감금 장소로 미군이 다가올 때, 그는 계략을 써 다른 20명과 함께 탈출하여 어느 가톨릭 사제에게 몸을 의탁했으며, 사제는 미군이 도착할 때까지 이들을 숨겨주었다. 슈파이델은 3인칭으로 엄격히 객관적으로 쓴 저서에서 인생의 이 시기에 관한 서술을 생략했지만, 당시 사연을 데즈먼드 영(Desmond Young)에게 들려주었고, 후자가 저서 *Rommel—The Desert Fox*(페이퍼백, pp. 251-252)에 수록했다.

슈파이델은 1950년대 후반 북대서양조약기구에서 중요한 사령관직을 맡아 비범한 경력을 마무리지었다.

독일 육군의 자랑거리 장교단은 큰 망신을 당했다. 세 명의 걸출한 원수 비츨레벤, 클루게, 로멜이 최고사령관을 타도하려는 음모에 가담하여 한 명은 목이 졸리고 두 명은 자살을 강요당했다. 고위 장성 수십 명이 게슈타포 감옥으로 끌려가고 인민재판소에서 사법적으로 살인을 당하는 동안 장교단은 멀뚱히 지켜보기만 해야 했다. 이 전례 없는 상황에 장교단은 온갖 자랑스러운 전통에도 불구하고 똘똘 뭉치지 못했다. 오히려 외국인 관찰자로서는 그들 자신의 명예와 위신을 떨어뜨린다고 말할 수밖에 없는 방식으로 '명예'를 지키려 했다. 예전 오스트리아인 상병의 진노 앞에서 장교단의 겁먹은 지도부는 알랑거리고 굽실댔다.

로멜의 시신 곁에서 장례식 추도사를 읊조릴 때 룬트슈테트 원수가 망가지고 당황한 모습이었던 것은 놀랄 일이 아니다. 룬트슈테트는 동료 장교들과 마찬가지로 히틀러로부터 고배를 남김없이 마시도록 강요받아 나락으로 떨어진 상태였다. 히틀러가 7월 20일의 음모에 관여한 것으로 의심되는 모든 장교를 육군에서 내쫓아 군사재판을 받지 못하게 하고 불명예스러운 민간인 신분으로 약식 인민재판소에 넘기기 위해 창설한 이른바 명예법원Ehrengericht의 수장 자리를 룬트슈테트는 받아들였다. 명예법원은 피의자 장교의 자기 변론을 듣는 것이 허용되지 않았고, 그저 게슈타포가 제공하는 '증거'에 따라 사건을 처리해야 했다. 룬트슈테트는 이 제약에 항의하지 않았고, 법원의 다른 일원인 구데리안 장군―총통본부 폭발 사건 다음날 신임 육군 참모총장에 임명되었다―도 마찬가지였다. 다만 후자는 회고록에서 그것이 "불쾌한 직무"였고 법정의 분위기는 "우울"했으며 "가장 힘겨운 양심의 문제"를 야기했다고 털어놓기는 했다. 틀림없이 그랬을 것이다. 룬트슈테트, 구데리안, 동료 재판관들―전원 장군―은 동지 수백 명을 육군에서 쫓아내 모욕한 뒤 처형당할 게 뻔한 다음 절차로 넘겼기 때문이다.

구데리안은 더 많은 일을 했다. 참모총장으로서 두 가지 단호한 명령을 내려 나치 통수권자에게 장교단의 영원한 충성을 약속했다. 7월 23일 공포한 첫 명령에서는 "퇴역군인 명부에 이름을 올린 일부를 포함해 소수의 장교들이 용기를 전부 잃고서 비겁하고 나약하게도 정직한 군인에게 주어진 단 하나의 길, 즉 의무과 명예의 길이 아닌 오욕의 길을 택했다"라며 음모단을 비난했다. 그런 다음 총통에게 "장군, 장교단, 사병의 일치단결"을 엄숙히 맹세했다.

한편 일찍이 버림받은 브라우히치 원수는 다급히 격한 어조의 성명을 발표하여 반란을 비난하고, 총통에게 새로이 충성을 맹세하고, 힘러—브라우히치를 포함해 장성들을 경멸한—의 국내예비군 사령관 취임을 환영했다. 버림받은 또 한 사람 레더 대제독도 음모단에 조금이라도 공감했을 것으로 의심받을까 두려워 칩거를 깨고 화급히 라스텐부르크로 달려가 히틀러에게 직접 충성을 약속했다. 7월 24일, "총통에 대한 군의 흔들림 없는 충성 및 군과 당의 긴밀한 단결의 징표로서" 기존의 군대식 경례 대신 나치식 경례가 의무가 되었다.

7월 29일, 구데리안은 참모본부의 모든 장교에게 이제부터 그대들이 솔선수범하여 지도자에게 진심으로 충성하는 훌륭한 나치가 되어야 한다고 통지했다.

참모본부의 모든 장교는 … 정치적 사안에서 모범을 보일 뿐 아니라 젊은 지휘관에게 총통의 신조에 부합하는 정치관을 주입하는 데 적극 협력함으로써 … 국가사회주의 장교-지도자가 되어야 한다. …
참모본부의 장교를 평가하고 선발할 때 상관은 지력보다 인성과 정신의 특성을 중시해야 한다. 악한은 제아무리 교활하다 해도 유사시 악한이기 때문에 실패할 것이다.

나는 참모본부의 모든 장교가 나의 견해를 받아들이거나 지지한다는 소신을 즉시 밝히고 그런 취지로 공표할 것을 기대한다. 그렇게 할 수 없는 자는 참모본부에 사임을 신청해야 한다.[*]

알려진 바로는 아무도 사임을 신청하지 않았다.

이렇게 해서 "자율적 실체로서의 참모본부의 역사는 끝났다고 말할 수 있을 것이다"라고 독일의 한 군사사가는 말했다.[46] 샤른호르스트와 그나이제나우가 창설하고 몰트케가 국가의 기둥으로 키운 이 엘리트 집단, 1차대전 기간에 독일을 통치했고 바이마르 공화국을 지배했으며 심지어 히틀러에게도 자기들에게 방해가 되는 돌격대를 파괴하고 그 지도자를 살해하도록 강요했던 집단은 1944년 여름에 아첨을 떨고 겁을 내는 한심한 무리로 전락했다. 그때부터는 히틀러에 맞서지도, 심지어 비판 의견을 내지도 않았다. 한때 강력했던 육군은 제3제국의 다른 모든 기관과 마찬가지로 히틀러와 더불어 몰락할 터였고, 그 수뇌부는 이제 무감각해지고 그저 한줌의 음모단만이 보여준 용기를 잃은 나머지, 총통이 모두가 사랑하는 조국의 역사상 가장 처참한 파국으로 그들 자신과 국민을 빠르게 이끌고 있음을 충분히 알면서도 그를 저지하기 위해 (행동하는 것은 고사하고) 목소리를 높이지 못했다.

기독교도로 자랐고 분명 오랜 덕목을 몸에 익혔을 것이며 예법을 자

---

[*] 구데리안은 회고록에서 자신이 얼마나 히틀러에게 맞섰는지를 끊임없이 강조하고 그를 통렬히 비판하면서도, 상술한 두 가지 명령은 전혀 언급하지 않는다.

랑했고 전장에서는 죽음 앞에 용감했던 이 성인 남자들의 정신과 의지가 이렇듯 마비된 것은 놀라운 일이다. 하지만 이 책의 앞부분에서 개괄한 독일 역사의 행로, 한시적인 통치자들에게 맹목적으로 복종하는 것을 독일 남성의 최고 미덕으로 삼고 순종을 중시한 행로를 기억한다면, 이해할 수도 있을 것이다. 당시 독일 장성들은 자신들이 악인에게 굽실거린다는 것을 알고 있었다. 훗날 구데리안은 7월 20일 이후의 히틀러를 다음과 같이 회고했다.

그의 경우 냉담함이 잔인함이 되었고, 허풍을 치는 성향이 명백한 부정직으로 바뀌었다. 곧잘 주저 없이 거짓말을 하고 타인이 자신에게 거짓말을 한다고 전제했다. 더 이상 아무도 믿지 않았다. 전에도 상대하기가 무척 어려웠지만 이제 달이 갈수록 점점 더 괴로워지는 일종의 고문이 되었다. 툭하면 자제력을 잃어버렸고 언어가 갈수록 거칠어졌다. 친밀한 무리 내에서는 더 이상 그를 억제할 힘이 없어졌다.[47]

그럼에도 반쯤 정신이 나가고 몸과 마음이 급격히 악화되어가는 이 사나이만이, 1941년 혹한에 모스크바를 저 앞에 두고 했던 것처럼, 패퇴하는 부대를 결집하고 낙담한 국민의 용기를 다시 북돋울 수 있었다. 독일의 다른 누구에게도—육군에도, 정부에도, 국민 사이에도—없는 믿기 힘든 의지력을 발휘하여 히틀러는 거의 단독으로 전쟁의 고통을 1년 가까이 연장할 수 있었다.

1944년 7월 20일의 반란이 실패한 것은 그저 육군과 민간에서 가장 유능한 사람들 중 일부가 납득할 수 없을 정도로 서툴렀고, 프롬과 클루게의 성격에 치명적인 약점이 있었고, 고비마다 음모단에 불운이 덮쳤기 때문이 아니다. 반란이 진압된 것은 장성이든 민간인이든 이 대국을 운영한 사람들 거의 모두가, 그리고 제복을 입었든 안 입었든 독일 국민의 대다수가 혁명을 일으킬 마음이 없었기 때문이다―전쟁의 비탄과 패전 뒤 외국에 점령당할 암울한 전망에도 불구하고, 사실 그들은 혁명을 원하지 않았다. 스스로 초래한 독일과 유럽의 퇴화를 견뎌내지 못한 국가사회주의를 그들은 여전히 받아들이고 더 나아가 지지했으며, 여전히 아돌프 히틀러를 국가의 구원자로 보았다.

[훗날 구데리안이 씀] 당시 독일 국민 대다수는 여전히 아돌프 히틀러를 믿었고, 만약에 그가 죽었다면 전쟁을 유리하게 종결할 수 있는 유일한 사람을 암살자가 제거했다고 확신했을 것이다―이 사실에는 논쟁의 여지가 없어 보인다.[48]

음모에 가담하지 않았으나 상관인 클루게가 더 지조 있는 인물이었다면 음모를 지지했을 법한 블루멘트리트 장군이 보기에는, 심지어 전후에도, 적어도 "민간인 인구의 절반은 독일 장군들이 히틀러 타도 시도에 관여한 사실에 충격을 받았고 그 결과로 그들을 원망했다―똑같은 감정이 육군 내부에서도 표명되었다".[49]

히틀러는 도저히 설명할 수 없는―적어도 비독일인에게는―최면술을 통해 비범한 국민으로부터 마지막까지 충성과 신뢰를 얻었다. 그들이 마치 말 못하는 짐승처럼, 하지만 동물 무리에게는 없는 감동적인 신념과 심지어 열정까지 품은 채 히틀러를 맹종하여 낭떠러지에서 민족의 파멸로 나아간 것은 불가피한 일이었다.

제6부

제3제국의 몰락

제30장

독일 정복

전쟁이 독일 본국까지 육박해오고 있었다.

히틀러는 7월 20일 폭발의 충격에서 회복하기 무섭게 프랑스와 벨기에를 상실하고 동부에서 점령지를 크게 잃은 현실에 직면했다. 압도적인 수의 적군 부대들이 제3제국을 향해 진격해오고 있었다.

1944년 8월 중순, 6월 10일 하계 공세를 개시하고 차례차례 전개해온 붉은군대가 동프로이센 국경까지 진출하여 독일군 50개 사단을 발트 지역에 가두고, 핀란드의 비보르크에 침입하고, 중부집단군을 분쇄하고, 이 650킬로미터 전선을 6주 만에 바르샤바 맞은편 비스와 강까지 밀어붙였다. 남부에서는 8월 20일 새로운 공격에 나서 그달 말까지 루마니아를 정복하고 독일군의 유일한 원유 공급원인 플로이에슈티 유전을 차지했다. 8월 26일 불가리아가 정식으로 전쟁에서 이탈했고, 독일군은 이 나라에서 서둘러 철수하기 시작했다. 9월 들어 핀란드가 전쟁을 포기하고, 자국 영토에서 철수하기를 거부하는 독일군에 등을 돌렸다.

서부에서는 프랑스가 금세 해방되었다. 미국 사람들은 새로 편성된 미 제3군의 사령관 패튼 장군에게서 아프리카의 로멜처럼 과감성과 감각을 갖춘 전차 장군의 면모를 보았다. 7월 30일 아브랑슈를 함락한 뒤, 패튼은 브르타뉴를 마무리짓지 않은 채 노르망디의 독일군을 크게 우회하기 시작해 남동쪽으로 루아르 강변의 오를레앙에 도달한 다음 파리 남쪽의 센 강을 향해 동진했다. 8월 23일 연합군이 수도의 동남쪽과 북서쪽에서 센 강에 도달했고, 이틀 후 자크 르클레르Jacques Leclerc 장군의 프랑스 제2기갑사단과 미 제4보병사단이 프랑스의 영광을 상징하는 이 대도시에 진입함으로써 독일의 점령 4년 만에 해방시켰다. 연합군이 입성했을 때에는 프랑스 레지스탕스 부대들이 도시를 대체로 통제하고 있었다. 또한 대부분 예술 작품인 센 강의 다리들이 온전하게 남아 있었다.*

프랑스에 잔존하던 독일 병력은 이제 총퇴각하고 있었다. 북아프리카에서 로멜에 승리를 거두고 9월 1일 원수로 진급한 몽고메리는 캐나다 제1군과 영국 제2군을 거느리고 나흘간 320킬로미터를 진군했다―센 강 하류에서 1914~18년과 1940년의 유명한 전장들을 지나 벨기에까지. 몽고메리는 9월 3일 브뤼셀을 함락하고 이튿날 안트베르펜을 탈환했다. 진군이 워낙 빨랐던 터라 독일군은 안트베르펜의 항구 시설을 미처 파괴할 시간이 없었다. 이는 연합군에 뜻밖의 행운이었는데, 접근로를 정리하자마자 이 항구가 영미군의 주요 보급기지로 쓰였기 때문이다.

영국-캐나다 군의 남쪽에서는 코트니 H. 호지스Courtney H. Hodges 장

---

* 8월 23일, 슈파이델에 따르면, 히틀러는 "설령 예술적인 기념물들이 파괴되는 한이 있더라도" 파리의 모든 다리와 그 밖의 중요 시설을 파괴하라고 명령했다. 슈파이델은 이 지시를 이행하기를 거부했고, 신임 대(大)파리 사령관 디트리히 폰 콜티츠(Dietrich von Choltitz) 장군도 명령 이행을 거부하고 자신의 명예를 지키기 위해 총을 몇 발 쏜 후에 항복했다. 이 일로 콜티츠는 1945년 4월 반역 혐의로 궐석재판을 받았지만, 동료 장교들이 전쟁 종결까지 법적 절차를 지연시켰다. 또한 슈파이델은 파리를 잃자마자 히틀러가 중포와 V-1 무기로 그곳을 파괴하라고 명령했지만, 이 명령도 자신이 따르지 않았다고 말했다. (Speidel, *Invasion 1944*, pp. 143-145)

군의 미 제1군이 똑같이 빠른 속도로 벨기에 남부로 진격해 지난 1940년 5월 독일군이 파죽지세로 돌파했던 뫼즈 강에 도달했고, 독일군에 방어할 시간을 주지 않은 채 나무르와 리에주의 요새를 함락했다. 더 남쪽에서는 패튼의 제3군이 베르됭을 차지하고 메스를 포위하며 모젤 강에 도달한 뒤, 지난 8월 15일 프랑스 남부 리비에라에 상륙해 론 강 유역을 따라 빠르게 북진해온 알렉산더 패치Alexander Patch 장군의 프랑스-미국 제7군과 벨포르 저지低地에서 합류했다.

8월 말까지 서부의 독일군은 병력 50만 명을 잃고 그중 절반을 포로로 잡혔으며, 거의 모든 전차와 포, 트럭을 빼앗겼다. 조국을 방어할 수단이 별로 없었다. 잔뜩 홍보한 지크프리트 선에는 사실상 병력도 포도 없었다. 서부의 독일 장군들 대다수는 이제 끝났다고 생각했다. "공군은 말할 것도 없고 지상군도 더 이상 남아 있지 않았다"라고 슈파이델은 말한다.[1] 9월 4일, 서부 총사령관으로 복귀한 룬트슈테트는 전후 연합국 심문관들에게 "저에게 전쟁은 9월에 끝났습니다"라고 말했다.[2]

하지만 아돌프 히틀러에게는 그렇지 않았다. 8월의 마지막 날 총통은 본부에서 일부 장군들에게 훈시하며 다시금 강철 같은 의지를 불어넣는 동시에 희망을 주려고 했다.

필요하다면 라인 강에서 싸울 것이다. 어디든 상관없다. 프리드리히 대왕의 말대로 우리의 빌어먹을 적들 중 하나가 너무 지쳐 더는 싸울 수 없을 때까지 어떠한 상황에서도 싸울 것이다. 독일 민족의 삶을 앞으로 50년이나 100년 동안 보장하고 무엇보다 우리의 명예를 두 번 다시 1918년처럼 더럽히지 않고 평화를 얻을 때까지 싸울 것이다. … 내가 오로지 이 싸움을 이끄는 목표를 위해 살아가는 까닭은 강철 같은 의지 없이는 전투에서 이길 수 없음을 알고 있기 때문이다.

참모본부에는 강철 같은 의지가 없다고 질타한 뒤, 히틀러는 자신이 끈질긴 희망을 품는 몇 가지 이유를 장성들에게 밝혔다.

연합국 사이에 긴장이 커져서 분열이 생기는 때가 올 것이다. 역사상 모든 연합체는 머지않아 해체되었다. 아무리 힘겹더라도 그저 적절한 순간이 오기를 기다리면 된다.[3]

괴벨스는 '총동원'을 조직하는 임무를 맡았고, 신임 국내예비군 사령관 힘러는 서부 방어를 위해 국민척탄병 25개 사단을 징집하는 일에 착수했다. 나치 독일에서 '총력전'과 관련해 온갖 계획을 세우고 온갖 논의를 했음에도, 이 나라의 자원은 사실 '총력적'으로 동원된 것과는 거리가 멀었다. 히틀러가 고집을 부리는 바람에 민수물자의 생산량은 전시 내내 놀랄 만큼 높은 수준을 유지했다―사기를 유지하기 위한 조치였던 듯하다. 또 히틀러는 공장노동에 여성을 동원한다는 전전戰前 계획의 실행을 망설였다. 1943년 3월 슈페어가 여성을 산업에 동원하자고 건의하자 히틀러는 "우리의 가장 소중한 이상을 희생하기에는 대가가 너무 크다"라고 말했다.[4] 나치 이데올로기는 독일 여성이 있어야 할 자리가 가정이지 공장이 아니라고 가르쳤다―실제로 여성은 가정에 머물렀다. 전쟁 첫 4년간 영국에서는 여성 225만 명이 전시 생산에 투입된 데 비해 독일에서는 여성 18만 2000명만이 비슷한 작업에 투입되었다. 독일에서 평시 하인의 숫자 150만 명은 전쟁을 치르는 동안 변하지 않았다.[5]
이제 적이 코앞까지 다가오자 나치 지도부는 동원에 박차를 가했다.

15~18세 소년과 50~60세 남성을 군대로 소집했다. 신병을 찾고자 대학과 고등학교, 사무실과 공장을 샅샅이 훑었다. 1944년 9월과 10월에 남성 50만 명을 육군으로 데려갔다. 하지만 공장과 사무실에서 그들의 빈자리를 여성으로 채우는 조치는 시행되지 않았으며, 군수전쟁생산부장관 슈페어는 숙련노동자를 징병하는 바람에 무기 생산이 심각한 차질을 빚고 있다고 히틀러에게 항의했다.

나폴레옹 시대 이후로 독일 군인들은 조국의 신성한 땅을 부득이 방어한 적이 없었다. 그 후로 프로이센과 독일은 모든 전쟁을 다른 국민들의 땅에서 치렀다―그리고 그 땅을 황폐하게 만들었다. 그런데 이제 힘겨운 군인들에게 훈계가 쏟아졌다.

서부전선의 장병이여!

… 나는 제군이 독일의 신성한 땅을 … 최후의 순간까지 … 방어하리라 기대한다! …

총통 만세!

원수 폰 룬트슈테트

집단군의 장병이여!

… 우리 모두는 생명이 붙어 있는 한 독일의 땅을 단 한 뼘도 포기하지 않는다. … 누구든 싸우지 않고 후퇴하는 자는 국민의 배신자다. … 제군이여! 우리의 고국, 우리의 아내와 자녀의 삶이 위태롭다! 우리의 총통과 우리가 사랑하는 사람들은 제군을 믿고 있다! … 우리의 독일과 우리가 사랑하는 총통 만세!

원수 모델

그럼에도 지붕이 무너져 내리자 탈영병의 수가 점점 늘어났다. 힘러는 탈영을 막고자 극적인 조치를 취했다. 9월 10일, 그는 다음과 같은 명령을 공표했다.

신뢰할 수 없는 특정 부류는 그들이 적에게 항복하는 즉시 전쟁이 끝날 것으로 믿는 듯하다. …

모든 탈영병은 … 응분의 처벌을 받을 것이다. 그에 더해 탈영병의 비열한 행동으로 그의 가족이 참혹한 결과를 맞을 것이다. … 가족을 즉결로 총살할 것이다.

제18국민척탄병사단의 호프만-숀포른Hoffmann-Schonforn 대령은 부대에 이렇게 선포했다.

우리 부대의 반역자들이 적진으로 탈주했다. … 그 개자식들이 중요한 군사기밀을 누설했다. … 간사한 유대인 모략자들이 제군을 팸플릿으로 도발하고 제군까지 개자식으로 만들려고 유도한다. 놈들이 독을 내뿜도록 내버려둬라! … 명예를 잊어버린 경멸스러운 반역자들에 대해 말하자면, 그들의 가족이 반역의 죗값을 대신 치러야 할 것이다.[6]

9월에 회의적인 독일 장군들이 '기적'이라고 부른 사건이 일어났다. 슈파이델에게 그 사건은 "1914년 프랑스에서 일어난 '마른의 기적'의 독일판"이었다. "연합군의 맹렬한 진격이 별안간 잦아들었다."

그때 진격이 잦아든 이유는 아이젠하워 장군을 비롯한 연합군 사령관들 사이에서 오늘까지도 논쟁거리다. 그들에게 진격 중단은 도무지 이해할 수 없는 일이었다. 9월 둘째 주에 미군 부대들은 아헨을 앞에 두고 모젤 강에서 독일 국경에 도달해 있었다. 독일로 진입할 길이 연합군 측에 열려 있었다. 9월 초 몽고메리는 아이젠하워에게 그의 모든 보급물자와 예비 병력을 영국군과 캐나다군, 미 제9군과 제1군에 서둘러 할당해줄 것을 요청했다. 몽고메리 자신의 지휘로 북부에서 대담한 공세를 펼쳐 루르 지역으로 신속히 진출해 독일군의 주요 무기고를 빼앗고, 베를린으로 가는 길을 열어 전쟁을 끝내기 위해서였다. 이 제의를 아이젠하워는 거절했다.* 그는 "넓은 전선"에서 라인 강 쪽으로 진군하기를 원했다.

그러나 아이젠하워의 부대들은 보급물자가 부족했다. 단 1톤의 휘발유든 탄약이든 모두 노르망디 해변이나 하나뿐인 항구 셰르부르를 통해 들여온 뒤 계속 전진하는 전선까지 트럭으로 500~600여 킬로미터를 운반해야 했다. 9월 둘째 주에 아이젠하워 부대들은 보급물자 부족으로 수렁에 빠지고 있었다. 게다가 독일군의 예상치 못한 저항에 부딪혔다. 9월 중순, 룬트슈테트는 가용 병력을 두 곳의 요충지에 집결함으로써 패튼의 제3군을 모젤 강에서, 호지스의 제1군을 아헨 전방에서 적어도 일시적이나마 저지했다.

그러자 몽고메리의 재촉을 받은 아이젠하워는 라인 강 하류의 아른헴에서 교두보를 장악함으로써 북부에서 지크프리트 선의 측면을 우회할 수 있는 거점을 확보하려는 대담한 계획에 동의했다. 이 계획의 목표는 루르 지역으로 쾌속 진격한 뒤 베를린을 공략하려는 몽고메리의 꿈에 한참 못 미치긴 했지만, 그래도 나중에 시도할 때 전략적 거점이 되기는 했

---

* 아이젠하워는 회고록(*Crusade in Europe*, p. 305)에 이렇게 썼다. "나는 이후의 사태를 고려하면 그 견해가 오판이라는 데 몽고메리 원수가 동의할 것으로 확신한다." 하지만 결코 그렇지 않다는 것을 몽고메리의 회고록을 읽은 독자는 알고 있다.

다. 영국 기지들에서 출격한 미국 2개 공수사단과 영국 1개 공수사단의 대규모 강하를 시작으로 9월 17일에 연합군이 공격에 나섰다. 그러나 악천후 외에도 공수부대들이 적의 위치를 모른 채 친위대 2개 기갑사단의 한가운데로 강하했다는 불운, 그리고 남부에서 북진하는 지상군의 부족 때문에 연합군은 공격에 실패했으며, 열흘간 격전을 치른 끝에 아른헴에서 퇴각했다. 아른헴 부근에 강하한 영국 제1공수사단은 약 9000명 중 2163명만 제외하고 모두 잃었다. 아이젠하워에게 이 곤경은 "더욱 혹독한 전투가 기다리고 있다는 충분한 증거"였다.[7]

그러나 독일군이 손실을 충분히 회복해서 그해 겨울 크리스마스 무렵 서부전선에서 경악스러운 기습을 개시하리라고는 미처 예상하지 못했다.

히틀러 최후의 필사적인 도박

1944년 12월 12일 저녁, 한 무리의 독일군 장군들, 즉 서부전선의 상급 야전사령관들이 룬트슈테트의 사령부로 호출되어 휴대 무기와 서류가방을 빼앗긴 뒤 버스에 실렸다. 방향을 가늠하지 못하도록 30분간 어둡고 눈 내리는 시골길을 달린 버스는 마침내 깊은 지하 벙커의 입구에서 그들을 내려주었다. 나중에 프랑크푸르트 인근 치겐베르크에 있는 히틀러의 본부로 밝혀진 곳이었다. 그곳에서 그들은 한줌의 최고위 참모장교들과 육군 사령관들만이 한 달쯤 전부터 알고 있던 사실을 비로소 알게 되었다. 총통이 나흘 뒤에 서부에서 대대적인 공세를 개시한다는 사실이었다.

이 방책은 아이젠하워의 병력이 라인 강 서쪽의 독일 국경에서 저지당한 9월 중순부터 히틀러의 마음속에서 끓어올랐다. 10월에 미 제9군, 제1군, 제3군은 아이젠하워의 표현대로 "야금야금" 라인 강까지 진격한다는 목표로 공세를 재개하려 시도했지만, 전진이 힘들고 느렸다. 유서 깊은 제국의 수도, 카롤루스 대제의 본거지 아헨이 격전 끝에 10월 24일 제1군에 항복했지만ㅡ연합군의 수중에 들어온 첫 독일 도시였다ㅡ미군은 라인 강을 돌파할 수 없었다. 그렇다 해도 전선 전역에서 미군ㅡ그리고 북부에서 영국군과 캐나다군ㅡ은 소모전을 벌여 안 그래도 약해져가는 방어군을 갉아먹고 있었다. 히틀러는 계속 수세를 취해서는 심판의 시간만 늦출 뿐임을 깨달았다. 그의 열에 들뜬 마음속에서 주도권을 되찾기 위한 대담하고 창의적인 계획이 떠올랐다. 타격을 가해 미 제3군과 제1군을 갈라놓고, 안트베르펜까지 진출해 아이젠하워로부터 주요 보급항을 빼앗고, 벨기에-네덜란드 국경을 따라 영국군과 캐나다군을 밀어붙인다는 계획이었다. 히틀러는 그런 공세를 통해 영미군을 완파하여 독일 서부 국경의 위협을 제거하는 동시에 소련군을 다시 상대할 수 있을 것으로 생각했다. 소련군은 발칸에서는 여전히 진격하고 있었지만 폴란드와 동프로이센에서는 10월부터 비스와 강에 멈춰 있었다. 서부 공세는 지난 1940년에 대규모 돌파를 개시했던 곳이자 독일 정보기관이 파악하기로 미군의 약한 4개 보병사단만이 방어하는 아르덴을 통해 신속하게 감행할 예정이었다.

대담한 계획이었다. 히틀러는 거의 확실하게 연합군의 허를 찌르고 미처 재정비하기 전에 물리칠 수 있을 것으로 믿었다.* 그러나 한 가지

---

* 이 계획에는 히틀러의 구상으로 보이는, '그라이프 작전(Unternehmen Greif)'〔그라이프는 그리스 신화에 나오는 머리·날개·발톱은 독수리이고 몸통은 사자인 괴수 그리핀을 가리킨다〕이라는

결점이 있었다. 독일군이 특히 공중에서 1940년의 전력보다 약했을 뿐 아니라 물자가 훨씬 더 많고 무기도 잘 갖춘 적군을 상대해야 했다. 독일 장군들은 이 문제를 곧바로 지적하며 총통의 주의를 촉구했다.

훗날 룬트슈테트는 이렇게 단언했다. "11월 초에 이 계획을 처음 받아 보고서 나는 경악했다. 히틀러는 나에게 상의도 하지 않았다. … 야심차기 그지없는 계획을 실행하기에는 가용 병력이 너무 적다는 것이 명백해 보였다." 그렇지만 히틀러와 논쟁해봐야 소용없음을 깨달은 룬트슈테트와 모델은 공세를 고집하는 통수권자를 만족시키면서도 아헨 일대의 미군 돌출부만을 잘라내는 대안 계획을 제시해보기로 했다.[8] 그렇지만 서부전선 총사령관은 총통의 마음을 바꿀 가망이 거의 없다고 생각해 12월 2일 베를린 군사회의에 참석하지 않고 참모장 블루멘트리트를 대신 보냈다. 그 회의에 참석한 블루멘트리트, 모델 원수, 하소 폰 만토이펠Hasso von Manteuffel 장군, 제프 디트리히 친위대 장군(뒤의 두 사람이 돌파 작전에서 2개 대규모 기갑군을 지휘할 예정이었다)은 히틀러의 결심을 흔들지 못했다. 늦가을 내내 히틀러는 이 최후의 필사적인 도박을 위해 독일의 남은 무기를 박박 긁어모은 터였다. 그리하여 11월에는 새로 제조하거나 수리한 전차와 돌격포를 1500대 가까이 모았고, 12월에 1000대를 더 모았다. 또 아르덴 돌파를 위해 9개 기갑사단을 포함해 무려 28개 사

흥미로운 부속 계획이 있었다. 이 작전의 지휘를 총통은 오토 슈코르체니에게 맡겼는데, 그는 무솔리니를 구출하고 1944년 7월 20일 밤 베를린에서 결연하게 행동한 데 이어 1944년 10월 진격해오는 소련군에 항복하려던 헝가리 섭정 호르티 제독을 부다페스트에서 납치하는 주특기를 발휘하여 더욱 두각을 나타낸 바 있었다. 슈코르체니의 새 임무는 영어를 구사하는 독일 병사 2000명을 2개 특수여단으로 조직한 뒤 미군 군복을 입히고 포획한 미군 전차와 지프차에 태워 미군 전열 배후로 잠입시켜 통신선을 끊고 전령을 살해하고 교통수송을 교란하며 전반적으로 혼란을 일으키는 것이었다. 또한 소규모 부대들을 뫼즈 강 교량들에 잠복시켜 독일 기갑전력의 주력이 도착할 때까지 온전하게 지키려 했다.

단을 꾸렸으며, 주공에 뒤이어 알자스를 공격하는 임무를 다른 6개 사단에 맡겼다. 괴링은 전투기 3000대를 약속했다.

비록 지난 1940년에 서부전선에서 싸웠던 룬트슈테트 휘하의 집단군보다 훨씬 약하긴 했지만, 그래도 상당한 전력이었다. 하지만 서부에서 그만한 전력을 편성했다는 것은 곧 동부의 독일군 사령관들이 1945년 1월로 예상되는 소련군의 동계 공세를 격퇴하기 위해 반드시 필요하다고 생각한 증원 병력을 얻을 수 없다는 뜻이었다. 동부전선을 책임지는 참모총장 구데리안이 항의하자 히틀러는 장군을 험악하게 질타했다.

나를 가르치려 들지 말게. 나는 5년간 야전에서 독일군을 지휘했고 그동안 참모본부의 어느 신사도 꿈꿀 수 없는 실전 경험을 쌓았네. 나는 클라우제비츠와 몰트케를 연구하고 슐리펜이 쓴 것이라면 전부 읽었네. 그 방면에서는 내가 자네보다 더 잘 알아!

소련군이 압도적인 전력으로 공세를 펴기 직전이라고 구데리안이 항변하며 적군의 병력 증강 수치를 제시하자 히틀러는 버럭 소리를 질렀다. "칭기즈 칸 이래 최고의 허튼소리군! 누가 그런 온갖 헛소리를 지어내나?"[9]

12월 12일 저녁, 서류가방과 권총 없이 치겐베르크의 총통 본부에 모인 장군들이 보기에 나치 통수권자는, 훗날 만토이펠이 회고했듯이, "허리가 굽은 사람이었고, 핼쑥하고 부은 얼굴로 의자에 구부정하게 앉아 있었으며, 양손을 덜덜 떨었고, 마구 경련하는 왼팔을 감추려 최선을 다했다. 병자의 모습이었다. … 걸을 때면 한쪽 다리를 끌었다."[10]

그러나 히틀러의 기백은 여전히 맹렬했다. 장군들은 공세와 관련해 전반적인 군사 정세에 관한 설명을 들을 것으로 예상했지만, 통수권자는 되레 정치적·역사적 장광설을 늘어놓았다.

역사상 우리 적들의 연합체처럼 그토록 상이한 목표를 가진 그토록 이질적인 요소들로 이루어진 연합체는 없었다. … 한쪽에는 초자본주의 국가들이 있고, 다른 쪽에는 초마르크스주의 국가들이 있다. 한쪽에는 죽어가는 제국 영국이 있고, 다른 쪽에는 그 유산을 노리는 식민지 미합중국이 있다. … 이 연합체에 가담한 제휴국들은 저마다 정치적 야심을 실현하려는 욕망을 품고 있다. 미국은 잉글랜드의 상속자가 되려 한다. 러시아는 발칸을 얻고자 한다. … 잉글랜드는 … 지중해에서 … 속령들을 지키려 한다. 심지어 지금도 이 국가들은 서로 으르렁대고 있으며, 거미처럼 그물망의 중앙에 자리 잡고서 사태의 전개를 지켜볼 수 있는 자는 이런 적대감이 어떻게 시시각각 점점 더 강해지는지를 목격하게 될 것이다.

우리가 몇 차례 더 타격을 가한다면, 인위적으로 보강한 이 공동 전선은 어느 때고 우레와 같은 굉음을 내며 갑자기 무너질 것이다. … 다만 그러기 위해서는 독일 측이 결코 약해져서는 안 된다.

승리가 확실하다는 믿음을 적에게서 빼앗는 것이 극히 중요하다. … 전쟁은 결국 어느 한쪽이 승리할 수 없음을 인정하는 것으로 결판이 난다. 우리는 적이 무엇을 하든 결코 [우리의] 항복을 기대할 수 없다는 것을 매순간 놓치지 말고 보여주어야 한다. 결코! 결코![11]

귓가에 쩡쩡 울리는 이 격려 연설을 듣고서 장군들은 해산했다. 어느 누구도 아르덴 공격이 성공하리라 믿지 않았지만—혹은 적어도 훗날 그렇게 말했다─그들은 능력을 최대한 발휘해 명령을 수행할 각오였다.

그리고 실제로 그렇게 했다. 12월 15일 밤은 캄캄하고 몹시 추웠으며, 독일군 부대들이 아헨 남쪽 몬샤우에서 트리어 북서쪽 에히터나흐에 이르는 110킬로미터 전선의 강습 위치로 저마다 이동할 때 아르덴 숲의 기복이 심하고 눈 덮인 구릉지에는 안개가 자욱이 깔려 있었다. 독일 기상학자들은 그런 날씨가 며칠간 지속되어 연합군 공군이 이륙하지 못하고 독일군 보급선도 노르망디와 같은 참화를 겪지 않을 것으로 예측했다. 닷새 동안 히틀러에게 유리한 날씨가 이어졌고, 독일군은 12월 16일 아침 연합군 최고사령부가 전혀 예상하지 못한 침투를 개시한 뒤 몇몇 지점에서 돌파에 성공했다.

12월 17일 밤 독일군 기갑집단이 스타벨로에 도달했을 때에는 불과 13킬로미터 떨어진 스파에 있던 미 제1군 사령부가 황급히 퇴각하고 있었다. 이보다 더 중요한 사실로 겨우 1.5킬로미터 거리에 휘발유 300만 갤런을 포함하는 미군의 거대한 보급물자 집적소가 있었다. 비참하리만치 부족한 휘발유의 보급이 지연되어 계속 속도를 늦춰야 했던 독일 기갑사단들이 이 집적소를 차지했다면, 실제보다 더 멀리까지 더 빠르게 진군했을 것이다. 미군 군복을 입고, 탈취한 미군 전차와 트럭, 지프를 몰고 이동한 슈코르체니의 이른바 제150기갑여단은 가장 멀리까지 침투했다. 병력을 태운 약 40대의 지프가 허물어지는 전선을 은밀히 통과했고, 그중 몇 대는 뫼즈 강까지 도달했다.[*]

---

[*] 16일, 미군은 그라이프 작전 계획서의 사본 몇 부를 소지한 독일군 장교를 포로로 잡아 무슨 상황인지 알게 되었다. 하지만 슈코르체니의 부대원들이 헌병인 척하며 교차로에서 미군의 교통을 엉뚱하게 안내하며 빚은 초기의 혼란은 쉬이 해소되지 않았던 것으로 보인다. 게다가 제1군의 정보부는 미군 군복 차림으로 붙잡힌 독일군 몇 명에게서 슈코르체니의 악한들이 아이젠하위를 암살하기

그러나 아르덴에서 약체 4개 사단이 괴멸된 뒤 미 제1군의 흩어진 부대들은 임시변통으로 완강히 저항하여 독일군의 진격을 늦추었고, 돌파된 전선의 북쪽 측면과 남쪽 측면인 몬샤우와 바스토뉴를 단호히 사수하여 히틀러의 군대로 하여금 좁은 돌출부를 지나도록 만들었다. 미군의 바스토뉴 방어가 독일군의 운명을 결정했다.

이 도로 교차점은 아르덴과 그 뒤편 뫼즈 강 방어의 요충지였다. 이곳을 사수한다면 만토이펠의 제5기갑군이 간선 도로를 따라 뫼즈 강변의 디낭으로 진격하는 것을 막을 수 있을 뿐 아니라 그 후방에 배치된 상당한 규모의 독일 병력을 묶어둘 수 있었다. 12월 18일 아침, 만토이펠의 기갑군 선봉은 바스토뉴에서 불과 24킬로미터 거리에 있었고, 도시 안의 유일한 미군 부대는 군단 본부 참모부 소속으로 철수를 준비하고 있었다. 그렇지만 17일 저녁 랭스에서 재정비 중이던 제101공수사단이 160키로미터 떨어진 바스토뉴까지 전속력으로 이동하라는 명령을 받았다. 밤새 전조등을 켜고 내달린 미군 트럭들은 24시간 만에, 간발의 차이로 독일군에 앞서 목적지에 도착했다. 이 결정적인 경주에서 독일군이 졌던 것이다. 독일군은 바스토뉴를 포위하긴 했지만, 그곳의 사단들을 뫼즈 강으로 더 진격시키기가 어려웠다. 그리고 이 도로 교차점을 장악하기 위해 강한 병력을 남겨둘 수밖에 없었다.

12월 22일, 독일 제47기갑군단 사령관 하인리히 폰 뤼트비츠Heinrich

위해 파리로 가고 있다는 거짓말에 속아 넘어가는 실책을 저질렀다. 그리하여 며칠 동안 저 멀리 파리에 이르기까지 미군 장병 수천 명이 헌병에게 제지당한 뒤 국적을 입증하기 위해 월드시리즈에서 어느 팀이 우승했는지, 출신지의 주도가 어디인지 대야 했다─일부는 기억하지 못하거나 알지 못했다. 미군 군복 차림으로 붙잡힌 독일군 중 상당수는 즉결 사살되었고, 나머지는 군사법원에 회부되어 처형당했다. 슈코르체니 본인은 1947년 다하우의 미국 법정에서 재판을 받았으나 무죄 방면되었다. 그 후 에스파냐와 남아메리카로 이주했고, 곧 시멘트 사업에 진출해 부를 쌓고 회고록을 썼다.

von Lüttwitz는 미 제101공수사단을 지휘하는 A. C. 매콜리프McAuliffe 장군에게 통첩을 보내 바스토뉴의 항복을 요구했다. 그는 장차 유명해질 한 단어 회답을 받았다. "미친놈NUTS!"

히틀러의 아르덴 도박에서 결정적인 전기는 크리스마스 전날에 찾아왔다. 독일 제2기갑사단의 정찰대대가 23일 뫼즈 강변의 디낭에서 동쪽으로 5킬로미터 떨어진 고지에 도달한 뒤, 비탈면을 따라 강을 향해 돌진하기 전에 전차에 필요한 휘발유와 약간의 증원 병력을 기다렸다. 하지만 휘발유도 증원 병력도 도착하지 않았다. 그리고 미 제2기갑사단이 급습해왔다. 패튼이 지휘하는 제3군의 몇몇 사단은 바스토뉴 구출을 주요 목표로 이미 남쪽에서 북진하고 있었다. 훗날 만토이펠은 "24일 저녁에는 우리 작전이 최고점에 도달한 것이 분명했다. 우리는 목표에 결코 도달할 수 없음을 알고 있었다"라고 썼다. 독일군의 깊고 좁은 돌출부의 북쪽 측면과 남쪽 측면에 가해지는 압박이 너무 강했다. 게다가 크리스마스 이틀 전에 마침내 날씨가 호전되어 영미군의 항공기들이 독일군의 보급선과 좁고 구불구불한 산길을 오르는 부대 및 전차를 맹렬히 공격하기 시작했다. 독일군은 바스토뉴를 차지하고자 다시 필사적으로 시도했다. 새벽 3시부터 크리스마스 당일 내내 일련의 공격에 나섰지만, 매콜리프의 방어군이 버텨냈다. 이튿날 패튼의 제3군 기갑부대가 남쪽에서 돌진하여 도시를 구출했다. 이제 독일군에 관건은 돌출부에서 차단당해 섬멸되기 전에 그 좁은 지역에서 탈출하는 것이었다.

그러나 히틀러는 퇴각 제의라면 도통 들으려 하지 않았다. 12월 28일 저녁, 그는 정식 군사회의를 소집했다. 그 돌출부에서 제때 독일군을 빼내자는 룬트슈테트와 만토이펠의 조언에 귀를 기울이기는커녕, 히틀러는 공세를 재개해 바스토뉴를 급습하고 뫼즈 강까지 다시 진격하라고 명령했다. 게다가 패튼의 몇몇 사단을 북쪽의 아르덴으로 보내는 바람에 미군의 전열이 얇아진 남쪽의 알자스에서 당장 새로 공세를 개시할 것을 요구했다. 아르덴에서 공세를 지속할 병력도, 알자스에서 공격에 나설 병력도 부족하다는 장군들의 항변에 히틀러는 계속 귀를 닫았다.

여러분, 나는 이 일을 11년간 해왔지만 … 모든 것이 완전하게 준비되었다는 보고를 단 한 번도 들어본 적이 없다. … 여러분은 결코 완전하게 준비되지 않는다. 명백히 그렇다.

히틀러는 말하고 또 말했다.* 히틀러가 말을 끝내기 한참 전에 장군들은 자기네 최고사령관이 현실에 눈을 감고 공상에 잠겨 있음을 틀림없이 깨달았을 것이다.

문제는 … 과연 독일에 존속할 의지가 있는가 아니면 파멸할 것인가. … 이 전쟁에서 패한다면 독일 국민은 파멸할 것이다.

그런 다음 로마의 역사와 프로이센 7년 전쟁의 역사를 한참 논했다. 끝으로 당면한 문제들을 다시 거론했다. 히틀러는 아르덴 공세가 "기대했던 대로 결정적인 성공으로 귀결"되지 않았음을 인정하면서도 "2주 전만 해도 아무도 가능하다고 믿지 않았을 정도로 전황 전반의 변화"를 가

---

* 거의 온전하게 남아 있는 이 회의 속기록의 길이로 판단하건대, 몇 시간 동안 말했다. 그 속기록은 총통 회의 단장(斷章) 제27이다. 길버트는 *Hitler Directs His War*, pp. 158-174에서 전체 텍스트를 제공한다.

져왔다고 주장했다.

적은 모든 공격 계획을 포기할 수밖에 없었다. … 피로한 부대들을 투입할 수밖에 없었다. 적의 작전 계획은 완전히 틀어졌다. 적은 자국에서 엄청난 비난을 받고 있다. 심리적으로 괴로울 것이다. 이미 적은 8월 이전에는, 아마도 연말 이전에는 전쟁을 결판지을 가능성이 없음을 인정할 수밖에 없었다. …

이 마지막 발언은 궁극적인 패배를 인정한다는 뜻일까? 그런 인상을 히틀러는 곧바로 바로잡으려 했다.

급히 부언하건대, 여러분은 … 내가 이 전쟁의 패배를 조금이라도 예상한다고 결론지어서는 안 된다. … 나는 '항복'이라는 단어를 배운 적이 없다. … 내게 오늘의 전황은 새로울 게 없다. 전황이 훨씬 더 나쁠 때도 있었다. 이렇게 말하는 까닭은 내가 그토록 광적으로 목표를 추구하는 이유와 그 무엇도 나를 지치게 할 수 없는 이유를 여러분이 이해하기를 바라기 때문이다. 내가 근심 때문에 괴로워하고 육체적으로 흔들릴 수도 있겠지만, 마침내 승부의 추가 우리 쪽으로 기울 때까지 싸우겠다는 나의 결의만큼은 그 무엇으로든 조금도 바꿀 수 없을 것이다.

그런 다음 장군들에게 새로운 공격을 "전력을 다해" 지지해달라고 호소했다.

그런 다음 우리는 … 미군을 완전히 분쇄할 것이다. 그리고 무슨 일이 일어

나는지 지켜볼 것이다. 나는 적이 장기적으로 독일군 45개 사단에 저항할 수 있을 것으로 생각하지 않는다. … 우리는 아직 운명을 지배하고 있다!

너무 늦은 호언장담이었다. 이 말을 현실화할 만한 군사력이 독일에 없었다.

새해 첫날 히틀러는 자르 지역 공격에 8개 사단을 투입하고 뒤이어 라인 강 상류의 교두보에서 하인리히 힘러가 지휘하는—독일 장군들에게는 기분 나쁜 농담이나 마찬가지였다—1개 군으로 밀어붙였다. 양 방면의 진격 모두 신통치 않았다. 1월 3일부터 무려 2개 군단의 9개 사단으로 시작해 아르덴 작전의 가장 치열한 전투로 번진 바스토뉴 총력 공격도 마찬가지였다. 1월 5일, 독일군은 이 핵심 도시를 차지한다는 희망을 버렸다. 1월 3일에는 영미군이 북부에서 시작한 반격에 자칫 후방을 차단당할 판국이었다. 1월 8일, 바스토뉴 북동쪽 우팔리즈에서 휘하 병력이 포위당할 위기에 처한 모델 원수는 마침내 퇴각 승인을 받았다. 1월 16일, 히틀러가 마지막으로 남은 병력과 포, 탄약을 쏟아부어 공세를 개시한 지 막 한 달이 지난 시점에 독일군은 애초 출발선의 뒤편으로 물러났다.

독일군의 손실은 사망, 부상, 실종 약 12만 명, 전차와 돌격포 600대, 항공기 1600대, 차량 6000대였다. 미군의 손실도 심각해서 사망 8000명, 부상 4만 8000명, 포로 또는 실종 2만 1000명, 전차와 구축전차 733대였다.* 하지만 미군은 손실을 메울 수 있었던 데 비해 독일군은 그럴 수

---

* 미군 사망자 중에는 12월 17일 말메디 근방에서 제1SS기갑사단 요아힘 파이퍼(Joachim Peiper) 대령의 전투단에 의해 처참하게 사살당한 포로들이 있었다. 뉘른베르크에서 제출된 증거에

없었다. 전력이 바닥났다. 이번이 2차대전에서 독일군의 마지막 주요 공세였다. 그 실패로 서부전선의 패배가 불가피해졌을 뿐 아니라 동부전선의 운명도 정해졌다. 히틀러가 마지막 예비 병력을 아르덴에 투입한 데 따른 영향을 동부의 독일군은 즉각 실감했다.

크리스마스 사흘 후 서부에서 장군들에게 장황하게 강연을 할 때, 히틀러는 소련 전선을 꽤 낙관했다. 비록 발칸은 빼앗기고 있었지만, 폴란드의 비스와 강과 동프로이센에서 독일군이 10월부터 굳세게 버티는 중이었다.

[히틀러가 말함] 불행히도 친애하는 동맹국들의 배반 때문에 우리는 점차 후퇴할 수밖에 없다. … 그러나 이 모든 일에도 불구하고 전반적으로 동부전선은 지킬 수 있었다.

하지만 얼마나 더? 소련군이 부다페스트를 포위한 크리스마스 전날

따르면 미군 포로 129명이 학살당했으며, 이후 친위대 장교들 관련 재판에서 이 숫자가 71명으로 줄었다. 1946년 봄 다하우의 미국 군사법정에서 열린 재판은 기묘한 대단원이었다. 파이퍼를 포함해 친위대 장교 43명이 사형, 23명이 종신형, 8명이 그보다 짧은 형을 선고받았다. 벌지 전투의 북부 측면에서 싸운 제6SS기갑군 사령관 제프 디트리히는 25년형, 제1SS기갑군단 사령관 프리츠 크레머(Fritz Kraemer)는 10년형, 제1SS기갑사단 사령관 헤르만 프리스(Hermann Priess)는 18년형에 처해졌다.

그 후 미국 상원에서, 특히 작고한 매카시 상원의원 측에서는 친위대 장교들로부터 자백을 받아내기 위해 그들을 잔인하게 다루었다며 강하게 비난했다. 1948년 3월에 사형수 31명이 감형받았고, 4월에 루셔스 D. 클레이(Lucius D. Clay) 장군이 남은 사형수를 12명에서 6명으로 줄여주었으며, 1951년 1월에는 미국 고등판무관 존 J. 매클로이가 대사면으로 나머지 6명을 종신형으로 감형해주었다. 이 책을 집필하는 지금은 사형수 전원이 석방된 상태다. 친위대 장교들이 학대를 당했다는 항의에 묻혀, 1944년 12월 17일 말메디 근방에서 최소 71명의 비무장 미국 전쟁포로가 몇몇 친위대 장교의 명령—또는 선동—으로 참혹하게 살해되었다는 명백한 증거는 거의 잊히고 말았다.

에, 그리고 다시 새해 첫날 아침에 구데리안은 헝가리에서 소련군의 위협에 대처하고 1월 중순 폴란드에서 시작될 것으로 예상되는 소련군의 공세에 대응하기 위해 히틀러에게 증원군을 요청했으나 헛수고였다.

[구데리안이 말함] 나는 서방 연합군의 폭격으로 루르가 이미 마비되었다고 지적했다. … 한편, 오버슐레지엔의 공업 지역은 아직까지 온전히 가동할 수 있고, 독일 군수산업의 중심은 이미 동부에 있으며, 오버슐레지엔을 상실한다면 틀림없이 수주일 안에 패배할 거라고 말했다. 하지만 아무리 말해도 소용이 없었다. 나는 퇴짜를 맞았고 가장 비기독교적인 환경에서 음울하고 비극적인 크리스마스 전야를 보냈다.

그럼에도 구데리안은 1월 9일 세 번째로 히틀러 본부를 찾았다. 구데리안이 데려간 동부전선 정보 책임자 라인하르트 겔렌Reinhard Gehlen 장군은 소련군이 곧 재개할 것으로 예상되는 북부 공세에 독일군이 얼마나 위태로운 상황에 놓일지를 지도나 도표를 활용해 총통에게 설명하려 했다.

[구데리안이 말함] 히틀러는 완전히 냉정을 잃고서 … 지도든 도표든 "멍청하기 짝이 없는" 것이라고 일갈하고 내게 그것을 만든 사람을 정신병원에 집어넣으라고 지시했다. 그러자 나도 냉정을 잃고서 … "겔렌 장군을 정신병원으로 보내고자 하신다면 저도 정신병자로 인증하는 편이 좋겠습니다"라고 말했다.

히틀러가 동부전선에서 "지금처럼 강력한 예비 병력을 보유했던 적이 없다"라고 주장하자 구데리안은 "동부전선은 카드로 만든 집과 같습니다. 전선의 한 지점이 뚫리면 나머지 전체가 붕괴할 것입니다"라고 대꾸했다.[12]

실제로 그렇게 되었다. 1945년 1월 12일, 이반 코네프Ivan Konev의 소련 집단군이 바르샤바 남쪽 비스와 강 상류 바라노프의 교두보에서 빠져나와 슐레지엔으로 향했다. 더 북쪽에서는 주코프 휘하 병력이 바르샤바 북쪽과 남쪽에서 비스와 강을 건너 1월 17일 이 도시를 함락했다. 더 북쪽에서는 소련 2개 군이 동프로이센의 절반을 짓밟고 단히치 만으로 돌격했다.

이것은 2차대전을 통틀어 소련군의 최대 공세였다. 스탈린은 폴란드와 동프로이센에만 기갑전력의 비중이 놀랍도록 높은 180개 사단을 투입했다. 막을 도리가 없었다.

"[소련군이 공세를 개시하고 불과 15일 후인] 1월 27일경 소련군의 파상공세는 우리에게 완전한 재앙의 형세로 빠르게 변해가고 있었다"라고 구데리안은 말한다.[13] 그날 프로이센의 동부와 서부가 나머지 독일로부터 단절되었다. 그날 주코프는 2주에 걸쳐 350킬로미터를 진군한 끝에 뤼벤 부근에서 오데르 강을 건너 베를린에서 겨우 160킬로미터 떨어진 독일 영내에 이르렀다. 그중에서도 최악은 소련군이 슐레지엔 공업 분지를 장악한 일이었다.

군수 생산을 책임지는 알베르트 슈페어는 1월 30일 ─ 히틀러 집권 12주년 기념일 ─ 에 총통에게 제출하는 의견서에서 슐레지엔을 상실한 것의 의미를 지적했다. "전쟁에서 졌습니다"라고 글을 시작한 슈페어는 그 이유를 냉정하고 객관적으로 설명했다. 루르 지역이 집중 폭격을 당한 후부터 슐레지엔의 탄광에서 독일이 필요로 하는 석탄의 60퍼센트를 공급했다. 독일에는 철도, 발전소, 공장에 공급할 석탄이 2주분밖에 비축된 것이 없었다. 슐레지엔을 잃었으므로 앞으로는 1944년 독일 석탄 생산량의 4분 1, 강철 생산량의 6분의 1밖에 공급할 수 없다고 슈페어는 말했다.[14] 이는 1945년에 닥칠 파국의 전조였다.

훗날 구데리안이 회고하기로 총통은 슈페어의 보고서를 힐끗 보고서 첫 문장을 읽은 다음 자기 금고에 집어넣으라고 지시했다. 총통은 슈페어와 독대하기를 거부한 채 구데리안에게 이렇게 말했다.

"… 나는 더 이상 그 누구와도 독대하지 않아. … [슈페어는] 항상 무언가 불쾌한 말을 하지. 나는 그걸 참을 수 없네."[15]

1월 27일 오후, 주코프의 병력이 베를린에서 160킬로미터 떨어진 오데르 강을 도하한 날, 이제 베를린 총리 관저로 이전했고 전쟁 종결 때까지 장소를 바꾸지 않은 총통 본부에서 흥미로운 대응 조치를 취했다. 25일, 절박한 구데리안은 리벤트로프를 찾아가 나머지 독일군이 동부의 소련군에 집중해서 대적할 수 있도록 당장 서부에서의 휴전을 강구할 것을 촉구했다. 외무장관은 곧장 히틀러에게 일러바쳤고, 총통은 당일 저녁 구데리안을 질책하며 "대역죄"를 저질렀다고 힐난했다.

이틀이 지난 27일 밤, 동부의 재앙에 충격을 받은 히틀러, 괴링, 요들은 서방 측에 휴전을 요청할 필요조차 없는 상황이라고 생각했다. 세 사람은 서방 연합국이 볼셰비키 승리의 결과를 우려하여 한달음에 달려올 것이라고 확신했다. 1월 27일의 총통 회의 기록 단편이 남아 있어 그날의 광경을 얼마간 알려준다.

히틀러: 잉글랜드가 러시아의 모든 행보에 열광할 거라고 생각하나?

괴링: 러시아군이 독일 전역을 점령하고 있는 마당에 잉글랜드는 우리가 자기네를 물리칠 거라고는 분명히 예상하지 않을 겁니다. … 러시아군이 독일로 점점 더 깊숙이 진격하고 있는 마당에 우리가 미치광이처럼 자기네를 물리칠 거라고는 … 기대하지 않을 겁니다. …

요들: 잉글랜드는 항상 러시아를 수상하게 여겼습니다.

괴링: 현 상황이 지속되면 며칠 내에 [잉글랜드로부터] 전보를 받을 겁니다.[16]

제3제국 지도부는 마지막으로 이런 실낱같은 희망을 걸기 시작했다. 서방을 겨냥한 나치–소비에트 조약의 독일 측 설계자들은 결국 영국군과 미군이 독일군에 합세해 소련 침공군을 물리치지 않는 이유를 도무지 이해하지 못하는 지경에 이를 터였다.

독일군의 붕괴

제3제국의 종말은 1945년 봄에 급속히 찾아왔다.

최후의 발악은 3월에 시작되었다. 2월까지 루르 지역이 대부분 황폐해졌고, 오버슐레지엔을 잃었으며, 석탄 생산량이 전년의 5분의 1 수준으로 떨어졌고, 영미군의 폭격으로 철도와 수로가 혼란에 빠져 그나마 생산한 석탄도 아주 적은 양만 수송할 수 있었다. 총통 회의에서는 주로 석탄 부족 문제가 거론되었다. 되니츠는 연료 부족 때문에 함정의 태반을 놀릴 수밖에 없다고 불평했고, 슈페어는 같은 이유로 발전소와 군수 공장도 비슷한 사정이라고 참을성 있게 설명했다. 루마니아와 헝가리의 유전을 빼앗기고 독일 내 합성 윤활유 공장이 폭격을 당한 탓에 휘발유

부족이 극심하여 전투기 대부분이 긴급 발진도 못하고 있다가 비행장에서 연합군의 공습에 파괴되었다. 전차사단의 태반도 연료 부족으로 움직일 수가 없었다.

한동안 국민 대중과 장병뿐 아니라 구데리안처럼 냉정한 장군들까지도 '기적의 무기'에 희망을 걸었으나 결국 포기할 수밖에 없었다. 영국을 겨눈 V-1 비행폭탄과 V-2 로켓의 발사장들은 아이젠하워의 병력이 프랑스 영토와 벨기에 해안을 수복할 때 거의 전부 상실했다. 네덜란드에 몇 군데 남아 있을 뿐이었다. 영미군이 독일 국경에 도달한 후 안트베르펜을 비롯한 군사 표적들에 두 종류의 V 무기를 8000발 가까이 퍼부었으나 피해는 경미했다.

히틀러와 괴링은 신형 제트기가 연합군 공군을 공중에서 몰아내리라 기대했다. 이 기종의 항공기가 부족한 영미군 비행사들이 반격에 성공하지 못할 경우 그렇게 될 수도 있었다―독일 측이 신형 제트기를 1000대 이상 생산해냈기 때문이다. 연합군의 재래식 전투기는 **공중**에서 독일 제트기에 상대가 되지 않았지만, 막상 지상에서 이륙할 수 있는 제트기가 거의 없었다. 제트기용 특수연료를 생산하는 정유공장은 폭격을 당했고, 제트기를 위해 건설한 확장 활주로는 연합군 조종사에게 쉽게 발각되어 지상의 제트기와 함께 파괴되었다.

되니츠 대제독은 총통에게 신형 전기 U보트가 바다에서 기적을 일으켜 북대서양에서 영미군의 생명선을 다시 한 번 끊어놓을 것이라고 장담한 바 있었다. 그러나 취역한 신형 잠수함 126대 중 겨우 2대만이 1945년 2월 중순까지 출항했다.

런던과 워싱턴에서 크게 우려한 독일의 원자폭탄 프로젝트에 관해 말하자면, 별로 진척되지 않았다. 히틀러가 관심이 없었거니와, 힘러가 충성심이 의심스러운 과학자들을 체포하거나 자신이 좋아하고 더 중요하다고 생각한 비상식적인 다른 '과학' 실험에 투입했기 때문이다. 1944년이 저물기 전에 미국 정부와 영국 정부는 독일 측이 이번 전쟁에서 원자폭탄을 보유하지 못할 것이라는 사실을 알고서 크게 안도했다.*

2월 8일, 이제 총 85개 사단으로 이루어진 아이젠하워의 병력이 라인 강에 접근하기 시작했다. 연합군은 독일군이 지연 전술만 구사하고 전력을 아껴서 폭이 넓고 유속이 빠른 강의 만만찮은 방벽 뒤편으로 물러날 것으로 예상했다. 룬트슈테트는 이 방책을 진언했다. 그러나 히틀러는 패배의 시절 내내 고수해온 대로 이번에도 퇴각 이야기라면 들으려 하지 않았다. 룬트슈테트에게 그 방책은 그저 "파국의 장소를 다른 장소로 옮기는" 데 불과하다고 말했다. 그래서 독일군은 히틀러의 고집에 따라 맞서 싸웠다. 하지만 오래 버티지는 못했다. 2월 말까지 영국군과 미군은 뒤셀도르프 북쪽 라인 강변의 몇몇 장소에 도달했고, 2주 후 모젤 강 북쪽에서 라인 강의 좌안을 확실히 손에 넣었다. 독일군은 다시 사망과 부상, 포로로 병력 35만 명(포로가 29만 3000명에 달했다)을 잃고 무기와 장비를 대부분 빼앗겼다.

히틀러는 불같이 화를 냈다. 3월 10일, 룬트슈테트를 마지막으로 닦아세우고 이탈리아 전선에서 오랫동안 완강하게 버틴 케셀링 원수로 교체했다. 이미 2월에 총통은 격분한 나머지 "우리가 생존을 위해 수중의 모든 수단을 동원해 싸우기로 결심했음을 적에게 알리고자" 제네바 협약

---

* 그 사실을 알게 된 사연은 흥미롭긴 하지만 여기서 밝히기에는 너무 길다. 사무엘 호우트스미트(Samuel Goudsmit) 교수가 저서 *Alsos*에 그 사연을 서술했다. '알소스(Alsos)'는 호우트스미트가 이끌고 아이젠하워의 군대를 따라 서유럽으로 들어간 미국 과학자 파견단의 암호명이었다.

파기를 고려하고 있다고 19일 회의에서 말한 바 있었다. 히틀러는 괴벨스에게 어서 조치를 취하라고 재촉했고, 피에 굶주린 이 비전투원은 독일 도시들이 당한 끔찍한 폭격의 보복 조치로 비행사 포로들을 즉결 총살할 것을 제안했다. 같은 자리의 일부 장교들이 법적인 이유로 반대하자 히틀러는 발끈하며 쏘아붙였다.

> 집어치우게! … 나는 포로를 배려할 생각이 없고 오히려 적군 포로를 그들의 권리에 조금도 개의치 않고 보복에 상관없이 처리한다는 점을 분명히 해둔다면, 탈영하기 전에 다시 한 번 생각할 이들이 [독일군에] 상당히 많을 걸세.[17]

이는 세계 정복자로서의 사명에 실패한 히틀러가 적군뿐 아니라 자국민을 상대로도 마치 발할라의 오딘 신처럼 유혈 홀로코스트를 일으키기로 결심했다는 것을 추종자들에게 드러낸 첫 신호였다. 회의 막바지에 히틀러는 되니츠 제독에게 "이 조치의 장단점을 검토해 최대한 서둘러 보고하게"라고 요구했다.

되니츠는 이튿날 본인 특유의 답변을 가져왔다.

> 이익보다 불이익이 더 많을 것입니다. … 겉치레를 유지하면서, 필요하다고 판단되는 조치를 사전 발표 없이 실행하는 편이 더 나을 것입니다.[18]

히틀러는 마지못해 동의했고, 앞에서 언급했듯이 (소련군을 예외로 하면) 포로로 잡힌 비행사들이나 다른 전쟁포로들을 전원 학살하는 일은 없었다. 하지만 포로 몇 명을 죽였고, 낙하산을 타고 내려온 연합군 비행사들에게 민중을 선동하여 린치를 가하게 했다. 또한 포로로 잡힌 프랑스 장군 귀스타브 메니Gustave Mesny가 히틀러의 지시로 살해되었으며, 진군해오는 연합군에 구출되지 못하도록 독일 내륙으로 음식도 물도 없이 먼 거리를 이동해야 했던 상당수 연합군 전쟁포로들이 길 위에서 영국군, 미군, 러시아군 전투기의 기총소사에 목숨을 잃었다.

"탈영하기 전에 다시 한 번 생각할" 거라던 독일 군인에 대한 히틀러의 우려에는 근거가 없지 않았다. 서부에서 탈영병, 또는 적어도 영미군이 진격해오자 최대한 일찍 투항한 독일군의 수는 놀랄 만큼 많았다. 2월 12일, 카이텔은 "총통의 이름으로" 하달한 명령에서 어떤 군인이든 "허위로 휴가증을 얻거나 위조문서로 여행하는 자는 … 사형에 처할 것이다"라고 경고했다. 또 3월 5일, 서부에서 H집단군을 지휘하던 요하네스 블라스코비츠Johannes Blaskowitz 장군은 다음과 같은 명령을 내렸다.

소속 부대에서 이탈한 채 발각되어 … 소속 부대를 찾고 있는 낙오자라고 밝히는 … 모든 군인은 즉결로 재판하고 총살할 것이다.

이에 더해 힘러는 4월 12일 도시나 교통 요충지를 지키는 데 실패한 지휘관은 누구든 "사형에 처해질 수 있다"고 선포했다. 이 명령은 이미 라인 강의 한 교량에 배치되었던 불운한 지휘관들에게 적용되고 있었다.

3월 7일 이른 오후, 미군 제9기갑사단의 선봉이 코블렌츠에서 라인 강을 따라 북서쪽으로 40킬로미터 떨어진 레마겐의 고지에 도달했다. 미군 전차대원들은 강에 가로놓인 루덴도르프 철교가 아직 멀쩡한 것을 보고 깜짝 놀랐다. 그들은 급히 경사면을 내려가 강가에 당도했다. 공병들이 폭파용 전선을 보는 족족 부리나케 끊었다. 한 보병 소대가 달음질로 철교를 건너려 했다. 그들이 라인 강의 동안에 다다랐을 때 폭탄이 터지고 뒤이어 폭발이 또 일어났다. 철교는 흔들렸지만 무너지지 않았다. 맞은편의 미약한 독일군은 금세 격퇴당했다. 미군 전차들이 철교를 내달렸다. 해거름까지 미군은 라인 강 동안에 강고한 교두보를 확보했다. 서부 독일에서 마지막으로 남은 커다란 자연 장벽을 돌파했던 것이다.*

얼마 후인 3월 22일 밤, 패튼의 제3군은 미 제7군 및 프랑스 제1군과 함께 탁월한 작전을 수행해 자르-팔츠 삼각지대를 장악한 뒤 마인츠 남쪽 오펜하임에서 다시 라인 강을 건넜다. 3월 25일까지 영미군은 라인 강 서안 일대를 차지하고 동안의 두 장소에 강고한 교두보를 확보했다. 6주 만에 히틀러는 서부 병력의 3분의 1 이상과 50만 명분의 무기 대부분을 잃었다.

3월 24일 오전 2시 30분, 히틀러는 베를린 본부에서 군사회의를 소집해 어떻게 대처할지 논의했다.

히틀러: 나는 오펜하임의 두 번째 교두보가 가장 위험하다고 생각하네.
헤벨[외무부 대표]: 그곳 라인 강은 강폭이 그리 넓지 않습니다.
히틀러: 250미터는 족히 되지. 강의 방벽에서는 단 한 명만 졸아도 끔찍한 불운이 닥칠 수 있네.

최고사령관은 "그곳으로 보낼 수 있는 여단이나 그 비슷한 부대"가 있는지 알고 싶어했다. 부관이 답변했다.

---

* 히틀러는 레마겐 철교에서 부실한 병력을 지휘한 독일 장교 8명을 처형했다. 그들은 총통이 설치하고 휘프너(Hübner)라는 광적인 나치 장군이 관장한 '서부 이동 특별군사법원(Fliegendes Sonder-Standgericht West)'에서 재판을 받았다.

현재 오펜하임으로 보낼 수 있는 부대가 없습니다. 센 야영지에 구축전차가 겨우 5대 있는데 오늘이나 내일 중으로 준비를 마칠 겁니다. 수일 내로 전투에 투입할 수 있습니다. …[19]

수일 내로! 그 순간 패튼은 오펜하임에 가로 11킬로미터 세로 9.5킬로미터의 교두보를 확보한 뒤 프랑크푸르트를 향해 돌진하고 있었다. 불과 몇 해 전만 해도 자랑거리인 전차군단으로 동유럽을 질주했던 막강한 독일 육군이 얼마나 궁지에 몰렸던지, 이 위기의 순간에 최고사령관은 강력한 적 기갑군의 진격을 저지하기 위해 "수일 내로 전투에 투입"할 수 있는 고장난 구축전차 겨우 5대를 끌어모으는 일에 신경써야 했다.*

3월 셋째 주에 미군이 라인 강을 건너고, 몽고메리 휘하의 영국군, 캐나다군, 미군으로 이루어진 막강한 연합군이 라인 강 하류를 도하하여 북부 독일 평원과 루르 지역 양 방면으로 진격할 태세를 취한 상황에서—실제로 3월 23일 밤에 진격을 개시했다—히틀러는 복수의 칼날을 진군해오는 적에게서 자국민에게로 돌렸다. 그들은 독일 역사상 가장 위대한 연전연승을 거두는 동안 히틀러를 지탱해온 보루였다. 그런데 이제

---

* 이 3월 23일자 총통 회의 기록이 화염에서 꽤 온전하게 건져낸 마지막 회의록이다. 이 기록은 총통의 광적인 정신 상태와 사방의 벽이 무너지는 순간에 시시콜콜한 세부사항에 집착하던 모습을 잘 보여준다. 한 시간 가까이 베를린 티어가르텐의 대로를 활주로로 사용하자는 괴벨스의 제안을 의논하기도 했다. 그러고는 독일 콘크리트가 폭격에 약하다며 일장연설을 늘어놓았다. 회의 시간 태반의 주제는 병력을 그러모으는 문제였다. 한 장군이 인도인 부대 문제를 제기하자, 히틀러는 이렇게 말했다. "인도인 부대는 웃음거리야. 이 한 마리 죽이지 못하고 차라리 뜯어 먹으려는 인도인들도 있네. 그들은 잉글랜드인 역시 죽이지 못할 거야. 그들로 잉글랜드군에 대적하는 건 말도 안 된다고 생각하네. … 인도인을 부려서 기도(祈禱) 공장이나 그 비슷한 무언가를 돌린다면, 그들은 세계에서 가장 지칠 줄 모르는 병사들이 될 걸세. …" 이런 논의가 심야까지 이어졌다. 회의는 이튿날 오전 3시 43분에 끝났다.

패배의 겨울에 히틀러는 국민이 더 이상 자신의 위대함에 걸맞지 않다고 생각했다.

1944년 8월, 히틀러는 대관구장들 앞에서 연설하면서 "만약 독일 국민이 이 투쟁에서 패한다면 그것은 틀림없이 너무 약하기 때문이다. 그들은 역사 앞에서 패기를 입증하지 못했고 그저 파멸할 운명이었다"라고 말했다.[20]

히틀러의 육신은 빠르게 망가지고 있었고 그것이 그의 판단력을 해친 한 가지 원인이었다. 전쟁을 지휘한다는 중압감, 패배의 충격, 좀처럼 떠나지 않는 지하 본부 벙커에서 신선한 공기도 쐬지 못하고 운동도 하지 않는 생활, 점점 더 자주 도지는 울화증, 특히 돌팔이 모렐 박사의 권고로 매일 복용한 독성 약물 등이 1944년 7월 20일의 암살 시도 이전부터 히틀러의 건강을 갉아먹었다. 그날의 폭발로 양쪽 귀의 고막이 파열되어 어지럼증이 더욱 심해졌다. 폭발 이후 담당 의사들이 장기 휴가를 권했지만 히틀러는 거부했다. "내가 동프로이센을 떠난다면 이곳은 함락될 것이다. 내가 머무는 한 이곳은 버틸 것이다"라고 카이텔에게 말했다.

1944년 9월에 히틀러는 쓰러져 병상에 누웠지만 11월에는 몸을 회복해 베를린으로 돌아갔다. 하지만 괴팍한 성미를 조절하는 힘은 끝내 회복하지 못했다. 1945년 들어 전선의 소식이 악화됨에 따라 히틀러는 점점 더 히스테리성 분노를 쏟아냈다. 그럴 때마다 제어하지 못할 정도로 손과 발이 덜덜 떨렸다. 구데리안 장군은 그런 순간의 히틀러를 몇 차례 묘사했다. 1월 말 소련군이 베를린에서 불과 160킬로미터 떨어진 오데르 강에 당도하고 구데리안이 발트 지역에서 후방을 차단당한 독일군 몇개 사단을 해상으로 철수시킬 것을 요구하기 시작했을 때, 히틀러는 참모총장을 돌아보았다.

그가 내 앞에 서서 두 주먹을 부들부들 떨자 나의 선량한 참모장 토말레는 내가 폭행을 당하지 않도록 내 상의의 자락을 잡아당길 생각까지 했다.

얼마 후인 1945년 2월 13일, 두 사람은 소련 전황을 놓고 또다시 언쟁에 돌입해, 구데리안에 따르면 두 시간 동안 갑론을박했다.

그는 주먹을 들어올리고 화가 나서 뺨을 붉히고 온몸을 떨었다. 분노로 제정신이 아니고 자제력을 전부 잃어버린 사람이 내 앞에 서 있었다. 히틀러는 분노를 터뜨릴 때마다 카펫의 가장자리를 성큼성큼 걷다가 갑자기 내 앞에 멈춰 서서 면전에 대고 비난을 퍼부었다. 비명을 지르다시피 했고, 두 눈이 얼굴에서 튀어나올 것 같았으며, 관자놀이의 핏줄이 툭 불거졌다.[21]

이 지경에 이른 정신과 신체로 독일 총통은 생애 막판의 가장 중대한 결정 중 하나를 내렸다. 3월 19일, 독일 내 모든 상점뿐 아니라 모든 군사·산업·운송·통신 시설까지 온전한 상태로 적의 수중에 들어가지 않도록 파괴하라는 일반명령을 내렸던 것이다. 이 조치는 군부가 나치 대관구장들과 "제국방위관들"의 도움을 받아 수행해야 했다. 그 명령은 "이에 반하는 모든 지령은 무효다"라는 단언으로 끝맺었다.[22]

독일을 광대한 황무지로 만들어야 했다. 독일 국민이 패전 이후 어떻게든 살아갈 만한 방편을 아무것도 남겨두지 말아야 했다.

거침없이 발언하는 군수전쟁생산부 장관 알베르트 슈페어는 일찍이 히틀러와 상의한 경험을 토대로 야만적인 지령이 하달될 것을 예상하고서 3월 15일에 의견서를 작성하여 그런 범죄적인 조치에 완강히 반대하며 이미 전쟁에서 졌다는 주장을 되풀이했다. 그리고 3월 18일 저녁,

총통에게 직접 의견서를 건넸다.

[슈페어가 씀] 앞으로 4주에서 8주 내에 독일 경제가 확실히 붕괴할 것으로 예측됩니다. … 그 붕괴 이후에는 전쟁을 군사적으로도 지속할 수 없습니다. … 우리는 설령 가장 원초적인 방법밖에 없을지라도 국가의 존립 기반을 최후까지 유지하기 위해 모든 일을 해야 합니다. … 우리는 전쟁의 이 단계에서 국민의 삶에 영향을 줄 수 있는 파괴를 실행할 권리가 없습니다. 적들이 특유의 용맹으로 싸워온 이 국가를 파괴하고자 한다면, 그 역사적 오욕은 오로지 그들의 몫으로 돌아갈 것입니다. 우리는 먼 미래에 국가를 재건할 수 있는 모든 가능성을 남겨둘 의무가 있습니다. …[23]

그러나 본인의 운명이 정해진 히틀러는 이제 독일 국민, 언제나 한없이 사랑한다고 공언해온 국민의 존속에는 관심이 없었다. 히틀러는 슈페어에게 이렇게 말했다.

전쟁에서 지면 민족도 사라질 것이다. 이 운명은 피할 수 없다. 국민이 가장 원초적으로 존속하기 위해 필요할 법한 기반 따위는 고려할 필요가 없다. 오히려 우리 스스로 그런 것들을 파괴해버리는 편이 더 낫다. 이 국가는 약한 국가로 판명날 것이고, 미래는 오로지 강한 동부 국가[소련]의 것일 테니까. 게다가 뛰어난 자들이 살해되었으니 전후에는 열등한 자들만 남을 것이다.

그리하여 최고사령관은 이튿날 악명 높은 '초토화' 지령을 하달했다. 뒤이어 3월 23일에는 총통의 비서이며 이제 나치 수뇌부 가운데 두 번째로 높은 지위를 차지한 두더지 같은 인물 마르틴 보어만이 똑같이 극악무도한 명령을 내렸다. 슈페어는 뉘른베르크 증인석에서 그 명령을 이렇게 설명했다.

보어만의 명령은 제국 동부와 서부의 주민을 중심부로 데려오는 것이었는데, 거기에는 외국인 노동자와 전쟁포로도 포함되었습니다. 이 수백만 명을 도보로 이동시키려 했습니다. 그들이 목숨을 부지할 식량도 준비되지 않았습니다. 당시 상황을 고려할 때 실행할 수 없는 일이었습니다. 만약 실행했다면 상상도 못할 기아 참사가 벌어졌을 것입니다.

그리고 히틀러와 보어만의 다른 모든 명령—보충 지령이 많았다—이 실행에 옮겨졌다면, 그때까지 어떻게든 목숨을 부지한 독일인 수백만 명이 죽었을 것이다. 슈페어는 뉘른베르크 법정에서 여러 '초토화' 명령을 요약하려 했다. 파괴 대상은 다음과 같았다.

모든 공장, 모든 중요 전기시설, 급수시설, 가스시설, 식료품점, 의류점, 모든 교량, 모든 철도와 통신시설, 모든 수로, 모든 선박, 모든 화물차와 모든 기관차.

독일 국민이 최종 파국을 면한 것은, 그런 대규모 파괴 활동을 불가능하게 만든 연합군의 신속한 진격 외에도, 슈페어와 다수의 장교들이 히틀러의 명령을 (마침내!) 정면으로 거스르고 전국 곳곳을 돌면서 필수 통신시설, 공장, 상점 등이 무작정 복종하는 장교들이나 나치당 일꾼들에 의해 폭파되지 않도록 초인적인 노력을 기울인 덕분이었다.

이제 독일군의 종말이 다가오고 있었다.

몽고메리 원수의 영국-캐나다 군이 3월 마지막 주에 라인 강 하류를 건넌 뒤 브레멘, 함부르크, 발트 해에 면한 뤼베크를 향해 북동쪽으로 진군하는 동안, 윌리엄 H. 심슨William H. Simpson 장군의 미 제9군과 호지스 장군의 미 제1군이 각각 루르 지역의 북쪽 경계와 남쪽 경계를 지나 신속히 진격했다. 4월 1일, 두 군은 립슈타트에서 합류했다. 독일 제15군과 제5기갑군으로 이루어진 모델 원수의 B집단군―약 21개 사단―은 독일 최대 공업 지역 루르의 폐허에서 포위되었다. 그래도 18일간 버티다 4월 18일에 항복했다. 장군 30명을 포함해 독일군 32만 5000명이 포로로 잡혔으나 그중에 모델은 없었다. 원수는 포로가 되느니 자결하는 길을 택했다.

루르에서 모델의 병력이 포위되자 서부에서 독일군의 전선은 크게 뚫렸다. 이제 루르를 견제할 필요가 없어진 미 제9군과 제1군의 사단들이 320킬로미터 너비의 구멍을 통과해 독일 심장부의 엘베 강을 향해 쾌속 진격했다. 미군 2개 군과 독일 수도 사이에는 여기저기 흩어진 소수의 지리멸렬한 독일군 사단들밖에 없었으므로 베를린으로 가는 길도 열려 있었다. 4월 11일 새벽부터 무려 100여 킬로미터를 진군한 미 제9군의 선봉은 저녁 무렵 마그데부르크 부근 엘베 강에 당도했고, 이튿날 강 맞은편에 교두보를 확보했다. 미군은 베를린을 불과 100킬로미터 앞에 두고 있었다.

이제 아이젠하워의 목표는 마그데부르크와 드레스덴 사이 엘베 강에서 소련군과 합류하여 독일을 양분하는 것이었다. 소련군보다 먼저 베를린에 쉽게 당도할 수 있건만 그렇게 하지 않았다는 이유로 처칠과 영국군 수뇌부로부터 맹비난을 받긴 했으나, 당시 아이젠하워와 연합국 원정군 최고사령부(SHAEF)의 참모진은 소련군과 합류한 뒤 이른바 국가 요새를 함락하기 위해 시급히 남동쪽으로 진군하는 문제에 사로잡혀 있었다. 히틀러가 남부 바이에른과 서부 오스트리아에 걸친 거의 난공불락인 알프스 산악지대에서 최후의 항전을 벌이고자 잔여 병력을 모으고 있다고 믿었기 때문이다.

그 '국가 요새'는 환영幻影이었다. 괴벨스가 난사하는 선전과 거기에 속아 넘어간 아이젠하워 사령부의 조심스러운 마음속에만 존재했을 뿐이다. 이미 3월 11일 SHAEF 정보부는 아이젠하워에게 나치가 산악지대에 난공불락 요새 구축을 계획하고 있고 히틀러가 베르히테스가덴의 산장에서 방어를 직접 지휘할 것이라고 알렸다. 그러면서 그 빙설로 덮인 험준한 바위산이 "사실상 난공불락"이라고 했다.

[정보부가 이어서 보고함] 자연지물과 일찍이 발명된 된 적 없는 가장 효율적인 비밀 무기로 지켜지는 이곳에서 이제껏 독일을 이끌어온 저력이 재조직되어 부활을 도모할 것이다. 이곳의 방탄 공장에서 병기를 제조하고, 방대한 지하 동굴에 식량과 장비를 비축하고, 특별히 선발한 청년 군단에 게릴라전을 훈련시키는 방법으로 지하의 전군이 군비를 갖추고 점령군에 맞서 독일을 해방하기 위해 나설 수 있을 것이다.[24]

연합국 원정군 최고사령부의 정보장교들 사이에 영국과 미국의 미스터리 작가들이 잠입한 것처럼 보일 지경이다. 어쨌거나 SHAEF에서는 이 황당한 의견을 진지하게 받아들였고, 아이젠하워의 참모장 월터 베델 스미스Walter Bedell Smith 장군은 "알프스 지역에서 작전이 연장"되어 미군 사상자가 다수 발생하고 전쟁이 무한정 이어질 끔찍한 가능성에 대해 심사숙고했다.*

지략이 풍부한 괴벨스 박사가 선전 허풍으로 전쟁의 전략적 추이에 영향을 준 것은 이번이 마지막이었다. 처음에 아돌프 히틀러는 자신의 출생지에서 가까운 그 오스트리아-바이에른 산악지대, 개인 시간을 대부분 보낼 정도로 좋아하고 자기 소유라고 말할 수 있는 유일한 집이 있는 장소—베르히테스가덴 위쪽 오버잘츠베르크—로 물러나 최후의 항전을 벌일까 생각했지만, 주저하다가 때를 놓치고 말았다.

미군이 나치당 전당대회의 도시 뉘른베르크에 도달한 4월 16일, 이날 주코프의 소련군이 오데르 강의 교두보에서 출발하여 4월 21일 베를린 외곽에 당도했다. 빈은 이미 4월 13일에 함락되었다. 4월 25일 오후 4시 40분, 미군 제69보병사단의 정찰대가 베를린에서 남쪽으로 120킬로미터 떨어진 엘베 강변의 토르가우에서 소련군 제58근위사단의 선발대를 만났다. 독일은 북과 남으로 양분되었다. 아돌프 히틀러는 베를린에 고립되었다. 제3제국의 마지막 나날이 오고야 말았다.

---

* "작전이 끝나고 나서야 우리는 이 요새가 대체로 광적인 소수 나치들의 상상 속에나 존재한다는 것을 알게 되었다"라고 오마 브래들리(Omar Bradley) 장군은 훗날 썼다. "그 계획이 터무니없이 부풀려졌던 터라 우리가 그토록 순진하게 믿었다는 데 나는 깜짝 놀랐다. 하지만 이 요새 전설은 존재하는 동안에는 그냥 무시하기에는 너무 불길한 위협이었으며 그 결과로 전쟁의 막바지 수주일 동안 우리의 전술적 사고에 영향을 주었다." (Bradley, *A Soldier's Story*, p. 536)
"알프스 요새에 관해 대부분 말도 안 되는 글이 아주 많이 쓰였다"라고 케셀링 원수는 전후에 비꼬듯이 지적했다. (Kesselring, *A Soldier's Record*, p. 276)

제31장

신들의 황혼:
제3제국의 마지막 나날

히틀러는 56세 생일인 1945년 4월 20일에 베를린을 떠나 오버잘츠베르크로 가서 바르바로사 황제의 전설적인 산악 요새에서 제3제국의 최후 항전을 지휘할 계획이었다. 대다수 정부 부처는 이제 운이 다한 베를린에서 빠져나가려고 발버둥을 치는 공무원과 공문서를 트럭에 가득 싣고서 이미 남쪽으로 이전한 터였다. 총통 자신도 열흘 전에 식솔 대다수를 베르히테스가덴으로 보내 산장 베르크호프에서 자신을 맞이할 준비를 하도록 했다.

그렇지만 히틀러는 사랑하는 알프스 산장을 다시는 보지 못할 운명이었다. 그의 예상보다 종말이 더 빠르게 다가오고 있었다. 미군과 소련군은 엘베 강의 합류지로 쾌속 진군하고 있었다. 영국군은 함부르크와 브레멘의 문전에서 독일과 피점령국 덴마크를 갈라놓을 태세였다. 이탈리아에서는 볼로냐가 함락되었고 알렉산더의 연합군이 포 강 유역으로 돌입하고 있었다. 4월 13일 빈을 함락한 소련군은 도나우 강을 따라 북진하고 있었으며, 미 제3군은 히틀러의 고향 오스트리아 린츠에서 소련군을 만나기 위해 같은 강을 따라 당당히 남진하고 있었다. 전시 내내 대강

당이나 경기장에서 나치당의 수도임을 나타내는 활동이 줄곧 이루어진 고도古都 뉘른베르크는 포위되었으며, 미 제7군의 일부가 이 도시를 지나 나치 운동의 탄생지 뮌헨으로 진격하고 있었다. 베를린에서는 소련군 중포의 굉음을 들을 수 있었다.

예전 로즈 장학생이었던 철없는 재무장관으로 볼셰비키가 다가온다는 소리를 듣자마자 베를린을 떠나 북쪽으로 달아난 슈베린 폰 크로지크 백작은 4월 23일 일기에 이렇게 적었다. "그 일주일 내내 욥의 심부름꾼들만 연이어 찾아왔다〔구약성서 〈욥기〉에서 욥의 심부름꾼들은 연달아 흉보를 전한다〕. 우리 국민은 가장 암담한 운명을 맞을 것으로 보인다."[1]

히틀러는 동프로이센의 라스텐부르크 본부를 소련군이 다가오던 전년 11월 20일에 마지막으로 떠난 뒤, 동부에서 전쟁을 시작한 이래 거의 찾지 않았던 베를린에 머무르다가, 아르덴의 비장한 도박을 지휘하기 위해 12월 10일 바트나우하임 인근 치겐베르크에 있는 서부 본부로 갔다. 그 도박에 실패한 뒤 1월 16일 베를린으로 돌아온 그는 최후까지 수도에 머무르면서 연합군의 폭격에 널찍한 대리석 홀이 폐허로 변해버린 총리 관저의 지하 15미터 벙커에서 허물어지는 군대를 지휘했다.

히틀러의 육체는 급속히 쇠약해지고 있었다. 2월에 히틀러를 처음 본 어느 육군 대위는 총통의 겉모습을 훗날 이렇게 회상했다.

머리를 살짝 흔들거렸다. 왼팔을 축 늘어뜨리고 손을 많이 떨었다. 두 눈은 무어라 형언할 수 없는 안광을 깜빡거리며 무섭고 전반적으로 부자연스러운 느낌을 자아냈다. 얼굴과 눈매는 기진맥진했다는 인상을 주었다. 모든 움직임은 노쇠한 사람의 그것이었다.[2]

7월 20일의 암살 시도 이후 히틀러는 갈수록 어느 누구도, 심지어 자기 밑에서 오랫동안 일한 당원들마저 믿지 않았다. 3월에 여성 비서들 중 한 명에게 "나는 사방에서 거짓말을 듣는다"라고 씩씩대며 말했다.

아무도 믿을 수가 없어. 모두가 나를 배신하지. 모든 일에 신물이 나네. …
나에게 무슨 일이라도 생긴다면 독일은 지도자도 없이 남겨질 걸세. 후계자가 없어. 헤스는 미쳤고, 괴링은 국민의 호감을 잃었고, 힘러는 당에서 거부할 걸세. 게다가 그[힘러]는 예술이라곤 하나도 모르지. … 자네가 머리를 쥐어짜서 내 후계자가 누구일지 말해주게. …[3]

누군가는 역사의 이 단계에서 후계 문제는 탁상공론이라고 생각했을 테지만, 나치의 몽상 세계에서는 그렇지가 않았다. 곧 살펴볼 것처럼 총통뿐 아니라 주요 후계자 후보들도 그 문제에 집착했다.

히틀러의 몸이 엉망인 데다 소련군이 베를린에 근접하고 서방 연합군이 독일 본토를 장악하여 이제 처참한 최후가 목전에 닥친 상황임에도, 총통은, 그리고 괴벨스를 비롯해 가장 광적인 소수의 추종자들은 마지막 순간에 기적으로 구원받을 것이라는 희망에 끈질기게 매달렸다.

4월 초 날씨 좋은 저녁에 괴벨스는 자리에 앉아 히틀러에게 총통의 애독서 중 하나인 토머스 칼라일의 《프리드리히 대왕의 역사》를 읽어주었다. 괴벨스가 낭독한 장은 7년 전쟁 중 가장 암담했던 시절, 대왕이 진퇴유곡에 빠졌다고 생각해 각료들에게 만약 2월 15일까지 운수가 나아지지 않으면 포기하고 독약을 마시겠다고 말하는 대목이었다. 역사의 이 시기를 고른 것은 확실히 적절했으며 괴벨스는 틀림없이 한껏 극적인 방식으로 낭독했을 것이다.

[괴벨스가 이어서 낭독함] "용감한 국왕이시여! 조금 더 기다리시면 고통의 나날이 지나갈 것입니다. 전하의 행운의 태양이 벌써 구름 저편에 있으며 곧 솟아오를 것입니다." 2월 12일 여황제가 죽었고, 브란덴부르크 가의 기적이 일어났다.

총통의 두 눈에 "눈물이 가득 고였습니다"라고 괴벨스는 크로지크에게 말했고, 후자는 이 감동적인 장면을 일기에 적어 우리에게 전해주었다.[4] 그렇게 영국인이 쓴 책에서 기운을 얻은 두 사람은 힘러의 잡다한 '연구' 부서들 중 한 곳에서 서류철에 보관 중이던 두 가지 별자리점 결과를 가져오도록 했다. 하나는 1933년 1월 30일 히틀러가 집권하던 날 작성한 총통의 별자리점이었고, 다른 하나는 1918년 11월 9일 바이마르 공화국의 탄생일에 어느 이름 모를 점성술사가 작성한 공화국의 별자리점이었다. 괴벨스는 두 통의 놀라운 문서를 재검토한 결과를 크로지크에게 알렸다.

놀라운 사실이 밝혀졌으니, 두 별자리점 모두 1939년에 전쟁 발발, 1941년까지 승리, 뒤이어 일련의 전세 역전, 1945년 초기 몇 달 동안, 특히 4월 초순의 가장 심한 반격을 예상했습니다. 4월 하순에 우리는 일시적인 성공을 거둘 것입니다. 그 후로 8월까지 정체기일 테고 그달에 강화를 맺을 것입니다. 뒤이어 3년은 독일에 힘겨운 시절일 테지만, 1948년부터 독일은 부흥할 것입니다.[5]

칼라일의 책과 "놀라운" 별자리점에서 기운을 얻은 괴벨스는 4월 6일 퇴각하는 군대에 힘차게 호소했다.

총통은 바로 올해 운세가 바뀐다고 단언하셨다. … 진정한 천재의 특질은 다가오는 변화를 자각하고 확실하게 안다는 것이다. 총통은 변화의 정확한 시간을 알고 계신다. 운명이 이 인물을 보내준 덕에 우리는 이 극심한 내우 외환의 시기에 기적을 증언할 것이다. …[6]

그로부터 채 1주일도 지나지 않은 4월 12일, 괴벨스는 기적의 "정확한 시간"이 왔다고 확신했다. 그날따라 나쁜 소식이 더 들려왔다. 미군이 데 사우와 베를린 사이 아우토반에 나타나자 최고사령부는 그 인근에 남아 있는 마지막 화약공장 두 곳을 파괴하라고 다급히 지시했다. 이제부터 독일 장병은 수중의 탄약으로 어떻게든 헤쳐나가야 할 판국이었다. 그날 괴벨스는 오데르 강 전선의 퀴스트린에 있는 테오도어 부세Theodor Busse 장군의 사령부에 있었다. 장군은 괴벨스에게 소련군의 돌파는 불가능하며 (괴벨스가 이튿날 크로지크에게 말했듯이) "영국군이 우리 엉덩이를 걷어찰 때까지 버틸" 것이라고 장담했다.

[괴벨스가 이야기를 들려줌] 저녁에 그들은 사령부에 함께 앉아 있었고, 그는 7년 전쟁에서 브란덴부르크 가의 기적이 일어났던 것처럼 상황은 역사적 논리와 정의에 따라 바뀌기 마련이라는 지론을 폈다.

"이번에는 어떤 여황제가 죽을까요?"라고 한 장교가 물었다. 괴벨스는 알지 못했다. 그럼에도 운명은 "온갖 가능성을 쥐고 있다"라고 대답했다.

그날 밤 늦게 선전장관이 베를린으로 돌아갔을 때 수도 중심부는 또다시 영국 공군에 폭격당해 화염에 휩싸여 있었다. 총리 관저의 남은 부분과 빌헬름슈트라세 저쪽의 아들론 호텔이 불타고 있었다. 선전부 계단에서 한 비서가 괴벨스를 맞이하며 급보를 전했다. "루스벨트가 죽었습니다!"

빌헬름스플라츠 맞은편에서 활활 타는 총리 관저의 불빛에 비친 장관의 얼굴이 환해지는 것을 모두가 보았다.

"최고로 좋은 샴페인을 꺼내오게!" 하고 괴벨스가 외쳤다. "그리고 총통과 전화 연결해주게!"

히틀러는 폭격이 진행되는 동안 길 건너편의 깊은 지하 벙커에 있었다. 그가 수화기를 들었다.

"총통 각하" 하고 괴벨스가 말했다. "축하드립니다! 루스벨트가 죽었습니다! 별자리점에 따르면 4월 하순이 우리의 전환점이랍니다. 이번 금요일, 4월 13일입니다. [이미 자정을 지난 때였다.] 이제 전환점입니다!"

루스벨트 사망 소식에 대한 히틀러의 반응은 기록되지 않았다. 다만 칼라일과 별자리점에서 기운을 얻었던 것으로 미루어 어떻게 반응했을지 짐작할 수는 있다. 하지만 괴벨스의 반응은 기록되었다. 장관의 비서에 따르면 "그는 황홀경 상태였다".[7]

얼빠진 슈베린 폰 크로지크 백작도 마찬가지였다. 괴벨스의 차관이 전화로 루스벨트 사망 소식을 알리자 크로지크는—적어도 자신의 진실한 일기에다 대고—탄성을 질렀다.

이건 역사의 천사다! 방 곳곳에서 천사의 펄럭이는 날개를 느꼈다. 우리가 그토록 애태우며 기다려온 운세의 전환이 아닐까?

이튿날 아침 크로지크는 괴벨스에게 전화해 **자신의** '축사'를 전하고—일기에 자랑스럽게 적었다—마치 그것으로 충분하지 않다는 듯이 따로 편지까지 보내 루스벨트의 죽음을 "신의 심판 … 신의 선물"이라며 찬탄했다.

이렇듯 정신병원 같은 분위기 속에서, 크로지크와 괴벨스처럼 유럽의 유서 깊은 대학 출신으로 장기간 집권해온 각료들이 별자리점에 매달리는가 하면 화염에 휩싸인 수도 한복판에서 미국 대통령의 서거를 신께서 막판에 제3제국을 임박한 파국으로부터 구해주실 것이라는 확실한 신호로 여겨 반색하는 가운데, 베를린 전쟁극은 그 최후의 장면까지 펼쳐졌다.

에바 브라운은 히틀러와 함께 지내기 위해 4월 15일 베를린에 도착했다. 독일인 중에서 에바의 존재를 아는 이는 극히 드물었고, 그녀와 히틀러의 관계를 아는 이는 더더욱 드물었다. 12년이 넘도록 에바는 히틀러의 정부였다. 트레버-로퍼의 말대로 4월에 그녀가 찾아온 것은 결혼과 죽음의 의식을 치르기 위해서였다.

이 책의 마지막 장에서 에바가 맡은 역할은 흥미롭지만, 그녀 자체는 흥미롭지 않다. 그녀는 퐁파두르 부인도 롤라 몬테즈도 아니었다.* 히틀러는 분명 에바를 무척 좋아했고 주제넘지 않는 그녀와 함께 지내며 긴장을 풀었지만, 언제나 그녀를 눈에 띄지 않는 곳에 두었고, 자신이 전쟁 기간에 거의 모든 시간을 보낸 여러 총통 본부로 그녀가 찾아오는 것

---

* 슈페어는 트레버-로퍼에게 "모든 역사물 저술가들에게 에바 브라운은 실망스러울 겁니다"라고 말했고, 이 역사가는 "그리고 역사물 독자들에게도 그렇다"라고 덧붙였다. (Trevor-Roper, *The Last Days of Hitler*, p. 92)

을 용납하지 않았으며, 베를린으로 오는 것조차 좀처럼 허락하지 않았다. 그녀는 오버잘츠베르크의 베르크호프에 갇혀서 수영을 하거나 스키를 타고, 저속한 소설이나 저질 영화로 시간을 보내고, 춤을 추거나(히틀러는 탐탁지 않게 여겼다) 끊임없이 치장하고, 함께하지 못하는 연인을 그리며 슬퍼하기도 하면서 세월을 보냈다.

총통의 운전사 에리히 켐프카Erich Kempka는 에바를 가리켜 "그녀는 독일에서 가장 불행한 여자였습니다. 대부분의 시간을 히틀러를 기다리며 보냈습니다"라고 말했다.[8]

카이텔 원수는 뉘른베르크에서 심문받던 중 에바의 외모를 묘사했다.

그녀는 매우 날씬하고, 외모가 우아하고, 다리가 무척 예쁘고 — 누구나 볼 수 있었습니다 — 말수가 적고, 내성적이고, 대단히 친절했으며, 짙은 금발이었습니다. 그녀는 좀처럼 사람들 앞에 나서지 않았습니다.[9]

에바는 바이에른 출신 중간계급 하층 가정의 딸이었는데, 처음에 부모는 히틀러가 독재자임에도 사회 통념에 어긋나는 그와의 관계를 극구 반대했다. 그녀는 하인리히 호프만이라는 사람의 뮌헨 사진점에서 일하다가 호프만의 소개로 총통을 만났다. 앞에서 언급했듯이 히틀러가 평생을 통틀어 열렬히 사랑했던 유일한 여성인 조카딸 겔리 라우발이 자살하고 한두 해가 지난 때였다. 에바 브라운 역시, 비록 겔리 라우발과 같은 이유 때문은 아니었지만, 연인으로 말미암아 자주 절망했던 것으로 보인다. 에바는 총통의 알프스 산장 스위트룸에서 지내긴 했지만, 히틀러와의 오랜 별거를 견디지 못하고 관계 초기 몇 년간 두 차례나 자살을 시도했다. 하지만 점차 자신의 불만스럽고 모호한 역할 — 아내로도 정부로도 인정받지 못했다—을 받아들였고, 위대한 남자의 유일한 여성 동반자로서 그와 함께하는 드문 순간을 최대한 즐겁게 보내는 것으로 만족했다.

이제 에바는 히틀러와 최후를 함께하기로 결심했다. 괴벨스 부부와 마찬가지로, 에바는 아돌프 히틀러가 없는 독일에서는 살고픈 마음이 없었다. 최후 직전에 벙커에서 에바는 독일의 유명한 여성 시험비행사인 하나 라이치Hanna Reitsch에게 "진정한 독일인이 살아가기에는 적절하지 않을 거예요"라고 말했다.[10] 에바 브라운은 심지가 약하고 히틀러에게 지적인 감명을 전혀 주지 못했지만—아마도 이것이 히틀러가 지적인 여자들보다 에바를 좋아한 한 가지 이유일 것이다—다른 수많은 이들과 마찬가지로 에바가 히틀러로부터 전면적인 영향을 받았던 것은 분명하다.

히틀러의 마지막 중대 도박

히틀러의 생일 4월 20일은 꽤 평온하게 지나갔다. 다만 벙커에서 열린 축하연에 참석한 공군 참모총장 카를 콜러Karl Koller 장군이 일기에 적었듯이, 그날 급속히 무너지는 전선에서 또다시 참패하긴 했다. 괴링, 괴벨스, 힘러, 리벤트로프, 보어만 등의 나치 원로들뿐 아니라 되니츠, 카이텔, 요들, 크렙스Krebs(신임이자 마지막 육군 참모총장) 등 살아남은 군 수뇌부도 참석했다. 그들은 총통의 생신을 축하했다.

통수권자는 전황에도 불구하고 특별히 의기소침하지 않았다. 사흘 전에 장군들에게 말했듯이 "러시아군은 베를린 앞에서 가장 처참한 패배를 당할 것이다"라고 여전히 자신했다. 하지만 장군들은 전황을 더 잘 알고 있었고, 생일파티 이후 정례 군사회의에서 히틀러에게 베를린을 떠나 남쪽으로 피신하라고 간청했다. 하루이틀 내에 러시아군이 남쪽 방면의 마지막 탈출로를 차단할 것이라고 설명했다. 히틀러는 망설였다. 떠날지 안 떠날지 말하지 않았다. 몇 해 전에 자신이 전멸한 것이나 다름없다고 선언했던 소련군에 의해 제3제국의 수도가 함락되기 직전이라는 끔찍한 사실을 도저히 받아들일 수 없는 듯 보였다. 히틀러는 장군들에게 양보하는 선에서 미군과 소련군이 엘베 강에서 합류할 경우 두 곳에 별개 사령부를 설치하는 데 동의했다. 되니츠 제독에게 북부 사령부를 맡기고, 아마도 케셀링에게 남부 사령부를 맡기게 될 터였다―후자의 임명 여부는 아직 불확실했다.

그날 밤 베를린에서 일대 도주가 일어났다. 총통이 가장 신뢰하는 베테랑 부관 두 사람, 힘러와 괴링도 달아났다. 괴링은 으리으리한 저택 카린할에 있던 전리품을 트럭 여러 대에 가득 싣고서 캠핑카를 타고 도망쳤다. 두 원로 나치는 사랑하는 지도자가 곧 죽을 것이고 자신이 후계자가 될 것이라고 확신하며 베를린을 떠났다.

두 사람은 다시는 히틀러를 만나지 못했다. 심야에 더 안전한 곳을 찾아 잽싸게 달아난 리벤트로프도 마찬가지였다.

그러나 히틀러는 아직도 포기하지 않았다. 생일 다음날 친위대 펠릭스 슈타이너Felix Steiner 장군에게 베를린 남부 교외에서 소련군에 총력으로 반격하라고 명령했다. 공군의 지상 부대를 포함해 베를린 지역에서 가용한 모든 군인을 반격에 투입하라고 지시했다.

히틀러는 공군을 대표하기 위해 남아 있던 콜러 장군에게 소리쳤다. "누구든 병력 투입을 보류하는 지휘관은 5시간 내에 목숨을 잃을 걸세. 휘하의 마지막 일인까지 투입한다는 것을 그대의 머리를 걸고 직접 보증하게."[11]

그날 내내, 그리고 이튿날 늦게까지 히틀러는 슈타이너의 반격 소식을 초조하게 기다렸다. 그것은 그가 현실 감각을 잃었다는 또 하나의 실례였다. 슈타이너의 반격은 없었다. 시도조차 없었다. 그런 공격은 필사적인 독재자의 간절한 마음속에만 존재했다. 마침내 그 사실을 인정할 수밖에 없게 되자 히틀러는 분노를 터뜨렸다.

4월 22일은 히틀러의 파멸의 길에서 마지막 전환점이 되었다. 전날과 마찬가지로 그날 이른 아침부터 오후 3시까지 전화기에 매달려 슈타이너의 반격이 어떻게 진행되는지 여러 사령부에 확인하려 했다. 아무도 몰랐다. 수도에서 남쪽으로 불과 몇 킬로미터 떨어진 지점에서 반격에 나서기로 되어 있었지만, 콜러 장군의 항공기들도, 지상군 지휘관들도 그 전장을 찾을 수가 없었다. 슈타이너의 부대는 고사하고 슈타이너도, 비록 존재하긴 했지만, 찾을 수가 없었다.

분노 폭발은 오후 3시 벙커의 일일 군사회의에서 일어났다. 히틀러는 노기등등하게 슈타이너의 소식을 요구했다. 카이텔도, 요들도, 다른 어느 누구도 알지 못했다. 그런데 장군들에게는 다른 소식이 있었다. 슈타이너를 지원하기 위해 베를린 북부의 병력을 철수시킨 바람에 그곳 전선이 너무 약해져서 소련군이 돌파했고 지금 전차들이 도시의 경계 안으로 진입했다는 소식이었다.

최고사령관에게는 견딜 수 없는 소식이었다. 생존한 목격자들은 하나같이 히틀러가 자제력을 완전히 잃어버렸다고 증언한다. 히틀러는 생애 최대로 분기탱천했다. 이제 끝장이라며 절규했다. 모두가 나를 저버렸다. 배반, 거짓말, 부패, 비굴함밖에 없다. 다 끝났다. 좋다, 나는 베를린에 남을 테다. 제3제국 수도의 방위를 직접 떠맡을 테다. 다른 사람들은 원한다면 떠나도 좋다. 이 장소에서 나는 최후를 맞을 테다.

다른 사람들은 만류했다. 체코슬로바키아에 페르디난트 쇠르너Ferdinand Schörner 원수의 집단군이 있고 케셀링의 상당한 병력이 아직 온전하게 남아 있는 남쪽으로 총통이 물러난다면 아직 희망이 있다고 했다. 북서쪽의 부대를 지휘하기 위해 그곳으로 떠난 되니츠와 앞에서 언급했듯이 다른 속셈을 품은 힘러는 지도자에게 전화해 베를린에 머무르지 말라고 간청했다. 리벤트로프까지 지도자에게 전화해 자신이 "외교 쿠데타"를 일으켜 모든 것을 구할 참이라고 말했다. 그러나 히틀러는 더는 그들을 신뢰하지 않았다. 한때 어리석게도 "제2의 비스마르크"라고 불렸던 외무장관도 마찬가지였다. 히틀러는 결단을 내렸다고 모두에게 말했다. 그러고는 그 결단을 되돌릴 수 없다는 것을 보여주고자 회의 참석자들의 면전에서 비서를 불러 발표문을 받아 적게 한 다음 곧장 라디오로 방송하라고 지시했다. 총통은 베를린에 남아 최후까지 수도를 지키겠다는 내용이었다.

그런 다음 괴벨스 가족에게 사람을 보내 선전장관 부부와 여섯 자녀를 폭격으로 심하게 파손된 빌헬름슈트라세의 관저에서 총통 벙커로 모셔오도록 했다. 히틀러는 적어도 이 광신적이고 충직한 추종자와 그의 가족만큼은 마지막까지 자기 곁에 남으리라는 것을 알고 있었다. 이어서 파기하고 싶은 문서를 분류해 부관 율리우스 샤우프에게 건넸고, 그가 문서를 뜰로 가져가 소각했다.

마침내 그날 저녁 히틀러는 카이텔과 요들을 불러 남쪽으로 이동하여 남은 군대를 직접 지휘하라고 명령했다. 전시 내내 히틀러의 곁을 지킨 두 장군은 최고사령관과의 마지막 작별을 생생하게 묘사한 글을 남겼다.[12]

카이텔이 총통을 두고는 떠나지 않겠다며 반대하자 히틀러는 "자네는 내 명령을 따를 걸세"라고 말했다. 심지어 가장 비열한 전쟁범죄를 저지르라는 명령까지 포함해 평생 지도자의 명령에 불복한 적이 없었던 카이텔은 더 이상 아무 말도 하지 않았지만, 조금 덜 굽실거리는 요들은 계속 반대했다. 이 군인은, 비록 총통을 깍듯이 섬기며 광적으로 헌신하긴 했지만, 여전히 군사 전통을 얼마간 의식하던 터라 최고사령관이 재앙의 순간에 군대 지휘권을 포기하고 책임을 회피한다고 보았다.

"총통은 이곳에서 아무것도 지휘할 수 없습니다" 하고 요들이 말했다. "지휘 참모부도 곁에 없다면 어떻게 지휘할 수 있겠습니까?"

"그렇다면 괴링이 그곳에서 지휘권을 넘겨받으면 되네" 하고 히틀러가 대꾸했다.

어느 참석자가 어떤 군인도 괴링을 위해 싸우지 않을 거라고 지적하자 히틀러가 말을 잘랐다. "싸움이라니 무슨 뜻인가? 이제 싸울 일이 거의 없는데!" 정신 나간 정복자도 마침내 현실에 눈을 뜨고 있었다. 혹은 인생의 마지막 악몽 같은 나날에 신들이 적어도 제정신을 차릴 순간을 선사하고 있었다.

히틀러의 4월 22일의 분노 폭발과 베를린에 남겠다는 최종 결정은 몇 가지 반향을 불러일으켰다. 베를린 북서쪽 호엔뤼헨에 있던 힘러는 총통 본부의 친위대 연락장교 헤르만 페겔라인Hermann Fegelein이 직접 파악한 상황을 전화로 보고받고 측근들에게 "베를린 사람들은 다 미쳤다! 나는 어쩌란 말인가?" 하고 소리쳤다.

힘러의 주요 부관으로 친위대 본청장이자 상급집단지도자인 고틀로프 베르거Gottlob Berger는 "곧장 베를린으로 가십시오"라고 대답했다. 베르거는 국가사회주의를 진심으로 믿은 단순한 독일인 중 한 명이었다. 자신이 존경하는 수장 힘러가 친위대 장군 발터 셸렌베르크의 부추김을 받아 이미 서부 독일군의 항복과 관련해 스웨덴의 폴케 베르나도테Folke Bernadotte 백작과 접촉하고 있는 줄은 꿈에도 몰랐다. "저는 베를린으로 갈 것이고 저와 함께 가는 것이 대장의 의무입니다"라고 베르거는 힘러에게 말했다.

힘러는 가지 않았으나 베르거는 그날 밤 베를린으로 갔다. 이 방문이 흥미로운 까닭은 그가 그날 밤 히틀러의 중대 결정에 관한 직접 묘사를 남겼기 때문이다. 그가 도착했을 때 소련군의 포탄이 총리 관저 근처에서 벌써 터지고 있었다. 충격적이게도 총통의 모습은 "망가진 사람, 끝장난 사람"이었다. 베르거가 베를린에 남겠다는 히틀러의 결심에 감히 의견을 표명하자―"그토록 충직하게 오랫동안 견뎌온 국민을 저버려서는 안 됩니다"라고 힘주어 말했다고 한다―지도자는 다시 화를 터뜨렸다.

[베르거가 훗날 회고함] 그때까지 일언반구도 없던 총통이 별안간 고함을 쳤다. "모두가 나를 속였네! 아무도 진실을 말하지 않았어! 군이 내게 거짓말을 했어!" … 계속 고래고래 소리를 질렀다. 그러자 얼굴빛이 푸르죽죽해졌다. 총통이 당장이라도 뇌졸중으로 쓰러질 듯했다. …

베르거는 힘러의 전쟁포로국 수장이기도 했으며, 총통이 흥분을 가라앉힌 뒤 할더와 샤흐트, 전 오스트리아 총리 슈슈니크 같은 독일인들의 운명뿐 아니라 저명한 영국인, 프랑스인, 미국인 포로 무리의 운명까지도 상의했다. 이 포로들을 독일 본토에서 진군 중인 미군의 수중에 넘어가지 않도록 남동쪽으로 데려가고 있었다. 베르거는 그날 밤 바이에른으로 날아가 그들을 책임지기로 했다. 두 사람은 오스트리아와 바이에른에서 분리주의 운동이 발생했다는 보고에 대해서도 이야기했다. 모국 오스트리아와 제2의 고향 바이에른에서 반란이 일어날 수도 있다는 생각에 히틀러는 또다시 분노로 몸을 떨었다.

[베르거가 서술함] 그의 손이 떨리고 다리가 떨리고 머리가 떨렸다. 그리고 계속 같은 말만 했다. "그놈들 전부 쏴버려! 그놈들 전부 쏴버려!"[13]

이 말이 분리주의자들을 죄다 쏘라는 것인지, 아니면 저명한 포로들을 모조리 쏘라는 것인지, 아니면 둘 다인지 베르거에게는 분명하지 않았지만, 이 단순한 남자는 양쪽 모두 죽이라는 뜻으로 받아들였던 듯하다.

후계를 노리는 괴링과 힘러

____

콜러 장군은 4월 22일 군사회의에 참석하지 않았다. 공군을 살펴야 했고, 일기에 적었듯이 "게다가 온종일 당할 모욕을 결코 참아낼 수 없었을 것이다".

총통 벙커에 있던 연락장교 에카르트 크리스티안Eckard Christian 장군은 오후 6시 15분 콜러에게 전화해 숨 가쁜 목소리로 말했다. "역사적 사태, 전쟁의 가장 결정적인 사태가 이곳에서 일어나고 있습니다!" 두 시간 후 베를린 외곽의 빌트파르크 베르더에 있던 공군 본부에 도착한 크리스티안은 콜러에게 직접 보고했다. "총통이 무너졌습니다!" 히틀러의 비서들 중 한 명과 결혼한 열혈 나치 크리스티안이 헐떡거리며 말을 하긴 했지만, 지도자가 베를린에서 최후를 맞기로 결심했으며 자기 문서를 태우고 있다는 말 외에는 도통 알아듣기가 어려워서 공군 참모총장은 이제 막 영국군의 맹폭이 시작되었음에도 불구하고 요들 장군을 만나 그날 벙커에서 대체 무슨 일이 있었는지 확인해보기로 했다.

이제 총통이 없는 OKW가 베를린과 포츠담 사이 크람프니츠에 설치한 임시 사령부에서 콜러는 요들을 발견했고, 요들은 공군 친구에게 슬픈 이야기의 자초지종을 들려주었다. 아울러 그때까지 다른 누구도 콜러에게 말해주지 않은 사실, 즉 앞으로 정신없는 며칠이 지나면 맞이하게 될 결말을 알려주었다.

"[강화를] 교섭할 때가 오면 괴링이 나보다 잘할 수 있네" 하고 히틀러는 카이텔과 요들에게 말했다. "그런 일에는 괴링이 훨씬 나아. 그는 상대편을 훨씬 잘 다룰 수 있네." 이 발언을 요들은 콜러에게 들려주었다.[14]

공군 장군은 당장 괴링에게 날아가는 것이 자신의 의무라고 생각했다. 적의 전파 감시를 고려하면 이 새로운 전개를 무전 메시지로 설명하는 것은 어렵기도 하거니와 위험했다. 수년 전에 히틀러가 정식으로 후계자로 지명한 괴링이 총통의 제안대로 강화 교섭을 맡을 생각이라면, 지체할 시간이 없었다. 요들도 동의했다. 4월 23일 오전 3시 30분, 콜러는 전투기로 이륙해 뮌헨으로 바삐 날아갔다.

콜러는 정오에 오버잘츠베르크에 도착해 괴링에게 소식을 전했다. 부드럽게 말해서 히틀러의 후계자가 될 날을 고대하던 괴링은 예상보다 신중하게 나왔다. 괴링은 "원수怨讐" 보어만의 모략에 말려들지 않겠다고 말했는데, 이 경계심은 나중에 충분히 근거가 있는 것으로 밝혀졌다. 괴링은 딜레마에 빠져 진땀을 흘리고 있었다. 고문들에게 "지금 내가 행동하면 반역자로 낙인찍힐 것이고, 행동하지 않으면 재앙의 시간에 무언가를 하지 않았다고 비난받을 것이다"라고 괴링은 말했다.

괴링은 법적 조언을 듣기 위해 베르히테스가덴에 있는 총리실장 한스

라머스를 부르는 한편 자신의 금고에서 1941년 6월 29일자 총통 명령의 사본을 가져왔다. 그 명령은 명확했다. 히틀러가 사망할 시 괴링이 후계자가 되고 총통이 직무 능력을 잃으면 괴링이 총통의 역할을 대행한다고 분명하게 적혀 있었다. 히틀러가 마지막 순간에 군 사령부 및 정부 부처와의 연락이 끊긴 채 죽음을 각오하고 베를린에 남기로 선택함으로써 통치 능력을 상실했으므로 후계에 관한 총통 명령을 받아들이는 것이 괴링의 분명한 의무라는 데 일동 모두가 동의했다.

그럼에도 괴링은 용의주도하게도 전보를 작성해 히틀러에게 보냈다. 권한의 위임을 확인받고자 했다.

총통 각하!

베를린 요새에 남겠다는 각하의 결정을 고려할 때, 1941년 6월 29일자 각하의 명령에 따라 제가 곧장 제국의 완전한 지도권을 승계하고 국내외에서 각하의 대리로서 완전한 행동의 자유를 갖는 데 동의하시는지요? 오늘 밤 10시 정각까지 답변이 오지 않는다면, 각하께서 행동의 자유를 잃어 각하 명령의 조건이 충족되었다고 판단하여 우리 국가와 우리 국민의 최선의 이익을 위해 행동할 것입니다. 제 인생의 가장 중대한 이 시간에 제 심정이 어떠할지 각하께서는 아실 것입니다. 말로는 표현할 수가 없습니다. 신께서 각하를 지켜주시고 모든 역경에도 불구하고 각하께서 신속히 이곳으로 오시기를 기원합니다.

각하의 충직한
헤르만 괴링

바로 그날 저녁 하인리히 힘러는 수백 킬로미터 떨어진 발트 해 연안 뤼베크의 스웨덴 영사관에서 베르나도테 백작을 만나고 있었다. 히틀러가 자주 애정을 담아 '충직한 하인리히Der treue Heinrich'라고 부른 이 남자는 승계 권한을 요구하지 않았다. 이미 그 권한을 행사하고 있었다.

"총통의 위대한 삶은 끝나가고 있습니다"라고 힘러는 스웨덴 백작에게 말했다. 하루이틀 내에 서거할 거라고 했다. 그러고는 베르나도테에게 곧장 아이젠하워 장군에게 독일이 서부에서 항복할 의향이 있음을 알려줄 것을 촉구했다. 동부에서는 서방 국가들이 대소련 전선을 직접 넘겨받을 때까지 전쟁을 지속하겠다고 부언했다—제3제국의 독재권을 요구하던 친위대 수장은 이렇게 말할 정도로 순진하거나, 멍청하거나, 아니면 둘 다였다. 베르나도테가 힘러에게 직접 항복 제안서를 써달라고 요구하자 힘러는 촛불을 켜놓고 급히 서신을 적었다—그날 밤 영국 공군의 폭격으로 뤼베크에서 전기가 차단되고 회의 참석자들이 지하실로 이동했기 때문이다. 힘러는 서명을 마쳤다.[15]

금세 깨달은 것처럼 괴링과 힘러 모두 때 이르게 행동했다. 히틀러는 군대 및 부처와 무전을 통해 가까스로 연락할 뿐 외부와 차단되어 있었지만—소련군이 23일 저녁 수도를 거의 전부 포위했기 때문이다—자신의 개성과 위신의 힘만으로도 독일을 통치할 수 있다는 것, 가장 저명한 추종자들의 '반역'일지라도 벙커 상공의 기구氣球에 매달아둔 지지직거리는 무전 송신기를 통한 발언만으로도 진압할 수 있다는 것을 입증해 보였다.

곧 살펴볼 베를린 드라마의 마지막 장에 극적으로 등장한 알베르트 슈페어와 어느 비범한 여성 목격자는 괴링의 전보에 대한 히틀러의 반응을 묘사했다. 슈페어는 4월 23일 밤 경비행기를 타고 포위된 수도로 날아가 동서 중심로—티어가르텐을 통과하는 대로—의 동쪽 끝, 총리 관저에서 한 블록 떨어진 브란덴부르크 문 앞에 착륙했다. 얼마 남지 않은 최후까지 베를린에 머무르겠다는 히틀러의 결심을 전해들은 슈페어는 지도자에게 작별을 고하고 자신이 "개인적 충성과 공적 의무의 충돌" 때문에 총통의 초토화 정책을 방해했다는 사실을 고백하기 위해 찾아온 터였다. 슈페어는 '반역죄'로 체포되고 어쩌면 총살당할지도 모른다는 것을 충분히 예상했다. 그리고 슈페어가 슈타우펜베르크의 거사에서 목숨을 건진 히틀러와 다른 모든 이들을 두 달 전에 살해하려 했다는 사실을 독재자가 알았다면, 틀림없이 총살당했을 것이다.

이 뛰어난 건축가이자 군수장관은, 언제나 자신이 비정치적인 사람이라고 자랑하긴 했지만, 다른 일부 독일인과 마찬가지로 뒤늦게—너무 늦게—실상을 깨달았다. 사랑하는 총통이 초토화 명령을 통해 독일 국민을 말살할 작정이라는 것을 마침내 깨달은 슈페어는 지도자를 살해하기로 결심했다.

그는 베를린 벙커에서 정식 군사회의가 열리는 동안 그곳 환기장치에 독가스를 투입할 계획을 세웠다. 장군들만이 아니라 괴링, 힘러, 괴벨스도 빠짐없이 참석했으므로 슈페어는 최고사령부뿐 아니라 제3제국의 나치 지도부까지 한꺼번에 제거할 수 있기를 바랐다. 그런데 가스를 구하고 환기장치를 점검한 뒤 확인해보니 3.5미터 높이의 굴뚝이 뜰의 흡기관을 보호하고 있었다. 히틀러가 파괴 공작을 막기 위해 직접 지시하여 최근에 설치한 굴뚝으로, 뜰에서 경비하는 친위대원들에게 걸리지 않고서 그 굴뚝에 독가스를 투입하기란 불가능했다. 그래서 계획을 포기했고, 히틀러는 다시 한 번 암살을 모면했다.

이제 4월 23일 저녁, 슈페어는 독일의 남은 시설들을 부당하게도 파괴하라는 명령을 어기고 이행하지 않은 사실을 다 털어놓았다. 뜻밖에도 히틀러는 불쾌해하지도 화를 내지도 않았다. 아마도 총통은 오랫동안 총애했고 "동료 예술가"로 여긴 젊은 친구—슈페어는 이제 사십 줄에 들어선 나이였다—의 솔직함과 용기에 감동받았을 것이다. 또한 카이텔이 주목했듯이, 그날 저녁 히틀러는 마치 며칠 내에 이 장소에서 죽기로 결심하고서 마음과 정신의 평화를 찾은 것처럼 이상하리만치 차분해 보였다. 그러나 그 평온은 (전날의) 분노 폭발 이후만이 아니라 다른 폭발 이전의 평온이기도 했다.

그동안 괴링의 전보가 총리 관저에 도착했고, 마침내 기회를 포착한 계략의 달인 보어만이 총통에게 그 전보를 전달하면서 이것은 "최후통첩"이자 지도자의 권한을 "찬탈"하려는 반역 시도라며 농간을 부렸기 때문이다.

슈페어에 따르면 "히틀러는 진노하며 괴링에 대해 매우 격한 감정을 표출했다. 괴링이 실패했고 타락했으며 약물 중독자라는 것을 한참 전부터 알고 있었다"라고 말했다—이 발언에 젊은 건축가는 "몹시 충격"을 받았는데, 히틀러가 괴링 같은 사람을 그토록 오랫동안 그렇게 높은 지위에 앉혀둔 이유가 줄곧 의문이었기 때문이다. 히틀러가 흥분을 가라앉히고서 "뭐, 그래도 괴링더러 항복을 교섭하도록 하지. 누가 하든 상관없어"라고 말하자 슈페어는 다시 어리둥절했다.[16] 하지만 이런 분위기도 잠시뿐이었다.

회의를 마치기 전에 히틀러는 보어만의 부추김을 받아 괴링에게 통지할 전보를 구술했다. 괴링이 "대역죄"를 저질렀고 그 처벌은 사형이지만, 나치당과 국가에 장기간 봉직했으므로 당장 모든 직책에서 사임한다면 목숨만은 살려주겠다는 내용이었다. 그리고 '예 또는 아니요'로만 회답하라고 명령했다. 벌레 같은 보어만은 이것으로도 만족하지 않았다. 독단으로 베르히테스가덴의 친위대 본부에 무전을 쳐서 괴링과 그의 참모진, 그리고 라머스를 "대역죄"로 당장 체포하라고 명령했다. 이튿날 새벽 제3제국의 2인자, 가장 거만한—그리고 부유한—나치 제후, 독일 역사상 유일한 제국원수, 공군 총사령관은 친위대의 죄수가 되었다.

사흘 후인 4월 26일 저녁, 히틀러는 괴링에 대해 슈페어의 면전에서 표출했던 것보다도 더 격한 감정을 쏟아냈다.

벙커를 찾아온 마지막 두 사람

———

그사이에 흥미로운 두 사람이 난장판이 된 총통 벙커를 찾아왔다. 여러 자질 중에서도 특히 괴링을 엄청나게 증오하는 능력을 지닌 일류 여성 시험비행사 하나 라이치와, 4월 24일 뮌헨에서 최고사령관 앞에 직접 나타나라는 지시를 받은 리터 폰 그라임Ritter von Greim 장군이었다. 그라임은 분부대로 베를린으로 향했지만, 26일 저녁 장군과 라이치가 타고 가던 항공기가 비행의 마지막 순간에 티어가르텐 상공에서 소련군의 대공포에 맞아 장군의 한쪽 발이 크게 다쳤다.

의사가 장군의 상처를 치료하는 수술실로 히틀러가 찾아왔다.

히틀러: 내가 자네를 왜 불렀는지 알고 있나?

그라임: 모릅니다, 총통 각하.

히틀러: 헤르만 괴링이 나와 조국을 배신하고 모두 저버렸기 때문이야. 나 모르게 적과 내통했네. 그의 행동은 비겁함의 증거일세. 그는 내 명령을 어

기고 목숨을 부지하려고 베르히테스가덴으로 갔네. 그곳에서 내게 무례한 전보를 보냈지. 그건 …

그 순간, 같이 수술실에 있던 하나 라이치에 따르면, 총통의 얼굴이 일그러지기 시작하더니 폭발하듯이 숨을 내뱉었다.

히틀러: … 최후통첩이었네! 조잡한 최후통첩! 이제 남은 게 없어. 아무것도 나를 피해가지 않아. 어떤 충성도 유지되지 않고, 어떤 명예도 지켜지지 않고, 겪지 않은 실망과 당하지 않은 배신이 없는 데다 이제 무엇보다 이런 지경까지! 아무것도 남지 않았어. 이미 모든 문제를 다 겪었네.
나는 당장 괴링을 제국의 반역자로 체포하고 모든 지위를 빼앗고 모든 조직에서 내쫓았네. 그게 내가 자네를 부른 이유일세.[17]

그런 다음 부상으로 병원 침대에 누워 있는 장군을 신임 공군 총사령관에 임명하여 깜짝 놀라게 했다—이 진급은 무전으로 진행할 수도 있었을 것이고, 그랬다면 그라임이 발을 다치지 않고 공군의 잔여 병력이 있는 유일한 장소인 사령부에 그대로 남아서 지휘할 수 있었을 것이다. 사흘 후 히틀러는 이제 라이치 양과 마찬가지로 죽음을 예상하고 실제로 벙커의 지도자 곁에서 죽기를 바라는 그라임에게 새로운 "배반" 사례에 대처하기 위해 떠나라고 지시했다. 앞에서 언급했듯이 제3제국의 지도부 가운데 "반역"은 헤르만 괴링으로 국한되지 않았다.

사흘 동안 하나 라이치는 지하 난장판의 정신 나간 생활을 목격할 기회가 충분히 있었다—실은 그 생활에 동참했다. 라이치는 발군의 지도자 못지않게 정서적으로 불안했기 때문에 그녀가 남긴 서술은 선정적이며 신파조이지만, 그래도 다른 목격자들의 보고와 비교하면 대체로 진실한 데다 꽤 정확하기까지 하며, 따라서 이 역사의 마지막 장을 이야기하는 데 중요한 존재다.

라이치가 그라임 장군과 함께 도착한 4월 26일 심야에 소련군의 포탄이 총리 관저에 떨어지기 시작했고, 위쪽에서 쾅쾅 울리는 폭발음과 벽이 무너지는 소리에 벙커 안의 긴장감이 더욱 높아졌다. 히틀러가 이 여성 비행사를 한쪽으로 데려갔다.

"총통 각하, 왜 머물러 계십니까?" 하고 라이치가 말했다. "왜 독일로부터 각하의 생명을 빼앗으려 하십니까? … 총통께서 살아야만 독일이 살 수 있습니다. 국민이 그걸 요구합니다."

"아니야, 하나" 하고 총통이 대답했다고 한다. "내가 죽는 것은 우리나라의 명예를 위해서고, 군인으로서 최후까지 베를린을 방어하라는 나 자신의 명령에 복종해야 하기 때문일세."

[히틀러가 이어서 말함] 이보게, 나도 이렇게 하려던 건 아니었어. 나는 오데르 강둑에서 베를린을 지킬 것이라고 굳게 믿었네. … 우리가 사력을 다했음에도 실패했을 때 가장 기겁한 사람이 바로 나일세. 그 후로 이 도시에 대한 포위가 시작되었지. … 나는 모든 지상군이 수도에 머무르는 나의 행동을 본받아 도시를 구하러 오리라 믿었네. … 그래도, 하나, 나는 아직 희망을 품고 있네. 벵크Wenck 장군의 군대가 남쪽에서 북진하고 있다네. 그가 반드시 소련군을 멀리까지 쫓아내고 우리 국민을 구할 걸세. 그러면 우리는 후퇴해서 다시 버틸 거야.[18]

그날 저녁 히틀러는 한순간 그런 기분이었다. 벵크 장군이 베를린을 구할 거라는 희망을 아직 품고 있었다. 그러나 잠시 후 소련군의 총리 관저 포격이 매우 거세지자 다시 절망에 빠졌다. 히틀러는 라이치에게 독약이 든 약병을 그녀 몫으로 하나, 그라임 몫으로 하나 건넸다.

"하나, 그대는 나와 함께 죽을 사람들에 속하네. … 나는 우리 중 누구라도 산 채로 러시아군에 붙잡히는 것도 바라지 않고, 우리의 시체가 그들에게 발각되는 것도 바라지 않네. … 에바와 나는 우리 시체를 불태울 걸세. 그대는 나름의 방법을 생각해보게."

하나는 독약병을 그라임에게 가져갔고, 두 사람은 "정말로 최후가 온다면" 독약을 마실 테고 혹시 죽지 않을 경우에 대비해 강력한 수류탄의 핀을 뽑아 몸에 꼭 붙이고 있기로 결정했다.

하루하고 반나절이 지난 28일, 히틀러의 희망—혹은 적어도 그의 망상—이 되살아났던 모양이다. 히틀러는 카이텔에게 무전으로 연락했다.

"나는 베를린 구조를 기대한다. 하인리히의 부대는 뭘 하고 있는가? 벵크는 어디에 있는가? 제9군은 어떤 상황인가? 벵크와 제9군은 언제 합류하는가?"[19]

라이치가 묘사하기로 그날 최고사령관은 성큼성큼

방공호 안을 활보하면서 손에 밴 땀에 젖어 곧 너덜너덜해진 도로망 지도를 흔들고, 누구든 자기 말을 들어주는 사람과 벵크의 전투 계획을 세웠다.

그러나 벵크의 "전투"는 1주일 전 슈타이너의 "공격"처럼 총통의 상상 속에만 존재했다. 벵크의 부대는 이미 소멸되고 없었으며, 제9군도 마찬가지였다. 베를린 북쪽에 있던 하인리히의 부대는 서쪽으로 황급히 퇴각하는 중이라서 소련군이 아닌 서방 연합군에 포획될 판이었다.

4월 28일 온종일 벙커의 절박한 사람들은 이 세 부대, 특히 벵크 부대의 반격 소식을 애타게 기다렸다. 이제 소련군의 선봉이 총리 관저에서 겨우 몇 블록 거리에 있었고, 동쪽과 북쪽에서 몇몇 도로를 통해, 그리고 서쪽에서 티어가르텐 부근을 통과해 서서히 관저로 접근하고 있었다. 구원군 소식이 오지 않자 히틀러는 보어만의 부추김에 새로운 배반을 예상하기 시작했다. 오후 8시, 보어만은 되니츠에게 무전을 쳤다.

우리를 구조하기 위해 부대의 급파를 독려하기는커녕, 사령부는 침묵을 지키고 있다. 배반이 충성을 대신한 것으로 보인다! 우리는 이곳에 남아 있다. 총리 관저는 이미 폐허다.

그날 밤 늦게 보어만은 되니츠에게 또다른 메시지를 보냈다.

쇠르너, 벵크, 그 밖의 사람들은 최대한 신속히 총통을 구하러 와서 총통에 대한 충성을 입증해야 한다.[20]

이제 보어만은 자신을 위해 말하고 있었다. 히틀러는 하루이틀 내에 죽기로 마음먹었지만, 보어만은 살고 싶었다. 총통의 후계자가 되지는 못할 테지만, 누가 후임자가 되든 막후에서 그를 조종하고 싶었다.

결국 그날 밤 한스-에리히 포스Hans-Erich Voss 제독이 되니츠에게 메시지를 보내 육군과의 무전 연결이 모두 끊겼다고 알리고, 해군은 자체 주파수로 바깥에서 무슨 일이 벌어지는지 소식을 전해달라고 다급히 요청해왔다. 그 직후 해군이 아니라 선전부의 방수傍受 부서에서 소식이 왔고, 그 소식에 아돌프 히틀러는 무너져 내렸다.

벙커에는 보어만 말고도 살고 싶어하는 나치 관료가 또 있었다. 바로 헤르만 페겔라인으로, 총통 본부의 친위대 대표이자 히틀러 치하에서 출세한 독일인의 전형이었다. 한때 마부였다가 경마 기수로 일했으며 글을 전혀 몰랐던 페겔라인은 악명 높은 크리스티안 베버의 후견을 받았는데, 히틀러의 가장 오랜 당 동지들 중 한 명인 베버는 말 애호가였고, 사기를 쳐서 재산을 모았으며, 1933년 이후 대규모 경주마 마구간을 소유했다. 페겔라인은 베버의 도움으로 제3제국에서 꽤 높은 지위에까지 올랐다. 그는 무장친위대의 장군이었고, 힘러에 의해 총통 본부의 연락장교로 임명된 직후 에바 브라운의 여동생 그레틀Gretl과 결혼하여 본부에서 그 입지를 더욱 굳혔다. 살아남은 친위대 간부들은 하나같이 페겔라인이 보어만과 협력하며 친위대 수장 힘러의 비밀을 곧장 히틀러에게 일러바쳤다고 말한다. 그러나 비록 평판이 나쁘고 까막눈에 무식할지언정 페겔라인은 진짜 생존 본능을 지녔던 것으로 보인다. 침몰하는 배를 알아보았던 것이다.

4월 26일, 그는 말없이 벙커를 떠났다. 이튿날 오후 히틀러는 페겔라인이 사라진 것을 알아챘다. 툭하면 생기는 의심에 불이 붙은 총통은 친위대 수색대를 보내 그자를 찾으라고 지시했다. 페겔라인은 소련군이 들이닥치기 직전에 샤를로텐부르크 지구의 자택에서 사복 차림으로 편히 쉬다가 발각되었다. 총리 관저로 끌려온 그는 친위대 상급집단지도자 계급을 박탈당하고 구금되었다. 페겔라인의 탈주 시도에 히틀러는 곧장 힘러를 의심했다. 고의로 베를린을 떠난 친위대 수장은 지금 무얼 하고 있는가? 연락장교 페겔라인이 해임된 이후로 아무 소식도 없었다. 그때 소식이 왔다.

앞에서 언급했듯이 4월 28일은 벙커에서 견디기 힘든 날이었다. 소련 군이 접근하고 있었다. 기대하던 뱅크의 반격 소식, 또는 다른 어떤 반격 소식도 들려오지 않았다. 에워싸인 사람들은 해군의 무전을 통해 포위된 수도 바깥의 소식을 간절하게 물었다.

선전부의 방수 부서가 런던 BBC 방송으로부터 베를린 바깥에서 벌어지는 사건에 관한 소식 하나를 들었다. 로이터 통신의 스톡홀름발 속보였는데, 너무나 경악스럽고 믿기 어려운 소식이라서 괴벨스의 보좌관 하인츠 로렌츠Heinz Lorenz가 4월 28일 심야에 포격으로 엉망이 된 광장을 허겁지겁 달려 벙커까지 가서 선전장관과 총통에게 그 뉴스를 전했다.

라이치에 따르면 그 속보는 "일동 전원에게 치명타였다. 남자들이나 여자들이나 분노와 두려움과 절망이 뒤섞인 감정 발작을 일으키며 비명을 질러댔다". 히틀러의 발작이 가장 심했다. "마치 미치광이처럼 격노했다."

하인리히 힘러 ─ '충직한 하인리히' ─ 마저 독일이라는 침몰하는 배를 저버렸던 것이다. 로이터 속보는 힘러가 베르나도테 백작과 비밀리에 교섭하고 서부 독일군의 항복을 아이젠하워에게 제의했다고 알려주었다.

힘러의 절대적인 충성을 결코 의심하지 않았던 히틀러에게 이 소식은 가장 심대한 타격이었다. "그의 얼굴이 시뻘겋게 달아올라 거의 알아보지 못할 지경이었다. … 한참이나 화를 쏟아낸 뒤 히틀러는 망연자실해 있었고, 한동안 벙커 전체가 고요했다." 괴링은 그래도 지도자에게 권력 승계에 대한 허락이라도 구했다. 그러나 '충직한' 친위대 수장이자 제국지도자는 굳이 묻지도 않고서, 일언반구도 없이 적과 내통하는 반역을 저질렀다. 다소 회복한 히틀러는 자신이 아는 최악의 배반 행위라고 말했다.

이 타격은—몇 분 후에 입수한, 소련군이 겨우 한 블록 떨어진 포츠담 광장에 접근하고 있고 아마도 30시간 후인 4월 30일 오전이면 총리 관저를 기습할 것이라는 소식과 맞물려—최후를 알리는 신호였다. 히틀러는 당장 생애 마지막 결정을 내릴 수밖에 없었다. 새벽에 히틀러는 에바 브라운과 결혼하고, 유언장을 작성하고, 공군을 결집해 총리 관저로 다가오는 소련군을 총력으로 폭격하기 위해 그라임과 하나 라이치를 급파하고, 아울러 두 사람에게 힘러를 반역자로 체포하라고 지시했다.

"결코 반역자가 나의 총통직을 승계해서는 안 돼!" 하고 히틀러가 말했다. "그대들이 나가서 그놈을 막아야 하네."

그런데 히틀러는 힘러에게 복수할 때까지 기다릴 수가 없었다. 지금 수중에 친위대 대장의 연락장교 페겔라인이 있었다. 과거 기수였다가 이제는 친위대 장군인 페겔라인은 유치장에서 끌려나와 힘러의 "배반"에 대해 집중 심문을 당하고 공범으로 비난받은 뒤 총통의 명령에 따라 총리 관저의 뜰에서 총살되었다. 페겔라인이 에바 브라운의 여동생과 결혼했다는 사실도 도움이 되지 않았다. 에바는 제랑의 목숨을 구하려고 애쓰지 않았다.

"가엾고 가엾은 아돌프"라고 에바가 하나 라이치에게 훌쩍이며 말했다. "모두에게 버림받고 모두에게 배신당했어요. 독일이 저 사람을 잃는 것보다는 다른 사람 1만 명이 죽는 편이 나아요."

독일은 히틀러를 잃을 터였지만, 그래도 이 마지막 순간에 에바 브라운은 그를 얻었다. 4월 29일 오전 1시에서 3시 사이 어느 순간에 히틀러는 최후까지 충성한 에바에 대한 최고의 보상으로, 그녀의 소원대로 정식으로 결혼식을 올렸다. 결혼은 우선 나치당을 집권으로 이끌고 뒤이어 국가를 높은 곳으로 이끈다는 목표에 전념하려는 각오를 방해한다고 항상 말해온 그였다. 그런데 이제 더 이끌 만한 무언가도 없고 인생도 종착점에 이르렀으니 불과 몇 시간밖에 지속하지 못할 결혼생활을 시작해도 무방했다.

괴벨스는 몇 블록 떨어진 곳의 국민돌격대 부대에서 싸우고 있던 시의원 발터 바그너Walter Wagner라는 자를 불렀고, 이 놀란 관료가 벙커의 작은 회의실에서 결혼식 주례를 맡았다. 혼인 서류가 남아 있어서 총통의 한 비서가 "죽음의 결혼"이라고 부른 의식의 분위기를 얼마간 알려준다. 히틀러는 "전황을 고려해 결혼 공표는 구두로 하고 시간이 걸리는 다른 모든 의식은 생략하자"고 했다. 신랑과 신부는 자신들이 "완전한 아리아인 혈통"이며 "결혼을 금하는 유전병이 없다"라고 맹세했다. 죽기 전날에도 독재자는 형식을 지킬 것을 고집했다. 아버지의 성(본성 시클그루버)과 어머니의 성, 결혼 날짜를 적는 칸만 공백으로 남겨두었다. 신부는 '에바 브라운'이라고 서명하려다가 멈추고는 'B'에 줄을 긋고서 '에바 히틀러, 본성 브라운'이라고 적었다. 괴벨스와 보어만이 증인으로서 서명했다.

간단히 식을 올린 뒤 총통의 거처에서 죽음의 그림자가 감도는 피로연을 열었다. 샴페인을 꺼내오고 총통의 비서들과 남은 장군인 크렙스 및 부르크도르프, 보어만, 괴벨스 부부와 더불어 히틀러의 채식 요리사 만치알리Manzialy 양까지 초대해 피로연을 함께했다. 그리운 옛날과 호시절의 당 동지들을 추억하며 한참이나 대화를 나누었다. 히틀러는 괴벨스의 결혼식에서 들러리를 섰던 일을 다정하게 이야기했다. 이 최후에 이르러서도 신랑은 평소처럼 극적인 인생의 중요한 순간들을 되돌아보며 혼자서 계속 떠들었다. 이제 자신의 삶도 끝이고 따라서 국가사회주의도 끝이라고 했다. 가장 오랜 친구들과 지지자들에게 배신당했으니 자기에게는 죽음이 곧 해방이라고 했다. 결혼식이 우울해졌고 손님 일부는 눈물을 훔치며 자리를 떴다. 결국 히틀러 본인도 빠져나갔다. 곁방에서 히틀러는 비서 게르트라우트 융게Gertraud Junge 부인을 불러 유언을 구술하기 시작했다.

히틀러의 유언

———

히틀러가 의도한 대로 유언장은 잔존하며 그의 다른 문서와 마찬가지로 이 흥망사에 중요하다. 유언장은 12년간 독일을 철권으로 통치하고 4년간 유럽 대부분을 지배한 사람이 그 경험으로부터 무엇 하나 배우지 않았다는 것을 알려준다. 심지어 좌절과 처참한 최종 실패를 겪으면서도 배운 바가 없었다. 오히려 인생의 막바지에 과거 빈의 부랑자 시절과 초기 뮌헨의 난폭한 맥주홀 시절로 돌아가 세상 모든 병폐의 원흉이라며 유대인을 저주하고, 천지만물에 대한 어설픈 이론을 늘어놓고, 운명이 또다시 독일의 승리와 정복을 빼앗았다고 푸념했다. 독일과 세계에 대한 고별사인 동시에 역사에 대한 마지막 호소문인 유언장에서, 아돌프 히틀러는 《나의 투쟁》의 온갖 허튼소리를 다시 들먹이고 최후의 거짓말을 덧붙였다. 권력에 취해 절대권력을 휘두르다 철저히 타락하고 망가진 폭군에게 꼭 어울리는 묘비명이었다.

히틀러가 말한 "정치적 유언"은 두 부분으로 나뉘었다. 첫째 부분은 후세에 대한 호소였고, 둘째 부분은 미래를 위한 구체적인 지시였다.

독일국에 강요된 1차대전에서 내가 지원병으로서 적게나마 기여한 이래 30년 넘게 지났다.

이 30년 동안 나의 국민에 대한 사랑과 충성만이 나의 모든 생각과 행동,

삶을 인도했다. 그 사랑과 충성은 필멸의 인간이 일찍이 직면한 가장 어려운 결정을 내릴 힘을 내게 주었다. …

1939년에 독일에서 나 또는 다른 누군가가 전쟁을 원했다는 것은 진실이 아니다. 전쟁을 원하고 도발한 쪽은 유대인 태생이거나 유대인의 이익을 위해 일하는 국제 정치가들뿐이었다.

나는 후세가 영원히 무시하지 못하고 이번 전쟁의 발발 책임을 나에게 지우지 못할 정도로 군비를 제한하고 통제하자는 제안을 많이 했다. 더욱이 나는 참혹한 1차대전 이후로 잉글랜드나 미국을 상대하는 두 번째 세계대전이 결코 일어나지 않기를 바랐다. 앞으로 수백 년이 지나더라도 우리 도시들과 기념물들의 폐허에서는 궁극적으로 책임져야 하는 자들에 대한 증오심이 늘 새롭게 자라날 것이다. 이 모든 사태의 책임을 져야 할 자들은 국제 유대인과 그 조력자들이다.

이어서 폴란드 공격 사흘 전에 영국 정부에 폴란드–독일 문제의 합리적 해결책을 제안했다는 거짓말을 되풀이했다.

그 제안이 거절당한 것은 오로지 잉글랜드를 통치하는 파벌이 어느 정도는 상업적인 이유로, 어느 정도는 국제 유대인이 퍼뜨리는 선전에 영향을 받아서 전쟁을 원했기 때문이다.

그러고는 전장과 폭격당한 도시에서 목숨을 잃은 수백만 명의 죽음뿐 아니라 자신이 저지른 유대인 학살까지도 유대인의 "단독 책임"으로 돌렸다. 그런 다음 자신이 최후까지 베를린에 남기로 결정한 이유로 넘어갔다.

온갖 역경에도 불구하고 언젠가 한 민족의 가장 영광스럽고 영웅적인 생존 투쟁의 실례로서 역사에 기록될 전쟁을 6년간 치른 지금, 나는 이 국가의 수도인 도시를 저버릴 수 없다. … 나는 이 도시에 머묾으로써 스스로 운명을 결정한 다른 수백만 명과 운명을 함께하고 싶다. 더욱이 나는 히스테리 상태인 대중의 주의를 돌리기 위해 유대인을 통해 새로운 구경거리를 제공하려는 적의 수중에 들어가지 않을 것이다.

이런 이유로 나는 베를린에 남아 총통과 총리의 지위를 더 이상 유지할 수 없다고 판단하는 순간에 자진해서 죽음을 선택하기로 결심했다. 나는 우리 농민과 노동자의 이루 헤아릴 수 없는 위업과 성취, 그리고 나의 이름이 붙은 우리 청소년단의 역사상 유례없는 공헌을 기억하며 기쁜 마음으로 죽을 것이다.

뒤이어 모든 독일인에게 "투쟁을 포기하지 마라"고 권고했다. 히틀러는 결국 국가사회주의가 일단 끝났음을 인정할 수밖에 없다면서도, 독일 국민에게 다음과 같이 단언했다. 군인과 자신의 희생으로

뿌린 씨앗이 언젠가 … 진정으로 단결된 민족의 국가사회주의 운동의 영광스러운 재탄생으로 자라날 것이다.

히틀러는 독일 파국의 주범이라고 생각한 육군, 특히 장교단을 마지막으로 한 번 더 모욕하지 않고는 죽을 수가 없었다. 적어도 일단 나치즘은 죽었다고 인정하면서도, 삼군 사령관들에게 이렇게 명했다.

국가사회주의 신념을 지닌 우리 군인들의 저항 정신을 백방으로 강화하고,

특히 이 운동의 창시자인 나 자신이 비겁하게 사임하거나 심지어 항복하느니 죽으려 한다는 사실을 강조하라.

그런 다음 육군 장교 계층을 우롱했다.

이미 해군에서 그런 것처럼 앞으로 독일 육군 장교들도 명예를 걸고서 어느 지구나 도시를 내어줄 생각조차 하지 말아야 하고, 다른 무엇보다 사령관들이 죽음까지 불사하며 임무에 충실히 헌신하는 훌륭한 본보기를 보여야 한다.

스탈린그라드 전투 때처럼 "죽음까지 불사하며" "어느 지구나 도시"라도 사수하라는 히틀러의 고집은 군사적 파국을 불러온 원인이었다. 그러나 다른 사안들과 마찬가지로 이 사안에서도 그는 무엇 하나 배우지 않았다.

정치적 유언의 둘째 부분에서는 후계 문제를 다루었다. 제3제국이 화염과 폭격 속에서 사라지고 있었음에도, 히틀러는 후계자를 지명하고 그 후계자가 임명할 정부의 구성을 세세하게 지시하지 않고는 차마 죽을 수가 없었다. 먼저 후계자 후보들을 제거해야 했다.

죽기 전에 나는 전 제국원수 헤르만 괴링을 당에서 제명하고 1941년 6월 20일의 명령으로 그에게 부여했던 모든 권리를 박탈한다. … 그 대신 나는 되니츠 제독을 제국의 대통령 겸 국방군 최고사령관으로 임명한다.
죽기 전에 나는 친위대 제국지도자 겸 내무장관 하인리히 힘러를 당과 그의 모든 국가 관직에서 제명한다.

히틀러는 육군, 공군, 친위대의 지도자들이 자신을 배반하고 승리를 빼앗았다고 믿었다. 그래서 후계자 선택지는 전력이 너무 약해서 히틀러의 정복 전쟁에서 주역을 맡지 못한 해군의 지도자일 수밖에 없었다. 이 것은 전투의 대부분을 담당하고 전사자의 대다수를 낸 육군에 대한 마지막 우롱이었다. 또 히틀러는 당의 초기부터 괴벨스와 더불어 가장 긴밀하게 협력한 두 사람을 마지막으로 맹비난했다.

나에 대한 불충과는 별개로, 괴링과 힘러는 나 모르게 나의 뜻에 반하여 적과 비밀리에 교섭한 데다 불법으로 국가 통제권을 차지하려 시도함으로써 전 민족을 돌이킬 수 없을 정도로 욕보였다.

반역자들을 축출하고 후계자를 지명한 뒤 히틀러는 되니츠에게 새 정부에 반드시 포함시켜야 하는 각료들을 알려주었다. 그들 모두 "전쟁 지속의 임무를 백방으로 완수할" "명예로운 사람들"이었다. 괴벨스는 총리, 보어만은 새로운 직위인 '당 담당 장관'에 앉혀야 했다. 오스트리아인 부역자로 당시 네덜란드의 도살자 제국판무관인 자이스-잉크바르트는 신임 외무장관이었다. 슈페어는 리벤트로프와 마찬가지로 내각에서 탈락했다. 그러나 1932년 파펜에 의해 임명된 이래 줄곧 재무장관을 맡아온 슈베린 폰 크로지크 백작은 자리를 보전했다. 이 사람은 멍청했으나 생존의 귀재였다는 점만큼은 인정하지 않을 수 없다.

히틀러는 후계자의 내각을 임명하는 데 그치지 않았다. 마지막으로 특유의 지시까지 내렸다.

무엇보다 나는 정부와 국민에게 인종법을 최대한 유지하고 모든 민족의 독

살자인 국제 유대인에 가차없이 저항할 것을 명한다.[21]

이로써 독일 최고사령관은 유언을 마쳤다. 4월 29일 일요일 오전 4시였다. 히틀러는 괴벨스, 보어만, 크렙스와 부르크도르프 장군을 불러 유언장 서명의 증인으로 세우고 각자 부서하도록 했다. 그런 다음 개인적인 유언을 빠르게 구술했다. 이 운명의 사나이는 오스트리아 중간계급 하층 시절을 회상하고, 자신이 왜 결혼했고 왜 신부와 함께 자살하려 하는지 설명하고, 재산을 처분하여 살아 있는 친척을 웬만큼이라도 지원할 수 있기를 바랐다. 적어도 히틀러는 괴링처럼 권력을 사용해 막대한 사유재산을 모으지는 않았다.

투쟁의 세월 동안 나는 결혼을 책임질 수 없다고 생각했지만, 이제 삶을 마치기 전에 오랫동안 참된 우정을 쌓은 뒤 나와 운명을 함께하기 위해 이미 거의 포위당한 이 도시에 자의로 찾아온 여성을 아내로 맞기로 결정했다. 그녀는 나의 아내로서 자신의 바람에 따라 나와 함께 죽을 것이다. 이 죽음으로 우리 두 사람은 내가 국민에게 봉사하느라 잃었던 것을 보상받을 것이다.

나의 재산은, 조금이라도 가치가 있다면, 당의 소유이고, 만약 당이 더 이상 존재하지 않는다면 국가의 소유다. 국가 역시 파괴된다면, 나의 지시는 더 이상 필요가 없다. 지난 세월 내가 구입한 회화 수집품은 결코 사적인 용도가 아니라 나의 고향인 도나우 강변의 린츠에 미술관을 설립하기 위해 모은 것이다.

그리고 유언 집행인 보어만에게 이렇게 당부했다.

나의 유품 가운데 가치가 있거나 소시민의 생활수준을 유지하는 데 필요한 모든 것은 나의 친척에게 물려준다.* …

아내와 나는 타도당하거나 항복하는 치욕을 피하기 위해 죽는 길을 택한다. 내가 12년간 국민에게 봉사하면서 일과를 대부분 수행한 장소에서 우리의 시신을 즉시 소각하기 바란다.

고별사를 구술하느라 지친 히틀러는 이번 생의 마지막 안식일에 베를린의 동쪽 하늘이 밝아올 무렵 잠자리에 들었다. 짙은 연기가 수도를 덮고 있었다. 소련군이 직사거리에서 발포하는 가운데 불길에 휩싸인 건물들이 와르르 무너졌다. 이제 소련군은 빌헬름슈트라세와 총리 관저에서 그리 멀지 않은 곳에 있었다.

히틀러가 자는 동안 괴벨스와 보어만은 바삐 움직였다. 두 사람이 증인으로서 부서한 정치적 유언에서 총통은 그들에게 수도를 떠나 새 정부에 합류하라고 명확히 지시했다. 보어만은 그 지시를 기꺼이 따르려 했다. 지도자에 대한 모든 헌신에도 불구하고, 보어만은 피할 수만 있다면 죽음을 함께할 생각이 없었다. 그가 인생에서 원하는 것이라곤 배후의 권력뿐이었고, 되니츠라면 그것을 제공할 수도 있었다. 그러자면 괴링이 총통의 서거 소식을 듣고서 권좌 찬탈을 시도하지 않아야 했다. 그런 시도를 하지 않도록 보어만은 베르히테스가덴의 친위대 본부에 무전 메시지를 보냈다.

---

* 이 친척이 누구인지 히틀러는 밝히지 않았지만, 비서들에게 말한 바로는 여동생 파울라와 장모를 염두에 두었다고 한다.

… 베를린과 우리가 무너진다 해도, 4월 23일의 반역자들을 반드시 말살하라. 제군, 의무를 다하라! 제군의 생명과 명예가 의무에 달려 있다![22]

이것은 보어만이 이미 친위대를 시켜 체포해둔 괴링과 그의 공군 참모진을 살해하라는 명령이었다.

괴벨스는 에바 브라운과 비슷하고 보어만과 다르게, 경외하는 총통이 없는 독일에서 살고픈 마음이 없었다. 괴벨스는 일찍이 히틀러에게 운명을 걸었고, 오로지 히틀러 덕에 놀랍도록 출세했다. 그는 나치 운동의 수석 예언자이자 선전가였다. 히틀러 다음으로 나치 신화를 만들어낸 주역이었다. 그 신화를 불멸로 남기기 위해서는 지도자뿐 아니라 그의 가장 충성스러운 추종자, 지도자를 배반하지 않은 유일한 나치 원로까지도 죽음으로 희생을 치러야 했다. 또한 죽음을 통해 대대로 기억되고 언젠가 국가사회주의의 불꽃을 되살리는 데 이바지할 본보기를 보여야 했다.

히틀러가 침실로 물러난 후 괴벨스는 그런 생각을 하며 벙커의 작은 방으로 가서 현 세대와 미래 세대에게 전하는 고별사를 썼다. 제목은 "총통의 정치적 유언의 부록"으로 달았다.

총통은 내게 베를린을 떠나 … 자신이 임명한 정부에 주요 일원으로 참여하라고 명령하셨다.

생애 처음으로 나는 총통의 명령에 복종하기를 단호히 거절할 수밖에 없다. 아내와 아이들도 나의 거절에 동참하기로 했다. 인간애와 개인적 충성심 때문에 우리를 가장 절실히 필요로 하는 총통을 저버릴 수 없다는 사실 외에도, 만약에 이곳을 떠난다면 나는 여생 내내 불명예스러운 반역자요 흔해빠진 무뢰한으로 보일 것이고, 동료 시민의 존중심뿐 아니라 나의 자존심까지 잃을 것이다. …

전시를 통틀어 가장 위태로운 이 시기에 반역의 악몽에 둘러싸인 총통에게 는 적어도 죽을 때까지 무조건 함께 머무를 누군가가 있어야 한다. …

나는 이곳에 머묾으로써 독일 국민의 미래에 최선의 기여를 한다고 믿는 다. 앞으로 찾아올 고난의 시기에는 인간 자체보다 본보기가 더 중요할 것 이다. …

그런 이유로 나는 아내와 함께, 그리고 너무 어려서 자기 의견을 말할 수 없 지만 설령 철이 들었다 해도 이 결정에 기꺼이 동의했을 아이들을 대신하여, 설령 함락된다 할지라도 제국 수도를 떠나지 않을 것이고 오히려 총통의 곁 에서 총통에게 봉사하지 못한다면 내게 더 이상 가치가 없을 삶을 총통의 곁에서 끝마치겠다는 확고부동한 결의를 표명한다.[23]

괴벨스는 4월 29일 오전 5시 30분에 글을 마쳤다. 날이 밝았지만 해 는 포연에 가려 보이지 않았다. 전깃불로 밝힌 벙커에서는 아직 할 일 이 많이 남아 있었다. 우선 근처 소련군의 전열을 뚫고서 총통의 유언장 을 되니츠와 다른 이들에게 전달하고 후세를 위해 보존하는 것이 급선 무였다.

귀중한 유언장의 사본을 가지고 탈출을 시도할 전령으로 세 사람을 골랐다. 히틀러의 군사 부관인 빌리 요한마이어Willi Johannmeier 소령, 친 위대 장교이자 보어만의 고문인 빌헬름 찬더Wilhelm Zander, 전날 밤 힘러 가 배신했다는 경악스러운 소식을 가져온 선전부 관료 하인츠 로렌츠였 다. 훈장을 많이 받은 장교 요한마이어가 일행을 이끌고 붉은군대의 전열 을 뚫기로 했다. 그런 다음 요한마이어는 보헤미아 산악지대에서 온전한 집단군을 보유하고 있고 히틀러가 신임 육군 총사령관으로 임명한 페르디난트 쇠르너 원수에게 자신의 문서 사본을 전달할 계획이었다. 부르크도르프 장군은 첨부 편지를 동봉하여 쇠르너에게 히틀러가 "오늘 힘러의 배반이라는 경악스러운 소식"을 듣고서 유서를 작성했으며 "이것은 총통의 변경할 수 없는 결정"이라고 알렸다. 찬더와 로렌츠는 각자의 사본을 되니츠에게 가져갈 계획이었다. 찬더는 보어만에게서 첨부 편지를 받았다.

친애하는 대제독
어느 사단도 도착하지 못했고 우리의 처지에 가망이 없어 보여서 어제 밤 총통께서 구술한 정치적 유서를 첨부했습니다. 히틀러 만세.

세 명의 전령은 정오에 위험한 임무에 착수하여, 히틀러청소년단 1개 대대가 벵크의 유령 부대가 도착하기를 기다리며 교량을 점거하고 있는 하펠 호수 북단의 피헬스도르프를 향해 티어가르텐과 샤를로텐부르크를 지나 서서히 나아갔다. 그 먼 곳까지 가는 동안 그들은 소련군의 삼중 포위망을 몰래 빠져나가는 데 성공했다. 세 돌파 지점은 티어가르텐 중앙의 전승 기념탑, 이 공원 바로 너머의 초 역驛, 그리고 피헬스도르프 초입이었다. 그러고도 그들 앞에는 많은 경계선과 난관이 더 기다리고 있었으며* 결국 모두 돌파하긴 했지만 때가 너무 늦어서 그들의 메시지가 되

---

* 트레버-로퍼는 *The Last Days of Hitler*에서 그들의 난관에 관해 생생하게 서술했다. 하인츠 로렌츠의 경솔한 언행이 아니었다면, 히틀러와 괴벨스의 고별 메시지는 끝내 알려지지 않았을지도 모른다. 요한마이어 소령은 결국 자신의 문서 사본을 베스트팔렌 이절론에 있는 자택의 뜰에 묻었다. 찬더는 사본을 여행용 가방에 넣어 바이에른 테게른제의 마을에 그대로 뒤두었다. 찬더는 이름을 빌헬름 파우스틴으로 바꾸고 변장한 채로 새 삶을 살아가려 했다. 그러나 직업이 언론인인 로렌츠는 비밀을 잘 지키기에는 말이 너무 많았고, 어쩌다 경솔하게 입을 놀렸다가 사본이 발각되고 다른 두 전령까지 드러났다.

니츠와 쇠르너에게는 아무런 쓸모도 없었거니와, 두 사람을 만나지도 못했다.

그날 벙커를 떠난 이들은 세 전령만이 아니었다. 4월 29일 정오에 이제 평정을 회복한 히틀러는 지난 6년 가까이 매일 같은 시간에 해온 대로 군사회의를 열어 ― 마치 막다른 길에 이르지 않은 것처럼 ― 전황을 논의했다. 크렙스 장군은 밤중과 이른 아침에 소련군이 총리 관저 쪽으로 더 진군했다고 보고했다. 변변찮은 수도 방위군에는 탄약이 떨어져가고 있었다. 벵크의 구원군은 여전히 아무런 소식도 없었다. 이제 할 일도 별로 없고 지도자와 함께 자결하고 싶지도 않았던 세 명의 군사 부관은 벵크에게 무슨 일이 생겼는지 확인하기 위해 벙커를 떠나도 될지 물었다. 히틀러는 그들에게 떠나도록 허락하고 벵크 장군을 재촉하라고 지시했다.

곧이어 네 번째로 히틀러의 공군 부관이며 전시 초기부터 핵심 집단에 하급자로 참여해온 니콜라우스 폰 벨로브Nicolaus von Below 대령이 뒤를 이었다. 벨로브 역시 자살할 마음이 없었고, 총리 관저의 벙커에서 이제 별다른 직무가 없다고 생각했다. 대령은 총통에게 출발 허가를 구하여 얻어냈다. 히틀러는 이날 가장 이성적이었다. 또한 이 공군 대령을 활용해 마지막 메시지를 전달할 수 있다고 생각했다. 보어만이 이미 반역자라고 의심한 카이텔 장군에게 보내는 메시지로, 통수권자는 자신을 저버린 육군에 최후의 독설을 쏟아낼 작정이었다.

그날 오후 10시 전황회의에서 새 소식을 들은 총통은 이미 극에 달했던 육군에 대한 증오심을 틀림없이 더욱 키웠을 것이다. 포위된 베를린에서 히틀러가 살날을 며칠 더 늘리기 위해 용감하지만 기진맥진한 나이 많은 국민돌격대와 나이 어린 히틀러청소년단 병력을 지휘하고 또 희생시키던 바이틀링Weidling 장군은 소련군이 자를란트슈트라세와 빌헬름슈트라세를 따라 거의 항공부까지, 총리 관저에서 돌을 던지면 닿을 만한 곳까지 진격했다고 보고했다. 그리고 적군이 늦어도 5월 1일이면, 그러니까 하루나 이틀 후면 총리 관저에 도달할 것이라고 말했다.

이제 끝장이었다. 그때까지 수도를 구하러 올 거라며 존재하지도 않는 군대를 지휘하던 히틀러마저 마침내 최후임을 깨달았다. 히틀러는 마지막 메시지를 구술하고 벨로브를 보내 카이텔에게 전달하려 했다. 거기서 OKW 총장에게 베를린 방어는 이제 끝났고, 자신은 항복하지 않고 스스로 목숨을 끊을 것이며, 괴링과 힘러가 배반했고, 되니츠 제독을 후계자로 지명했다고 알렸다.

자신의 지도력에도 불구하고 독일의 패전을 초래한 국방군에도 끝으로 한마디했다. 해군은 임무를 탁월하게 수행했다. 공군은 용맹하게 싸웠으며 초기에 제공권을 잃은 것은 오로지 괴링의 책임이었다. 육군의 경우 병사들은 용감하게 잘 싸웠으나 장군들이 병사들과 자신의 기대를 저버렸다.

[히틀러가 이어서 말함] 국민과 군대는 이 길고도 힘겨운 투쟁에서 전력을 다했다. 엄청난 희생을 치렀다. 그러나 많은 이들이 나의 신뢰를 오용했다. 전시 내내 불충과 배반이 저항을 약화시켰다.
그리하여 나는 국민을 승리로 이끌지 못했다. 육군 참모본부는 1차대전의 참모본부와 비교도 되지 못한다. 그들의 공적은 전선에서 싸운 이들의 공적에 한참 못 미친다.

적어도 나치 최고사령관은 맨 마지막까지 본인의 성격에 충실했다.

위대한 승리는 본인 덕분이었다. 패배와 최종 실패는 다른 사람들, 그들의 "불충과 배반" 때문이었다.

그런 다음 고별사를 읊었다—이 미치광이 천재의 일생에서 기록된 마지막 말이었다.

이 전쟁에서 독일 국민의 노력과 희생이 너무도 위대했기에 나는 그것이 무위로 돌아갔다는 것을 믿을 수 없다. 그렇더라도 독일 국민을 위해 동방 영토를 획득하는 것을 목표로 삼아야 한다.*

마지막 문장은 《나의 투쟁》에서 그대로 가져온 것이었다. 독일 국민을 위해 "동방 영토"를 획득해야 한다는 집념으로 정계 생활을 시작했던 히틀러는 생의 끝자락에도 그 집념에 매달렸다. 독일인 수백만 명이 죽고, 독일 가옥 수백만 채가 폭격에 무너지고, 심지어 독일 국가마저 파괴되었음에도, 히틀러는 슬라브인에게서 동방 영토를 빼앗는다는 목표가 (도덕 문제는 제쳐두고라도) 튜턴족의 헛된 꿈이라는 것을 납득하지 못했다.

히틀러와 신부의 죽음

———

4월 29일 오후, 바깥세상의 마지막 소식 중 하나가 벙커에 전해졌다. 히틀러의 동료 파시스트 독재자이자 침공 파트너인 무솔리니가 최후를 맞았고 그의 정부 클라라 페타치도 운명을 함께했다는 소식이었다.

---

* 벨로브 대령은 아직 서부 연합군 쪽으로 가던 도중 히틀러가 사망했다는 소식을 듣고서 이 메시지를 파기했다. 위의 메시지는 기억을 더듬어 재구성한 것이다. Trevor-Roper, *op. cit.*, pp. 194-195.

두 사람은 코모에서 스위스로 달아나려다 4월 27일 이탈리아 파르티 잔들에게 붙잡혀 이튿날 처형되었다. 4월 28일 토요일 밤에 두 사람의 시체를 트럭으로 밀라노까지 운반해 로레토 광장에 내팽개쳤다. 이튿날 시체의 발목을 줄에 묶어 거꾸로 매달았다가 나중에 줄을 잘라서 나머지 안식일 내내 도랑에 내버려두었고, 그동안 복수심에 불타는 이탈리아 사람들이 시체를 욕보였다. 5월 1일, 베니토 무솔리니는 밀라노 마조레 묘지의 빈민 구역에 정부와 나란히 묻혔다. 이토록 섬뜩한 추락의 절정에서 두체와 파시즘은 역사의 일부가 되었다.

두체의 처참한 최후의 경위가 어느 정도까지 총통에게 전해졌는지는 알려져 있지 않다. 다만 그 경위를 대부분 들었다면 자신도 신부도 살아서든 죽어서든 (조금 전에 정치적 유언장에 쓴 것처럼) "히스테리 상태인 대중의 주의를 돌리기 위해 유대인을 통해 새로운 구경거리를 제공하려는 적의 수중에 들어가지" 않겠다는 결심을 더욱 굳혔을 것이라고 추정할 수 있을 따름이다.

무솔리니의 사망 소식을 들은 직후 히틀러는 최후를 준비하기 시작했다. 애완견 셰퍼드 블론디를 독살하고 집에서 기르던 다른 두 마리를 총살했다. 그런 다음 남아 있던 여성 비서 두 명을 불러 독약이 든 약병을 건네면서 야만적인 소련군이 침입할 경우 원한다면 사용하라고 했다. 그리고 더 좋은 작별 선물을 주지 못해 유감이고 오랫동안 성실히 일해주어 고맙다고 했다.

아돌프 히틀러 인생의 마지막 저녁이 찾아왔다. 비서 융게 부인에게 서류철의 남은 문서를 파기하라고 지시하고 추가로 명령할 때까지 벙커의 어느 누구도 취침하지 말라고 전했다. 이 소식을 들은 사람들 모두 총통이 곧 작별을 고하려 한다고 해석했다. 하지만 몇몇 증인이 기억하기로 총통은 자정을 한참 지나 4월 30일 오전 2시 30분이 되어서야 개인 숙소에서 나와 식당 복도에 나타났다. 대체로 여성 수행원들인 스무 명 가량이 그곳에 모여 있었다. 히틀러는 한 명씩 차례로 악수하며 알아들을 수 없는 몇 마디를 중얼거렸다. 두 눈에 눈물이 그렁그렁했고, 융게 부인이 회상하기로 "그의 두 눈은 저 멀리, 벙커의 벽 너머를 바라보는 듯했다."

히틀러가 물러난 뒤, 기묘한 일이 일어났다. 벙커 안에서 견딜 수 없을 정도까지 고조되었던 긴장감이 갑자기 풀리고 몇 사람이 식당으로 춤을 추러 갔다. 총통의 숙소에서 좀 조용히 해달라는 말이 나왔을 정도로 이 별난 무리는 곧 몹시 시끄럽게 떠들기 시작했다. 몇 시간 후면 소련군이 들이닥쳐 그들 모두를 살해할 수도 있었지만—다만 그들 대다수는 이미 어떻게 탈출할 수 있을지 생각하고 있었다—이제 총통의 엄격한 생활 통제가 끝난 마당에 그들은 어디서든 어떤 식으로든 쾌락을 추구하려 했다. 엄청난 안도감을 느낀 듯한 그들은 밤새도록 춤판을 벌였다.

보어만은 거기에 끼지 않았다. 속이 시커먼 이 인물은 아직도 할 일이 있었다. 그는 생존 가능성이 점점 줄어든다고 보았다. 총통이 죽은 뒤 소련군이 도착하기 전까지 시간 여유가 충분하지 않아서 되니츠에게로 달아나지 못할 수도 있었다. 설령 탈출할 수 없다 해도, 총통이 아직 살아 있고 따라서 명령에 권위를 부여하는 동안에는 적어도 "반역자들"에게 다시 복수할 수 있었다. 이 마지막 밤에 보어만은 되니츠에게 다시 메시지를 보냈다.

되니츠!
베를린 전장의 사단들이 며칠 동안 수수방관한다는 우리의 인상이 나날이 강해지고 있습니다. 우리가 받는 모든 보고는 카이텔에 의해 통제되거나 은폐되거나 왜곡되고 있습니다. … 총통은 귀관에게 모든 반역자를 즉시 무자비하게 제거할 것을 명령하셨습니다.

그런 다음 히틀러의 죽음이 겨우 몇 시간 남았음을 알면서도 추신을 붙였다. "총통은 살아 계시고, 베를린 방어를 지휘하고 계십니다."

그러나 베를린은 더 이상 방어 불능이었다. 이미 도시의 거의 전역이 소련군의 수중에 있었다. 이제 남은 문제는 총리 관저 방어뿐이었다. 4월 30일 정오에 열린 마지막 전황회의에서 히틀러와 보어만이 알게 되었듯이, 총리 관저도 파괴될 운명이었다. 소련군이 티어가르텐의 동쪽 끝에 도달하고 포츠담 광장에 진입한 상황이었다. 불과 한 블록 거리였다. 아돌프 히틀러로서는 결의를 실행에 옮길 때였다.

그날 신부는 점심 생각이 없어 보여서 히틀러는 비서 두 명, 그리고 총통의 마지막 식사를 준비한 줄 몰랐을 듯한 채식 요리사와 함께 점심을 먹었다. 오후 2시 30분 그들이 식사를 끝마칠 무렵, 총리 관저의 차고를 책임지던 총통의 운전사 에리히 켐프카는 기름 용기에 든 휘발유 200리터를 즉시 관저 뜰로 가져오라는 지시를 받았다. 켐프카는 그렇게 많은 연료를 모으느라 어지간히 애를 먹긴 했지만 가까스로 180리터가량을 모았고, 세 사람의 도움을 받아 벙커의 비상구까지 옮겼다.[24]

바이킹식 장례식에 사용할 연료를 모으는 동안, 최후의 식사를 마친 히틀러는 에바 브라운을 부른 뒤 괴벨스, 크렙스와 부르크도르프 장군, 비서들, 요리사 만치알리 등 친밀한 협력자들에게 다시 한 번 마지막 작별을 고했다. 괴벨스 부인은 나타나지 않았다. 이 비범하고 아름다운 금발 여성은 에바 브라운과 마찬가지로 남편과 함께 죽겠다는 결정은 쉽게 내릴 수 있었지만, 어떤 앞날이 기다리는지 까맣게 모른 채 지난 며칠 동안 지하 대피소에서 명랑하게 뛰어놀았던 여섯 명의 어린 자녀를 죽여야 한다는 생각에 마음이 착잡했다.

이틀 내지 사흘 전에 괴벨스 부인은 라이치 양에게 이렇게 말했다. "하나 양, 최후가 왔을 때 내가 아이들 때문에 마음이 약해지거든 나를 도와줘야 해요. … 그 아이들은 제3제국과 총통의 것이고, 두 존재가 사라지고 나면 아이들을 위한 자리는 더 이상 없어요. 가장 두려운 것은 마지막 순간에 내가 너무 약해지는 거예요." 당시 그녀는 작은 방에서 홀로 가장 두려운 결과를 극복하려 몸부림치고 있었다.*

히틀러와 에바 브라운에게는 그런 문제가 없었다. 각자의 목숨을 끊으면 그만이었다. 두 사람은 작별을 마치고 방으로 들어갔다. 바깥 복도에서 괴벨스, 보어만, 그 밖의 몇 명이 기다렸다. 잠시 후 권총 소리가 들렸다. 잠깐 기다렸지만 정적뿐이었다. 꽤 시간을 보낸 뒤 그들은 총통의 숙소로 조용히 들어갔다. 아돌프 히틀러의 시체가 피를 뚝뚝 흘리며 소파에 널브러져 있었다. 입안에 총을 넣고 발사했다. 그 옆에 에바 브라운이 누워 있었다. 권총 두 자루가 바닥에 떨어져 있었지만, 신부는 권총을 사용하지 않았다. 독약을 삼켰다.

1945년 4월 30일 월요일 오후 3시 30분, 아돌프 히틀러의 56세 생일 열흘 후, 그리고 그가 독일 총리가 되어 제3제국을 수립한 지 정확히 12년 하고 3개월 되는 날이었다. 제3제국은 히틀러보다 겨우 1주일을 더 연명할 터였다.

바이킹식 장례식이 뒤따랐다. 아무 말도 들리지 않았다. 소리라곤 소

---

* 아이들의 이름과 나이는 헬라 12세, 힐다 11세, 헬무트 9세, 홀데 7세, 헤다 5세, 하이데 3세였다.

련군이 총리 관저의 뜰과 그 주변의 부서진 벽을 포격하는 굉음뿐이었다. 히틀러의 시종인 친위대 소령 하인츠 링게Heinz Linge와 잡역병이 엉망이 된 얼굴을 가리기 위해 군용 암회색 담요를 덮어 감싼 총통의 시체를 운반했다. 켐프카는 담요 밖으로 드러난, 히틀러가 항상 암회색 상의와 함께 입던 검은색 바지와 신발을 보고서 그것이 총통의 시체임을 알아차렸다. 에바 브라운의 시신은 더 깨끗했다. 피 한 방울 안 보였다. 보어만이 에바의 시체를 그대로 복도까지 운반해 켐프카에게 넘겨주었다.

　[켐프카가 훗날 회고함] 히틀러 부인은 검은 드레스 차림이었다. … 시신에서 아무런 상처도 보지 못했다.

　부부의 시체는 뜰로 운반한 뒤 폭격이 잠잠한 사이에 포탄으로 파인 구덩이에 넣고 휘발유로 불을 붙였다. 괴벨스와 보어만을 비롯한 조문객들은 벙커의 비상구 쪽으로 물러나 불길이 타오르는 동안 차려 자세로 오른손을 뻗어 나치식 고별 경례를 했다. 그 의식은 짧게 끝났는데, 붉은 군대의 포탄이 뜰에 후두두 쏟아지기 시작하자 생존자들이 다시 벙커로 들어갔기 때문이다. 아돌프 히틀러 부부의 현세의 마지막 잔재를 끝까지 없애는 일은 휘발유 불길의 몫으로 남겨두었다.* 보어만과 괴벨스는 이제 창건자이자 독재자가 사라진 제3제국에서 아직도 할 일이 있었다. 다

---

* 부부의 유골은 끝내 찾지 못했으며, 그로 인해 전후에 히틀러가 살아 있다는 소문이 생겨났다. 그러나 영국과 미국의 정보장교들이 목격자 몇 사람을 따로따로 심문한 결과를 보면 아무런 의심도 남지 않는다. 켐프카는 새까맣게 탄 유골을 끝내 찾지 못한 이유에 대해 설득력 있는 설명을 내놓았다. "러시아군의 끊임없는 포격으로 흔적이 다 지워졌습니다"라고 켐프카는 심문관들에게 말했다.

만 그 일이 서로 같지는 않았다.

전령들이 되니츠를 후계자로 지명하는 총통의 유언장을 제독에게 전달했을 법한 시간은 아직 아니었다. 이제 그 사실을 무전으로 제독에게 알려야 했다. 그러나 권력이 손에서 빠져나간 그 순간에도 보어만은 망설였다. 권력을 맛본 자가 그것을 갑자기 포기하기란 어려운 일이었다. 마침내 보어만은 메시지를 보냈다.

되니츠 대제독

총통께서 전 제국원수 괴링 대신 귀하를 후계자로 지명하셨습니다. 정식 문서를 휴대한 전령이 귀처로 향하는 중입니다. 귀하는 상황상 필요한 모든 조치를 즉시 취해주시기 바랍니다.

히틀러가 죽었다는 말은 전혀 하지 않았다.

북부의 독일 병력 전체를 지휘하며 사령부를 슐레스비히의 플뢴으로 옮겼던 제독은 이 소식에 어리둥절했다. 당 지도부와 달리 제독은 히틀러의 후계자가 되고픈 마음이 없었고, 그런 생각을 해본 적조차 없었다. 힘러가 후계자가 되리라 생각해 이틀 전에 친위대 수장을 찾아가 자신이 지지하겠다고 말했을 정도였다. 그러나 총통의 지시에 불복한다는 생각을 해본 적이 없던 그였기에, 아돌프 히틀러가 아직 살아 있다고 믿고서 다음과 같은 회답을 보냈다.

총통 각하!

각하에 대한 저의 충성심은 절대적입니다. 저는 베를린의 각하를 구하기 위해 가능한 모든 일을 할 것입니다. 그럼에도 제가 각하께서 지명한 후계자로서 부득이 제국을 통치해야 하는 운명이라면, 독일 국민의 유일무이하고 영웅적인 투쟁에 걸맞도록 최후까지 이 전쟁을 이어갈 것입니다.

대제독 되니츠

그날 밤 보어만과 괴벨스는 새로운 방책을 떠올렸다. 그들은 소련 측과 교섭을 시도해보기로 결정했다. 벙커에 남아 있던 육군 참모총장 크렙스 장군이 한때 모스크바 주재 무관 대리를 지낸 터라 러시아어를 구사할 줄 알았고, 모스크바 기차역에서 스탈린의 포옹을 받은 유명한 사건도 있었다. 크렙스라면 볼셰비키로부터 무언가를 얻어낼 수 있을지도 몰랐다. 구체적으로 괴벨스와 보어만이 원한 것은 안전 통행을 허가받아 새로운 되니츠 정부에서 히틀러가 정해둔 자리를 맡는 것이었다. 그 대가로 베를린을 내어줄 의향이 있었다.

크렙스 장군은 4월 30일에서 5월 1일로 넘어가는 자정 직후에 베를린에서 전투 중인 소련군 병력의 지휘관 바실리 추이코프Vasily Chuikov 장군*을 만나러 출발했다. 동행한 독일 장교들 중 한 명이 대화의 시작 부분을 기록했다.

크렙스: 오늘 5월 1일은 우리 두 민족에게 즐거운 휴일입니다.**
추이코프: 오늘 우리는 즐거운 휴일을 보냈습니다. 여러분의 그곳 사정이 어떨지는 말하기 어렵군요.[25]

---

* 대부분 주코프 원수라고 서술했지만 그렇지 않다.
** 5월 1일은 예로부터 유럽에서 노동절이다.

소련군 장군은 베를린의 잔여 독일군뿐 아니라 총통 벙커의 모든 사람까지도 무조건 항복할 것을 요구했다.

크렙스가 임무를 수행하는 데 꽤 시간이 걸렸고, 5월 1일 오전 11시까지 장군이 돌아오지 않자 초조한 보어만은 되니츠에게 또다시 무전 메시지를 보냈다.

유언을 이행하는 중입니다. 최대한 서둘러 귀처로 가겠습니다. 그때까지 발표를 유보하기 바랍니다.

여전히 모호한 메시지였다. 보어만은 도저히 총통이 죽었다고 솔직하게 말할 수가 없었다. 자신이 중대 소식을 되니츠에게 제일 먼저 전하고, 그리하여 신임 총사령관의 호의를 얻고 싶었다. 그러나 처자식과 함께 곧 죽을 예정인 괴벨스로서는 제독에게 단순한 진실을 말하지 않을 이유가 없었다. 오후 3시 15분, 괴벨스는 되니츠에게 따로 메시지를 보냈다─베를린의 포위된 벙커에서 보낸 마지막 무전 메시지였다.

되니츠 대제독
극비
총통께서 어제 1530[오후 3시 30분]에 서거하셨습니다. 4월 29일 유언에서 귀하를 제국 대통령에 임명하셨습니다. … [지명된 주요 각료들의 이름을 열거함.]

총통의 명령으로 유서를 베를린에서 귀하에게 보냈습니다. … 보어만이 오늘 귀하에게 가서 상황을 알릴 의향입니다. 언론과 군대에 발표하는 시기와 형식은 귀하에게 일임합니다. 수신 확인 바랍니다.

괴벨스

괴벨스는 새 지도자에게 자신의 의중을 알릴 필요가 없다고 생각했다. 5월 1일 이른 저녁에 그는 결심을 실행했다. 먼저 여섯 자녀를 독살하려 했다. 아이들의 놀이를 멈추고 치사량을 주입했는데, 전날 총통이 개들을 독살했던 의사가 실행했던 것으로 보인다. 그런 다음 괴벨스는 부관인 친위대 대위 귄터 슈베거만Günther Schwägermann을 불러 휘발유를 얼마간 가져오라고 지시했다.

"슈베거만" 하고 괴벨스는 말했다. "이건 최악의 반역일세. 장군들이 총통을 배신했네. 모든 걸 잃었어. 나는 아내와 가족과 함께 죽기로 했네." 괴벨스는 방금 자식들을 죽였다는 사실을 부관에게도 말하지 않았다. "자네가 우리 시체를 소각했으면 하네. 할 수 있겠나?"

슈베거만은 할 수 있다고 확답하고서 잡역병 두 명을 보내 휘발유를 구해오도록 했다. 몇 분 후인 오후 8시 30분경, 바깥이 어두워질 무렵 괴벨스 부부는 벙커를 걸으며 복도에서 마주치는 사람들과 작별 인사를 나눈 뒤 계단을 올라 뜰로 나갔다. 부부의 요청에 따라 친위대 잡역병이 그들의 후두부에 권총을 두 발 쐈다. 그런 다음 두 시신에 휘발유 네 통을 붓고서 불을 붙였지만, 화장이 잘 진행되지 않았다.[26] 벙커의 생존자들은 이제 막 집단 탈출을 시작한 터라 마음이 바빴으며 이미 죽은 자들을 불태우는 데 허비할 시간이 없었다. 이튿날 소련군은 시커멓게 그을린 선전장관 부부의 시신을 발견하고서 곧장 누구인지 알아보았다.

5월 1일 밤 9시 정각에 총통 벙커에 불이 붙었고, 대다수가 친위대원인 약 500~600명의 총통 수행단이 대탈출을 준비하며 총리 관저의 피신처에서—현장에 있던 총통 재단사의 훗날 회상에 따르면 마치 머리가 잘린 닭들처럼—서성대고 있었다. 계획은 총리 관저 맞은편 빌헬름스플라츠 아래 지하철역에서 선로를 따라 프리드리히슈트라세 역까지 걸어가고, 그곳에서 슈프레 강을 건너 소련군 전열을 신중히 통과하여 곧장 북쪽으로 향한다는 것이었다. 상당수가 통과하는 데 성공했다. 일부는 그렇지 못했고, 그들 중에 마르틴 보어만이 있었다.

그날 오후 크렙스 장군이 마침내 추이코프 장군의 무조건 항복 요구를 가지고 벙커로 돌아왔을 때, 히틀러의 당수실장 보어만은 여기서 살아남을 유일한 길은 집단 탈출에 가담하는 것이라고 판단했다. 보어만 무리는 독일 전차 한 대의 뒤를 따라가려 시도했지만, 동행했던 켐프카에 따르면 그 전차가 소련군의 직격탄을 맞아서 보어만이 죽은 것이 거의 확실하다. 한편, 히틀러청소년단의 지도자로 자기 목숨을 건지고자 피헬스도르프 다리에서 휘하 대대를 저버린 아르투어 악스만Arthur Axmann도 무리에 동행했는데, 훗날 인팔리덴슈트라세와 철로가 교차하는 지점의 다리 아래에 누워 있는 보어만의 시체를 보았다고 증언했다. 그의 추정은 보어만이 소련군 전열을 돌파할 가능성이 전혀 없음을 확인하고서 독약 캡슐을 삼켰다는 것이다.

크렙스 장군과 부르크도르프 장군은 집단 탈출 시도에 가담하지 않았다. 두 사람은 총리 관저의 지하에서 권총으로 자결한 것으로 보인다.

제3제국의 종말

제3제국은 창건자보다 7일을 더 살았다.

5월 1일 밤 10시 정각을 조금 지난 시각, 괴벨스 부부의 시신이 총리 관저의 뜰에서 불타고 있고 벙커의 사람들이 베를린 지하철 터널을 통해 탈출하고자 떼 지어 움직이던 때, 함부르크 라디오에서 브루크너의 장엄한 교향곡 제7번의 녹음방송이 돌연 중단되었다. 군악대 드럼 소리에 이어서 누군가 성명을 발표했다.

우리의 총통, 숨이 끊어질 때까지 볼셰비즘에 맞서 싸운 아돌프 히틀러가 금일 오후 제국총리 관저의 작전본부에서 서거하셨다. 4월 30일 총통은 되니츠 대제독을 후계자로 지명하셨다. 지금 대제독 겸 총통의 후계자가 독일 국민에게 고한다.

제3제국은 처음 출범했을 때처럼 구차한 거짓말을 하며 소멸하고 있었다. 히틀러가 오후가 아닌 오전에 죽었다는 사실은 그리 중요하지 않으니 제쳐두더라도, "숨이 끊어질 때까지" 싸우다가 쓰러지진 않았다. 하지만 히틀러의 역할을 물려받은 자들로서는 총통의 전설을 영속화하려면, 그리고 여전히 저항하고 있고 진실을 안다면 분명히 배신감을 느낄 법한 군대를 계속 통제하려면 이런 거짓말을 방송할 필요가 있었다.

되니츠 본인이 오후 10시 20분에 직접 방송에 나와 총통의 "영웅적 죽음" 운운하며 거짓말을 되풀이했다. 사실 그 시점에 되니츠는 히틀러가 어떻게 최후를 맞았는지 알지 못했다. 괴벨스는 무전으로 히틀러가 오후에 "서거하셨습니다"라고만 알렸다. 하지만 제독은 이 문제에도, 그 밖의 다른 문제들에도 개의치 않았다. 재앙의 시간에 독일 국민의 혼란한 마음을 더욱 어지럽히는 데 전력을 기울였기 때문이다.

[되니츠가 말함] 저의 첫 과제는 진군하는 볼셰비키 적군의 파괴로부터 독일

을 구하는 것입니다. 이 목표만을 위해 군사 투쟁을 이어갈 것입니다. 영국 군과 미군이 이 목표의 달성을 방해하는 경우에만 우리는 부득이 그들을 상대로도 방어전을 이어갈 것입니다. 하지만 그런 상황에서 영미군이 전쟁을 지속하는 것은 그들의 국민을 위해서가 아니라 오로지 유럽에서 볼셰비즘을 퍼뜨리기 위해서입니다.

1939년에 먼저 영국과, 뒤이어 미국과 전쟁을 치를 수 있도록 볼셰비키 국가를 독일의 동맹으로 삼겠다는 히틀러의 결정에 항의했다는 기록이 없는 제독은 이처럼 현실을 터무니없이 왜곡한 뒤, 방송을 마치며 독일 국민에게 "이토록 많은 고통과 희생을 치른 우리를 신께서 저버리시지는 않을 것입니다"라고 장담했다.

부질없는 말이었다. 되니츠는 독일의 저항이 막바지임을 알고 있었다. 히틀러가 목숨을 끊기 하루 전인 4월 29일, 이탈리아의 독일군이 무조건 항복했다. 이 소식은 통신이 두절된 탓에 총통에게 전해지지 않았는데, 만약에 전해졌다면 최후의 시간을 견디기가 더 힘들었을 것이다. 5월 4일, 독일군 최고사령부는 독일 북서부, 덴마크, 네덜란드의 독일 병력 전체를 몽고메리에게 항복시키기로 결정했다. 이튿날 알프스 이북의 독일 제1군과 제19군으로 이루어진 케셀링의 G집단군이 항복했다.

같은 5월 5일, 독일 해군의 신임 총사령관 한스 폰 프리데부르크Hans von Friedeburg 제독이 랭스에 있는 아이젠하워 장군의 사령부에 도착해 항복 조건을 협상했다. OKW의 마지막 문서들로 알 수 있듯이,[27] 독일의 목표는 최대한 많은 독일 장병과 피난민이 소련군의 진군로에서 이동하여 서방 연합군에 투항할 만한 시간을 벌기 위해 며칠간 전투를 중단하는 것이었다. 이튿날 요들 장군이 랭스에 도착해 해군 동료의 교섭을 거들었다. 그러나 허사였다. 아이젠하워는 그들의 속셈을 꿰뚫어보았다.

[아이젠하워가 훗날 회고함] 나는 스미스 장군을 시켜 요들에게 그들이 즉각 모든 가식과 지연책을 중단하지 않을 경우 연합군 전선 전체를 봉쇄하여 향후 독일 피난민이 우리 전열로 들어오는 것을 무력으로 막겠다고 통지했다. 나는 더 이상 지연책을 허용하지 않을 작정이었다.[28]

5월 7일 오전 1시 30분, 요들에게서 아이젠하워의 요구를 전해들은 뒤, 되니츠는 덴마크 국경 플렌스부르크의 새 사령부에서 무전을 보내 요들에게 무조건 항복 문서에 서명할 전권을 부여했다. 게임이 끝났다.

아이젠하워가 사령부로 삼은 랭스의 작은 붉은색 학교 건물에서, 독일은 1945년 5월 7일 오전 2시 41분에 무조건 항복했다. 연합군 측에서는 항복 문서에 월터 베델 스미스 장군이 서명했고, 소련 측 증인으로 이반 수슬로파로프Ivan Susloparov 장군과 프랑스 측 증인으로 프랑수아 세베즈François Sevez 장군이 부서했다. 독일 측에서는 프리데부르크 제독과 요들 장군이 서명했다.

요들은 한마디할 기회를 달라고 요청해 허락을 받았다.

이 서명으로 독일 국민과 독일 군대는 좋든 싫든 승전국들의 수중에 맡겨졌습니다. … 현 시점에 저는 승전국들이 그들을 너그럽게 대해주기를 희망할 수 있을 뿐입니다.

연합국 측은 아무런 반응도 보이지 않았다. 하지만 요들은 불과 5년 전에 입장이 정반대였던 때를 떠올렸을 것이다. 그때 한 프랑스 장군이 콩피에뉴에서 프랑스의 무조건 항복 문서에 서명하면서 요들과 비슷한 호소를 했다―결과를 보면 헛수고였다.

1945년 5월 8일에서 9일로 넘어가는 자정부터 유럽에서 포성이 멎고 폭격이 중단되어 1939년 9월 1일 이래 처음으로 낯설지만 반가운 정적이 대륙에 내려앉았다. 5년하고 8개월 7일 동안 남녀 수백만 명이 100여 곳의 전장과 1000여 곳의 폭격당한 도시에서 도살되었고, 다른 수백만 명이 나치 가스실이나 소련과 폴란드 내 친위대 특무집단의 구덩이에서 목숨을 잃었다―아돌프 히틀러 치하 독일 정복욕의 결과였다. 유럽의 유구한 도시들 태반이 폐허로 변했고, 날씨가 따뜻해지면서 그 돌무더기의 매장하지 않은 수많은 시체에서 풍기는 악취가 코를 찔렀다.

이제 독일 거리에서는 다리를 쭉 펴고 걷는 돌격대원의 군화 소리도, 갈색셔츠를 입은 무리의 기운찬 고함 소리도, 확성기에 대고 포효하는 총통의 외침도 울려 퍼지지 않았다.

12년하고 4개월 8일 동안 이어진 암흑시대, 독일 군중을 제외한 모두에게 암흑이었으며 이제 그들에게도 암담한 밤으로 끝나가는 시대와 함께 천년을 간다던 제국이 종말을 고했다. 앞에서 언급했듯이 그 제국은 이 위대한 민족, 재주가 많지만 너무나 쉽게 호도당하는 민족을 그들이 일찍이 경험하지 못한 권력과 정복의 정점에까지 끌어올렸다가 역사상 거의 전례가 없을 정도로 갑작스럽고 완전하게 해체되었다.

1차대전 패전 이후 1918년에 카이저는 달아났고 군주정은 허물어졌으나 국가를 지탱하던 기존의 다른 제도들은 남아 있었고, 국민의 선택을 받은 정부가 그 기능을 이어갔으며, 독일 육군과 참모본부의 중핵도 마찬가지였다. 그러나 1945년 봄에 제3제국은 그야말로 소멸해버렸다. 어느 수준의 권위도 남아 있지 않았다. 육군, 공군, 해군의 수백만 명은 자국 안에서 전쟁포로 신세였다. 민간인 수백만 명은 마을 단위까지 정복군의 통치를 받았고, 그들에게 법과 질서뿐 아니라 1945년의 여름과 혹독한 겨울 내내 목숨을 부지하기 위해 식량과 연료까지 의존했다. 아돌프 히틀러의 바보짓―그리고 그를 너무도 맹목적으로, 너무도 열렬하게 추종한 독일인 자신의 바보짓―탓에 그 지경이 되었다. 다만 그해 가을 독일로 돌아간 나는 히틀러에게 분개하는 정서를 거의 느끼지 못했다.

그곳에는 사람들이, 그리고 땅이 있었다. 사람들은 멍한 상태로 피를 흘리고 배를 곯았으며, 겨울이 찾아오자 폭격으로 그들의 집이 된 오두막에서 누더기로 몸을 감싸고 바들바들 떨었다. 땅은 광대한 돌무더기 황무지였다. 히틀러는 다른 수많은 민족들을 말살하려 했고 전쟁에서 패하자 결국 자기네 민족까지 말살하려 했지만, 그의 바람과 달리 독일 민족은 말살당하지 않았다.

그러나 제3제국은 역사의 일부가 되었다.

맺음말

그해 가을 나는 한때 긍지 높았던 땅으로, 제3제국의 짧은 생애 대부분을 직접 경험했던 곳으로 돌아갔다. 너무 변해 알아보기도 힘들 지경이었다. 그 귀환은 다른 책에서 묘사했다(*End of a Berlin Diary*). 여기서 남은 과제는 이 책에서 두각을 나타냈던 인물들 가운데 생존자들의 운명을 기록하는 것뿐이다.

덴마크 국경의 플렌스부르크에서 수립된 되니츠의 후계 정부는 1945년 5월 23일 연합국에 의해 해체되었고, 각료 전원이 체포되었다. 하인리히 힘러는 랭스에서 항복하기 전날인 5월 6일 공직에서 해임되었는데, 되니츠가 연합국의 호의를 얻을 수도 있다고 생각해 이 조치를 취했다. 너무도 오랫동안 유럽인 수백만 명의 생사여탈권을 쥐었고 자주 그 권한을 행사했던 전 친위대 수장은 5월 21일까지 플렌스부르크 부근을 돌아다니다가 친위대 장교 11명과 함께 영국군과 미군의 전열을 통과해 고향 바이에른으로 가려고 시도했다. 힘러는 콧수염을 깎고ㅡ틀림없이 속이 쓰렸을 것이다ㅡ왼눈에 검은색 안대를 두르고 육군 사병의 군복을 입었다. 일행은 첫날 함부르크와 브레머하펜 사이 영국의 검문소에서 저지당했다. 심문 이후 힘러는 자신의 정체를 영국 육군 대위에게 털어놓았고, 대위는 뤼네부르크에 있는 제2군 사령부로 그를 연행했다. 그곳에서 힘러가 옷에 독약을 숨기고 있을지도 몰라 독일 군복을 벗겨 몸수색을 하고 영국 군복으로 갈아 입혔다. 하지만 몸수색을 철저히 하지 않았다. 힘러는 잇몸의 빈 구멍에 청산가리 약병을 숨겨두고 있었다. 5월 23일, 몽고메리의 사령부에서 두 번째 영국 정보장교가 도착해 의무장교에게 포로의 입안을 살펴보라고 지시했을 때, 힘러는 약병을 깨물어 12분 만에 죽었다. 그를 살리고자 위를 세척하고 구토제를 투여하는 등 정신없이 애썼으나 소용이 없었다.

히틀러의 나머지 측근들은 조금 더 살았다. 나는 그들을 보러 뉘른베르크로 갔다. 이 도시에서 연례 전당대회가 열릴 때 영광과 권력을 누리던 그들을 자주 본 적이 있었다. 국제군사재판의 피고석에 앉은 그들은 달라 보였다. 전혀 딴판이었다. 추레한 옷을 입고 맥없이 앉아서 초조하게 꿈지락거리는 그들은 더 이상 지난날의 거만한 지도부와 비슷하지 않았다. 시시한 어중이떠중이처럼 보였다. 마지막으로 보았을 때 저런 자들이 무시무시한 권력을 휘둘렀고 위대한 국가와 유럽 대부분을 정복했다는 것을 납득하기 어려웠다.

피고석에는 21명이 있었다.* 내가 마지막으로 봤던 때보다 35킬로그램을 줄인 괴링은 색이 바래고 계급장이 없는 공군 군복 차림이었고, 피고석에서 1인자 자리를 배정받아 기뻐하는 기색이 역력했다—히틀러가 죽은 뒤 나치 위계에서 괴링의 위치에 대한 일종의 뒤늦은 인정이었다.

---

* 노동전선의 수장 로베르트 라이 박사도 피고였지만, 재판이 열리기 전 감방에서 목을 매 자살했다. 수건을 찢어 올가미를 만들고 화장실 배관에 동여맸다.

잉글랜드로 비행하기 전 나치 3인자였던 루돌프 헤스는 이제 얼굴이 수척했고, 움푹 들어간 두 눈은 멍하니 허공을 향하고 있었으며, 기억상실인 척했지만 낙심한 것이 분명했다. 마침내 오만함과 거드름을 빼앗긴 리벤트로프는 창백하고 구부정하고 녹초가 된 모습이었다. 카이텔은 쾌활함을 잃어버렸고, 머릿속이 뒤죽박죽인 당 '철학자' 로젠베르크는 사태에 이끌려 이곳까지 오고서야 마침내 현실을 깨달은 듯했다.

뉘른베르크의 유대인 박해자 율리우스 슈트라이허도 있었다. 지난날 나는 이 오랜 도시의 거리에서 채찍을 휘두르며 활보하던 이 사디스트이자 외설물 작가를 본 적이 있는데, 이제는 의기소침해 보였다. 머리가 벗겨지고 노쇠해 보인 그는 앉은 채로 땀을 뻘뻘 흘렸고, 판사들을 노려보며 (훗날 어느 간수가 내게 말해주었듯이) 저놈들 다 유대인이라고 확신했다. 제3제국의 노예노동 책임자 프리츠 자우켈도 있었는데, 폭이 좁고 작은 두 눈이 돼지를 연상시켰다. 그는 초조한 듯 몸을 앞뒤로 흔들었다. 그 옆에는 히틀러청소년단의 초대 지도자로 나중에 빈 대관구장을 지냈으며 혈통상 독일인보다 미국인에 가까운 발두어 폰 시라흐가 있었는데, 멍청한 짓을 저질러 학교에서 쫓겨난 뒤 뉘우치는 대학생처럼 보였다. 샤흐트의 후임자로 눈매가 교활해 보이는 보잘것없는 발터 풍크도 있었다. 그리고 제3제국의 마지막 수개월 동안 한때 존경했던 총통의 죄수로서 강제수용소에 갇혀 언제 처형될지 몰라 두려워한 샤흐트 본인도 있었는데, 이제 연합국이 **자신을** 전범으로 재판한다는 이유로 노기등등했다. 독일의 어느 누구보다도 히틀러가 집권하는 데 이바지한 프란츠 폰 파펜도 붙잡혀 피고로 앉아 있었다. 그는 훨씬 나이 들어 보였지만, 수많은 곤경에서 벗어난 능구렁이 같은 면모가 쭈글쭈글한 얼굴에 여전히 새겨져 있었다.

히틀러의 초대 외무장관이며 확신과 청렴이라곤 찾아보기 힘든 구식 독일인 노이라트는 완전히 낙담한 듯했다. 슈페어는 그렇지 않아서, 모든 피고 가운데 가장 솔직하다는 인상을 주었고, 장기간의 재판 내내 정직하게 발언했으며, 자신의 책임과 죄를 회피하려는 시도를 전혀 하지 않았다. 오스트리아 매국노 자이스-잉크바르트도 피고석에 있었고, 요들 장군과 두 명의 대제독 레더, 되니츠도 있었다—총통의 후계자인 되니츠는 백화점 정장을 입은 꼴이 영락없는 신발가게 점원이었다. '교수형 집행인 하이드리히'의 잔인한 후임자인 칼텐브루너는 증인석에서 자신의 모든 범죄를 부인했다. 폴란드 총독 한스 프랑크는 일부 범죄를 인정하고 결국 죄를 뉘우쳤으며, 신을 다시 발견했다면서 신에게 용서를 구했다. 평생 그랬듯이 프랑크는 죽음 직전에도 흐리멍덩했다. 끝으로 괴벨스와 목소리가 비슷하다는 이유로 라디오 해설자로 경력을 쌓고 선전부 관료가 된 한스 프리체Hans Fritzsche가 있었다. 프리체 본인을 포함해 법정의 어느 누구도 그가 괴벨스의 유령으로 있는 것이 아니라면 피고석에 있는 이유를 알지 못하는 듯하여—그러기에는 너무 잔챙이였다—나중에 석방되었다.

샤흐트와 파펜도 석방되었다. 세 사람 모두 독일의 탈나치화 법정에서 무거운 징역형을 선고받긴 했지만, 결국 아주 짧게 복역하는 데 그쳤다.

뉘른베르크의 피고 7명은 징역형을 선고받았다. 헤스, 레더, 풍크는 종신형, 슈페어와 시라흐는 20년형, 노이라트는 15년형, 되니츠는 10년형이었다. 나머지는 사형을 선고받았다.

1946년 10월 16일 오후 1시 11분, 리벤트로프가 뉘른베르크 감옥 처형실에서 교수대에 올라갔고, 짧은 간격으로 카이텔, 칼텐브루너, 로젠베르크, 프랑크, 프리크, 슈트라이허, 자이스-잉크바르크, 자우켈, 요들이 그 뒤를 따랐다.

하지만 헤르만 괴링은 없었다. 그는 교수형 집행인을 속였다. 감방으로 몰래 들여온 독약 약병을 자기 차례가 오기 두 시간 전에 삼켰다. 총통 아돌프 히틀러, 그리고 후계를 놓고 경쟁한 하인리히 힘러와 마찬가지로, 괴링은 막판에 이승을 떠나는 방법을 선택하는 데 성공했다. 두 사람과 함께 결딴을 낸 그 세상을.

감사의 말

내가 쓴 다른 모든 책과 마찬가지로 이 책도 나 스스로 조사하고 계획을 짜긴 했지만, 집필하는 5년 동안 너그럽게 도와준 여러 사람과 기관에 큰 신세를 졌다.

사이먼 앤드 슈스터 출판사의 고故 잭 굿먼, 그리고 나의 편집자 조지프 반스는 집필을 시작하도록 해주었고, 유럽 통신원 시절부터 나와 오랜 친구 사이인 반스는 숱한 우여곡절을 감내하며 고비마다 유익한 비평을 해주었다. 뛰어난 학자이자 압수된 독일 문서의 권위자인 의회 도서관의 프리츠 T. 엡스타인은 산더미 같은 독일 문서를 헤쳐나가도록 인도해주었다. 이 일에서 다른 많은 이들도 도움을 주었다. 특히 뉘른베르크 전범재판에서 검사 측의 수석 법률고문이었고 이미 제3제국의 군사사에 관한 저서 두 권을 출간한 텔퍼드 테일러의 도움이 요긴했다. 그는 개인 수집물에서 문서와 책을 빌려주고 훌륭한 조언을 많이 해주었다.

버지니아 대학 교수이며 미국 역사학회 전쟁문서연구위원회 위원장 오론 J. 헤일 교수는 자신의 일부 연구 결과를 포함해 여러 유익한 자료를 알려주었고, 1956년 어느 무더운 여름날 의회 도서관 수고실手稿室에 있던 나를 밖으로 끌어낸 뒤 독일 문서를 들여다보며 남은 인생을 보내고 싶지 않거든(하마터면 그럴 뻔했다) 이 책을 쓰라고 다시 따끔하게 충고해주었다. 국무부 역사문서과장 G. 버나드 노블 박사와, 《독일 외교정책 문서Documents on German Foreign Policy》의 미국 측 편자들 중 한 명인 국무부 외사과의 폴 R. 스위트 역시 미로 같은 나치 문서를 헤쳐나가도록 도와주었다. 스탠퍼드 대학 후버 도서관의 힐더가드 R. 뵈닝거는 우편으로, 애그니스 F. 페터슨은 몸소 너그럽게 도움을 베풀었다. 육군부의 군사감 대리 W. 후버 대령과 그의 참모 데트마 핀케는 이 부서만이 소장하고 있는 독일 군사기록을 조사하도록 해주었다.

《포린 어페어스》의 편집장 해밀턴 피시 암스트롱은 내가 이 책을 끝마칠 때까지 관심을 보여주었고, 당시 미국 외교협회 상임이사였던 월터 H. 맬러리도 마찬가지였다. 집필 마지막 해에 이 책에만 시간을 쓸 수 있도록 후한 보조금을 제공해주신 외교협회, 프랭크 알출, 그리고 오버브룩 재단에 감사드린다. 또한 나의 힘겨운 요구사항을 수차례 들어준 훌륭한 외교협회 도서관의 직원들에게도 감사드린다. 뉴욕 소사이어티 도서관의 직원들도 같은 경험을 했고, 그럼에도 최고의 인내심과 이해심을 보여주었다.

루이스 갤런티어와 허버트 크리드먼은 친절하게도 원고의 대부분을 읽고서 귀중한 비평을 많이 해주었다. 아돌프 히틀러가 정계 경력을 처음 시작한 1920년대 초와 그 후 권력을 잡은 시기에 베를린 주재 미국 무관을 지낸 트루먼 스미스 대령은 국가사회주의의 시초와 그 후의 몇몇 측면을 조명하는 자신의 노트와 보고서 일부를 내게 제공해주었다. 뉘른베르크에서 미국 검사단의 일원이었으며 현재 뉴욕에서 변호사로 활동하는 샘 해리스는 *TMWC* 자료와 다수의 미간행 자료를 사용할 수 있도록 해주었다. 전시 초기 3년간 독일 육군 참모총장을 지낸 프란츠 할더 장군은 나의 질문에 가장 너그럽게 답변해주고 독일 사료에 접근하는 법을 알려주었다. 나는 본문에서 할더의 미간행 일기의 가치에 관해 말했고, 거의 이 책을 쓰는 내내 그 일기의 사본을 곁에 두었다. 전시 초기에 베를린 미국 대사관에서 일한 조지 케넌은 몇 가지 역사적 관심사와 관련해 나의 기억을 되살려주었다. 유럽 시절 오랜 친구들과 동료들 가운데 존 건서, M. W. 포도어, 케이 보일, 시그리드 슐츠, 도러시 톰슨, 휘트 버넷, 뉴얼 로저스는 이 저술의 여러 측면을 유익하게 논의해주었다. 그리고 나의 저작권 대리인 폴 R. 레이널즈는 가장 필요한 순간에 나를 격려해주었다.

마지막으로 아내에게 큰 빚을 졌다. 아내는 외국어 지식, 유럽에서의 경력, 독일과 오스트리아에서의 경험을 바탕으로 나의 조사, 저술, 사실 확인 등에 긴요한 도움을 주었다. 우리의 두 딸 잉가와 린다는 대학 방학 기간에 자질구레한 일을 도와주었다.

이런저런 방식으로 나를 도와준 이 모든 이들에게 감사의 마음을 전한다. 물론 책의 결점과 오류는 오로지 나의 책임이다.

이 책은 놀라운 호평을 받았다.

어느 누구도—나의 출판사 대표도, 편집장도, 저작권 대리인도, 친구들도—이토록 두껍고 주가 많고 값이 비싸고 주제가 제3제국인 책을 사람들이 구입할 것이라고는 생각하지 않았다. 나의 강연 대리인은 히틀러와 제3제국에 관한 관심이 더 이상 없고 내가 다른 무언가에 관해 이야기해야 한다고 했다. 출판사 측은 일단 1만 2500부만 인쇄했다.

그러므로 이 책이 곧장 꽤 많은 독자들의 관심을 끌었다는 사실은 우리 모두에게 뜻밖의 희소식이었다. 나는 사이먼 앤드 슈스터 출판사에서 펴낸 양장본이든 포싯 출판사에서 펴낸 대량판매용 보급판이든, 책의 판매부수를 확인한 적이 없다. 두세 해 전에 나는 '이달의 책 클럽'이 《제3제국사》를 역대 다른 어떤 책보다도 많이 판매했다는 소식을 듣고서 깜짝 놀랐다. 하지만 판매부수가 얼마나 되는지 나는 모른다. 이 책은 영국, 프랑스, 이탈리아, 그리고 조금 덜 나가긴 했지만 독일 등 외국에서도 잘 팔렸다.

이 책에 대한 서평들은 독일의 경우를 예외로 하면 내 예상보다 훨씬 더 예리했다. 그리고 비록 학계 역사가들이 전반적으로 책과 나에게 냉담한 태도를 보이긴 했지만(마치 내가 그들의 영역을 침범할 권리가 없는 강탈자인 것처럼, 훌륭한 역사서를 **쓰려면** 역사를 **가르쳐야** 한다고 그들은 말했다), 주목할 만한 예외도 있었다.

예컨대 H. R. 트레버–로퍼가 그랬다. 일요일자《뉴욕 타임스 북 리뷰》에서 그에게 서평용 책을 보냈다는 소식을 처음 듣고서 나는 어지간히 전전긍긍했다. 그는 옥스퍼드 대학의 명망 높은 역사가이며 내가 탄복한 학자였다―그의 《히틀러의 마지막 나날The Last Days of Hitler》은 내게 귀중한 책이었다. 하지만 당시 영국 서평가들은 미국 저자들에게 다소 엄격했거니와, 저명한 학자인 트레버–로퍼가 역사를 쓰려는 언론인에 대한 미국 동료들의 경멸감을 공유할지도 모른다고 나는 짐작했다. 그래서 미국 저자와 저서의 미래에 가장 중요한 지면에서 혹평을 들을지도 모른다고 판단했다.

그런데 트레버–로퍼 역시 나를 놀라게 했다. 제1면 서평의 제목이 그가 말하려는 바를 암시했다.

우리 세기의 가장 어두운 밤을 밝히다
히틀러 독일의 끔찍한 이야기를
대가다운 연구로 감동스럽게 전하다

"평범한 경우라면" 하고 트레버–로퍼는 서평을 시작했다. "종말 이후 한 세대의 절반만 지난 시점에 … 그 역사를 쓰기란 불가능할 것이다. 그러나 제3제국의 경우 그 무엇도, 심지어 종말까지도 평범하지 않았다. 완전한 소멸과 함께 [히틀러의] 통치의 모든 비밀이 훤히 드러나고 모든 문서고가 압수되었다. … 전과 달리 지금은 생존 목격자들과 역사적 진실이 한 점에서 만날 수 있다. 필요한 것은 역사가뿐이다. 그중 한 사람이 윌리엄 L. 샤이러인 것이다. …"

서평의 도입부를 여는 고무적인 평가였다. 나는 숨이 멎을 정도였다. 결론부를 읽고도 숨이 멎을 뻔했다. "이 책은 객관적인 방법, 확신에 찬 판단, 모든 이의 마음을 사로잡는 결론을 제시하는 뛰어난 학술 저작이다."

나는 경쟁 서평지인 《뉴욕 헤럴드-트리뷴 북 리뷰》의 제1면 서평을 읽고서 현실로 돌아왔다. 서평자인 당시 프린스턴 대학의 역사가 고든 A. 크레이그는 제3제국이 나라는 역사가를 찾았다는 옥스퍼드 동료의 평가에 전혀 동의하지 않았다. 결코! 그는 이 책이 너무 길고 "균형이 맞지 않는다"고 생각했다. 내가 독일의 어느 무명 역사가의 책을 읽지 않은 것을 유감스러워했다. 이 책이 다른 역사가들의 글이 아니라 1차 사료—압수된 독일 기밀문서—에 근거했다는 사실에 주목하긴 했지만 감명받지는 않았다.

독일에서는 부드럽게 말해서 서평가들로부터 그리 좋은 평가를 받지 못했다. 독일인은 도저히 자신들의 과거를 직시할 수가 없었다. 서독 총리 콘라트 아데나워를 필두로 책을 맹공격하고 저자를 비방했다. 아데나워는 나를 "독일 혐오자"라고 불렀다. 책이 나치 독일을, 그리고 독일인이 인간 정신과 이웃과 유럽 유대인을 상대로 저지른 범죄를 객관적으로 다루었다는 이유로, 아울러 문서로 입증된 사실들이 스스로 말하도록 했다는 이유로 나는 독일의 격렬한 반발에 부딪혀 다소 움츠러들긴 했지만, 전혀 놀라지는 않았다.

그리고 《제3제국사》 30주년판이 발간되는 지금, 세계는 돌연 독일의 새로운 재통일을 마주하고 있다. 통일된 독일은 머지않아 경제적으로 다시 강해질 것이고, 원한다면 빌헬름 2세와 아돌프 히틀러의 시대처럼 군사적으로도 강해질 것이다. 그리고 유럽은 또다시 독일 문제에 직면할 것이다. 과거가 어떤 지침이 된다면, 나의 생애에 튜턴족의 군대에 두 번이나 침공당한 독일 인접국들의 전망은 그리 밝지 않다. 이 책의 독자들은 싱기하겠지만, 히틀러 시대의 마지막 침공에서 독일군의 행위는 야만적인 공포였다.

이제 사람들은 묻는다. 독일인은 변했는가? 서구의 많은 이들이 그렇다고 믿는 듯하다. 나 자신은 그렇게 확신하지 않으며, 분명 나의 견해는 나치 시대에 독일에서 생활하고 일한 개인적인 경험으로 뒤덮여 있다. 진실은 이 중대한 물음의 답을 아는 사람이 실은 아무도 없다는 것이다. 그리고 십분 이해할 만한 일이지만 독일의 정복에 희생당했던 국가들은 어떠한 위험도 감수하지 않으려 한다.

독일 문제의 해결책이 있을까? 아마도 있을 것이다. 재통일한 독일을 유럽 안보체제에 얽어매서 과거의 침공 정책을 추구하지 못하도록 결박하는 것이다.

한 가지 근본적인 의미에서 제3제국의 몰락 이래로 상황이 바뀌었다. 내가 1959년에 쓴 머리말의 끝에서 지적했듯이, 수소폭탄으로 말미암아 아돌프 히틀러 같은 구식 정복자는 한물갔다. 히틀러 같은 새로운 모험가가 독일인을 새로운 정복으로 이끈다 해도, 핵무기 반격에 격퇴당할 것이다. 그럴 경우 독일의 침공은 금세 종지부를 찍을 것이다. 그러나 불행히도 이 세계 역시 종지부를 찍을 것이다.

따라서 수소폭탄과 이것을 탑재하도록 설계된 로켓과 항공기와 잠수함은, 비록 이 행성의 생존에 끔찍한 위협이 되기는 하지만, 아이러니하게도 적어도 독일 문제를 푸는 데에는 도움이 될 것이다. 앞으로 독일인도, 다른 어느 누구도 유혈 정복에 나서지 않을 것이다.

정도를 벗어난 정부들과 미심쩍어하는 사람들이 지난날 우리 세계를 거의 삼킬 뻔했고 이 책의 주제이기도 한 나치 테러와 학살의 캄캄한 밤을 기억한다면, 그것도 도움이 될 것이다. 과거를 기억하는 것은 현재를 이해하는 데 도움이 된다.

윌리엄 L. 샤이러

1990년 5월

옮긴이의 말

《제3제국사》는 영어권에서 나치 독일을 다룬 대중 역사서를 대표하는 책이다. 1960년 10월 17일 초판이 출간되고 1년 만에 양장본과 보급판 각각 100만 부 이상 판매되었고, 1962년 잡지 《리더스 다이제스트》에 축약판으로 연재되어 1200만 명의 독자에게 읽혔다. 또 유럽의 영국, 프랑스, 이탈리아 등지에서도 베스트셀러가 되었다. 서독에서는 총리 콘라트 아데나워까지 직접 나서 이 책의 서술에 항의하는 등 정치권, 학계, 언론계에서 전반적으로 격렬하게 반발했지만, 그런 비판이 오히려 책에 대한 관심을 불러일으켰다. 독일을 제외한 서구의 언론계에서 두루 호평을 받은 이 책은 1961년 논픽션 부문 전미도서상과 캐리-토머스 상Carey-Thomas Award을 수상했다. 2011년에는 《타임》지가 선정한 100대 논픽션에 들어가기도 했다. 이 책은 출간 후 60여 년이 지난 현재까지 한 번도 절판되지 않았고, 20세기 말까지 무려 1000만 부가 팔렸다.

나치 독일은 세계적으로 관심도가 높은 역사 주제이자 그만큼 철저한 연구가 이루어진 분야다. 이미 2000년에 나치즘에 관한 연구 문헌이 3만 7000종을 넘겼다고 한다. 그럼에도 1933년부터 1945년까지 이어진 제3세국 시대를 시간순으로 서술하는 통사로서 일반 독자가 읽을 만한 책은 지금도 손에 꼽을 만큼 적다. 그중에서 첫선을 보인 통사가 바로 이 책이다. 최초의 통사인 데다 지은이와 출판사조차 깜짝 놀랄 정도로 많이 판매된 까닭에, 이 책은 미국에서 2차대전을 겪은 세대와 전후 1960년대에 성년이 된 세대에게 중요한 영향을 끼쳤다. 특히 전후 세대의 경우 이책을 통해 나치 독일을 알아갔다고 해도 과언이 아니다. 그 후로도 이 책에 대한 선호도는 떨어지지 않았고, 이 분야의 수많은 저작을 제치고 여전히 제3제국 통사를 찾는 독자들에게 1순위로 선택을 받고 있다.

그렇다면 지은이 샤이러는 어떻게 이토록 생명력이 긴 책을 쓸 수 있었을까? 그리고 무슨 목적으로 이렇게 두꺼운 책을 썼을까? 이 물음에 답하려면 책을 구상하고 집필하기까지 샤이러가 어떤 삶을 살았는지 살펴봐야 한다.

윌리엄 로런스 샤이러는 1904년 미국 시카고에서 태어났다. 아이오와의 코Coe 칼리지 재학 시절 스포츠 기자로 언론계에 입문한 샤이러는 졸업 후 유럽으로 떠났고, 1925년 《시카고 트리뷴》지의 파리 지부에 입사해 1932년까지 유럽 통신원으로 일했다. 이 기간에 유럽, 근동, 인도, 아프가니스탄 등지를 누비며 유명 비행사 찰스 A. 린드버그의 대서양 횡단 단독 비행, 국제연맹 회의, 국제 스포츠 행사 등을 취재했고, 인도에서 모한다스 간디와 교분을 쌓기도 했다(훗날 간디에 관한 회고록을 썼다).

1932년 《시카고 트리뷴》에서 퇴사한 샤이러는 히틀러가 집권한 이듬해인 1934년에 유니버설 통신사의 베를린 지국에 채용되어 나치 독일을 본격적으로 취재하기 시작했다. 이 시기에 샤이러는 제국의회 의사당을 드나들며 히틀러의 연설을 꼬박꼬박 챙겨 듣는가 하면 자르 지역 반환과

라인란트 재무장 등 히틀러의 평시 성취를 보도했다. 1936년 베를린 올림픽 기간에는 독일 정부가 대외적 이미지 제고와 선전을 위해 유대인 박해를 감추고 있다고 폭로하는 기사를 썼다가 괴벨스의 선전부에 의해 공개 비판을 받고 독일에서 추방당할 뻔하기도 했다.

언론인으로서 샤이러의 전환점은 1937년에 찾아왔다. 그 변화의 중심에는 미국에서 방송 저널리즘의 아버지로 평가받는 에드워드 R. 머로 Edward R. Murrow가 있었다. TV 방송이 없던 당시 미국의 주요 라디오 방송사 중 하나였던 CBS의 유럽 지국장에 부임한 머로는 숙련된 통신원들로 이루어진 뉴스팀을 꾸리려 했고, 베를린에 있던 샤이러를 찾아가 일자리를 제안했다(훗날 큰 명성을 얻은 이 팀은 '머로의 아이들'이라 불렸고, 샤이러가 맨 먼저 발탁되었다). 하지만 샤이러는 취재는 할 수 있어도 라디오 방송에서 직접 마이크를 잡을 수는 없었는데, 당시만 해도 뉴스 보도는 신문 기자의 고유 업무라는 것이 통념이었고 CBS 간부진도 자사 직원의 라디오 보도를 금하고 있었기 때문이다.

머로와 샤이러는 이 관행이 부당하다고 생각했고, 독일의 오스트리아 병합을 계기로 라디오에서 직접 발언할 기회를 잡았다. 샤이러는 1938년 3월 11일 병합 당일 오스트리아 수도에 있었던 유일한 미국인 기자였다. 샤이러는 특종을 취재했으나 청취자들에게 전달할 만한 수단이 없었다. 독일군이 오스트리아 국영 라디오 방송국을 장악해 그곳 시설을 이용할 수 없었기 때문이다. 그때 머로가 샤이러에게 빈에서 베를린을 경유해 런던까지 날아올 것을 제안했다(그가 타고 간 런던행 비행기는 나치 독일의 지배를 피해 달아나는 유대인들로 가득했다고 한다). 그렇게 해서 샤이러는 오스트리아 병합에 관한 미국 최초의 비검열 목격자 서술을 본국 청취자들에게 전할 수 있었다.

이 성공에 고무된 CBS 측은 이튿날 머로와 샤이러에게 유럽 현지의 통신원들이 전화와 방송시설을 이용해 실시간으로 유럽 뉴스를 보도하는 포맷의 프로그램을 제안했다. 신문에서 간추린 기사를 라디오 아나운서가 그대로 읽는 것이 고작이던 당시에 이는 획기적인 시도였다. 이 시도는 유럽 5개국 수도인 런던, 베를린, 파리, 빈, 로마의 통신원들이 뉴욕의 아나운서와 30여 분간 생방송으로 소통하는 '월드 뉴스 라운드업' 프로그램으로 결실을 맺었다. 신문 기사와 달리 리포터의 목소리를 통해, 개전 후에는 때때로 폭탄이 터지고 공습 사이렌이 울리는 소리를 통해 현장의 생생함을 고스란히 전해주는 이 포맷에 청취자들은 매료되었다. 이렇듯 머로와 샤이러는 방송 저널리즘의 새로운 영역을 개척했으며, '월드 뉴스 라운드업'은 지금까지도 미국의 최장수 라디오 뉴스 프로그램으로 남아 있다.

샤이러는 전쟁 전에 히틀러의 제국의회 연설과 뉘른베르크 전당대회 등을 취재하는 한편 뮌헨 협정과 독일의 체코슬로바키아 점령 등 2차대전으로 귀결된 주요 사건들을 보도했다. 개전 후에는 독일의 덴마크와 노르웨이 침공 소식을 전하고 종군기자로서 서부전선의 독일군을 따라가며 폴란드 침공과 파리 진격을 직접 보도했다. 이 시기 샤이러가 잡은 특종으로는 1940년 6월 22일 독일과 프랑스 간에 체결된 콩피에뉴 휴전 협정에 관한 보도가 있다. 협정 체결 전날 히틀러는 독일군을 취재하는 모든 외국 통신원에게 파리에서 베를린으로 돌아가라고 명령했지만, 불굴의 샤이러는 이른 아침 기자들이 묵던 호텔을 빠져나간 뒤 히틀러를 경멸하는 어느 독일군 장교의 차를 몰래 얻어타고 콩피에뉴까지 갔다. 그리고 그곳에서 역사적인 순간을 목격하고 양국 대표들의 대화를 엿들었다. 독일 측은 휴전 소식을 자기들이 제일 먼저 공표할 의도였으므로 샤이러에게 나치 당국이 먼저 발표한 이후에 해당 소식을 보도하라고 지시하고 녹음 방송만 허가했다. 하지만 샤이러는 독일 측의 착오를 기대하며 방송 5분 전에 뉴욕 CBS 방송사에 전화를 걸었고, 독일 엔지니어들이 그가 방송 허가를 받았다고 착각해 단파 송신기로 전화를 연결해준 덕에 휴전 소식을 생방송으로, 세계 최초로 알릴 수 있었다. 이는 6시간 동안 콩피에뉴 휴전에 관한 유일한 보도였다.

전쟁 전에 샤이러는 나치 당국의 보도 검열을 받지 않았다. 하지만 직접 검열을 당하지 않더라도 선전부 관료들의 반감을 사면 독일 국영 방송시설을 이용하지 못하거나 아예 독일에서 추방될 위험이 있었으므로 보도의 내용과 어조를 조절할 수밖에 없었다. 전쟁이 시작된 후에는 검열이 한층 강화되었다. 특히 연합군 공군의 독일 도시 공습에 대해 보도할 수 없었고, 선전부와 독일군 최고사령부의 발표에 의문을 제기할 수도 없었다. 게다가 1940년 여름부터 나치 당국은 불완전하거나 거짓인 자기네 공식 성명을 보도하라며 샤이러를 압박하기 시작했다. 이제 객관적인 보도를 하기가 어려워졌거니와, 게슈타포가 샤이러에게 사형에 처해질 수도 있는 스파이 혐의를 씌우려 시도했다. 결국 1940년 12월, 샤이러는 독일을 떠날 수밖에 없었다.

전후戰後인 1947년, 샤이러는 자신이 진행하던 CBS의 뉴스 해설 프로그램에서 사실상 해고되었고, 그 과정에서 오랜 동료이자 친구인 머로와 불화하고 절연하기에 이르렀다. 샤이러 퇴출은 CBS의 사주인 윌리엄 S. 페일리William S. Paley와 당시 부사장인 머로가 주도했는데, 샤이러는 냉전이 막 시작되려는 때에 '지나치게 자유주의적인' 자신의 견해가 CBS 주요 스폰서의 불만을 산 것이 원인이라고 주장한 반면, CBS 측은 청취율 하락 때문이라고 주장했다. 이유가 무엇이었든 샤이러는 큰 충격을 받았으며, 샤이러의 딸에 의하면 1965년 머로가 숨을 거둘 때까지 두 사람은 화해하지 않았다.

엎친 데 덮친 격으로 샤이러는 1950년부터 시작된 매카시즘의 광풍 속에서 공산주의 동조자로 매도당하고 블랙리스트에 오른 탓에 방송계에서 일자리를 구할 수 없었다. 가장으로서 아내와 두 딸을 두고 있던 샤이러는 근 5년간 언론 활동이 아닌 대학 강의로 생계를 꾸려야 했다. 하지만 매카시즘 시대는 샤이러에게 저술을 위한 시간적 여유를 주었고, 때마침 1955년 이른바 알렉산드리아 문서가 공개되어 이 대작을 쓰는 데 필요한 문헌 자료를 구할 수 있었다.

방대한 양의 압수된 독일 문서를 읽어나가던 샤이러는 1934년부터 1940년까지 유럽에 주재하며 최대한 가까운 거리에서 제3제국 인사들을 취재한 자신과 같은 언론인도 이 독재정의 흑막 뒤에서 벌어진 일들을 이렇게나 몰랐다는 사실에 매우 놀랐다. 그리고 이 놀라움은 곧 집필의 동기가 되었다. 바로 독일 문서, 뉘른베르크 재판의 심문 기록과 증언, 제3제국 주요 인물들의 회고록과 일기, 그리고 본인의 경험에 근거해 나치 독일의 흑막 뒤에서 벌어진 사태를 일반 독자들에게 충실히 알려주는 통사를 써보겠다는 동기였다. 이 작업은 샤이러에게 일종의 사회적 책무로 다가왔을 것이다. 누군가 그런 책을 써야 한다면, 그 적임자는 스스로 생각하기에도 자신이었기 때문이다.

샤이러는 독특한 방식으로 저술했다. 보통의 역사학자가 동료 연구자들의 참고문헌을 바탕으로 논제를 정하고 해석과 분석을 개진하는 식으로 쓴다면, 샤이러는 역사학자들의 저작을 참고하되 무엇보다 막 공개된 1차 사료를 바탕으로 제3제국 시대라는 드라마의 주연들과 조연들, 단역들로 하여금 스스로 말하도록 하는 데 중점을 두었다. 그래서 이 책은 그들의 말과 글을 그대로 전하는 직접 인용의 비중이 유달리 높다. 문장 단위뿐 아니라 문단 단위의 인용도 수두룩하다. 역사학자라면 역사적 인물들의 발언을 자신의 서술로 풀어내고 직접 인용의 비중을 줄이는 것이 일반적이지만, 샤이러는 되도록 자신의 서술을 줄이고 그들의 목소리를 들려주려 한다. 특히 히틀러의 목소리를 질리도록 들려준다. 자칫 '아마추어 같다'고 여길 법한 이런 서술 방식은, 이 책을 읽은 독자라면 공감할 테지만, 역사적 인물들이 눈앞에서 말하고 행동하는 듯한 생동감으로 다가온다.

이는 단순히 인용을 많이 하기 때문에 생기는 효과가 아니다. 샤이러가 7년간 독일에 주재하면서 이 책에서 서술하는 실제 인물들을 매일같이 관찰하고, 그들과 대화하고, 그들의 말을 (엿)들었기 때문이다. 또한 직접 경험하지 않고는 결코 실감할 수 없는 전체주의 사회의 분위기에 둘러싸여 지냈기 때문이며, 히틀러가 최면을 걸듯이 불러일으키는 집단 히스테리 상태를 목도했기 때문이다. 이런 경험이 있었기에 샤이러는 자신의 서술에 생동감을 입힐 수 있었으며, 이는 나치 시대를 겪지 않은 후대의 역사학자들은 누릴 수 없는 샤이러 세대만의 이점이다. 이렇듯 유럽 통신원으로서의 특별한 경험에 저널리스트로서의 단련된 필력과 서사를 엮는 이야기꾼으로서의 재능이 더해진 결과, 이 책은 오래도록 읽히는 현대의 고전이 되었다.

끝으로, 그간 제기된 이 책에 대한 비판점 중 하나를 살펴보자. 바로 서술의 균형이 맞지 않고 중요한 빈틈이 있다는 것이다. 옳은 지적이다. 이 책은 균형 잡힌 통사가 아니다. 다시 말해 제3제국의 정치, 사회, 경제,

외교, 군사, 문화, 예술 등을 골고루 다루지 않는다. 이 책은 나치 독일의 고위정치, 외교 정책, 군사적 사건에 편중된 '위로부터의' 통사다. 그런데 이는 샤이러가 의도한 결과다. 앞에서 말했듯이 샤이러는 유럽 통신원인 자신조차 까맣게 모를 정도로 제3제국의 흑막 뒤에서 비밀리에 이루어진 일들을 독일 문서에 근거해 독자들에게 최대한 자세히 알려주는 것을 저술의 목표로 삼았고, 그런 이유로 자연히 독일 문서에 기록된 제3제국 수뇌부의 활동에 초점을 맞추는 역사서를 쓰게 되었다. 요컨대 엄청난 분량에도 불구하고 이 책은 결코 '나치 독일의 모든 역사'가 아니다. 이는 단점일 수도 있지만, 제3제국 핵심 행위자들의 사고와 언행, 감정을 밀착해 살펴보려는 독자에게는 오히려 장점일 수 있다. 다행히 《히틀러국가》, 《히틀러 I·II》, 《홀로코스트: 유럽 유대인의 파괴 1·2》, 《나치 시대의 일상사》 등 내가 번역하면서 긴요하게 참고한, 나치 독일에 관한 명저들이 적잖이 번역되어 있으므로 이 책에서 다루지 않는 부분은 다른 독서를 통해 보충할 수 있을 것이다.

번역은 샤이먼 앤드 슈스터 출판사의 초판 출간 50주년 기념판(2011년 출간)을 저본으로 삼았다. 그리고 번역 후 편집 과정에서 편집부의 도움을 받아 일본어판의 번역 용어 등을 참고했다. 지은이는 조직명과 단체명 등 고유명사를 대부분 영어로 표기했지만, 이 번역본에서는 되도록 독일어 원어로 표기했다. 연도와 날짜, 인명 등 원서의 자잘한 오류는 따로 역주를 붙이지 않고 바로잡았다. 하지만 내용상의 오류인 몇몇 대목에는 역주를 붙였다. 또 지은이가 1960년의 시점에 사실관계를 확인할 수 없어서 추정으로 남겨둔 대목이 더러 있는데, 현 시점에 확인이 가능한 경우에는 역주를 붙였다.

이 한국어판의 출간은 너무 늦은 감이 있다. 안타깝게도 한국 출판계에서는 먼저 나와야 할 책이 나중에 나오고 나중에 나와야 할 책이 먼저 나오는 경우가 많다. 또 기껏 나왔다가 이내 절판되는 경우도 부지기수다. 하지만 이 책이 지금도 독자들의 '완독 도전' 의욕을 불러일으키는 데에는 그럴 만한 이유가 있다. 눈 밝은 독자들의 도전과 평가를 기대한다.

이재만

주

약어

DBrFP	*Documents on British Foreign Policy*. 영국 외무부 문서.
DDI	*I Documenti diplomatica italiani*. 이탈리아 외무부 문서.
DGFP	*Documents on German Foreign Policy*. 독일 외무부 문서.
FCNA	*Führer Conferences on Naval Affairs*. 히틀러와 독일 해군 총사령관 간의 회의 기록 요약.
NCA	*Nazi Conspiracy and Aggression*. 뉘른베르크 문서의 일부.
N.D.	Nuremberg Document.
NSR	*Nazi-Soviet Relations*. 독일 외무부 문서에서.
TMWC	*Trial of the Major War Criminals*. 뉘른베르크 문서와 증언.
TWC	*Trials of War Criminals before the Nuremberg Military Tribunals*.

제1장 제3제국의 탄생

1 하머슈타인의 비망록. 휠러-베넷(Wheeler-Bennett)의 *The Nemesis of Power*, p. 285에 인용. 이 비망록은 하머슈타인 장군의 메모와 일기를 바탕으로 아들 쿤라트 폰 하머슈타인(Kunrath von Hammerstein) 박사가 휠러-베넷을 위해 작성한 것이다. 제목은 "Schleicher, Hammerstein and the Seizure of Power"다.

2 Joseph Goebbels, *Vom Kaiserhof zur Reichskanzlei*, p. 251.

3 하머슈타인 비망록. Wheeler-Bennett, *op. cit.*, p. 280에 인용.

4 Goebbels, *op. cit.*, p. 250.

5 *Ibid.*, p. 252.

6 *Ibid.*, p. 252.

7 André François-Poncet, *The Fateful Years*, p. 48. 프랑수아-퐁세는 1930년부터 1938년

까지 베를린 주재 프랑스 대사였다.

8 Goebbels, *Vom Kaiserbof zur Reichskanzlei*, pp. 251-254.

9 1934년 9월 5일, 뉘른베르크에서 발표한 성명.

10 Friedrich Meinecke, *The German Catastrophe*, p. 96.

11 Adolf Hitler, *Mein Kampf* (Boston, 1943), p. 3. 나는 영어로 번역된 이 미국판에서 여러 대목을 인용하며 독일어 원문에 더 가깝도록 약간 조정했다.

12 Konrad Heiden, *Der Führer*, p. 36. 제3제국에 관해 쓴 사람은 모두 히틀러의 초년 관련 자료를 Heiden에게 빚지고 있다.

13 *Ibid.*, p. 41.

14 *Ibid.*, p. 43.

15 *Ibid.*, p. 43.

16 *Mein Kampf*, p. 6.

17 *Ibid.*, p. 8.

18 *Ibid.*, pp. 8-10.

19 *Ibid.*, p. 10.

20 *Hitler's secret Conversations, 1941-44*, p. 287.

21 *Ibid.*, p. 346.

22 *Ibid.*, p. 547.

23 *Ibid.*, pp. 566-567.

24 August Kubizek, *The Young Hitler I Knew*, p. 50.

25 *Ibid.*, p. 49.

26 *Mein Kampf*, pp. 14-15.

27 Kubizek, *op. cit.*, p. 52; *Hitler's Secret Conversations*, p. 567.

28 Kubizek, *op. cit.*, p. 44.

29 *Mein Kampf*, p. 18.

30 *Ibid.*, p. 21.

31 Kubizek, *op. cit.*, p. 59.

32 *Ibid.*, p. 76.

33 *Ibid.*, pp. 54-55.

34 Heiden, *Der Führer*, p. 52.

35 *Mein Kampf*, p. 20.

36 *Ibid.*, p. 18.

37 *Ibid.*, p. 18.

38 *Ibid.*, p. 21.

39 *Ibid.*, pp. 21-22.

40 *Ibid.*, p. 34.

41 Heiden, *Der Führer*, p. 54.

42 *Ibid.*, p. 68.

43 *Mein Kampf*, p. 34.

44 *Ibid.*, p. 22.

45 *Ibid.*, pp. 35-37.

46 *Ibid.*, pp. 22, 125.

47 *Ibid.*, pp. 38-39.

48 *Ibid.*, p. 41.

49 *Ibid.*, pp. 43-44.

50 *Ibid.*, pp. 116-117.

51 *Ibid.*, p. 118.

52 *Ibid.*, pp. 55, 69, 122.

53 Stefan Zweig, *The World of Yesterday*, p. 63.

54 *Mein Kampf*, p. 100.

55 *Ibid.*, p. 107.

56 *Ibid.*, p. 52.

57 Kubizek, *op. cit.*, p. 79.

58 *Mein Kampf*, p. 52.

59 *Ibid.*, p. 56.

60 *Ibid.*, pp. 56-57.

61 *Ibid.*, p. 59.

62 *Ibid.*, pp. 63-64.

63 *Ibid.*, pp. 123-124.

64 *Ibid.*, pp. 161, 163.

제2장 나치당의 탄생

1 *Mein Kampf*, pp. 204-205.

2 *Ibid.*, p. 202.

3 Heiden, *Der Führer*, p. 84.

4 Rudolf Olden, *Hitler, the Pawn*, p. 70.

5 *Mein Kampf*, p. 193.

6 *Ibid.*, pp. 205-206.

7 *Ibid.*, p. 207.

8 *Ibid.*, pp. 215-216.

9 *Ibid.*, p. 210, 213.

10 *Ibid.*, pp. 218-219.

11 *Ibid.*, p. 220.

12 *Ibid.*, pp. 221-222.

13 *Ibid.*, p. 224.

14 *Ibid.*, p. 687n.

15 *Ibid.*, p. 687.

16 *Ibid.*, p. 354.

17 *Ibid.*, p. 355.

18 *Ibid.*, pp. 367–370.

19 Konrad Heiden, *A History of National Socialism*, p. 36.

20 *Mein Kampf*, pp. 496–497. 강조는 히틀러.

21 Heiden, *A History of National Socialism*, pp. 51–52.

22 Heiden, *Der Führer*, pp. 98–99.

23 Heiden, *A History of National Socialism*, p. 52.

24 Heiden, *Hitler*, pp. 90–91.

제3장 베르사유, 바이마르, 맥주홀 폭동

1 Wheeler-Bennett, *Wooden Titan: Hindenburg*, pp. 207–208.

2 *Ibid.*, p. 131.

3 Wheeler-Bennett, *Nemesis*, p. 58.

4 Franz L. Neumann, *Behemoth*, p. 23.

5 Heiden, *Der Führer*, pp. 131–133.

6 *Ibid.*, p. 164.

7 Friedrich von Rabenau, *Seeckt, aus seinem Leben*, II, p. 342.

8 *Ibid.*, p. 371.

9 카를 알렉산더 폰 뮐러. Heiden, *Der Führer*, p. 190에 인용.

10 재판 관련 기록은 *Der Hitler Prozess*에 실려 있다.

제4장 히틀러의 정신과 제3제국의 뿌리

1 이 수치는 Oron James Hale 교수가 나치당 소속 에어 출판사의 인세보고서 등에 관해 연구하여 *The American Historical Review*, July 1955에 "Adolf Hilter: Taxpayer"라는 제목으로 발표한 글에서 가져왔다.

2 *Mein Kampf*, pp. 619, 672, 674.

3 *Ibid.*, pp. 138–139.

4 *Ibid.*, p. 140.

5 *Ibid.*, pp. 643, 646, 652.

6 *Ibid.*, p. 649.

7 *Ibid.*, p. 675.

8 *Ibid.*, p. 654.

9 *Ibid.*, pp. 150–153.

10 *Adolf Hitlers Reden*, p. 32. Bullock, *op. cit.*, p. 68에 인용.

11 *Mein Kampf*, pp. 247-253.

12 *Ibid.*, pp. 134-135, 285, 289.

13 *Ibid.*, p. 290.

14 *Ibid.*, pp. 295-296.

15 이것과 위의 두 인용은 *Ibid.*, p. 296.

16 *Ibid.*, p. 646.

17 *Ibid.*, pp. 383-384.

18 *Ibid.*, p. 394.

19 *Ibid.*, pp. 402-404.

20 *Ibid.*, p. 396.

21 *Ibid.*, pp. 449-450.

22 A. J. P. Taylor, *The Course of German History*, p. 24.

23 Wilhelm Röpke, *The Solution of the German Problem*, p. 153.

24 *Mein Kampf*, pp. 154, 225-226.

25 *Hitler's Secret Conversations*, p. 198.

26 Baumont, Fried, Vermeil이 편집한 *The Third Reich*에 수록된 체임벌린 관련 연구를 보라.

27 체임벌린에서 피히테, 헤겔로 거슬러 올라가는 위의 서술은 다음과 같은 저작들, 그리고 거기에 인용된 문장과 해석에 근거한다. John Dewey, *German Philosophy and Politics*; Friedrich Meinecke, *The German Catastrophe*; Wilhelm Röpke, *The Solution of the German Problem*; Bertrand Russell, *A History of Western Philosophy*; W. W. Coole and M. F. Potter (eds.), *Thus Speaks Germany*; Baumont, Fried and Vermeil (eds.), *The Third Reich*; Louis L. Snyder, *The Tragedy of a People*; Hans Kohn (ed.), *German History: Some New German Views*; T. L. Jarman, *The Rise and Fall of Nazi Germany*; Konrad Heiden, *Der Führer*; A. J. P. Taylor, *The Course of German History*; Edmond Vermeil, *L'Allemagne Contemporaine, Sociale, Politique et Culturale, 1890-1950*; Hermann Pinnow, *History of Germany*.

E. Eyck의 *Bismarck and the German Empire*는 귀중한 연구다.

이 책에서는 지면의 제약 때문에 독일에서 잘 알려지고 중요한 저작을 남긴 다른 독일 지식인들이 제3제국에 끼친 적지 않은 영향에 관해 논하지 못했다. 그런 지식인들로는 슐레겔(Schlelege), J. 괴레스(Görres), 노발리스(Novalis), 아른트(Arndt), 얀(Jahn), 라가르데(Lagarde), 리스트(List), 드로이젠(Droysen), 랑케(Ranke), 몸젠(Mommsen), 콘스탄틴 프란츠(Constantin Frantz), 슈퇴커(Stöcker), 베른하르디(Bernhardi), 클라우스 바그너(Klaus Wagner), 랑벤(Langbehn), 랑게(Lange), 슈펭글러(Spengler) 등이 있다.

28 *Mein Kampf*, p. 381.

29 *Ibid.*, p. 293.

30 *Ibid.*, p. 213-213.

31 Hegel, *Lectures on the Philosophy of History*, pp. 31-32. Bullock, *op. cit.*, p. 351에 인용.

32 Baumont 등이 편집한 *Third Reich*, pp. 204-205에 인용. 출처는 니체의 두 저작 *Zur Genealogie der Moral*과 *Der Wille zur Macht*.

제5장 권력에 이르는 길: 1925~1931

1 Kurt Lüdecke, *I Knew Hitler*, pp. 217-218.

2 Baynes (ed.), *The Speeches of Adolf Hitler*, I, pp. 155-156.

3 Curt Riess, *Joseph Goebbels*, p. 8.

4 1942년 1월 16~17일의 오버잘츠베르크에 대한 히틀러의 이런저런 회고담은 *Hitler's Secret Conversations*에 근거한다.

5 Heiden과 Bullock 같은 히틀러 연구 권위자들은 라우발 가족이 1925년에 바헨펠트 별장에 왔고 그때 겔리 라우발이 17세였다고 말한다. 하지만 히틀러가 밝힌 바로는 그 별장을 1928년에야 비로소 얻었고 "곧장 빈의 누나에게 전화해 소식을 알리고 … 그 집의 안주인 역할을 맡아달라고 부탁했다"고 한다. *Hitler's Secret Conversations*, p. 177을 보라.

6 Heiden, *Der Führer*, pp. 384-386.

7 *The American Historical Review*, July 1955에 실린, 히틀러의 소득신고서에 관한 Oron James Hale 교수의 흥미로운 분석을 보라.

8 *Ibid.*

9 *Ibid.*

10 Heiden, *Der Führer*, p. 419.

11 이 연설은 Baynes가 엮은 히틀러 연설집이나 Roussy de Sales가 엮은 연설집에 나오지 않는다(Hitler, *My New Order*). 이 연설은 전문 그대로 1929년 3월 26일치 《민족의 파수꾼》(국가방위군 특별판)에 실렸고, "Blueprint of the Nazi Underground", *Research Studies of the State College of Washington*, June 1945에 길게 인용되었다.

12 *Frankfurter Zeitung*, September 26, 1930에서 인용.

13 *Nazi Conspiracy and Aggression*[이하 *NCA*로 줄여서 표기], Supplement A, p. 1194 (Nuremberg Document[이하 N.D.로 줄여서 표기] EC-440).

14 Otto Dietrich, *Mit Hitler in die Macht*.

15 풍크의 증언, *NCA*, Suppl. A, pp. 1194-1204 (N.D. EC-440), and *NCA*, V., pp. 478-495 (N.D. 2328-PS). 티센의 단언은 그의 저서 *I Paid Hitler*, pp. 78-108.

16 *NCA*, VII, pp. 512-513 (N.D. EC-456).

제6장 바이마르 공화국의 마지막 나날: 1931~1933

1 Heiden, *Der Führer*, p. 433.

2 Heiden, *History of National Socialism*, p. 166.

3   Goebbels, *Kaiserhof*, pp. 19-20.

4   *Ibid.*, pp. 80-81.

5   Wheeler-Bennett, *Nemesis*, p. 243.

6   인용은 모두 Goebbels, *Kaiserhof*, pp. 81-104.

7   François-Poncet, *op. cit.*, p. 23.

8   Franz von Papen, *Memoirs*, p. 162.

9   *NCA*, Suppl. A, P. 508 (N.D. 3309-PS).

10 Hermann Rauschning, *The Voice of Destruction*.

11 이번에 괴벨스는 지난 8월 13일의 경우처럼 방심하지 않았다. 그는 히틀러와 힌덴부르크
    가 주고받은 서신을 곧장 신문사에 전했고, 그 내용이 11월 25일자 조간에 실렸다. 그것
    은 *Jahrbuch des Oeffenlichen Rechts*, Vol. 21, 1933-40에서 열람할 수 있다.

12 Papen, *op. cit.*, pp. 216-217.

13 *Ibid.*, p. 220.

14 *Ibid.*, p. 221.

15 François-Poncet, *op. cit.*, p. 43. 슐라이허는 사실과 다르게 "70일"이라고 말했다.

16 *NCA*, II, pp. 922-924.

17 Kurt von Schuschnigg, *Farewell, Austria*, pp. 165-166.

18 마이스너의 선서진술서, *NCA*, Suppl. A, p. 511.

19 하머슈타인 비망록. Wheeler-Bennett, *Nemesis*, p. 280.

20 *Hitler's Secret Conversations*, p. 404.

21 Papen, *op. cit.*, pp. 243-244.

제7장 독일의 나치화: 1933~1934

1   *NCA*, III, pp. 272-275 (N.D. 351-PS).

2   Goebbels, *Kaiserhof*, p. 256.

3   게오르크 폰 슈니츨러의 선서진술서, *NCA*, VII, p. 501 (N.D. EC-439); 괴링과 히틀러
    의 연설, *NCA*, VI p. 1080 (N.D. D-203); 샤흐트 심문 기록, *NCA*, VI, p. 465 (N.D.
    3725-PS); 풍크 심문 기록, *NCA*, V, p. 495 (N.D. 2828-PS).

4   Goebbels, *Kaiserhof*, pp. 269-270.

5   Papen, *op. cit.*, p. 268.

6   Rudolf Diels, *Lucifer ante Portas*, p. 194.

7   의사당 방화범에 관해서는 다음을 참조하라. 할더의 선서진술서, *NCA*, VI, p. 635
    (N.D. 3740-PS); 1946년 4월 25일 기제비우스 반대심문 기록, *Trial of the Major War
    Criminals*[이하 *TMWC*], XII, pp. 252-253; 딜스의 선서진술서, 괴링의 부인, *TMWC*,
    IX, pp. 432-436과 *NCA*, VI, pp. 298-299 (N.D. 3593-PS); Willy Frischauer, *The
    Rise and Fall of Hermann Göring*, pp. 88-95; Douglas Reed, *The Burning of the
    Reichstag*; John Gunther, *Inside Europe* (Gunther는 라이프치히 재판을 방청했다).

그 외에도 나치의 의사당 방화에 가담했다고 주장하거나 확실한 정보를 가지고 있다고 주장해온 이들의 증언과 자백이 많이 있지만, 내가 아는 한 입증된 바는 없다. 그중 국가인민당 의원 에른스트 오버포렌(Ernst Oberfohren)과 베를린 돌격대 지도자 카를 에른스트(Karl Ernst)의 증언에 얼마간 신빙성이 있다. 두 사람 모두 화재 후 불과 몇 달 사이에 나치에 의해 살해되었다.

8 *NCA*, III, pp. 968–970 (N.D. 1390–PS).

9 *NCA*, IV, p. 496 (N.D. 1856–PS).

10 *NCA*, V, p. 669 (N.D. 2962–PS).

11 *Dokumente der deutschen Politik, 1933–1940*, I, 1935, pp. 20–24.

12 François-Poncet, *op. cit.*, p. 61.

13 법조문, *NCA*, IV, pp. 638–639 (N.D. 2001–PS).

14 1933년 3월 31일 및 4월 7일, 1934년 1월 30일 제정된 법률. 모두 *NCA*, IV, pp. 640–643에 수록.

15 *NCA*, III, p. 962 (N.D. 1388–PS).

16 Goebbels, *Kaiserhof*, p. 307.

17 *NCA*, III, pp. 380–385 (N.D. 392–PS).

18 1933년 5월 19일 제정된 법률, *NCA*, III, p. 387 (N.D. 405–PS).

19 Goebbels, *op. cit.*, p. 300.

20 N. S. *Monatshefte*, No. 39 (June 1933).

21 7월 1일과 6일 연설에서 인용. Baynes, I, p. 287; pp. 856–866.

22 레더 제독이 모스크바 억류 중에 쓴 *My Relations with Adolf Hitler*라는 글에서 인용. 뉘른베르크 재판 때 공개되었다. *NCA*, VIII, p. 707.

23 Baynes, I, p. 289.

24 Spengler, *Jahre der Entscheidung*, p. viii.

25 블롬베르크의 지령, *TMWC*, XXXIV, pp. 487–491 (N.D. C-140).

26 Telford Taylor, *Sword and Swastika*, p. 41에 인용. 젝트 문서는 현재 워싱턴 국립문서고에 소장되어 있다.

27 '도이칠란트 호 협정'의 전거는 *Weissbuch über die Erschiessung des 30 Juni, 1934* (Paris, 1935), pp. 52–53이다. Herbert Rosinski의 *The German Army*, pp. 222–223에서도 이 협정의 조문이 확인된다. 불록과 휠러-베넷은 이 시기를 다룬 저서에서 Rosinski의 서술을 받아들인다. 5월 16일 회의에 참석한 장군들 관련 전거는 Jacques Bénoist-Méchin, *Histoire de l'Armée Allmande depuis l'Armistice*, II, pp. 553–554이다.

28 *Rede des Vizekanzlers von Papen vor dem Universitaetsbund, Marburg, am 17 Juni, 1934* (Berlin: Germania-Verlag).

29 Papen, *op. cit.*, p. 310.

30 *NCA*, V, pp. 654–655 (N.D. 2950–PS).

31 Papen, *op. cit.*, pp. 330–333.

제8장 제3제국의 삶: 1933~1937

1   Leo Stein, *I Was in Hell with Niemoeller*, p. 80.

2   Neumann, *Behemoth*, p. 109. 이 인용문은 *Studies in Philosophy and Social Science*, 1940에 수록된 사회연구소의 '반유대주의' 연구 프로젝트에서 얻었다고 노이만은 말한다.

3   Rauschning, *The Voice of Destruction*, p. 54.

4   Stewart W. Herman, Jr., *It's Your Souls We Want*, pp. 157-158. 허먼은 1936년부터 1941년까지 베를린의 미국 교회 목사였다.

5   전문은 Herman, *op. cit.*, pp. 297-300에 수록되어 있다. 또한 *New York Times* 1942년 1월 3일자에도 게재되었다.

6   1945년 11월 19일의 선서진술서, *NCA*, V, pp. 735-736 (N.D. 3016-PS).

7   베를린 주재 외국 통신원들은 대개 소중한 유대인 인맥을 갖추고 있었다. 나의 유대인 인맥은 사라졌다. 인용문 출처: Philipp Lenard, *Deutsche Physik*, 서문; Wallace Deuel, *People under Hitler*; William Ebenstein, *The Nazi State*.

8   Wilhelm Röpke, *The Solution of the German Problem*, p. 61.

9   Frederic Lilge, *The Abuse of Learning: The Failure of the German University*, p. 170 에 인용.

10   시라흐의 미국인 선조들에 관한 이야기는 주요 전범들을 재판하는 동안 뉘른베르크 감옥에서 근무했던 미국인 정신과 의사 켈리(Douglas M. Kelley)의 저서 *22 Cells in Nuremberg*, pp. 86-87에 소개되어 있다.

11   *Reichsgesetzblatt*, 1936, Part 1, p. 933. *NCA*, III, pp. 972-973 (N.D. 1392-PS)에 인용.

12   게오르크 토마스의 저서 *Basic Facts for a History of German War and Armament Economy*. *NCA*, I, p. 350 (N.D. 2353-PS)에 인용.

13   경제부의 1934년 9월 30일 보고서, *NCA*, VII, pp. 306-309 (N.D. EC-128); 샤흐트의 1935년 5월 3일 보고서, *NCA*, III, pp. 827-830 (N.D. 1168-PS); 비밀 국방법 조문, *NCA*, IV, pp. 934-936 (N.D. 2261-PS).

14   *NCA*, VII, p. 474 (N.D. EC-419).

15   Thyssen, *I Paid Hitler*, pp. xv, 157.

16   Neumann, *Behemoth*, p. 432에 인용.

17   Ebenstein, *op. cit.*, p. 84.

18   *NCA*, III, pp. 568-572 (N.D. 787, 788-PS).

19   Baumont, Fried and Vermeil, eds., *The Third Reich*, p. 630.

20   Eugen Kogon의 표현. 그의 저서 *Der SS Statt: das System der deutschen Konzentrationslager* 참조. 약간 축약한 영어판이 *The Theory and Practice of Hell*로 나와 있다. 이것은 지금까지 집필된 나치 강제수용소에 관한 최상의 연구다. 코곤은 강제수용소에서 7년을 보냈다.

21   *NCA*, II, p. 258 (N.D. 1852-PS)에 인용.

22   *NCA*, VIII, pp. 243-244 (N.D. R-142).

23 *Völkischer Beobachter*, May 20, 1936.

제9장 첫 단계: 1934~1937

1 Friedelind Wagner, *Heritage of Fire*, p. 109.

2 Papen, *op. cit.*, p. 338.

3 *Daily Mail*, Aug. 6, 1934.

4 *Le Matin*, Nov. 18, 1934.

5 Wolfgang Foerster, *Ein General kaempft gegen den Krieg*, p. 22. 이 책은 베크의 문 서에 근거한다.

6 *NCA*, VII, p. 333 (N.D. EC-177).

7 *NCA*, I, p. 431 (N.D. C-189).

8 *NCA*, VI, p. 1018 (N.D. C-190).

9 *Ibid.*

10 *TMWC*, XX, p. 603.

11 *My New Order*, ed. by Roussy de Sales, pp. 309-333. 이 연설문은 Baynes, II, pp. 1218-1247에도 있다.

12 *My New Order*, pp. 333-334.

13 Pertinax, *The Grave Diggers of France*, p. 381.

14 나의 *Berlin Diary*, p. 43.

15 François-Poncet, *op. cit.*, pp. 188-189.

16 *NCA*, VI, pp. 951-952 (N.D. C-139), 지령서 전문. *TMWC*, XV, pp. 445-448도 보라.

17 *NCA*, VII, pp. 454-455 (N.D. EC-405), 회의록.

18 *NCA*, VI, pp. 974-976 (N.D. C-159).

19 *TMWC*, XV, p. 252, 요들의 증언. *Hitler's Secret Conversations*, pp. 211-212, 히틀러 의 수치.

20 François-Poncet, *op. cit.*, p. 193.

21 *Berlin Diary*, pp. 51-54.

22 François-Poncet, *op. cit.*, p. 190.

23 *Ibid.*, pp. 194-195.

24 *TMWC*, XV, p. 352.

25 *Hitler's Secret Conversations*, pp. 211-212. 1942년 1월 27일의 발언.

26 Paul Schmidt, *Hitler's Interpreter*, p. 41.

27 *TMWC*, XV, p. 352.

28 *TMWC*, XXI, p. 22.

29 *Hitler's Secret Conversations*, p. 211.

30 François-Poncet, *op. cit.*, p. 196에 인용.

31 *NCA*, VII, p. 890 (N.D. L-150).

32 Kurt von Schuschnigg, *Austrian Requiem*, p. 5.

33 *NCA*, I, p. 466 (N.D. 2248-PS).

34 *Documents on German Foreign Policy*[이하 *DGFP*로 표기], Series D, I, pp. 278-281 (No. 152).

35 Papen, *op. cit.*, p. 370.

36 *DGFP*, III, pp. 1-2.

37 *Ibid.*, pp. 892-894.

38 *Ibid.*, p. 172.

39 *DGFP*, I, p. 37.

40 *Ciano's Diplomatic Papers*, ed. by Malcolm Muggeridge, pp. 43-48.

41 Milton Shulman, *Defeat in the West*, p. 76. 슐먼이 밝히는 출처는 영국 전쟁부 정보 검토서다(1945년 12월). 괴링의 증언인 듯하다.

42 비밀의정서, *DGFP*, I, 734.

43 *TWC*, XII, pp. 460-465 (N.D. NI-051).

44 *TMWC*, IX, p. 281.

45 *DGFP*, I, p. 40.

46 *Ibid.*, pp. 55-57.

47 *NCA*, VI, pp. 1001-1011 (N.D. C-175).

48 호스바흐에 의한 1937년 11월 10일자 회의록. 독일어 원문은 *TMWC*, XXV, pp. 402-413 에, 최상의 영어 번역문은 *DGFP*, I, pp. 29-39에 있다. 뉘른베르크에서 영어로 급히 번역한 버전은 *NCA*, III, pp. 295-305 (N.D. 386-PS)에 있다. 호스바흐는 저서 *Zwischen Wehrmacht und Hitler*에서 이 회의에 관해 다루기도 했다. 이 회의에 관한 괴링, 레더, 노이라트의 짧은 증언은 *TMWC*에 실려 있다.

제10장 이상하고 불길한 막간: 블롬베르크, 프리치, 노이라트, 샤흐트의 몰락

1 노이라트의 친척인 리터 남작부인의 선서진술서, *TMWC*, XVI, p. 640.

2 *TMWC*, XVI, p. 640.

3 *Ibid.*, p. 641.

4 Schacht, *Account Settled*, p. 90.

5 요들의 일기는 *TMWC*, XXVIII, p. 357.

6 *Ibid.*, p. 356.

7 *Ibid.*, pp. 360-362.

8 *Ibid.*, p. 357.

9 Telford Taylor, *Sword and Swastika*, pp. 149-150. 블롬베르크의 미발표 회고록 수고는 미 의회도서관에 소장되어 있다.

10 Bullock, *op. cit.*, p. 381; Wheeler-Bennett, *Nemesis*, p. 369.

11 Wolfgang Foerster, *Ein General kaempft gegen den Krieg, op. cit.*, pp. 70-73.

12 *TMWC*, IX, p. 290.

13 *The Von Hassell Diaries, 1938-1944*, p. 23.

제11장 병합: 오스트리아 강탈

1 Dispatch to Hitler, Dec. 21, 1937, *DGFP*, I, p. 486.

2 Papen, *op. cit.*, p. 404.

3 *Ibid.*, p. 406.

4 Schuschnigg, *Austrian Requiem, pp. 12-19; NCA*, V, pp. 709-712 (N.D. 2995-PS).

5 슈슈니크에게 제출된 의정서 초고, *DGFP*, I, pp. 513-515.

6 *NCA*, V, p. 711 (N.D. 2995-PS).

7 Schuschnigg, *Austrian Requiem*, p. 23.

8 N.D. 2995-PS, *op. cit.*

9 슈슈니크는 히틀러의 협박 언사에 관해 자신의 저서 24쪽과 뉘른베르크 법정 선서진술서 2995-PS(*NCA*, V, p. 712)에서는 조금 다르게 서술했다. 나는 두 자료 모두 축약해서 사용했다.

10 *Austrian Requiem*, p. 24.

11 *Ibid.*

12 *Ibid.*, p. 25 및 슈슈니크의 선서진술서, N.D. 2995-PS, *op. cit.*

13 *Austrian Requiem*, p. 25.

14 *NCA*, IV, p. 357 (N.D. 1775-PS).

15 *NCA*, IV, P. 361 (N.D. 1780-PS).

16 방송 중에 내가 직접 받아적은 메모.

17 Dispatch to the German Foreign Office on Feb. 25, 1938, '극비' 표시, *DGFP*, I, p. 546.

18 *Austrian Requiem*, p. 35-36.

19 미클라스의 증언에 관해서는 *NCA*, Suppl. A, p. 523을 보라. 파펜의 제안은 그의 저서 *Memoirs*, p. 425에 있다.

20 *NCA*, IV, p. 362 (N.D. 1780-PS).

21 *NCA*, VI, pp. 911-912 (N.D. C-102).

22 *Ibid.*, VI, p. 913 (N.D. C-103).

23 *DGFP*, I, pp. 573-576.

24 *NCA*, V, pp. 629-654 (N.D. 2949-PS).

25 *Austrian Requiem*, p. 47.

26 빌헬름 미클라스의 증언은 1946년 1월 30일 루돌프 노이마이어(Rudolf Neumayer) 박사를 피고로 하는 비나치화 재판에서 이루어졌다. 이 전 대통령은 운명적인 날에 연이어 일어난 사건들의 정확한 시각과 순서를 다소 모호하게 기억하긴 했지만, 그의 증언은 매우 중요하고 흥미롭다. *NCA*, Suppl. A. pp. 518-534 (N.D. 3697-PS).

27 *Austrian Requiem*, p. 51.

28 *NCA*, Suppl. A, pp. 525-523 (N.D. 3697-PS)을 보라. 또한 *NCA*, V, p. 209 (N.D. 2465-PS, 2466-PS)도 보라.

29 *NCA*, VI, p. 1017 (N.D. C-182).

30 *DGFP*, I, pp. 584-586.

31 *Ibid.*, pp. 553-555.

32 *Ibid.*, p. 263.

33 *TMWC*, XVI, p. 153.

34 *DGFP*, I, pp. 273-275.

35 *Ibid.*, p. 578.

36 *NCA*, I, pp. 501-502 (N.D. 3287-PS).

37 회람용 암호 전보문, *DGFP*, I, pp. 586-587.

38 *TMWC*, XX, p. 605.

39 *TMWC*, XV, p. 632.

40 자이스-잉크바르트의 뉘른베르크 비망록, 1945년 9월 9일, *NCA*, V, pp. 961-992 (N.D. 3254-PS).

41 *TMWC*, XIV, p. 429.

42 샤흐트의 연설문, *NCA*, VII, pp. 394-402 (N.D. EC-297-A).

43 *NCA*, IV, p. 585 (N.D. 1947-PS).

제12장 뮌헨에 이르는 길

1 녹색 작전의 서류철은 히틀러 본부에 보관되었다가 오버잘츠베르크의 지하 저장고에서 미군에 의해 온전한 상태로 압수되었다. 4월 21일 히틀러-카이텔 논의의 요약은 이 서류철의 두 번째 문서에 있다. 이 서류철 전체가 뉘른베르크 재판에서 증거 N.D. 388-PS로서 제출되었다. 영어 번역은 *NCA*, III, pp. 306-709에 있다. 4월 21일 회의의 더 나은 영어 번역은 *DGFP*, II, pp. 239-240에 있다.

2 독일 외무부의 기밀 메모, 1939년 8월 19일, *NCA*, VI, p. 855 (N.D. 3059-PS).

3 *DGFP*, II, pp. 197-198.

4 *Ibid.*, p. 255.

5 바이츠제커의 메모, 1938년 5월 12일, *DGFP*, II, pp. 273-274.

6 주고받은 네 통의 전보, *NCA*, III, pp. 308-309 (N.D. 388-PS).

7 *Ibid.*, pp. 309-310.

8 카이텔의 서신과 지령서 전문, *DGFP*, II, pp. 299-303.

9 *Ibid.*, pp. 307-308.

10 프라하 주재 독일 공사와 무관의 전보, 1938년 5월 21일, *ibid.*, pp. 309-310.

11 디르크젠 대사의 전보, 1938년 5월 22일, *ibid.*, pp. 322-323.

12 제국의회 연설, 1939년 1월 30일, *My New Order*, ed. by Roussy de Sales, p. 563.

13 총통의 부관들 중 한 명으로 이 자리에 동석했고 훗날 히틀러의 이 발언에 "상당한 충격을 받았다"고 말한 프리츠 비더만(Fritz Wiedermann)의 서술. *NCA*, V, pp. 743-744 (N.D. 3037-PS).

14 요들의 날짜 없는 일기, *TMWC*, XXVIII, p. 372 (N.D. 1780-PS).

15 녹색 작전의 제11항, *NCA*, III, pp. 315-320 (N.D. 388-PS); *DGFP*, II, pp. 357-362.

16 *TMWC*, XXVIII, p. 373. *TMWC*는 독일어 텍스트를 제공한다. 요들 일기의 발췌 영어 번역은 *NCA*, IV, pp. 360-370에 실려 있다.

17 이 의견서의 텍스트는 Wolfgang Foerster, *Ein General kaempft gegen den Krieg*, pp. 81-119에 있다.

18 요들의 일기, *TMWC*, XXVIII, p. 374. 영어 번역은 *NCA*, IV, p. 364 (N.D. 1780-PS).

19 *Ibid.*

20 *TMWC*, XX, p. 606.

21 *The Von Hassell Diaries*, p. 6.

22 *Ibid.*, p. 347.

23 Foerster, *op. cit.*, p. 122.

24 1938년 6월 8일과 9일의 전보, *DGFP*, II, pp. 395, 399-401.

25 6월 22일의 전보, *ibid.*, p. 426.

26 *Ibid.*, pp. 529-531.

27 *Ibid.*, p. 611.

28 '녹색' 서류철의 제17항, *NCA*, III, pp. 332-333 (N.D. 388-PS).

29 *TMWC*, XXVIII, p. 375.

30 1938년 9월 3일 회의록, *NCA*, III, pp. 334-335 (N.D. 388-PS).

31 슈문트의 9월 9일 회의록, *ibid.*, pp. 335-338. '녹색' 서류철의 제19항.

32 요들의 9월 13일자 일기, *TMWC*, XXVIII, pp. 378-379 (N.D. 1780-PS).

33 *DGFP*, II, p. 536.

34 클라이스트의 방문 보고서들은 *Documents on British Foreign Policy*[이하 *DBrFP*로 표기], Third Series, II에 있다.

35 처칠의 편지 대부분은 *DGFP*, II, p. 706에 있다.

36 *DBrFP*, Third Series, II, pp. 686-687.

37 Nevile Henderson, *Failure of a Mission*, pp. 147, 150.

38 *DBrFP*, Third Series, I.

39 에리히 코르트(Erich Kordt)는 이 만남에 관한 형의 보고를 저서 *Nicht aus den Akten*, pp. 279-281에서 제시한다.

40 *DGFP*, II, p. 754.

41 *Ibid.*, p. 754.

42 L. B. Namier, *Diplomatic Prelude*, p. 35.

43 이 회의에 관한 자료는 상당히 많다. 통역관으로서 유일하게 배석한 파울 슈미트가 작성

한 공식 보고서는 *DGFP*, II, pp. 786-798에 있다. 슈미트는 저서 *Hitler's Interpreter*, pp. 90-95에서 이 회의의 목격담을 제공한다. 체임벌린의 메모는 *DBrFP*, *Third Series*, pp. 338-341에 있다. 체임벌린이 이 회의와 관련해 누이에게 보낸 편지는 Keith Feiling, *Life of Neville Chamberlain*, pp. 366-368에 있다. Nevile Henderson, *Failure of a Mission*, pp. 152-154도 보라.

44 *DGFP*, II, p. 801.

45 *Ibid.*, p. 810.

46 Feiling, *op. cit.*, p. 367.

47 *NCA*, VI, p. /99 (N.D. C-2).

48 *DGFP*, II, pp. 863-864.

49 British White Paper, Cmd. 5847, No. 2. 이 텍스트는 *DGFP*, II, pp. 831-832에도 있다.

50 *Berlin Diary*, p. 137을 보라.

51 고데스베르크 회담에 관한 주요 전거는 다음과 같다. 두 차례 고데스베르크 회담에 관한 슈미트의 기록은 *DGFP*, II, pp. 870-879, 898-908; 슈미트의 회담 장면 묘사는 *Hitler's Interpreter*, pp. 95-102; 9월 23일 히틀러와 체임벌린이 주고받은 서신은 *DGFP*, II, pp. 887-892; 회담에 관한 커크패트릭의 기록은 *DBrFP*, Third Series, II, pp. 463-473, 499-508; 헨더슨의 묘사는 *Failure of a Mission*, pp. 156-162에 있다.

52 *NCA*, IV, p. 367 (N.D. 1780-PS).

53 요들의 1938년 9월 26일자 일기, *ibid.*

54 고데스베르크 각서, *DGFP*, II, pp. 908-910.

55 *The Times*, London, Sept. 24, 1938.

56 체코의 회답, British White Paper, Cmd. 5847, No. 7.

57 1938년 9월 26일 히틀러에게 보낸 체임벌린의 서신은 *DGFP*, II, pp. 994-995에 있다.

58 이 회담에 관한 슈미트의 기록이 독일 외무부 문서에는 없지만, 슈미트의 저서 *Hitler's Interpreter*, pp. 102-103에 나온다. 커크패트릭의 기록은 *DBrFP*, Third Series, II, No. 1, p. 118에 있다. 헨더슨의 서술은 그의 저서 *Failure of a Mission*, p. 163에 있다.

59 '녹색' 서류철의 제31~33항, *NCA*, III, pp. 350-352 (N.D. 388-PS).

60 파리에서 보낸 전보, *DGFP*, II, p. 977.

61 두 번에 걸친 루스벨트의 호소문과 첫 호소문에 대한 히틀러의 회답은 *DGFP*, II에 있다.

62 프라하에서 보낸 전보, *DGFP*, II, p. 976.

63 히틀러의 1938년 9월 27일자 서한, *DGFP*, II, pp. 966-968.

64 체임벌린의 제안, *DGFP*, II, pp. 987-988. 영국 총리의 메시지들은 휠러-베넷이 체코 문서고에서 확인해 *Munich*, pp. 151-152, 155에 수록했다.

65 *Ibid.*, p. 158.

66 British White Paper Cmd. 5848, No. 1의 텍스트. 이 서한은 이튿날 정오에 헨더슨이 히틀러에게 건넸다.

67 Henderson, *op. cit.*, p. 144. *DBrFP*, Third Series, II, p. 614.

68 요들의 1938년 9월 28일자 일기, *NCA*, IV, p. 368 (N.D. 1780-PS).

69 전거는 다음과 같다. 뉘른베르크 재판에서 뉴욕의 변호사 샘 해리스(Sam Harris) 대위가 할더를 심문한 기록은 *NCA*, Suppl. B, pp. 1547-1571; 뉘른베르크에서 보도진에 배포되었지만 *NCA*와 *TMWC*에 들어 있지 않은 할더의 비망록; Gisevius, *To the Bitter End*, pp. 283-328; 기제비우스의 뉘른베르크 법정 증언은 *TMWC*, XII, pp. 210-219; Schacht, *Account Settled*, pp. 114-125.

70 Gisevius, *To the Bitter End*, p. 325. 또한 기제비우스의 뉘른베르크 법정 증언, *TMWC*, XII, p. 219.

71 에리히 코르트의 비망록. Allen Dulles, *Germany's Underground*, p. 46에서도 이 통화 기록을 제시한다.

72 9월 28일 오전 총리 관저에서 이루어진 회견에 관한 서술은 몇몇 참석자가 제공한다. Schmidt, *op. cit.*, pp. 105-108; François-Poncet, *op. cit.*, pp. 265-268; Henderson, *op. cit.*, pp. 166-171.

73 Schimidt, *op. cit.*, p. 107.

74 *Ibid.*, p. 107.

75 Henderson, *op. cit.*, pp. 168-169; Schmidt, *op. cit.*, p. 108.

76 나중에 마사리크는 이 광경을 내게, 그리고 다른 많은 친구들에게 들려주었다. 하지만 나는 그 메모를 분실하여 휠러-베넷의 *Munich*, pp. 170-171에 보이는 감동적인 서술을 인용했다.

77 할더 심문 기록, 1946년 2월 25일, *NCA*, Suppl. B, pp. 1553-1558.

78 Schacht, *op. cit.*, p. 128.

79 Gisevius, *op. cit.*, p. 326.

80 *Ciano's Hidden Diary, 1937-1938*, p. 166. 1940년 6월 26일자 전보에서 무솔리니는 영국 공격 때에는 이탈리아가 참전한다고 뮌헨에서 약속한 사실을 히틀러에게 상기시켰다. 그 전보문은 *DGFP*, X, p. 27에 있다.

81 두 차례 뮌헨 회담의 기록, *DBFP*, II, pp. 1003-1008, 1011-1014.

82 체임벌린과 베네시의 메모, *DBrFP*, Third Series, II, pp. 599, 604.

83 Henderson, *op. cit.*, p. 171; François-Poncet, *op. cit.*, p. 271.

84 Schmidt, *op. cit.*, p. 110.

85 뮌헨 협정문, *DGFP*, II, pp. 1014-1016.

86 마사리크 박사가 체코 외무부에 제출한 공식 보고서. 뮌헨 회담에 관한 이 부분의 전거는 다음과 같다. 위의 주에서 인용한 *DGFP*, II; 뮌헨 협정문, *ibid.*, pp. 1014-1016; *DBrFP*, Third Series, II, No. 1, p. 227; Ciano, Schmidt, Henderson, François-Poncet, Weitzsäcker, *op. cit.*

87 *Berlin Diary*, p. 145.

88 체임벌린-히틀러 회견의 전거는 다음과 같다. 성명문에 관해서는 *DGFP*, II, p. 1017;

슈미트의 공식 기록에 관해서는 *DGFP*, IV, pp. 287-293; 슈미트의 저서, *op. cit.*, pp. 112-113. *DBrFP*, Third Series, II, No. 1228은 이 대화의 조금 다른 버전을 제공한다.

89 *DGFP*, IV, pp. 4-5.

90 요들의 일기, *NCA*, IV, p. 368 (N.D. 1780-PS).

91 카이텔의 1946년 4월 4일 증언, *TMWC*, X, p. 509.

92 만슈타인의 1946년 8월 9일 증언, *TMWC*, XX, p. 606.

93 요들의 1946년 6월 4일 증언, *TMWC*, XV, p. 361.

94 Gamelin, *Servir*, pp. 344-346. 실망스러운 책이다! Pertinax, *The Grave Diggers of France*, p. 3은 가믈랭 장군의 판단을 확인해준다. 두 책은 가믈랭의 9월 26일과 28일 조언의 전거이기도 하다.

95 Churchill, *The Gathering Storm*, p. 339.

96 *DGFP*, IV, pp. 602-604.

97 샤흐트의 뉘른베르크 법정 증언, *TMWC*, XII, p. 531.

98 삼군 총사령관들에게 한 발언, 1939년 11월 23일, *NCA*, III, p. 573 (N.D. 789-PS).

제13장 체코슬로바키아의 소멸

1 '녹색' 서류철, 제48항, *NCA*, III, pp. 372-374 (N.D. 388-PS).

2 *Ibid.*

3 히틀러의 지령서, 1938년 10월 21일, *NCA*, VI pp. 947-948 (N.D. C-136).

4 *DGFP*, IV, p. 46.

5 경찰에 포그롬을 준비하라고 지시한 하이드리히의 명령, *NCA*, V, pp. 797-801 (N.D. 3051-PS); 괴링에게 건물 피해와 사망자 및 부상자 수에 대해 알린 하이드리히의 보고서, *NCA*, V, p. 854 (N.D. 3058-PS). 당내 법정의 수석재판관 발터 부흐의 포그롬에 관한 보고서, *NCA*, V, pp. 868-876 (N.D. 3063-PS); 부흐 소령은 수많은 유대인 살해의 섬뜩한 세부정보를 제시하고 과잉 조치의 책임을 괴벨스에게 묻는다. 괴링과 각료들, 정부 관료들, 보험사들 대표의 11월 12일 회의 속기록, *NCA*, IV, pp. 425-457 (N.D. 1816-PS). 완전한 보고서가 소실되긴 했지만, 발견된 일부분의 분량이 1만 단어에 달한다.

6 *TMWC*, IX, p. 538.

7 *DGFP*, IV, pp. 639-649.

8 *Ciano's Hidden Diary*, 1938년 10월 28일자 기록; *Ciano's Diplomatic Papers*, pp. 242-246.

9 *DBrFP*, Third Series, IV, No. 5.

10 *DGFP*, IV, pp. 515-520.

11 Schmidt, *op. cit.*, p. 118; 슈미트의 회담 기록, *DGFP*, IV, pp. 471-477.

12 *DGFP*, IV, pp. 69-72.

13 *Ibid.*, pp. 82-83.

14 *Ibid.*, pp. 185-186. *NCA*, VI, pp. 950-951 (N.D. C-183)에도 수록.

15 대사대리의 전보, *DGFP*, IV, pp. 188-189.

16 *DGFP*, IV, p. 215.

17 히틀러 및 리벤트로프와의 두 차례 회담에 대한 흐발코프스키의 비망록, 1939년 1월 21일, *DGFP*, IV, pp. 190-202. 흐발코프스키 본인이 1월 23일 체코슬로바키아 내각에 제출한 보고서, 체코 문서고, 휠러-베넷이 *Munich*, pp. 316-317에 인용. 또한 *French Yellow Book*, pp. 55-56도 보라.

18 *DGFP*, IV, pp. 207-208.

19 *Ibid.*, pp. 218-220.

20 회견 기록, *ibid.*, pp. 209-213.

21 *Ibid.*, pp. 234-235.

22 프라하 주재 독일 공사의 나중 서술에 근거, *NCA*, VII, pp. 88-90 (N.D. D-571).

23 티소-히틀러 회담의 기밀 기록, *DGFP*, IV, pp. 243-245.

24 *DGFP*, IV, p. 250을 보라.

25 *Ibid.* 쿨롱드르 대사의 전보는 *French Yellow Book*, p. 96 (No. 77)을 보라.

26 프라하에서 보낸 전보, 1939년 3월 13일, *DGFP*, IV, p. 246.

27 *TMWC*, IX, pp. 303-304.

28 앞의 절 '하하 박사의 시련'의 전거는 다음과 같다. 히틀러와 하하 회담의 기밀 기록, *DGFP*, IV, pp. 263-269; 뉘른베르크 문서, *NCA*, V, pp. 433-440 (N.D. 2798-PS). 독일 정부와 체코슬로바키아 정부의 성명, 1939년 3월 15일, *DGFP*, IV, pp. 270-271. 공동 성명의 첫 부분으로, 실은 3월 14일 독일 외무부에서 초안을 작성했다. 독일 국민들에게 전하는 총통의 3월 15일 성명, *NCA*, VIII, pp. 402-403 (N.D. TC-50). 쿨롱드르의 전보, *French Yellow Book*, p. 96 (No. 77). 회담에 대한 슈미트의 묘사, *op. cit.*, pp. 123-126. 헨더슨의 묘사, *op. cit.*, Ch. 9. 히틀러와 비서들의 모습, A. Zoller, ed., *Hitler Privat*, p. 84.

29 *TMWC*, XVI, pp. 654-655.

30 *DGFP*, VI, pp. 42-45.

31 *DGFP*, IV, p. 241.

32 *Berlin Diary*, p. 156.

33 *The Ciano Diaries, 1939-1943*, pp. 9-12.

34 *DGFP*, IV, pp. 274-275.

35 *Ibid.*, pp. 273-274.

36 *DGFP*, VI, pp. 20-21.

37 *Ibid.*, pp. 16-17, 40.

38 디르크젠의 보고, 1939년 3월 18일, *ibid.*, pp. 24-25, 36-39.

39 *Ibid.*, p. 39.

제14장 폴란드의 차례

1 독일 측 회견 기록, *DGFP*, VI, pp. 104-107. 베츠크에게 보낸 립스키의 보고서, *Polish White Book*, No. 44; *NCA*, VIII, p. 483 (N.D. TC-73, No. 44)에 수록.

2 립스키에게 해준 히틀러의 확약, 1937년 11월 15일, *DGFP*, VI, pp. 26-27; 베츠크에게 해준 확약, 1938년 1월 14일, *ibid.*, p. 39.

3 립스키에 대한 베츠크의 지시, 1938년 10월 31일, *Polish White Book*, No. 45; *NCA*, VII, pp. 484-486. 립스키와의 회견에 대한 리벤트로프의 기록, 11월 19일, *DGFP*, V, pp. 127-129.

4 슈미트가 작성한 독일 측 회견 기록, *DGFP*, V, pp. 152-158. 폴란드 측 기록, *Polish White Book*, No. 48; *NCA*, VIII, pp. 486-488 (N.D. TC-73).

5 리벤트로프의 회견 기록, *DGFP*, V, pp. 159-161. 폴란드 측 기록, *Polish White Book*, No. 49; *NCA*, VIII, p. 488 (N.D. TC-73).

6 베츠크와의 회견에 대한 리벤트로프의 기록, 바르샤바, 1939년 1월 26일, *DGFP*, V, pp. 167-168; 베츠크의 기록, *Polish White Book*, No. 52.

7 몰트케의 전보, 1939년 2월 26일, *DGFP*, VI, p. 172.

8 립스키가 회견과 관련해 바르샤바에 보낸 전보, *Polish White Book*, No. 61; *NCA*, VIII, pp. 489-492 (N.D. TC-73, No. 61)에도 수록. 리벤트로프의 회견 기록, *DGFP*, VI, pp. 70-72.

9 외무부의 회견 기록, *DGFP*, V, pp. 524-526.

10 *Ibid.*, pp. 502-504.

11 이 문단의 전거는 *DGFP*, V, pp. 528-530이다.

12 *DGFP*, VI, p. 97.

13 *Ibid.*, pp. 110-111.

14 *NCA*, VII, pp. 83-86 (N.D. R-100).

15 *DGFP*, VI, pp. 122-124. 3월 26일 립스키와의 회견에 대한 리벤트로프의 보고, *ibid.*, pp. 121-122; 폴란드 측 기록, *White Book*, No. 63.

16 회견에 대한 슈미트의 기록, *DGFP*, VI, pp. 135-136.

17 몰트케의 전보, *ibid.*, pp. 147-148; 폴란드 측 기록, *White Book*, No. 64.

18 *DBrFP*, IV, Nos. 485, 518, 538(영국-프랑스의 제안문), 561, 563, 566, 571, 573.

19 *DBrFP*, IV, No. 538.

20 *Ibid.*, No. 498.

21 *DBrFP*, V, No. 12.

22 Gisevius, *op. cit.*, p. 363에 인용.

23 백색 작전의 텍스트, *NCA*, VI, pp. 916-928; 부분 번역은 *DGFP*, VI, pp. 186-187, 223-228 (N.D. C-120)에 실려 있다. 독일어 원문은 *TMWC*, XXXIV, pp. 380-422.

24 괴링-무솔리니 회담에 대한 독일 측 기밀 기록은 *DGFP*, VI, pp. 248-253, 258-263에 있다. *The Ciano Diaries*, pp. 66-67도 보라.

25 1939년 4월 17일자 회람 전보, *DGFP*, VI, pp. 264-265; 이 회담에 대한 외무부의 기록, *ibid.*, pp. 309-310; 바이츠제커와 리가 주재 독일 사절의 통화, 4월 18일, *ibid.*, pp. 283-284.

26 *Ibid.*, pp. 355, 399.

27 *DGFP*, IV, pp. 602-607.

28 *Ibid.*, pp. 607-608(1938년 10월 26일자 전보).

29 *Ibid.*, pp. 608-609.

30 *Ibid.*, p. 631.

31 *DGFP*, VI, pp. 1-3.

32 Davies, *Mission to Moscow*, pp. 437-439. 시즈 대사의 전보, *DBrFP*, IV, No. 419.

33 Boothby, *I Fight to Live*, p. 189. 마이스키에 대한 핼리팩스의 발언, *DBrFP*, IV, No. 433.

34 *DGFP*, VI, pp. 88-89.

35 *Ibid.*, p. 139.

36 괴링-무솔리니 회담에 대한 독일 측 기록, 1939년 4월 16일, *ibid.*, pp. 259-260.

37 *Ibid.*, pp. 266-267.

38 *Ibid.*, pp. 419-420.

39 *Ibid.*, p. 429.

40 *Ibid.*, pp. 535-536.

41 *Nazi-Soviet Relations, 1939-41*〔이하 *NSR*로 줄여서 표기〕, pp. 5-7, 8-9.

42 *French Yellow Book*, Dispatches Nos. 123, 125. 나는 프랑스어판(*Le Livre Jaune Français*)을 사용했지만, 영어판에도 같은 수의 전보가 실려 있을 것으로 생각한다.

43 *DGFP*, VI, pp. 1, 111. 이 권의 부록 1에는 독일 해군 문서고에서 얻은 참모 회담 기록이 여럿 담겨 있다.

44 *The Ciano Diaries*, pp. 67-68.

45 밀라노 회담에 대한 독일 측 기록, *DGFP*, VI, pp. 450-452. 치아노의 회의록, *Ciano's Diplomatic Papers*, pp. 282-287.

46 동맹조약의 조약문, *DGFP*, VI, pp. 561-564. 비밀의정서에는 중요한 내용이 전혀 없다.

47 슈문트의 회의록, 1939년 5월 23일, *NCA*, VII, pp. 847-854 (N.D. L-79). 영어 번역문도 *DGFP*, VI, pp. 574-580에 실려 있다. 독일어 텍스트는 *TMWC*, XXXVII, pp. 546-556에 있다.

48 계획의 세부는 N.D. NOKW-2584를 보라. 이것은 *TWC*〔Trials of War Criminals before the Nuremberg Military Tribunals〕에 실려 있다.

49 *NCA*, VI, pp. 926-927 (N.D. C-120).

50 *TMWC*, XXXIV, pp. 428-442 (N.D. C-126). *NCA*, VI, pp. 937-938의 영어 번역문은 너무 축약되어서 거의 가치가 없다.

51 *NCA*, VI, p. 827 (N.D. C-23).

52 5월 31일 '긴급' 전보, *DGFP*, VI, pp. 616-617.

53 영국-프랑스의 초안문, *DBrFP*, V, No. 624; 몰로토프의 반응에 대한 영국 대사의 보고는 같은 책, Nos. 648, 657에 있다.

54 6월 1일 전보, *DGFP*, VI, pp. 624-626.

55 *Ibid*, p. 547.

56 *Ibid*, pp. 589-593.

57 *Ibid*, p. 593.

58 바이츠제커가 슐렌부르크에게 보낸, 5월 30일 추신이 담긴 5월 27일 편지, *ibid.*, pp. 597-598.

59 *Ibid*, pp. 608-609.

60 *Ibid.*, pp. 618-620.

61 *Ibid.*, pp. 790-791.

62 *Ibid.*, pp. 805-807.

63 *Ibid.*, p. 810.

64 *Ibid.*, p. 813.

65 *DBrFP*, V, Nos. 5, 38.

66 1939년 6월 29일자 *Pravda*.

67 6월 29일 전보, *DGFP*, VI, pp. 808-809.

68 *TMWC*, XXXIV, pp. 493-500 (N.D. C-142). *NCA*, VI, p. 956에 훨씬 더 간략한 영어 번역문이 실려 있다.

69 *NCA*, IV, pp. 1035-1036 (N.D. 2327-PS).

70 *NCA*, VI, p. 934 (N.D. C-126).

71 제국방위위원회 기밀 회의록, 1939년 6월 23일, *NCA*, VI, pp. 718-731 (N.D. 3787-PS).

72 *DGFP*, VI, pp. 864-865.

73 *Ibid.*, pp. 750, 920-921.

74 문서 원문, *DGFP*, VII, pp. 4-5, 9-10.

75 국제연맹에 제출한 부르크하르트의 보고서, 1940년 3월 19일. 텍스트는 *Documents on International Affairs, 1939-1946*, I, pp. 346-347에 있다.

76 *DGFP*, VI, pp. 936-938.

77 *Ibid.*, pp. 955-956.

78 슈누레의 기록, *ibid.*, pp. 1106-1109.

79 *Ibid.*, pp. 1015-1016.

80 *Ibid.*, pp. 1022-1023.

81 *Ibid.*, pp. 1010-1011.

82 *Ibid.*, p. 1021.

83 *DBrFP*, IV, No. 183.

84 *DBrFP*, VI, Nos. 329, 338, 346, 357, 358, 376, 399를 보라.

85 *Ibid.*, Nos. 376, 473.

86 8월 1일의 두 전보, *DGFP*, VI, pp. 1033-1034.

87 *DBrFP*, Appendix V, p. 763.

88 버넷의 편지, *DBrFP*, VII, Appendix II, p. 600; 시즈의 전보, *ibid.*, VI, No. 416.

89 *DGFP*, VI, p. 1047.

90 *Ibid.*, pp. 1048-1049.

91 *Ibid.*, pp. 1049-1050.

92 *Ibid.*, pp. 1051-1052.

93 *Ibid.*, pp. 1059-1062.

94 *French Yellow Book*, Fr. ed., pp. 250-251.

95 두 서한, *DGFP*, VI, pp. 973-974.

96 7월 16일 리벤트로프와의 회견에 대한 아톨리코의 전보는 *I Documenti diplomatica italiani*[이하 *DDI*로 줄여서 표기], Seventh Series, XII, No. 503에 실려 있다. 나는 *The Eve of the War*, ed. by Arnold and Veronica M. Toynbee의 인용문과 표현을 사용했다.

97 바이츠제커의 기록, *DGFP*, VI, pp. 971-972.

98 *The Ciano Diaries*, pp. 113-114.

99 *Ibid.*, pp. 116-118.

100 *The Ciano Diaries*, pp. 118-119, 582-583. 리벤트로프와의 회견에 대한 치아노의 기록은 *Ciano's Diplomatic Papers*, pp. 297-298과 *DDI*, Eighth Series, XIII, No. 1에 실려 있다. 이 회견에 대한 독일 측 기록은 발견되지 않았다.

101 8월 12, 13일 회담에 대한 독일 측 기록이 압수되어 뉘른베르크 재판에 문서 1871-PS와 TC-77로 제출되었다. 후자가 더 완전하며 영어 번역문이 *NCA*, VIII, pp. 516-529에 실려 있다. 나는 슈미트가 서명한 *DGFP*, VII, pp. 39-49, 53-56의 기록을 사용했다. 히틀러와의 두 차례 회담에 대한 치아노의 기록은 *Ciano's Diplomatic Papers*, pp. 303-304와 *DDI*, XIII, No. 4, 21에 있다. 치아노의 *Diaries*에서 pp. 119-120, 582-583에 있는 1939년 8월 12, 13일, 1943년 12월 23일 일기도 보라.

102 *DGFP*, VII, p. 556에 실린 할더의 일기에서 발췌.

103 *DDI*, Seventh Series, XIII, No. 28과 *DBrFP*, VI, No. 662를 보라.

제15장 나치-소비에트 조약

1 슈누레의 회담 기록, 1939년 8월 14일 모스크바 주재 대사관으로 발송한 전보에서, *DGFP*, VII, pp. 58-59.

2 슐렌부르크의 편지, *ibid.*, pp. 67-68.

3 리벤트로프의 전보, *ibid.*, pp. 62-64.

4 이 영국인 사업가들의 메모가 괴링의 집무실 서류철에서 발견되었고, *DGFP*, VI, pp. 1088-1093에 실려 있다. 괴링의 육필 문서에는 대충 적은 메모가 아주 많다. 괴링은 사업가들의 정반대 진술에 믿기 어렵다는 듯이 "아하!"라고 몇 차례 휘갈겨 썼다. 이 중대한

국면에 잠시 무대의 중심에 선 달레루스의 황당하고 다소 우스꽝스러운 평화 사절 이야기
는 그의 저서 *The Last Attempt*에서 만날 수 있다. 또한 그의 뉘른베르크 증언이 *TMWC*,
IX, pp. 457-491과 루이스 네이미어(Lewis Namier) 경의 저서 *Diplomatic Prelude,
1938~1939*, pp. 417-473, 'An Interloper in Diplomacy' 장에 실려 있다.

5 할더 심문 기록, 1946년 2월 26일, *NCA*, Suppl. B, p. 1562.

6 Hassell, *op. cit.*, pp. 53, 58-59.

7 Thomas, "Gedanken und Ereignisse", *Schweizerische Monatshefte*, December 1945.

8 카이텔과의 대화에 관한 카나리스의 메모, 1939년 8월 17일, *NCA*, III, p. 580 (N.D.
795-PS).

9 나우요크스의 선서진술서, *NCA*, VI, pp. 390-392 (N.D. 2751-PS).

10 슐렌부르크의 전보, 8월 16일 오전 2시 48분, *DGFP*, VII, pp. 76-77. 슐렌부르크는 급송
한 의견서에 더 완전한 서술을 담았고, 바이츠제커에게 보낸 서한, *ibid.*, pp. 87-90, 99-
100에 상세한 서술을 추가했다.

11 리벤트로프가 슐렌부르크에게 보낸 전보, 8월 16일, *DGFP*, VII, pp. 84-85.

12 *DBrFP*, Third Series, VII, pp. 41-42. 스타인하트 대사의 보고서는 *U.S. Diplomatic
Papers, 1939*, I, pp. 296-299, 334를 보라.

13 *DGFP*, VII, p. 100.

14 *Ibid.*, p. 102.

15 슐렌부르크의 전보, 8월 18일 오전 5시 58분, *ibid.*, pp. 114-116.

16 리벤트로프의 전보, 8월 18일 오후 10시 48분, *ibid.*, pp. 121-123.

17 슈누레의 메모, 8월 19일, *ibid.*, pp. 132-133.

18 슐렌부르크의 전보, 8월 19일 오후 6시 22분, *ibid.*, p. 134.

19 슐렌부르크의 전보, 8월 20일 오전 0시 08분, *ibid.*, pp. 149-150.

20 Churchill, *The Gathering Storm*, p. 392. 처칠은 전거를 제시하지 않는다.

21 *Ibid.*, p. 391.

22 히틀러가 스탈린에게 보낸 전보, 8월 20일, *DGFP*, VII, pp. 156-157.

23 슐렌부르크의 전보, 8월 21일 오전 1시 19분, *ibid.*, pp. 161-162.

24 리벤트로프의 전보, 8월 21일, *ibid.*, p. 162.

25 슐렌부르크의 전보, 8월 21일 오후 1시 43분, *ibid.*, p. 164.

26 스탈린이 히틀러에게 보낸 서한, 8월 21일, *ibid.*, p. 168.

27 *NCA*, Suppl. B, pp. 1103-1105.

28 *DBrFP*, Third Series, VII, Appendix II, pp. 558-614를 보라. 이 부록에는 모스크바 군
사회담의 날짜별 기록이 상세하게 담겨 있으며, 내가 아는 한, 연합국 측의 가장 포괄적인
회담 기록이다. 여기에는 교섭 중에 버닛 공군 원수와 헤이우드 장군이 런던에 보낸 보고
서와 드랙스 제독이 작성한 영국 파견단의 최종 보고서가 포함되어 있다. 또한 8월 22일
저녁, 프랑스 군사파견단의 단장인 두망 장군이 이튿날 리벤트로프가 모스크바에 도착할
것이라는 공식 발표에도 불구하고 보로실로프 원수와 극적인 회담을 하며 상황을 타개하

고자 절박하게 애쓴 과정이 생생하게 담겨 있다. 또한 8월 26일 연합국 파견단과 보로실 로프의 괴로운 최종 회담 기록도 있다. Volume VII에는 이 에피소드를 새롭게 바라보도록 해주는, 영국 외무부와 모스크바 대사관이 주고받은 전보도 여럿 들어 있다.

이 절은 대체로 영국 기밀문서에 근거했다. 내가 아는 한, 불행히도 러시아 측은 이 회담에 관한 문서를 공개한 적이 없다. 다만 Nikonov가 *Origins of World War II*에서 영국 외무부 문서를 다수 활용하고 소련 측 서술도 제공한다. 소련 측 서술은 *Histoire de la Diplomatie*, ed. by V. Potemkin에도 실려 있다.

29 *DBrFP*, VI, No. 376.
30 Paul Reynaud, *In the Thick of the Fight*, p. 212. Reynaud, pp. 210-233은 1939년 8월 모스크바 연합국 회담의 프랑스 측 버전을 제공한다. 전거는 p. 211에 나온다. Bonnet 는 *Fin d'une Europe*에서 자신의 버전을 제시한다.
31 해당 문서들은 *DBrFP*, VII에 있다. 소련의 도움을 받아들이도록 바르샤바에서 폴란드 측을 설득하고자 한 영국-프랑스의 외교적 노력에 관한 기록도, 모스크바에서 이루어진 군 사회담의 경과에 대한 기록도 영국의 청서와 프랑스의 황서에 단 한 줄도 실리지 않았다는 것은 흥미로운 사실이다.
32 리벤트로프가 모스크바에서 보낸 전보, 8월 23일 오후 9시 05분, *DGFP*, VII, p. 220.
33 독일 기밀문서, 8월 24일, *ibid.*, pp. 225-229.
34 소비에트의 초안, *DGFP*, VII, pp. 150-151.
35 가우스의 뉘른베르크 선서진술서, *TMWC*, X, p. 312.
36 1939년 8월 23일 모스크바에서 서명한 독일-소비에트 불가침 조약과 비밀의정서, *DGFP*, VII, pp. 245-247.
37 Churchill, *The Gathering Storm*, p. 394.

제16장 평화의 마지막 나날

1 *British Blue Book*, pp. 96-98.
2 헨더슨의 전보, 1939년 8월 23일, *ibid.*, pp. 98-100. 독일 외무부의 회담록, *DGFP*, VII, pp. 210-215. 헨더슨은 8월 24일 두 번째 회담에 대해 보고했다(*British Blue Book*, pp. 100-102).
3 히틀러가 체임벌린에게 보낸 서한, 8월 23일, *ibid.*, pp. 102-104. 이 서한은 *DGFP*, VII, pp. 216-219에도 수록되어 있다.
4 히틀러가 무솔리니에게 보낸 서한, 8월 25일, *DGFP*, VII, pp. 281-283.
5 헨더슨에게 전하는 히틀러의 구두 발언 텍스트, 8월 25일, 리벤트로프와 슈미트가 작성, *DGFP*, VII, pp. 279-284; *British Blue Book*, pp. 120-122에도 수록. 이 회견을 묘사하는 헨더슨의 8월 25일 전보, *British Blue Book*, pp. 122-123. 헨더슨의 *Failure of a Mission*, p. 270도 보라.
6 쿨롱드르의 전보, 8월 25일, *French Yellow Book*, Fr. ed., pp. 312-314.
7 *NCA*, VI, pp. 977-998. 소비에트-독일 관계에 관한 서류철이 해군 최고사령부의 서류철

들 속에서 발견되었다.

8   Schmidt, *op. cit.*, p. 144.

9   *Ibid.*, pp. 143-144.

10 *Ciano Diaries*, pp. 120-129.

11 바이츠제커의 의견서, 8월 20일, *DGFP*, VII, p. 160.

12 마켄젠이 바이츠제커에게 보낸 서한, 8월 23일, *ibid.*, pp. 240-243.

13 마켄젠의 전보, 8월 25일, *ibid.*, pp. 291-293.

14 *DGFP*, VII, p. 285의 주를 보라.

15 무솔리니가 히틀러에게 보낸 서한, 8월 25일, *ibid.*, pp. 285-286.

16 *NCA*, VI, pp. 977-978 (N.D. C-170).

17 리벤트로프의 심문 기록, 1945년 8월 29일, *NCA*, VII, pp. 535-536; 괴링의 심문 기록, 1945년 8월 29일, *ibid.*, pp. 534-535; 뉘른베르크 증인석에서 직접 심문을 받던 중 카이텔이 한 증언, 1946년 4월 4일, *TMWC*, X, pp. 514-515.

18 *NCA*, Suppl. B. pp. 1561-1563.

19 Gisevius, *op. cit.*, pp. 358-359.

20 Hassell, *op. cit.*, p. 59.

21 Thomas, "Gedanken und Ereignisse", *loc. cit.*

22 샤흐트의 증언, 1946년 5월 2일 뉘른베르크, *TMWC*, XII, pp. 545-546.

23 기제비우스의 증언, 1946년 4월 25일 뉘른베르크, *ibid.*, pp. 224-225.

24 모든 호소문이 *British Blue Book*, pp. 122-142에 실려 있다.

25 히틀러가 무솔리니에게 보낸 서한, 8월 25일 오후 7시 40분, *DGFP*, VII, p. 289.

26 *Ciano Diaries*, p. 129.

27 무솔리니가 히틀러에게 보낸 서한, 8월 26일 오후 0시 10분, *DGFP*, VII, p. 309-310.

28 *Ciano Diaries*, p. 129. 마켄젠의 보고서, *DGFP*, VII, p. 325.

29 히틀러가 무솔리니에게 보낸 서한, 8월 26일 오후 3시 8분, *DGFP*, VII, pp. 313-314.

30 무솔리니가 히틀러에게 보낸 서한, 8월 26일 오후 6시 42분, *ibid.*, p. 323.

31 히틀러가 무솔리니에게 보낸 서한, 8월 27일 오전 0시 10분, *ibid.*, pp. 346-347.

32 무솔리니가 히틀러에게 보낸 서한, 8월 27일 오후 4시 30분, *ibid.*, pp. 353-354.

33 마켄젠의 전보, 8월 27일, *ibid.*, pp. 351-353.

34 달라디에가 히틀러에게 보낸 서한, 8월 26일, *ibid.*, pp. 330-331. *French Yellow Book*, Fr. ed., pp. 321-322에도 수록.

35 할더의 일기, 8월 28일, 이전 닷새 동안의 "사건의 연쇄"를 개괄. 이 부분은 *DGFP*, VII, pp. 564-566에 실려 있다.

36 괴링의 심문 기록, 1945년 8월 29일 뉘른베르크, *NCA*, VIII, p. 534 (N.D. TC-90).

37 *TMWC*, IX, p. 498.

38 달레루스의 행적에 관한 서술은 그의 저서와 뉘른베르크 증언에 근거한다. 뉘른베르크에서 달레루스는 자신이 독일 친구들을 상대로 얼마나 순진하게 굴었는지 알게 되었다.

제15장의 주-4를 보라. 달레루스의 순진함은 영국 외무부가 *DBrFP*, Third Series, Vol. VII에 수록한 엄청난 양의 자료로 확인되었다.

39 *DBrFP*, VII, p. 287.

40 달레루스의 뉘른베르크 증언, *TMWC*, IX, p. 465.

41 *DBrFP*, VII, p. 319n.

42 *TMWC*, IX, p. 466.

43 *DBrFP*, VII, pp. 321-322.

44 *British Blue Book*, p. 125 ; *DBrFP*, VII, p. 318.

45 영국이 독일에 전달한 문서, 8월 28일, *British Blue Book*, pp. 126-128.

46 헨더슨이 핼리팩스에게 보낸 전보, 8월 29일 오전 2시 35분, *ibid.*, pp. 128-131.

47 헨더슨이 핼리팩스에게 보낸 전보, 8월 29일, *ibid.*, p. 131.

48 헨더슨의 전보, 8월 29일, *DBrFP*, VII, p. 360.

49 *Ibid.*, p. 361.

50 독일의 답변, 8월 29일, *British Blue Book*, pp. 135-137.

51 *DBrFP*, Third Series, VII, p. 393.

52 Henderson, *Failure of a Mission*, p. 281.

53 *British Blue Book*, p. 139.

54 히틀러에게 전달한 체임벌린의 친서, 8월 30일, *DGFP*, VII, p. 441.

55 *British Blue Book*, pp. 139-140.

56 *Ibid.*, p. 140.

57 *Ibid.*, p. 142.

58 Schmidt, *op. cit.*, pp. 150-155. 또한 슈미트의 뉘른베르크 증언, *TMWC*, X, pp. 196-222.

59 *TMWC*, X, p. 275.

60 Schmidt, *op. cit.*, p. 152.

61 *DGFP*, VII, pp. 447-450.

62 Henderson, *Final Report*, Cmd. 6115, p. 17. 또한 헨더슨의 저서, *op. cit.*, p. 287.

63 *DBrFP*, VII, No. 575, p. 433.

64 *TMWC*, IX, p. 493.

65 헨더슨이 핼리팩스에게 보낸 전보, 8월 31일 오후 12시 30분, *DBrFP*, VII, p. 440; 핼리팩스에게 보낸 서한, *ibid.*, pp. 465-467; 9월 1일 오전 0시 30분에 보낸 전보, *ibid.*, pp. 468-469. 케너드가 핼리팩스에게 보낸 전보, 8월 31일, *ibid.*, No. 618.

66 *DBrFP*, VII, pp. 441-443.

67 *British Blue Book*, p. 144.

68 *Ibid.*, p. 147.

69 *Ibid.*, p. 147.

70 영국에 대한 폴란드의 서면 답변, 8월 31일, *ibid.*, pp. 148-149; 케너드의 전보, 8월 31일

(런던에서 오후 7시 15분까지 수신하지 못했다), *ibid.*, p. 148.

71 립스키의 최종 보고서는 *Polish White Book*을 보라. 이 보고서에서 발췌한 내용이 *NCA*, VIII, pp. 499-512에 실려 있다.

72 *DGFP*, VII, p. 462.

73 립스키 자신의 서술은 최종 보고서에 담겨 있다. 회담에 대한 슈미트의 독일어 서술은 *DGFP*, VII, p. 463에 있다.

74 히틀러 지령의 독일어 텍스트는 *TMWC*, XXXIV, pp. 935-939와 *DGFP*, VII, pp. 477-479에 있다.

75 Hassell, *op. cit.*, pp. 68-73.

76 달레루스의 뉘른베르크 증언, *TMWC*, IX, pp. 470-471 ; 뉘른베르크에서 괴링의 변호인이 제출한 질문지에 대한 포브스의 답변은 Namier, *Diplomatic Prelude*, pp. 376-377에 인용되어 있다. 헨더슨의 서술은 *Final Report*, p. 19에 있다.

77 *DBrFP*, VII, p. 483. 이 전보에 대한 헨더슨의 훗날 서술은 *Final Report*, p. 20과 그의 저서 *op. cit.*, pp. 291-292에 실려 있다.

78 *TMWC*, II, p. 451.

79 나우요크스의 선서진술서, *loc. cit.*

80 *DGFP*, VII, p. 472.

81 Gisevius, *op. cit.*, pp. 374-375.

제17장 제2차 세계대전 개시

1 *DGFP*, VII, p. 491.

2 달레루스의 저서, *op. cit.*, pp. 119-120 ; 달레루스의 뉘른베르크 증언, *TMWC*, IX, p. 471.

3 *DBrFP*, VII, pp. 466-467.

4 *Ibid.*

5 *TMWC*, IX, p. 436. 여기에 수록된 달레루스의 증언에는 폴란드 측이 "공격을 당했다"라고 되어 있는데, 실제 발언과 완전히 다르다.

6 *DBrFP*, VII, pp. 474-475.

7 *Ibid.*, Nos. 651, 652, pp. 479-480.

8 이 텍스트는 *DGFP*, VII, p. 492와 *British Blue Book*, p. 168에 있다. 리벤트로프가 헨더슨과 쿨롱드르에게 한 발언에 대한 슈미트의 기록은 *DGFP*, VII, pp. 493, 495에 있다.

9 이 논쟁에 대한 슈미트의 서술은 *DGFP*, VII, p. 493에 있다. 헨더슨은 1939년 9월 1일 저녁 전보에서 간략하게 언급한다(*British Blue Book*, p. 169).

10 *DBrFP*, VII, No. 621, p. 459.

11 *Ciano Diaries*, p. 135.

12 *DGFP*, VII, p. 483.

13 *Ibid.*, pp. 485-486.

14 보네가 프랑수아-퐁세에게 보낸 전보, 9월 1일 오전 11시 45분, *French Yellow Book*, Fr. ed., pp. 377-378. 9월 5일 회의에 관한 무솔리니의 제안은 8월 31일 프랑수아-퐁세가 보네에게 보낸 전보, *ibid.*, pp. 360-361에 개괄되어 있다.

15 *DBrFP*, VII, pp. 530-531.

16 Henderson, *Final Report*, p. 22.

17 *DGFP*, VII, pp. 509-510.

18 이 장면의 전거인 슈미트의 메모, *ibid.*, pp. 512-513.

19 Schmidt, *op. cit.*, p. 156.

20 *Ciano Diaries*, pp. 136-167.

21 *DGFP*, VII, pp. 524-525.

22 *Ciano Diaries*, p. 137. 프랑스의 패배주의적인 상원의원 드 몽지(De Monzie)는 저서 *Ci-Devant*, pp. 146-147에서 이 이야기를 확인해준다.

23 코르뱅의 전보, *French Yellow Book*, Fr. ed., p. 395.

24 이 절은 9월 2일과 3일을 다루는 *DBrFP*, VII에 근거한다. 영국 외무부 기밀문서와 입수하기 힘든 프랑스 자료에 근거하는 훌륭한 요약은 *The Eve of the War, 1939*, ed. by Arnold and Veronica M. Toynbee에서 찾을 수 있다. Namier, *Diplomatic Prelude*도 유익하다. 나는 이 대목을 숫자로 채우지 않기 위해 *DBrFP* 문서에서 수치에 관한 언급은 일부러 생략했다.

25 이 통첩은 *British Blue Book*, p. 175와 *DGFP*, VII, p. 529에 실려 있다.

26 핼리팩스가 헨더슨에게 보낸 전보, 9월 2일 오후 11시 50분, *DBrFP*, VII, No. 746, p. 528; 9월 3일 오전 0시 25분, *ibid.*, p. 533.

27 *DBrFP*, VII, No. 758, p. 535.

28 슈미트의 서술은 그의 저서 *op. cit.*, p. 157에 있다. 또한 슈미트의 뉘른베르크 증인석 증언, *TMWC*, X, p. 200도 보라.

29 Schmidt, *op. cit.*, pp. 157-158; 또한 뉘른베르크 증언, *TMWC*, X, pp. 200-201.

30 *Ibid.*

31 *DBrFP*, VII, No. 762, p. 537, n. 1.

32 *Ibid.*

33 *TMWC*, IX, p. 473.

34 보네는 저서 *op. cit.*, pp. 365-368에서 이 일을 회고한다.

35 바이츠제커의 회견 기록, *DGFP*, VII, p. 532.

36 이 지령은 *DGFP*, VII, pp. 548-549에 있다.

37 이 서한은 *DGFP*, VII, pp. 538-539에 있다.

38 이 사실은 독일 외무부 문서, *ibid.*, p. 480으로 밝혀졌다.

39 전보문, *ibid.*, pp. 540-541.

40 *Führer Conferences on Naval Affairs*[이하 *FCNA*로 줄여서 표기], 1939, pp. 13-14.

제18장 폴란드 함락

1 러시아의 답변, *DGFP*, VIII, p. 4. 나치와 소비에트가 주고받은 여러 메시지가 *NSR*에 실려 있지만, *DGFP*가 더 완전한 서술을 제공한다.

2 *Ibid.*, pp. 33-34.

3 몰로토프의 축사, *ibid.*, p. 34. 몰로토프의 군사행동 약속, p. 35.

4 슐렌부르크의 전보, 9월 10일, *ibid.*, pp. 44-45.

5 *Ibid.*, pp. 60-61.

6 *Ibid.*, pp. 68-70.

7 *Ibid.*, pp. 76-77.

8 *Ibid.*, pp. 79-80.

9 슐렌부르크의 전보, *ibid.*, p. 92.

10 *Ibid.*, p. 103.

11 *Ibid.*, p. 105.

12 *Ibid.*, pp. 123-124.

13 *Ibid.*, p. 130.

14 전보 두 통, *ibid.*, pp. 147-148.

15 *Ibid.*, p. 162.

16 비밀의정서를 포함하는 조약문, 공식 발표문, 몰로토프와 리벤트로프가 주고받은 서한 두 통, *ibid.*, pp. 164-168.

17 *Ibid.*, Appendix 1.

제19장 서부의 앉은뱅이 전쟁

1 Maj.-Gen. J. F. C. Fuller, *The Second World War*, p. 55. *The First Quarter*, p. 343에서 인용.

2 지령 제3호, *DGFP*, VIII, p. 41.

3 Namier, *op. cit.*, pp. 459-460. 네이미어는 이 협약의 프랑스어 텍스트를 인용한다.

4 1948년 9월 8~9일, 뉘른베르크의 후속 재판인 '각료 재판'에서 피고들을 위한 할더의 증언, *TWC*, XII, p. 1086.

5 1946년 6월 4일, 뉘른베르크에서 요들이 본인을 변호한 증언, *ibid.*, XV, p. 350.

6 1946년 4월 4일, 뉘른베르크에서 카이텔이 본인을 변호한 증언, *ibid.*, X, p. 519.

7 Churchill, *The Gathering Storm*, p. 478.

8 *FCNA*, 1939, pp. 16-17.

9 커크와의 대화에 관한 바이츠제커의 기록, *DGFP*, VIII, pp. 3-4. 레더와의 대화에 관한 뉘른베르크 증언, *TMWC*, XIV, p. 278.

10 *Ibid.*, XXXV, pp. 527-529 (N.D. 804-D). 이 문서는 레더의 대화 기록과 미국 해군 무관이 워싱턴에 보낸 전보문을 둘 다 제공한다.

11 뉘른베르크에서 되니츠가 선서 후에 한 진술, *NCA*, VII, pp. 114-115 (N.D. 638-D).

12 *Ibid.*, pp. 156-158.

13 레더의 뉘른베르크 증언, *TMWC*, XIV, p. 78; 바이츠제커의 뉘른베르크 증언, *ibid.*, pp. 277, 279, 293; 선전부 고위 관료이며 뉘른베르크 재판에서 무죄를 선고받은 피고 한스 프리체(Hans Fritzsche)의 증언, *ibid.*, XVII, pp. 191, 234-235.《민족의 파수꾼》기사, *NCA*, V, p. 1008 (N.D. 3260-PS). 괴벨스의 방송은 *Berlin Diary*, p. 238을 보라.

14 슈미트의 대화 기록, *DGFP*, VIII, pp. 140-145.

15 브라우히치의 뉘른베르크 증언, *TMWC*, XX, p. 573. OKW 전쟁일지의 한 메모는 이 인용문을 확인해준다.

16 *Ciano Diaries*, pp. 154-155. *Ciano's Diplomatic Papers*, pp. 309-316.

17 *DGFP*, VIII, p. 24.

18 *Ibid.*, pp. 197-198.

19 *DGFP*, VII, p. 414.

20 히틀러의 의견서, *NCA*, VII, pp. 800-814 (N.D. L-52); 지령 제6호, *NCA*, VI, pp. 880-881 (N.D. C-62).

21 *TWC*, X, pp. 864-872 (N.D. NOKW-3433).

22 Schlabrendorff, *op. cit.*, p. 25와 Gisevius, *op. cit.*, p. 431 모두 이 음모를 이야기한다.

23 휠러-베넷은 *Nemesis*, p. 491n에서 독일 측 전거를 밝힌다. Hassell, *op. cit.*와 Thomas, "Gedanken und Ereignisse", *loc. cit.*도 보라.

24 할더의 뉘른베르크 심문 기록, 1946년 2월 26일, *NCA*, Suppl. B, pp. 1564-1575.

25 Rothfels, *The German Opposition to Hitler*.

26 *NCA*, VI, pp. 893-905 (N.D. C-72)에 수록되어 있다.

27 빌로브-슈반테는 뉘른베르크의 '각료 재판'에서 괴르델러의 메시지와 자신의 레오폴트 국왕 알현에 관해 증언했다. 영문판 기록, pp. 9807-9811을 보라. *DGFP*, VIII, p. 384n 에서도 거론된다. 빌로브-슈반테가 베를린에 보낸 경고 전보는 *DGFP*, VIII, p. 386에 수록되어 있다.

28 펜로 납치에 관한 여러 서술은 S. Payne Best, *The Venlo Incident*; Schllenberg, *The Labyrinth*; Wheeler-Bennett, *Nemesis*를 보라. 네덜란드의 공식 서술은 독일에 대한 네덜란드 정부의 항의서, *DGFP*, VIII, pp. 395-396 에 실려 있다. 추가 자료가 뉘른베르크의 '각료 재판'에 제출되었다. *TWC*, XII를 보라.

29 *TWC*, XII, pp. 1206-1208; *DGFP*, VIII, pp. 395-396.

30 폭탄 사건에 관한 여러 서술로는 Best, *op. cit.*; Schllenberg, *op. cit.*; Wheeler-Bennett, *Nemesis*; Reitlinger, *The S.S.*; Schirer, *Berlin Diary*; Gisevius, *op. cit.*가 있다. 뉘른베르크에서 내가 메모하고 이 책에도 사용한 자료가 약간 있다. 다만 나는 *NCA*와 *TMWC*에서 그 자료를 찾지 못했다.

31 메모는 *NCA*, III, pp. 572-580과 *DGFP*, VIII, pp. 439-446 (N.D. 789-PS)에 실려 있다.

32 할더의 11월 23일 일기와 나중에 덧붙인 각주. 브라우히치의 뉘른베르크 증언, *TMWC*, XX, p. 575.

33 할더의 뉘른베르크 심문 기록, *NCA*, Suppl. B, pp. 1569-1570. Thomas, "Gedanken und Ereignisse", *loc. cit.*도 보라.

34 Hassell, *op. cit.*, pp. 93-94, 172.

35 *Ibid.*, pp. 79, 94.

36 카나리스 제독의 일기에서, *NCA*, V, p. 769 (N.D. 3047-PS).

37 *NCA*, VI, pp. 97-101 (N.D. 3363-PS).

38 *TMWC*, I, p. 297.

39 *Ibid.*, pp 468-469.

40 *Ibid.*, XXIX, pp. 447-448.

41 *NCA*, IV, p. 891 (N.D. 2233-C-PS).

42 *Ibid.*, pp. 891-892.

43 *Ibid.*, pp. 553-554.

44 *DGFP*, VIII, p. 683n.

45 서한문, *ibid.*, pp. 604-609.

46 *Ibid.*, p. 394.

47 *Ibid.*, p. 213.

48 *Ibid.*, p. 490.

49 *NCA*, IV, p. 1082 (N.D. 2353-PS).

50 *DGFP*, VIII, p. 537.

51 *NCA*, IV, p. 1082.

52 *DGFP*, VIII, 각각 pp. 591, 753.

53 1940년 2월 11일 무역협정문과 인도 물자 수량, *ibid.*, pp. 762-764.

54 *NCA*, IV, pp. 1081-1082 (N.D. 2353-PS).

55 *DGFP*, VIII, pp. 814-817(슈누레 문서, 1940년 2월 26일).

56 *NCA*, III, p. 620 (N.D. 864-PS).

57 랑스도르프의 감동적인 서한, *FCNA*, 1939, p. 62. 이 해전과 그 여파에 관한 독일 측의 다른 자료는 pp. 59-62를 보라.

58 나는 이 불시착에 대해 서술하면서 독일어 전거를 사용했다. 독일 대사의 보고서, 브뤼셀 주재 공군 무관이 베를린에 보낸 보고서, *DGFP*, VIII, 그리고 요들의 일기. 벨기에 측이 회수한 독일의 서부 공격 계획의 텍스트는 *NCA*, VIII, pp. 423-428 (N.D. TC-58-A)에 있다. Karl Bartz, *Als der Himmel brannte*는 이 사건에 관한 서술을 제공한다. 처칠의 논평은 *The Gathering Storm*에 있다. 처칠은 불시착 날짜를 잘못 제시한다.

제20장 덴마크와 노르웨이 정복

1 *NCA*, IV, p. 104 (N.D. 1546-PS); VI, pp. 891-892 (N.D. C-66).

2 *Ibid.*, VI, p. 928 (N.D. C-122), p. 978 (N.D. C-170).

3 *Ibid.*, p. 892 (N.D. C-166); *FCNA*, 1939, p. 27.

4 Churchill, *The Gathering Storm*, pp. 531-537.

5 *FCNA*, 1939, p. 51.

6 로젠베르크의 기록, *NCA*, VI, pp. 885-887 (N.D. C-64). *FCNA*, 1939, PP. 53-55에도 실려 있다.

7 *FCNA*, 1939, pp. 55-57.

8 *Ibid.*, pp. 57-58.

9 요들의 일기, 12월 12, 13일—명백한 날짜 오류. 할더의 12월 14일 일기.

10 로젠베르크의 기록, *NCA*, III, pp. 22-25 (N.D. 004-PS).

11 *DGFP*, VIII, pp. 663-666.

12 *Ibid.*, pp. 515, 546-547.

13 지령, *NCA*, VI, p. 883 (N.D. C-63).

14 팔켄호르스트의 뉘른베르크 심문 기록, *NCA*, Suppl. B, pp. 1534-1547.

15 지령, *NCA*, VI, pp. 1003-1005; *DGFP*, VIII, pp. 831-833.

16 요들의 일기, 1940년 3월 10~14일.

17 *DGFP*, VIII, pp. 179-181, 470-471.

18 *Ibid.*, pp. 910-913.

19 *Ibid.*, pp. 89-91.

20 히틀러의 지령, *ibid.*, pp. 817-819.

21 섬너 웰스와 히틀러, 괴링, 리벤트로프의 회담에 관한 슈미트의 기록, *DGFP*, VIII; 또한 웰스와의 회담에 관한 바이츠제커의 기록. 이 미국 사절은 히틀러의 호출을 받은 샤흐트도 만나서 어떤 노선을 택할지 말해주었다. Hassell, *op. cit.*, p. 121을 보라. 웰스는 베를린 회담에 관한 본인의 서술을 *The Time for Decision*에서 제공한다.

22 *DGFP*, VIII, pp. 865-866.

23 *DGFP*, VIII, pp. 652-656, 683-684.

24 히틀러가 무솔리니에게 보낸 서한, 1949년 3월 8일, *ibid.*, pp. 870-871.

25 슈미트의 회의록, *ibid.*, pp. 882-893, 898-909; 치아노의 기록은 *Ciano's Diplomatic Papers*, pp. 339-359에 있다. 또 회담에 관한 각자의 논평으로 Schmidt, *op. ci.*, pp. 170-171과 *The Ciano Diaries*도 보라. 리벤트로프가 자신의 회견을 히틀러에게 보고하는 전보 두 통은 *DGFP*, VIII에 있다.

26 Welles, *op. cit.*, p. 138.

27 *Ciano Diaries*, p. 220.

28 슈미트가 옮겨 적은 회담 속기록, *DGFP*, IX, pp. 1-16.

29 이 서술은 대체로 Hassell, *op. cit.*, pp. 116-118에 근거한다.

30 Allen Dulles, *Germany's Underground*, p. 59.

31 Shirer, *The Challenge of Scandinavia*, pp. 223-225.

32 Churchill, *The Gathering Storm*, p. 579. 영국의 R-4 계획은 노르웨이 작전에 관한 영국의 공식 서술인 *The Campaign in Norway*에 실려 있다.

33 지령, *DGFP*, IX, pp. 66-68.

34 지령, *ibid.*, pp. 68-73.

35 전보, *NCA*, VI, pp. 914-915 (N.D. C-115).

36 답장, *NCA*, VIII, pp. 410-414 (N.D. TC-55); *DGFP*, IX, pp. 88-93.

37 *TMWC*, XIV, pp. 99, 194.

38 렌테-핑크가 코펜하겐에서 보낸 전보, *DGFP*, IX, pp. 102-103; 브로이어가 오슬로에서 보낸 전보, *ibid.*, p. 102.

39 독일의 점령에 관한 덴마크 측의 서술은 나의 *The Challenge of Scandinavia*와 Børge Outze가 편집한 *Denmark during the Occupation*에 근거한다. 특히 타울로브 (Thaulow) 중령이 귀중한 기여를 했다. 근위대 장교인 중령은 당시 덴마크 국왕과 함께 있었다.

40 독일 육군 기밀문서고에서. *NCA*, VI, pp. 299-308 (N.D. 3596-PS)에 인용.

41 노르웨이 국립문서고에서. 나의 *The Challenge of Scandinavia*, p. 38.

42 *DGFP*, IX, p. 124.

43 *Ibid.*, p. 129.

44 *Ibid.*, p. 186.

45 Churchill, *The Gathering Storm*, p. 601.

제21장 서부전선 승리

1 *Belgium — The Official Account of What Happened, 1939-1940*, pp. 27-29.

2 *NCA*, IV, p. 1037 (N.D. 2329-PS).

3 *Ibid.*, VI, p. 880 (N.D. C-62).

4 Allen Dulles, *op. cit.*, pp. 58-61. 덜레스는 사스 대령이 전후에 이 서술을 직접 확인해 주었다고 말한다.

5 독일의 서부 공격 계획의 진전에 관한 자료는 엄청나게 많다. 나는 다음의 자료들을 이용했다. 할더와 요들의 일기, 할더의 소책자, *Hitler als Feldherr*, Munich, 1949(영어 번역본 *Hitler as War Lord*가 1950년 런던에서 출간되었다); 뉘른베르크 문서 가운데 *NCA*와 *TMWC*에 수록된 OKW 전쟁일지의 발췌문; 뉘른베르크 문서와 *DGFP*, VIII와 IX에 수록된 히틀러와 OKW의 여러 지령; Manstein, *Verlorne Siege*; Görlitz, *History of the German General Staff* 그리고 *Der Zweite Weltkrieg*; Jacobsen, *Dokumente zur Vorgeschichte des Westfeldzuges, 1939-1940*; Guderian, *Panzer Leader*; Blumentritt, *Von Rundstedt*; Liddell Hart, *The German Generals Talk*; 나중의 후속 재판의 결과물인 뉘른베르크 문서 NOKW 시리즈에 들어 있는 다수의 독일 측 자료. 영국의 계획에 관해서는 처칠의 회고록 중 처음 두 권; 영국의 공식 서술인 Ellis, *The War in France and Flanders*; J. F. C. Fuller, *The Second World War*; Draper, *The Six Weeks' War*. 가용한 모든 독일 측 자료에 근거한 가장 뛰어난 전반적 서술은 Telford Taylor의 *The March of Conquest*다.

6 Churchill, *Their Finest Hour*, pp. 42-43.

7 *DGFP*, IX, pp. 343-344.

8 *TMWC*, XXXVI, p. 656.

9 괴링과 케셀링 둘 다 뉘른베르크 증인석에서 로테르담 폭격에 관한 심문을 받았다. *TMWC*, IX, pp. 175-177, 213-218, 338-340을 보라.

10 Churchill, *Their Finest Hour*, p. 40.

11 더 상세한 서술로는 Walther Melzer, *Albert Kanal und Eben-Emael*; Rudolf Witzig, "Die Einnahme von Eben-Emael", *Wehrkunde*, May 1954 (비치히 중위는 이 작전을 지휘했지만 글라이더에 사고가 나는 바람에 벤첼(Wenzel) 부사관이 임무를 거의 완수할 때까지 휘하 부대에 도착하지 못했다); Gen. van Overstraeten, *Albert I-Leopold III*; *Belgium — The Official Account of What Happened*. Telford Taylor, *The March of Conquest*, pp. 210-214는 훌륭한 요약을 제공한다.

12 Churchill, *Their Finest Hour*, pp. 46-67.

13 히틀러가 무솔리니에게 보낸 서한, 1940년 5월 18일, *DGFP*, IX, pp. 374-375.

14 이 회의에 관한 국왕 본인과 피에로(Pierlot) 총리의 서술. 공식 기록인 *Belgian Rapport*, Annexes, pp. 69-75에 수록되었고, 당시 프랑스 총리 폴 레노(Paul Reynaud)의 *In the Thick of the Fight*, pp. 420-426에 인용되었다.

15 고트 경의 전보, Supplement to *The London Gazette*, London, 1941.

16 Weygand, *Rappelé au service*, pp. 125-126.

17 Churchill, *Their Finest Hour*, p. 76.

18 Liddell Hart, *The German Generals Talk*, pp. 114-115 (soft-cover edition).

19 *Ciano Diaries*, pp. 265-266.

20 Telford Taylor, *The March of Conquest*, p. 297.

21 히틀러와 무솔리니가 1940년 5월과 6월에 주고받은 서한은 *DGFP*, IX에 실려 있다.

22 빌헬름 2세의 전보와 히틀러의 답변 초안, *DGFP*, IX, p. 598.

23 *Ciano Diaries*, p. 267.

24 *DGFP*, IX, pp. 608-611.

25 *Ciano Diaries*, p. 266.

26 *Ibid.*, p. 266.

27 독일 문서고에 있던 기록들의 사본에 서명이 없긴 하지만, 슈미트는 자신이 작성했다고 증언했다. 슈미트는 통역사로 일했으므로 기록하기에 최적의 위치에 있었다. 그 기록들은 *DGFP*, IX에 다음의 목록으로 수록되어 있다. 6월 21일 교섭, pp. 643-652; 6월 21일 저녁 (보르도에서 이루어진) 욍치제 장군과 베이강 장군의 통화 기록, 통화를 직접 들은 슈미트가 작성, pp. 652-654; 6월 22일 오전 10시 (보르도에서 이루어진) 욍치제 장군과 베이강 장군의 부관 부르제(Bourget) 대령의 통화 기록, pp. 664-671; 프랑스-독일 휴전협정문, pp. 671-676; 콩피에뉴 교섭 도중 프랑스 측이 제기하고 독일 측이 답변한 질문, pp. 676-679. 히틀러는 이 문서가, 비록 협정의 일부가 아니긴 하지만, "독일 측에 구

속력을 가진다"라고 설명했다.

독일 측은 침대차에 마이크를 설치해 모든 발언을 녹음했다. 나는 교섭이 진행되는 동안 독일의 통신차량 안에서 녹음되는 발언의 일부를 직접 들었다. 내가 아는 한 교섭 중 발언은 공개되지 않았고, 음성 기록도 글로 옮긴 기록도 발견되지 않았다. 나의 메모는 막바지의 극적인 부분을 제외하면 매우 단편적이다.

28 Churchill, *Their Finest Hour*, p. 177.

29 *DGFP*, X, pp. 49–50.

30 *Ibid.*, IX, pp. 550–551.

31 *Ibid.*, IX, pp. 558–559, 585.

32 *Ibid.*, X, pp. 125–126.

33 *Ibid.*, p. 298.

34 *Ibid.*, pp. 39–40.

35 *Ibid.*, pp. 424, 435.

36 Churchill, *Their Finest Hour*, pp. 259–260.

37 *Ibid.*, pp. 261–262.

38 *DGFP*, X, p. 82.

39 OKW 지령, 카이텔이 서명, *FCNA*, 1940, pp. 61–62.

40 *Ciano Diaries*, p. 274.

41 *FCNA*, 1940, pp. 62–66.

42 히틀러가 무솔리니에게 보낸 서한, 1940년 7월 13일, *DGFP*, X, pp. 209–211.

43 지령 제16호, *NCA*, III, pp. 399–403 (N.D. 442-PS). *DGFP*, X, pp. 226–229에 수록되어 있다.

44 *The Ciano Diaries*, pp. 277–278 (7월 19일과 22일).

45 Churchill, *Their Finest Hour*, p. 261.

46 *DGFP*, X, pp. 79–80.

47 *Ibid.*, p. 148.

제22장 바다사자 작전: 영국 침공 좌절

1 해군 참모부 전쟁일지, 1940년 6월 18일. Ronald Wheatley, *Operation Sea Lion*, p. 16에 인용. 영국의 공식 전쟁사를 편찬하는 팀원 중 한 명인 휘틀리는 압수된 독일 삼군 및 외교부 문서를 무제한 열람할 수 있었다. 이 문서를 공동으로 관리하는 영·미 당국은 현시점까지 그 어떤 비공식 미국인 저술가에게도 이 특권을 허용하지 않았다. 따라서 접근이 제한된 독일 사료의 안내자로서 휘틀리는 큰 도움이 된다.

2 OKM(해군 최고사령부) 기록. Wheatley, p. 26.

3 해군 참모부 전쟁일지, 1939년 11월 15일. Wheatley, pp. 4–7.

4 Wheatley, pp. 7–13.

5 *FCNA*, p. 51 (1940년 5월 21일); 해군 참모부 전쟁일지, 같은 날짜, Wheatley, p. 15.

6 TMWC, XXVIII, pp. 301-303 (N.D. 1776-PS). 그리 좋지 않은 영어 번역이 NCA, Supple. A. pp. 404-406에 실려 있다.

7 영국 전쟁부 정보검토서, 1945년 11월. Shulman, op. cit., pp. 49-50에 인용.

8 Liddell Hart, The German Generals Talk, p. 129.

9 OKH 문서에서 휘틀리가 인용. Wheatley, pp. 40, 152-155, 158. 이 계획은 이후 6주 동안 몇 번이고 변경되었다.

10 해군 참모부 전쟁일지, 레더와 브라우히치의 논의, 7월 17일. Wheatley, p. 40n.

11 할더 일기, 7월 22일; FCNA, pp. 71-73 (7월 21일).

12 해군 참모부 전쟁일지, 7월 30일; 의견서, 7월 29일. Wheatley, pp. 45-46.

13 FCNA, 1940년 8월 1일. 회의에 관한 레더의 기밀보고서. 할더는 7월 31일의 긴 일기에 기록했다.

14 DGFP, X, pp. 390-391. 또한 N.D. 443-PS에도 실려 있는데, NCA와 TMWC에는 수록되지 않았다.

15 FCNA, pp. 81-82 (1940년 8월 1일).

16 Ibid., pp. 73-75.

17 요들과 OKW의 문서에서. Wheatley, p. 68.

18 FCNA, pp. 82-83 (8월 13일).

19 두 지령, ibid., pp. 82-82 (8월 16일).

20 Ibid., pp. 85-86. Wheatley, pp. 161-162는 독일 군부 기록을 토대로 '가을 여행'의 세부를 알려준다.

21 브라우히치의 훈령, OKH 서류철에서. Wheatley, pp. 174-182.

22 FCNA, 1940, p. 88.

23 Ibid., pp. 91-97.

24 같은 날짜 할더의 일기; Assmann, Deutsche Schicksalsjahre, pp. 189-190; OKW 전쟁일지에서 휘틀리가 인용. Wheatley, p. 82.

25 레더의 보고서, FCNA, 1940, pp. 98-101. 할더의 일기, 9월 14일.

26 FCNA, 1940, pp. 100-101.

27 해군 참모부 전쟁일지, 9월 17일. Wheatley, p. 88.

28 Ibid., 9월 18일. Wheatley가 인용.

29 FCNA, 1940, p. 101.

30 Ciano Diaries, p. 298.

31 FCNA, 1940, p. 103.

32 Lt. Col. von Hesler, Vorstudien zur Luftkriegsgeschichte, Heft 11, Der Luftkrieg gegen England, 1940-1941에서 휘틀리가 인용. Wheatley, p. 59. 2~4주 예상은 할더가 7월 11일 일기에 적은 것이다.

33 Adolf Galland, The First and the Last, p. 26. 갈란트의 심문 기록은 Wilmot가 The Struggle for Europe, p. 44에 인용.

34 이날 회의에서의 괴링의 지시사항에 관한 공군 참모부의 기록. Wheatley, p. 73.

35 *Ciano Diaries*, p. 290.

36 T. H. O'Brien, *Civil Defence*를 보라. 이 책은 J. R. M. Butler 교수가 편집하고 H. M. Stationery Office가 발행한 2차대전 공식 역사서 중 하나다.

37 괴링과 공군 수뇌부의 회의 기록, 9월 16일. Wheatley, p. 87.

38 Churchill, *Their Finest Hour*, p. 279.

39 Peter Fleming, *Operation Sea Lion*, p. 293. 훌륭한 책이지만 플레밍은 대외비 문서에 접근하지 못했다. 하지만 플레밍 본인은 휘틀리의 연구가 출간되기 직전에 그것을 한두 시간 훑어볼 수 있었다고 말한다.

40 *DGFP*, X.

41 Schellenberg, *The Labyrinth*, Ch. 2.

42 *New York Times*, 1957년 8월 1일.

제23장 바르바로사: 소련의 차례

1 *DGFP*, IX, p. 108.

2 *Ibid.*, pp. 294, 316.

3 *Ibid.*, pp. 599-600.

4 *Ibid.*, X, pp. 3-4.

5 Churchill, *Their Finest Hour*, pp. 135-136 (스탈린에게 보낸 서한).

6 *DGFP*, X, pp. 207-208.

7 *Mein Kampf*, p. 654.

8 요들의 발언, 1943년 11월 7일, *NCA*, I, p. 795 (N.D. L-172).

9 바를리몬트의 선서 증언, 1945년 11월 21일, *NCA*, V, p. 741 ; 바를리몬트의 심문 기록, 1945년 10월 12일, *ibid.*, Suppl. B, pp. 1635-1637.

10 할더의 일기, 1940년 7월 22일. 할더는 전날 베를린에서 히틀러와 상의한 브라우히치의 발언을 기록했다.

11 할더의 일기, 1940년 7월 31일.

12 전쟁일지, OKW 작전참모부, 1940년 8월 26일. *DGFP*, X, pp. 549-550에 인용.

13 *NCA*, IV, p. 1083 (N.D. 2353-PS).

14 바를리몬트의 선서진술서, *NCA*, V, pp. 740-741 (N.D. 3031, 2-PS)와 심문 기록, *ibid.*, Suppl. B. p. 1536. 요들의 1940년 9월 6일 지령은 *NCA*, III, pp. 849-850에 있다(N.D. 1229-PS).

15 1940년 11월 12일 지령, *NCA*, III, pp. 403-407. 소련을 다룬 부분은 p. 406에 있다.

16 OKW 전쟁일지, 8월 28일. *DGFP*, X, pp. 566-567n에 인용.

17 *The Ciano Diaries*, p. 289.

18 *NCA*, VI, p. 873 (N.D. C-53).

19 *NSR*, pp. 178-181.

20 독일 측 문서, *ibid.*, pp. 181-183; 소비에트 측의 9월 21일 답변 문서, *ibid.*, pp. 190-194.

21 *Ibid.*, pp. 188-189.

22 *Ibid.*, pp. 195-196.

23 *Ibid.*, pp. 197-199.

24 *Ibid.*, pp. 201-203.

25 *Ibid.*, pp. 206-207.

26 리벤트로프가 스탈린에게 보낸 서한, 1940년 10월 13일, *ibid.*, pp. 207-213.

27 리벤트로프의 성난 전보, *ibid.*, p. 214.

28 스탈린의 답변, *ibid.*, p. 216.

29 *Ibid.*, p. 217.

30 1940년 11월 12~13일 몰로토프, 리벤트로프, 히틀러의 회담 기록, *ibid.*, pp. 217-254.

31 Schmidt, *op. cit.*, p. 212.

32 *Ibid.*, p. 214.

33 슐렌부르크의 전보, 1940년 11월 26일, *NSR*, pp. 258-259.

34 *FCNA*, 1941, p. 13; 할더의 일기, 1941년 1월 16일.

35 할더의 일기, 1940년 12월 5일; *NCA*, IV, pp. 374-375 (N.D. 1799-PS). 후자는 요들이 이끈 OKW 작전참모부에 의한 전쟁일지의 일부를 번역한 것이다.

36 독일어 전문, *TMWC*, XXVI, pp. 47-52; 짧은 영어 버전, *NCA*, III, pp. 407-409 (N.D. 446-PS).

37 Halder, *Hitler als Feldherr*, p. 22.

38 *FCNA*, 1940, pp. 135-136 (1940년 12월 27일 회의).

39 *Ibid.*, pp. 91-97, 104-108 (1940년 9월 6일과 26일 회의). 두 보고서 모두 레더가 서명했다.

40 *DGFP*, IX, pp. 620-621.

41 Schmidt, *op. cit.*, p. 196. 이 통역관은 거의 완전한 회담록을 제공한다. 미국 국무부의 *The Spanish Government and the Axis*에 실린 독일 측 기록은 단편적이다. 역시 동석했던 에리히 코르트는 앞서 언급한 미발표 비망록에서 더 상세한 서술을 남겼다.

42 *Ciano's Diplomatic Papers*, p. 402.

43 Schmidt, *op. cit.*, p. 197.

44 몽투아르 협정문은 압수된 외무부 문서 중에 있었지만 본서 집필 시점까지 미국 국무부에서 공개하지 않았다. 그렇지만 William L. Langer는 *Our Vichy Gamble*(pp. 94-95)에서 국무부가 열람을 허용한 독일 문서를 인용한다.

45 *The Ciano Diaries*, p. 300.

46 리벤트로프는 뉘른베르크 증인석에서, 그리고 슈미트는 저서 200쪽에서 이 발언을 떠올렸다.

47 Schmidt, *op. cit.*, p. 200.

48 할더의 일기, 1940년 11월 4일; 요들이 슈니빈트 제독에게 제출한 보고서, 11월 4일, *FCNA*, 1940, pp. 112-117; 지령 제18호, 1940년 11월 12일, *NCA*, III, pp. 403-407 (N.D. 444-PS).

49 *FCNA*, 1940, p. 125.

50 *Ibid.*, p. 124.

51 *The Spanish Government and the Axis*, pp. 28-33.

52 레더의 보고서, *FCNA*, 1941, pp. 8-13; 할더는 이틀간의 회의 내용을 1941년 1월 16일에야 일기에 기록했다.

53 지령 제20호, *NCA*, IV, pp. 101-103 (N.D. 1541-PS).

54 지령 제22호와 암호명을 밝히는 부속 명령, *NCA*, III, pp. 413-415 (N.D. 448-PS).

55 *NCA*, VI, pp. 939-946 (N.D. C-134).

56 Halder, *Hitler als Feldherr*, pp. 22-24.

57 *NCA*, III, pp. 626-633 (N.D. 872-PS).

58 외무부에서 제시하는 독일 수치, 1941년 2월 21일, *NSR*, p. 275.

59 독일 측 회담록, *NCA*, IV, pp. 272-275 (N.D. 1746-PS).

60 *NCA*, I, p. 783 (N.D. 1450-PS).

61 지령 제25호의 일부, *NCA*, VI, pp. 938-939 (N.D. C-127).

62 OKW 회의록, *NCA*, IV, pp. 275-278 (N.D. 1746-PS, Part II).

63 요들의 증언, *TMWC*, XV, p. 387. 요들의 '잠정' 작전계획, *NCA*, IV, pp. 278-279 (N.D. 1746-PS, Part V).

64 히틀러가 무솔리니에게 보낸 서한, 1941년 3월 28일, *NCA*, IV, pp. 475-477 (N.D. 1835-PS).

65 지령의 세부는 *NCA*, III, pp. 838-839 (N.D. 1195-PS)를 보라.

66 Churchill, *The Grand Alliance*, pp. 235-236.

67 독일 해군 최고사령부의 러시아 서류철에서; 5월 30일과 6월 6일 기록, *NCA*, VI, pp. 998-1000 (N.D. C-170).

68 *FCNA*, 1941, pp. 50-52.

69 *TMWC*, VII, pp. 255-256.

70 *NCA*, VI, p. 996 (N.D. C-170).

71 Shulman, *op. cit.*, p. 65에 인용.

72 극비 지령, 1941년 4월 30일, *NCA*, III, pp. 633-634 (N.D. 873-PS).

73 할더의 선서진술서, 1945년 11월 22일 뉘른베르크, *NCA*, VIII, pp. 645-646.

74 브라우히치의 뉘른베르크 증언, *TMWC*, XX, pp. 581-582, 593.

75 *TMWC*, XX, p. 609.

76 카이텔의 명령, 1941년 7월 23일, *NCA*, VI, p. 876 (N.D. C-52); 7월 27일 명령, *ibid.*, pp. 875-876 (N.D. C-51).

77 군사법원에 관한 지령, *NCA*, III, pp. 637-639 (N.D. 886-PS). 조금 다른 지령이 육군 남

부집단군의 기록에서 하루 뒤인 5월 14일자 문서로 발견되었으며 *NCA*, VI, pp. 872-875 (N.D. C-50)에 수록되어 있다.

78 지령, 역시 5월 13일자, 1941, *NCA*, III, pp. 409-413 (N.D. 447-PS).

79 로젠베르크의 훈령, *NCA*, III, pp. 690-693 (N.D. 1029, 1030-PS).

80 연설문, *NCA*, III, pp. 716-717 (N.D. 1058-PS).

81 지령, *NCA*, VII, p. 300 (N.D. EC-126).

82 회의록, *NCA*, V, p. 378 (N.D. 2718-PS).

83 Schmidt, *op. cit.*, p. 233.

84 카이텔의 심문 기록, *NCA*, Suppl. B. pp. 1271-1273.

85 해밀턴 공작의 보고서, *NCA*, VIII, pp. 38-40 (N.D. M-116).

86 5월 13일, 14일, 15일 헤스와의 회견에 관한 커크패트릭의 보고서, *ibid.*, pp. 40-46 (N.D.s M-117, 118, 119).

87 Churchill, *The Grand Alliance*, p. 54.

88 *TMWC*, X, p. 7.

89 *Ibid.*, p. 74.

90 Douglas M. Kelley, *22 Cells in Nuremberg*, pp. 23-24.

91 *NSR*, p. 324.

92 *Ibid.*, p. 326.

93 *Ibid.*, p. 325.

94 *Ibid.*, p. 318.

95 *Ibid.*, pp. 340-341.

96 *Ibid.*, p. 328.

97 *Ibid.*, pp. 316-318.

98 *Ibid.*, p. 328.

99 슐렌부르크의 전보, 5월 7일, 12일, *ibid.*, pp. 335-339.

100 *Ibid.*, p. 334.

101 *Ibid.*, pp. 334-335.

102 Sumner Welles, *The Time for Decision*, pp. 170-171.

103 Churchill, *The Grand Alliance*, pp. 356-361.

104 *NSR*, p. 330.

105 *NCA*, VI, p. 997 (N.D. C-170).

106 *NSR*, p. 344.

107 *Ibid.*, pp. 345-346.

108 *Ibid.*, p. 346.

109 *NCA*, VI, pp. 852-867 (N.D. C-39).

110 이 회의 기록은 내가 아는 한 끝내 발견되지 않았지만, 할더가 1941년 6월 14일 일기에서 이 회의를 묘사하고, 카이텔도 뉘른베르크 증인석에서 그에 관해 말했다(*TMWC*, X,

pp. 531-532). 해군의 전쟁일지에서도 간략하게 언급된다.

111 *NSR*, pp. 355-356.

112 *Ibid.*, pp. 347-349.

113 슈미트의 공식 회의록, *ibid.*, pp. 356-357. 또한 저서, pp. 234-235.

114 히틀러가 무솔리니에게 보낸 서한, 1941년 6월 21일, *NSR*, pp. 349-353.

115 *The Ciano Diaries*, pp. 369, 372.

116 *Ibid.*, p. 372.

제24장 전세 역전

1 *NCA*, VI, pp. 905-906 (N.D. C-74). 독일어 전문은 *TMWC*, XXXIV, pp. 298-302.

2 할더의 보고서(등사물, 뉘른베르크).

3 *NCA*, VI, p. 929 (N.D. C-123).

4 *Ibid.*, p. 931 (N.D. C-124).

5 블루멘트리트 장군의 글, *The Fatal Decision*, ed. by Seymour Freidin and William Richardson, p. 57.

6 Liddell Hart, *The German Generals Talk*, p. 147.

7 *Ibid.*, p. 145.

8 할더의 보고서.

9 Heinz Guderian, *Panzer Leader*, pp. 159-162. 이곳과 이후 장들에서 언급하는 이 책의 쪽수는 Ballantine 출판사의 보급판에 근거한다.

10 블루멘트리트의 글, *loc. cit.*, p. 66.

11 룬트슈테트의 심문 기록, 1945년. Shulman, *op. cit.*, pp. 68-69에 인용.

12 Guderian, *op. cit.*, pp. 189-190.

13 *Ibid.*, p. 192.

14 *Ibid.*, p. 194.

15 *Ibid.*, p. 191.

16 *Ibid.*, p. 199.

17 Görlitz, *History of the German General Staff*, p. 403.

18 *The Goebbels Diaries*, pp. 135-136.

19 *Hitler's Secret Conversation*, p. 153.

20 Halder, *Hitler als Feldherr*, p. 45.

21 *NCA*, IV, p. 600 (N.D. 1961-PS).

22 블루멘트리트의 글, *loc. cit.*, pp. 78-79.

23 Liddell Hart, *The German Generals Talk*, p. 158.

제25장 미국의 차례

1 *DGFP*, VIII, pp. 905-906.

2 *NCA*, IV, pp. 469-475 (N.D. 1834-PS).

3 지령, *NCA*, VI, pp. 906-908 (N.D. C-75).

4 이 회의에 관한 레더의 보고서, *FCNA*, 1941, p. 37. 또한 *NCA*, VI, pp. 966-967 (N.D. C-152)에도 실려 있다.

5 일본과 독일의 회담 기록은 이후 히틀러와의 두 차례 회담 기록과 함께 *NSR*, pp. 281-316에 수록되어 있다.

6 Schmidt, *op. cit.*, p. 224.

7 *FCNA*, 1941, pp. 47-48.

8 N.D. NG-3437, Document Book VIII-B, *Weitzsaecker Case*. H. L. Trefousse, *Germany and American Neutrality, 1939-1941*, p. 124와 주에서 인용.

9 전보, *NCA*, VI, pp. 564-565 (N.D. 2896-PS).

10 *Ibid.*, p. 566 (N.D. 2897-PS).

11 *FCNA*, 1941, p. 104.

12 *NCA*, VI, pp. 545-546 (N.D. 3733-PS).

13 팔켄슈타인의 1940년 10월 29일 문서, *NCA*, III, p. 289 (N.D. 376-PS).

14 *FCNA*, 1941, p. 57.

15 *Ibid.*, p. 94.

16 *Ibid.*, Annex I (총통에게 제출한 레더의 보고서, 1941년 2월 4일).

17 *Ibid.*, p. 32 (1941년 3월 18일).

18 *Ibid.*, p. 47 (1941년 4월 20일).

19 *Ibid.*, 1941년 5월 22일.

20 *Ibid.*, pp. 88-90 (1941년 6월 21일).

21 *NCA*, V, p. 565 (N.D. 2896-PS).

22 독일 해군 전쟁일지, *TMWC*, XXXIV, p. 364 (N.D. C-118). *NCA*, VI, p. 916에 실린 일부 영어 번역은 오류가 많다.

23 *FCNA*, 1941년 9월 17일, pp. 108-110.

24 *Ibid.*, 1941년 11월 13일.

25 *NCA*, Suppl. B, p. 1200 (리벤트로프의 뉘른베르크 심문 기록, 1945년 9월 10일).

26 N.D. NG-4422E, Document Book IX, *Weizsaecker Case*, Trefousse, p. 102에 인용.

27 *Ibid.* 1941년 5월 리벤트로프와 오트가 주고받은 수많은 전보와, 오트의 도쿄 '극동 재판' 증언, Trefousse, p. 103에 인용.

28 8월 29일 외무차관 아모와 8월 30일 외무대신 도요다 제독과의 회담. 두 회담에 관한 일본 측 기록은 *NCA*, VI, pp. 546-551 (N.D. 3733-PS)에 있다.

29 Hull, *Memoirs*, p. 1034. 1941년 10월 16일 노무라에게 보낸 도요다의 전보는 *Pearl Harbor Attack, Hearings before the Joint Committee on the Investigation of the Pearl Harbor Attack*, XII, pp. 71-72에 실려 있다.

30 Hull, *op. cit.*, pp. 1062-1063.

31 Documents 4070 and 4070B, *Far Eastern Trial*, Trefousse, pp. 140-141에 인용.

32 Hull, *op. cit.*, pp. 1056, 1074.

33 오시마가 도쿄로 보낸 메시지를 방수함, 1941년 11월 29일, *NCA*, VII, pp. 160-163 (N.D. D-656).

34 *Pearl Harbor Attack*, XII, p. 204. 이 방수한 도쿄 전보도 *NCA*, VI, pp. 308-310 (N.D. 3598-PS)에 실려 있다.

35 *NCA*, V, pp. 556-557 (N.D. 2898-PS).

36 *NCA*, VI, p. 309 (N.D. 3598-PS).

37 전보, *ibid.*, pp. 312-313 (N.D. 3600-PS).

38 Schmidt, *op. cit.*, pp. 236-237.

39 *TMWC*, X, p. 297.

40 오시마가 도쿄로 보낸 메시지를 방수함, 1941년 12월 8일, *NCA*, VII, p. 163 (N.D. D-167).

41 N.D. NG-4424, 1941년 12월 9일, Document Book IX, *Weizsaecker Case*.

42 뉘른베르크 증인석에서 직접 심문을 받은 리벤트로프의 증언(*TMWC*, X, pp. 297-298) 과 그가 예비심문 중에 한 진술(*NCA*, Suppl. B. pp. 1199-1200)을 나란히 이용했다.

43 *Hitler's Secret Conversation*, p. 396.

44 *NCA*, V, p. 603 (N.D. 2932-PS).

45 Schmidt, *op. cit.*, p. 237.

46 히틀러 연설의 일부 번역이 Gordon W. Prange (ed.), *Hitler's Words*, pp. 97, 367-377 에 실려 있다.

47 영어 번역은 *NCA*, VIII, pp. 432-433 (N.D. TC-62)에 있다.

48 *FCNA*, 1941, pp. 128-130 (12월 12일).

제26장 대전환점: 1942년 스탈린그라드와 엘 알라메인

1 *TMWC*, XX, p. 625.

2 Hassell. *op. cit.*, p. 208.

3 *Ibid.*, p. 209.

4 Schlabrendorff, *op. cit.*, p. 36.

5 Hassell, *op. cit.*, p. 243.

6 1940년 1월에서 2월에 걸쳐 작성한 첫 번째 초안, Hassell, *op. cit.*, pp. 368-372: 1941년 말에 작성한 두 번째 초안, Wheeler-Bennett, *Nemesis*, Appendix A, pp. 705-715.

7 Hassell, *op. cit.*, pp. 247-248.

8 *Ibid.*, p. 247.

9 *The German Campaign in Russia—Planning and Operation, 1940-42* (Washington: Department of the Army, 1955), p. 120. 이 연구는 대체로 압수된 독일 육군 기록과 독일 장군들이 미국 육군을 위해 작성한 논문에 근거한다―집필 당시 민간

역사가들은 대개 이 자료를 열람할 수 없었다. 그렇지만 나는 이 장과 이후 장들을 준비하면서 독일 문서 자료에 대한 접근과 관련해 미국 육군부의 군사감실로부터 큰 도움을 받았다.

10 *TMWC*, VII, p. 260 (파울루스의 뉘른베르크 증언). 히틀러의 발언은 공세 개시 거의 한 달 전인 1942년 6월 1일의 것이다.

11 *The Ciano Diaries*, pp. 442-443.

12 *Ibid.*, pp. 478-479.

13 *Ibid.*, pp. 403-404.

14 *FCNA*, 1942, p. 47 (6월 15일 베르크호프 회의). 또한 p. 42.

15 Halder, *Hitler als Feldherr*, pp. 50-51.

16 *FCNA*, 1942, p. 53 (8월 16일 히틀러 본부 회의).

17 Halder, *op. cit.*, p. 50.

18 *Ibid.*, p. 52.

19 히틀러와 할더의 발언은 후자의 일기와 저서에서, 그리고 Heinz Schroeter, *Stalingrad*, p. 53에서 인용.

20 바이얼라인 장군이 로멜의 문서에서 인용, *The Fatal Decisions*, ed. by Freidin and Richardson, p. 110.

21 바이얼라인이 이 명령을 인용. *Ibid.*, p. 120.

22 이것과 이 장의 나머지 대부분에서 히틀러의 OKW 회의의 전거는 이른바 OKW 일지로, 1943년 봄까지는 헬무트 그라이너(Helmuth Greiner) 박사가 보관했고, 그 후로 전쟁 종결까지는 페르치 에른스트 슈람(Percy Ernst Schramm) 박사가 보관했다. 원본 일지는 1945년 5월 초에 요들의 부관 빈터(Winter) 장군의 지시로 파기되었다. 전후에 그라이너는 자신의 노트와 초안을 바탕으로 일지 일부를 복원하고 결국 워싱턴 소재 육군부의 군사사 관련 부서에 넘겨주었다. 그 자료의 일부가 그라이너의 저서 *Die Oberste Wehmachtführung, 1939-1943*으로 발표되었다.

23 *Porcés du M. Pétain* (Paris, 1945), p. 202. 라발의 증언.

24 *The Ciano Diaries*, pp. 541-542.

25 차이츨러 장군의 스탈린그라드에 대한 글, Freidin (ed.), *The Fatal Decisions*. 이 저서에 근거해서 나는 이 절을 썼다. 다른 전거로는 OKW 전쟁일지(위의 주-22 참조), 할더의 저서, 하인츠 슈뢰터(Heinz Schröter)의 *Stalingrad*다. 제6군의 독일 종군기자 슈뢰터는 OKW 기록, 여러 군 사령부의 무전과 전신 메시지, 작전명령, 스탈린그라드에 있었던 많은 이들의 표시가 적힌 지도와 개인 문서에 접근할 수 있었다. 슈뢰터는 항복 전에 빠져나갔고, 당시 OKW가 보유하고 있던 문서에 근거해 스탈린그라드 제6군의 공식 이야기를 쓰는 임무를 맡았다. 그런데 괴벨스가 그 글을 발표하는 것을 금했다. 전후에 슈뢰터는 자신의 원고를 되찾았고, 저서를 다시 쓰기 전까지 스탈린그라드 전투에 관한 연구를 지속했다.

26 *The Ciano Diaries*, p. 556. 무솔리니의 제안은 pp. 555-556에 실려 있고, 독일 측의 12월

19일 OKW 전쟁일지로 확인된다.

27 Felix Gilbert, *Hitler Directs His War*, pp. 17-22. 이 책은 히틀러의 OKW 군사회의 속기록을 모은 것이다. 불행히도 기록의 일부만 복구되었다.

28 Görlitz, *History of the German General Staff*, p. 431.

제27장 신질서

1 *NCA*, IV, p. 559 (N.D. 1919-PS).

2 *Ibid.*, III, pp. 618-619 (N.D. 862-PS). 이 보호령의 국방군 부사령관 고타르트 하인리치 장군의 보고서.

3 보어만의 기록. *TMWC*, VII, pp. 224-226 (N.D. USSR 172)에서 인용.

4 *NCA*, III, pp. 798-799 (N.D. 1130-PS).

5 *Ibid.*, VIII, p. 53 (N.D. R-36).

6 브로이티감 박사의 1942년 10월 25일 의견서. *NCA*, III, pp. 242-251에 수록. 독일어 원문은 *TMWC*, XXV, pp. 331-342 (N.D. 294-PS).

7 *NCA*, VII, pp. 1086-1093 (N.D. L-221).

8 *TMWC*, IX, p. 633.

9 *Ibid.*, p. 634.

10 *TMWC*, VIII, p. 9.

11 *NCA*, VII, pp. 420-421 (N.D.s EC-344-16 and 17).

12 *Ibid.*, p. 469 (N.D. EC-411).

13 *Ibid.*, VIII, pp. 66-67 (N.D. R-92).

14 *Ibid.*, III, p. 850 (N.D. 1233-PS).

15 *Ibid.*, p. 186 (N.D. 138-PS).

16 *Ibid.*, pp. 188-189 (N.D. 141-PS).

17 *Ibid.*, V, pp. 258-262 (N.D. 2523-PS).

18 *Ibid.*, III, pp. 666-670 (N.D. 1015-B-PS).

19 *Ibid.*, I, p. 1105 (N.D. 090-PS).

20 *NCA*, VI, p. 456 (N.D. 1720-PS).

21 *Ibid.*, VIII, p. 186 (N.D. R-124).

22 *Ibid.*, III, pp. 71-73 (N.D. 031-PS).

23 *Ibid.*, IV, p. 80 (N.D. 1526-PS).

24 *Ibid.*, III, p. 57 (N.D. 016-PS).

25 *Ibid.*, III, p. 144 (N.D. 084-PS).

26 *Ibid.*, VII, pp. 2-7 (N.D. D-288).

27 *Ibid.*, V, pp. 744-754 (N.D. 3040-PS).

28 *Ibid.*, VII, pp. 260-264 (N.D. EC-68).

29 *Ibid.*, V, p. 765 (N.D. 3044-B-PS).

30 *Elder's Secret Conversations*, p. 501.

31 독일 측 기록에 대한 알렉산더 댈린(Alexander Dallin)의 철저한 연구인 *German Rule in Russia*, pp. 426-427에 근거. 댈린은 OKW-AWA에서 편찬한 *Nach-weisungen des Verbleibs der soujetischen Kr. Gef. nach den Stand vom 1. 5. 1944*의 수치를 사용했다. AWA는 OKW의 Allgemeines Wehrmachtsamt의 머리글자다.

32 *NCA*, III, pp. 126-130 (N.D. 081-PS).

33 *Ibid.*, V, p. 343 (N.D. 2622-PS).

34 *Ibid.*, III, p. 823 (N.D. 1165-PS).

35 *Ibid.*, IV, p. 558 (N.D. 1919-PS).

36 *TMWC*, XXXIX, pp. 48-49.

37 *Ibid.*, VI, pp. 185-186.

38 *NCA*, III, pp. 416-417 (N.D. 498-PS).

39 *Ibid.*, pp. 426-430 (N.D. 503-PS).

40 *NCA*, VII, pp. 798-799 (N.D. L-51).

41 *TMWC*, VII, p. 47.

42 *NCA*, VII, pp. 873-874 (N.D. L-90).

43 *Ibid.*, pp. 871-872 (N.D. L-90).

44 Harris, *Tyranny on Trial*, pp. 349-350.

45 올렌도르프의 뉘른베르크 증언, *TMWC*, IV, pp. 311-323. 올렌도르프의 선서진술서, 해리스의 심문 기록에 근거, *NCA*, V, pp. 341-342 (N.D. 2620-PS). 베커 박사의 서한, *ibid.*, III, pp. 418-419 (N.D. 501-PS).

46 *NCA*, VIII, p. 103 (N.D. R-102).

47 *Ibid.*, V, pp. 696-699 (N.D. 2992-PS).

48 *Ibid.*, IV, pp. 944-949 (N.D. 2273-PS).

49 *Trials of War Criminals*[TWC] (N.D. NO-511)의 IX 사건. '미합중국 대 오토 올렌도르프 등'의 이 사건은 이른바 '특무집단 사건'이라 불렸다.

50 Reitlinger, *The Final Solution*, pp. 499-500에 인용. 이 저서와 *The S.S.*에서 라이틀링거의 연구는 이 주제에 관해 내가 확인한 가장 철저한 연구다.

51 *Trials of War Criminals*[TWC] (N.D. NO-2653).

52 *NCA*, III, pp. 525-526 (N.D. 710-PS). 영어 번역에서 이 마지막 문장은 요점을 완전히 놓치고 있다. 독일어 단어 Endlösung(최종 해결)을 '바람직한 해결(desirable solution)'이라고 옮겼다. 독일어 원문을 보라.

53 *TMWC*, XI, p. 141.

54 *TWC*, XIII, pp. 210-219 (N.D. NG-2586-G).

55 *NCA*, IV, p. 563 (N.D. 1919-PS).

56 *Ibid.*, IV, pp. 812, 832-835 (N.D. 2171-PS).

57 *Ibid.*, VI, p. 791 (N.D. 3870-PS).

58 회스의 선서진술서, *NCA*, VI, pp. 787-790 (N.D. 3868-PS).

59 *TMWC*, VII, p. 584.

60 N.D. USSR-8, p. 197. 필기록.

61 *TMWC*, VII, p. 585.

62 *Ibid.*, p. 585 (N.D. USSR 225). 필기록.

63 *Law Reports of Trials of War Criminals*, I, p. 28. London, 1946. 이 책은 *TWC*에서 다루는 뉘른베르크 2차 재판 12건을 요약한 것이다.

64 인용한 자료들을 제외하고 아우슈비츠에 관한 위 절의 근거는 다음과 같다. 아우슈비츠에 수감되었던 프랑스 여성 바이앙-쿠튀리에(Vaillant-Couturier)의 증언, *TMWC*, VI, pp. 203-240; Case IV, 이른바 '강제수용소 사건', '미합중국 대 폴 등', *TWC*; *The Belsen Trial*, London, 1949; G. M. Gilbert, *Nuremberg Diary, op. cit.*; Filip Friedman, *This was Oswiecim*; Reitlinger, *The Final Solution* and *The S.S.*의 탁월한 연구.

65 *NCA*, VIII, p. 208 (N.D. R-135).

66 *NCA*, Suppl. A, pp. 675-682 (N.D.s 3945-PS, 3948-PS, 3951-PS).

67 *Ibid.*, p. 682 (N.D. 3951-PS).

68 *Ibid.*, pp. 805-807 (N.D. 4045-PS).

69 보고서, *ibid.*, III, pp. 719-775 (N.D. 1061-PS).

70 Reitlinger, *The Final Solution*, pp. 489-501. 저자는 유대인 절멸에 관해 나라별로 분석한다.

71 *TMWC*, IV, p. 371.

72 *TMWC*, XX, p. 548.

73 *Ibid.*, p. 519.

74 요제프 크라머의 심문 기록, *Trials of the War Criminals*―이른바 '의사 재판', '미합중국 대 브란트 등'의 Case I.

75 지버스의 증언, *TMWC*, XX, pp. 521-525.

76 *Ibid.*, p. 526.

77 앙리 에리피에르의 증언은 '의사 재판' 기록에 들어 있다.

78 *NCA*, VI, pp. 122-123 (N.D. 3249-PS).

79 *Ibid.*, V, p. 952 (N.D. 3249-PS).

80 *Ibid.*, IV, p. 132 (N.D. 1602-PS).

81 라셔 박사가 힘러에게 제출한 보고서, 1942년 4월 5일, '의사 재판', Case I, '미합중국 대 브란트 등'의 기록. 카를 브란트 박사는 히틀러의 주치의이자 보건 전권위원이었다. 브란트는 유죄로 사형 선고를 받고 교수형에 처해졌다.

82 *NCA*, Suppl. A, pp. 416-417 (N.D. 2428-PS).

83 히프케 박사가 힘러에게 보낸 편지, 1942년 10월 10일, Case I의 기록.

84 *NCA*, IV, pp. 135-136 (N.D. 1618-PS).

85 발터 네프의 증언, Case I의 기록.

86 라셔 박사가 힘러에게 보낸 편지. 1943년 4월 4일. Case I의 기록.

87 발터 네프의 증언. *ibid.*

88 힘러의 편지와 라셔의 항의. *ibid.*

89 1616-PS. Case I의 기록. 이 문서는 *TMWC*에 수록되지 않았고, *NCA*의 영어 번역은 너무 간략해서 아무런 도움도 되지 않는다.

90 Alexander Mitscherlich, M.D., and Fred Mielke, *Doctors of Infamy*, pp. 147-170. 두 독일인이 '의사 재판'을 훌륭하게 요약한 책이다. 미철리히 박사는 이 재판에서 독일의료 위원회의 수장이었다.

91 Wiener Library Bulletin, 1951, V, pp. 1-2. Reitlinger, *The S.S.*, p. 216에 인용.

제28장 무솔리니의 실각

1 *The Goebbels Diaries*, p. 352.

2 *FCNA*, 1943, p. 61.

3 펠트레 회담에 관한 이탈리아 측 기록은 *Hitler e Mussolini*, pp. 165-190에 있다. 또한 미국 국무부 회보, 1946년 10월 6일, pp. 607-614, 639; 슈미트의 회담 묘사, *op. cit.*, p. 263도 보라.

4 주요 전거는 히틀러가 7월 25일과 26일에 동프로이센 본부에서 부관들과 진행한 회의 속 기록으로, Felix Gilbert, *Hitler Directs His War*, pp. 39-71에 실려 있다. 다른 전거로 는 *The Goebbels Diaries*, 1943년 7월의 일기들, pp. 403-421; *Fürer Conferences on Naval Affairs*, 1943년 7월과 8월 독일 해군의 신임 총사령관 되니츠 제독이 남긴 회의록 들이 있다.

5 *The Memoirs of Field Marshal Kesselring* (London, 1953), pp. 177, 184. 나는 이 케 셀링 회고록의 영국판을 이용했다. 미국에서는 *A Soldier's Record*라는 제목으로 출간되 었다.

6 Kesselring, *op. cit.*와 Siegfried Westphal, *The German Army in the West*, pp. 149-152를 보라.

7 무솔리니 구출에 관한 당사자 서술은 Otto Skorzeny, *Skorzeny's Secret Mission*, 두체 본인의 *Memoirs, 1942-43*, 그리고 이 *Memoirs*의 영국판에 실린 호텔 캄포 임페라토레 (Campo Imperatore)의 이탈리아인 경영자 부부의 특별 기고문 등이 있다.

8 히틀러의 발언은 *FCNA*, 1943, p. 46에서 인용. 되니츠의 일기는 Wilmot, *op. cit.*, p. 152 에서 인용.

9 Halder, *Hitler als Feldherr*, p. 57.

10 나는 이 강연을 *End of a Berlin Diary*, pp. 270-286에서 길게 인용했다. 강연문(영어) 은 *NCA*, VII, pp. 920-975에 있다.

11 위의 괴벨스 일기는 *The Goebbels Diaries*, pp. 428-442, 468, 477-478에서 발췌했다. 1943년 8월 히틀러와 되니츠의 대화는 제독에 의해 *FCNA*, 1943, pp. 85-86에 기록되 었다.

제29장 연합군의 서유럽 침공과 히틀러 살해 시도

1 Dorothy Thompson, *Listen, Hans*, pp. 137-138, 283.

2 Hassell, *op. cit.*, p. 283.

3 *Zwischen Hitler und Stalin*. 리벤트로프의 증언, *TMWC*, X, p. 299.

4 George Bell, *The Church and Humanity*, pp. 165-176. 또한 Wheeler-Bennett, *Nemesis*, pp. 553-557.

5 Allen Dulles, *op. cit.*, pp. 125-146. 덜레스는 야코프 발렌베리가 작성한 괴르델러와의 회담 기록을 제공한다.

6 이 에피소드 전체는 대체로 슐라브렌도르프의 보고서, *op. cit.*, pp. 51-61에 근거한다.

7 루돌프 페첼(Rudolf Pechel)이 저서 *Deutscher Widerstand*에서 게르스도르프의 회고를 길게 인용한다.

8 이 학생 봉기에 관한 많은 서술이 있으며 그중 일부는 직접 서술이다. Inge Scholl, *Die weisse Rose*, (Frankfurt, 1952); Karl Vossler, *Gedenkrede für die Opfer an der Universität München* (Munich, 1947); Ricarda Huch, "Die Aktion der Münchner Studenten gegen Hitler", *Neue Schweizer Rundschau*, Zurich, 1948년 9~10월; "Der 18 Februar: Umriss einer deutschen Widerstandsbewegung", *Die Gegenwart*, 1940년 10월 30일; Pechel, *op. cit.*, pp. 99-104; Wheeler-Bennett, *Nemesis*, pp. 539-541; Dulles, *op. cit.*, pp. 120-122.

9 Dulles, *op. cit.*, pp. 144-145.

10 Constantine FitzGibbon, *20 July*, p. 39에 인용.

11 Desmond Young, *Rommel*, pp. 223-224. 슈트륄린이 영에게 이 만남에 관한 개인 서술을 제공했다. 또한 슈트륄린의 뉘른베르크 증언, *TMWC*, X, p. 56과 저서 *Stuttgart in Endstadium des Krieges*도 보라.

12 슈파이델은 저서 *Invasion 1944*, pp. 68, 73에서 이 점을 강조한다.

13 *Ibid.*, p. 65.

14 *Ibid.*, p. 71.

15 *Ibid.*, pp. 72-74.

16 Dulles, *op. cit.*, p. 139.

17 Schlabrendorff, *op. cit.*, p. 97.

18 제7군 사령부의 통화 기록. 실상을 드러내는 이 문서는 1944년 8월 온전한 상태로 압수되었는데, 디데이와 이후 노르망디 전투에서 히틀러의 군대에 무슨 일이 생겼는지 알려주는 귀중한 자료다.

19 Speidel, *op. cit.*, p. 93.

20 *Ibid.*, pp. 93-94. 나의 서술은 대체로 이 자료에 근거한다. 룬트슈테트의 참모장 블루멘트리트 장군도 서술을 남겼으며, Liddell Hart, *The Rommel Papers*, p. 479에도 보충 자료가 있다.

21 이 편지는 Speidel, *op. cit.*, pp. 115-117에 실려 있다. 조금 다른 버전은 *The Rommel*

Papers, pp. 486-487에 있다.

22 Speidel, *op. cit.*, p. 117.

23 *Ibid.*, pp. 104-117.

24 *Ibid.*, p. 119.

25 Schlabrendorff, *op. cit.*, p. 103. 슐라브렌도르프는 여전히 트레스코브의 참모진에 붙어 있었다.

26 7월 16일 음모단 회동에 관한 전거는 다음과 같다. 비츨레벤과 회프너 등에 대한 재판의 속기록; 7월 20일 봉기에 대한 칼텐브루너의 보고서; Eberhard Zeller, *Geist der Freiheit*, pp. 213-214; Gerhard Ritter, *Carl Goerdeler und die deutsche Widerstandsbewegung*, pp. 401-403.

27 Heusinger, *Befehl im Widerstreit*, p. 352는 이날 자신의 마지막 발언을 알려준다.

28 Zeller, *op. cit.*, p. 221.

29 Schmidt, *op. cit.*, pp. 275-277.

30 차를 마시는 자리에 있었던 이탈리아와 독일의 여러 손님들이 목격자 서술을 남겼다. 무솔리니와 동행한 친위대 연락장교 오이겐 돌만(Eugen Dollmann)은 저서 *Roma Nazista*, pp. 393-400과 연합국에 의한 심문에 관해 상세한 기록을 남겼고, 그 기록은 Dulles, *op. cit.*, pp. 9-11에 요약되어 있다. Zeller, *op. cit.*, p. 367, n.69와 Wheeler-Bennett, *Nemesis*, pp. 644-646은 대부분 돌만에 근거해 생생한 묘사를 시도했다.

31 이 전화 통화를 적은 기록이 인민재판소에 증거로 제출되었다. Schlabrendorff, *op. cit.*, p. 113에 인용.

32 Zeller, *op. cit.*, p. 363n에는 이 처형의 목격자 두 명의 증언이 소개되어 있는데, 근처 창문에서 목격한 육군 운전병과 프롬의 여성 비서다.

33 이날 저녁 벤틀러슈트라세에서 일어난 사태에 관한 서술은 대체로 1944년 8월 7~8일 인민재판소 재판에서 나온 회프너 장군의 솔직한 증언, 그리고 비츨레벤과 다른 장교 6명의 증언에 근거한다. 인민재판소의 기록은 1945년 2월 3일 미군의 폭격으로 소실되었지만, 속기사들 중 한 명이—본인에 따르면 목숨을 걸고서—폭격 전에 속기록을 빼돌리고 전후에 뉘른베르크 법정에 넘겨주었다. 그 속기록은 독일어 원문 그대로 *TMWC*, XXXIII, pp. 299-530에 실려 있다.

7월 20일의 음모에 관한 자료는 엄청나게 많은데, 대부분 상충되고 상당히 혼란스럽다. 이 음모를 가장 뛰어나게 재구성한 저작은 Zeller, *op. cit.*이며 그 pp. 381-388에서 전거 목록을 길게 제시한다. 괴르델러에 관한 Gerhard Ritter, *op. cit.*는 당연히 해당 주제에 너무 집중하기는 해도 기여한 바가 크다. Wheeler-Bennett, *Nemesis*는 영어로 구할 수 있는 최고의 서술을 제공하고, 첼러와 마찬가지로 오토 은(Otto John)의 미간행 회고록을 사용한다. 전후에 서독 정부와 갈등을 빚고 이 정부에 의해 수감된 은은 당일 벤틀러슈트라세에 있었고, 자신이 본 것과 슈타우펜베르크로부터 들은 것을 많이 기록했다. Constantine FritzGibbon, *op. cit.*는 대부분 독일 전거, 특히 첼러에 근거해 생생한 서술을 제공한다.

주의해서 읽어야 하긴 해도 보안국-게슈타포가 1944년 7월 21일부터 12월 15일까지 진행한 음모 수사의 일일 보고서도 귀중한 자료다. 일일 보고서는 칼텐브루너가 서명해 히틀러에게 보냈으며, 총통이 안경을 쓰지 않고도 읽을 수 있도록 유독 큰 글자로 작성했다. 일일 보고서는 보안국-게슈타포 요원 약 400명이 11개 수사단으로 나뉘어 진행한 '1944년 7월 20일에 관한 특별위원회'의 활동을 대표한다. 칼텐브루너의 보고서는 압수된 문서 중에 들어 있다. 워싱턴 국립문서고에서 마이크로필름 사본—No. T-84, Serial No. 39, Roll 19-21—을 구할 수 있다. 또한 Serial No. 40, Roll 22도 보라.

34 Zeller, *op. cit.*, p. 372, n.10에서 당시 동석했던 한 장교의 기억을 인용한다.

35 처형에 관한 서술은 나중에 2급 교도관이자 촬영기사인 한스 호프만(Hans Hoffmann)이 제공했으며 무엇보다 Wheeler-Bennett, *Nemesis*, pp. 683-684에 수록되어 있다.

36 Wilfred von Oven, *Mit Goebbels bis zum Ende*, II, p. 118.

37 Ritter, *op. cit.*, pp. 419-429는 이 흥미로운 측면에 관한 상세한 서술을 제공한다.

38 이 수치는 해군 문제에 관한 총통 회의의 기록(*FCNA*, 1944, p. 46)에서 제시되며, Zeller, *op. cit.*, p. 283에서 이 수치를 받아들인다. 공식 '처형 명부'를 발견한 Pechel은 *op. cit.*, p. 327에서 1944년에 처형이 3427건 있었다고 말한다. 다만 그중 소수는 7월 20일의 음모와 무관한 처형이었을 것이다.

39 Schlabrendorff, *op. cit.*, pp. 119-120. 나는 독일어 원문에 더 부합하도록 영어 번역문을 약간 변경했다.

40 블루멘트리트 장군은 이 서술을 리델 하트(*The German Generals Talk*, pp. 217-223)에게 제공했다.

41 *Ibid.*, p. 222. 파리에서의 음모 종결에 관한 자료는 슈파이델의 저서와 목격자들이 독일 잡지에 기고한 수많은 글을 포함해 상당히 많다. 가장 뛰어난 전반적 서술은 서부에 주둔했던 육군 기록 보관 담당자 빌헬름 폰 슈람(Wilhelm von Schramm)의 *Der 20 Juli in Paris*다.

42 Felix Gilbert, *op. cit.*, p. 101.

43 Speidel, *op. cit.*, p. 152. 로멜의 죽음에 관한 나의 서술은 로멜 부인과 그 밖의 목격자들에게 질문한 슈파이델의 저서 외에 다음과 같은 자료들에 근거한다. 로멜의 아들 만프레트가 작성한 두 가지 보고서로, 하나는 영국 정보기관을 위해 작성한 것으로 Shulman, *op. cit.*, p. 138-139에 인용되어 있고, 다른 하나는 *The Rommel Papers*, ed. by Liddell Hart, pp. 495-505를 위해 작성한 것이다. 1945년 9월 28일 뉘른베르크에서 존 H. 아멘이 카이텔 장군을 심문한 기록(*NCA*, Suppl. B, pp. 1256-1271). Desmond Young, *op. cit.*도 로멜 가족과 친구들, 그리고 전후 마이젤(Maisel) 장군의 탈나치화 재판에 근거해 상세한 서술을 제공한다.

44 Speidel, *op. cit.*, pp. 155, 172.

45 *TMWC*, XXI, p. 47.

46 Görlitz, *History of the German General Staff*, p. 477.

47 Guderian, *op. cit.*, p. 273.

48 *Ibid.*, p. 276.

49 Liddell Hart, *The German Generals Talk*, pp. 222-223.

제30장 독일 정복

1 Speidel, *op. cit.*, p. 147.

2 영국 육군부의 심문 기록, Shulman, *op. cit.*, p. 206에 인용.

3 총통 회의, 1944년 8월 31일, Felix Gilbert, *op. cit.*, p. 106.

4 총통 회의, 1943년 3월 13일.

5 미국 전략폭격조사단, *Economic Report*, Appendix, Table 15.

6 미 제1군 G-2 보고서에서, Shulman, *op. cit.*, pp. 215-219에 인용.

7 Eisenhower, *Crusade in Europe*, p. 312.

8 룬트슈테트가 리델 하트에게 발언, *The German Generals Talk*, p. 229.

9 Guderian, *op. cit.*, pp. 305-306, 310.

10 Manteuffel, in Freidin and Richardson (eds.), *op. cit.*, p. 266.

11 총통 회의, 1944년 12월 12일.

12 Guderian, *op. cit.*, p. 315.

13 *Ibid.*, p. 334.

14 알베르트 슈페어가 히틀러에게 제출한 의견서, 1945년 1월 30일, *TMWC*, XLI.

15 Guderian, *op. cit.*, p. 336.

16 총통 회의, 1945년 1월 27일. 이 기록은 Felix Gilbert, *op. cit.*, pp. 111-132에 포함되어 있다. 나는 텍스트의 순서를 조금 바꾸었다.

17 총통 회의, 날짜 미상이지만 아마도 1945년 2월 19일일 것이다. 되니츠 제독이 회의에 관한 기록을 이 날짜에 남겼기 때문이다. *FCNA*, 1945, p. 49를 보라. Gilbert, *op. cit.*, p. 179에 히틀러의 발언이 인용되어 있다.

18 *FCNA*, 1945, pp. 50-51.

19 총통 회의, 1945년 3월 23일. 이것은 보존된 마지막 회의록이다. Gilbert, *op. cit.*, pp. 141-174에 전문이 실려 있다.

20 알베르트 슈페어의 뉘른베르크 증언, *TMWC*, XVI, p. 492.

21 Guderian, *op. cit.*, pp. 341, 343.

22 히틀러의 명령, *FCNA*, 1945, p. 90.

23 Speer, *TMWC*, XVI, pp. 497-498. 히틀러와 슈페어의 발언을 포함해 이 절의 전거는 슈페어가 1946년 6월 20일 뉘른베르크 증인석에서 한 증언(*TMWC*, XVI에 수록)과, 자신을 변호하며 제출한 문서다(*TMWC*, XLI에 수록).

24 SHAEF 정보 요약, 1945년 3월 11일. Wilmot, *op. cit.*, p. 690에 인용.

제31장 신들의 황혼: 제3제국의 마지막 나날

1 슈베린 폰 크로지크 백작의 미간행 일기. 나는 핵심 내용을 발췌해 *End of a Berlin Diary*,

pp. 190-205에 수록했다.

트레버-로퍼도 *The Last Days of Hitler*에서 이 일기를 인용한다. 전시에 영국 정보장교였던 역사가 트레버-로퍼는 히틀러 최후의 정황을 조사하라는 임무를 배정받았다. 그 결과물이 이 탁월한 저서인데, 제3제국의 마지막 장을 쓰려는 모든 사람은 이 책에 빚지고 있다. 나는 다른 여러 전거, 특히 슈페어, 카이텔, 요들, 카를 콜러 장군, 되니츠, 크로지크, 하나 라이치, 게르하르트 볼트(Gerhardt Boldt) 대위, 요아힘 슐츠(Joachim Schultz) 대위에 더해 히틀러의 여성 비서들 중 한 명과 운전사까지 포함해 목격자들의 직접 서술을 이용할 수 있었다.

2   Gerhardt Boldt, *In the Shelter with Hitler*, Ch. 1. 볼트 대위는 구데리안의 부관을 지냈고 당시 마지막 육군 참모총장 크렙스 장군의 부관이었으며, 마지막 나날을 총통 벙커에서 보냈다.

3   Albert Zoller, *Hitler Privat*, pp. 203-205. 프랑스어판(*Douze Ans auprès d'Hitler*)에 따르면 졸러(Zoller)는 미 제7군에 심문 장교로서 배속된 프랑스 육군 대위였고, 그 자격으로 히틀러의 여성 비서 넷 중 한 명을 심문했다. 1947년에 졸러는 그 비서와 함께 총통을 회고하는 이 책을 썼다. 그 비서는 아마도 1933년부터 최후 1주일 전까지 히틀러의 속기사로 일한 크리스타 슈뢰더(Christa Schroeder)일 것이다.

4   크로지크의 일기.

5   *Ibid.*

6   Wilmot, *op. cit.*, p. 699에 인용.

7   Trevor-Roper, *op. cit.*, p. 100. 이 서술은 괴벨스의 비서들 중 한 명인 잉게 하버체텔(Inge Haberzettel)이 제공했다.

8   Michael, A. Musmanno, *Ten Days to Die*, p. 92. 전시 미 해군 정보장교로 활동한 무스마노(Musmanno) 판사는 마지막 나날에 히틀러와 함께 있었던 생존자들을 직접 심문했다.

9   카이텔의 심문 기록, *NCA*, Suppl. B, p. 1294.

10 *NCA*, VI, p. 561 (N.D. 3734-PS). 이것은 히틀러의 벙커 생활 마지막 며칠과 관련해 하나 라이치를 심문한 미 육군의 기록을 길게 요약한 것이다. 라이치는 나중에 자신의 진술 중 일부를 부인했지만, 육군 당국은 라이치가 1945년 10월 8일 심문 중에 진술한 내용이 상당히 정확하다는 것을 확인했다. 라이치가 매우 신경질적인 사람이긴 하지만, 혹은 벙커에서 괴로운 경험을 한 이후 몇 달 동안 그렇기는 했지만, 다른 사람들의 증언과 대조해 본 그녀의 서술은 히틀러의 마지막 나날에 관한 귀중한 기록이다.

11 Karl Koller, *Der letzte Monat*, p. 23. 이것은 1945년 4월 14일부터 5월 27일까지의 콜러의 일기로, 제3제국의 마지막 나날에 관한 귀중한 전거다.

12 카이텔의 뉘른베르크 심문 기록, *NCA*, Suppl. B, pp. 1275-1279. 같은 날 밤에 요들도 콜러 장군에게 작별 상황을 알려주었고, 콜러는 4월 22~23일 일기에 기록했다. Koller, *op. cit.*, pp. 30-32를 보라.

13 Trevor-Roper, *op. cit.*, pp. 124, 126-127. 트레버-로퍼는 "약간의 의구심을 품고서" 베

르거의 서술을 제시한다.

14 카이텔은 심문 중에 이 발언을 기억해냈다. *loc. cit.*, p. 1277. 요들의 서술은 콜러의 일기, *op. cit.*, p. 31에 있다.

15 Bernadotte, *The Curtain Falls*, p. 114; Schellenberg, *op. cit.*, pp. 399-400. 이 만남에 관한 두 저자의 서술은 상당히 일치한다.

16 슈페어의 뉘른베르크 증언, *TMWC*, XVI, pp. 554-555.

17 하나 라이치의 심문 기록, *loc. cit.*, pp. 554-555.

18 *Ibid.*, p. 556. 여기서부터 라이치의 인용과 사건 묘사는 모두 *NCA*, VI, pp. 551-571 (N.D. 3734-PS)의 심문 기록에 근거한다. 따라서 일일이 전거를 밝히지 않을 것이다.

19 카이텔의 심문 기록, *loc. cit.*, pp. 1281-1282. 기억에 의지한 발언. 4월 29일 오후 7시 52분 히틀러가 요들에게 보낸 무전 메시지의 독일 해군 기록도 비슷하며(*FCNA*, 1945, p. 120), 동일한 텍스트가 담긴 슐츠의 OKW 일지(p. 51)는 4월 29일 오후 11시에 요들의 메시지를 받았다고 기록하고 있다. 이것은 오류일 텐데, 당일 그 시각에 히틀러는 그의 행동으로 판단하건대 더 이상 군에 신경쓰지 않았기 때문이다.

20 Trevor-Roper, *op. cit.*, p. 163은 첫 번째 메시지를 제공한다. 두 번째 메시지를 나는 해군의 기록 *FCNA*, 1945, p. 120에서 발견했다. 벙커에 있던 해군 연락장교의 또다른 메시지는 *FCNA*, p. 120에 실려 있다.

21 히틀러의 정치적 유언과 개인 유언의 텍스트는 N.D. 3569-PS에 있다. 결혼증명서 사본 역시 뉘른베르크에서 제출되었다. 나는 *End of a Berlin Diary*, pp. 177-183에 세 문서의 텍스트를 모두 실었다. 다소 급하게 한 영어 번역은 *NCA*, VI, pp. 259-263에 있다. 독일어 원문은 *TMWC*, XLI, 슈페어의 문서 부분에 포함되어 있다.

22 Koller, *op. cit.*, p. 79는 보어만의 무전 메시지를 제공한다.

23 괴벨스의 고별사는 뉘른베르크 재판에 제출되었다. 나는 *End of a Berlin Diary*, p. 183n에 그 고별사를 실었다.

24 히틀러 부부의 죽음에 관해 켐프카는 두 차례 선서 후 진술했으며 *NCA*, VI, pp. 571-586 (N.D. 3735-PS)에 그 진술이 실려 있다.

25 Jürgen Thorwald, *Das Ende an der Elbe*, p. 224.

26 괴벨스 가족의 죽음에 관한 이 서술은 Trevor-Roper, *op. cit.*, pp. 212-214에 실려 있고, 대체로 슈베거만, 악스만, 켐프카의 증언에 근거한다.

27 Joachim Schultz, *Die letzten 30 Tage*, pp. 81-85. 이 책은 전쟁 마지막 달의 OKW 일지에 근거하며 나는 이 장에서 여러 대목을 뒷받침하기 위해 이 책을 사용했다. 이 책은 토어발트(Thorwald)의 감독 아래 *Dokumente zur Zeitgeschichte*라는 일반적인 제목으로 발행한 몇 권 가운데 한 권이다.

28 Eisenhower, *op. cit.*, p. 426.

참고문헌

이 책은 주로 압수된 독일 문서, 독일 장교들과 관료들의 심문 기록과 증언, 그들 중 일부가 남긴 일기와 회고록, 나의 제3제국 경험에 근거한다.

그간 독일의 여러 문서고에 있던 수백만 단어의 자료가 여러 시리즈물로 발간되었고, 여러 도서관—미국에서는 주로 의회 도서관과 스탠퍼드 대학의 후버 도서관—과 위싱턴의 국립 문서고에서 다른 수백만 단어의 자료를 소장하거나 마이크로필름에 찍어 보관해왔다. 여기에 더해 위싱턴의 미국 육군부 군사감실에서 방대한 양의 독일 군사기록을 소장하고 있다.

문서 간행물 가운데 나의 목표에 가장 유익한 것은 세 종류의 시리즈물이다. 그중 첫째는 《독일 외교정책 문서Documents on German Foreign Policy》의 시리즈 D로, 1937년부터 1940년 여름까지 독일 외무부 문서를 다량 선별하고 영어로 번역해 수록하고 있다. 나는 국무부의 호의 덕에 아직 번역되거나 공개되지 않은, 주로 미국에 대한 독일의 선전포고와 관련한 독일 외무부의 다른 여러 문서에 접근할 수 있었다.

뉘른베르크 주요 재판을 다루는 두 종류의 문서 시리즈물은 제3제국의 이면을 알려주는 귀중한 자료다. 그중 하나는 42권으로 이루어진 《주요 전범 재판Trial of the Major War Criminals》이며, 처음 23권에 주요 전범들의 재판 증언이 담겨 있고, 나머지 19권에 증거로 채택된 문서들의 텍스트가 원어(대부분 독일어)로 실려 있다. 이 재판을 위해 수집하고 다소 급하게 영어로 번역한 추가 문서, 심문 기록, 선서진술서는 《나치의 음모와 침공Nazi Conspiracy and Aggression》이라는 10권짜리 시리즈물에 수록되어 있다. 불행히도 국제군사재판에서 이루어진 극히 귀중한 증언 대부분이 《나치의 음모와 침공》 시리즈물에는 빠져 있으며, 몇몇 주요 도서관에서 등사물 형태로만 구할 수 있다.

미국 군사법정에서 뉘른베르크 후속 재판이 열두 차례 열렸지만, 이들 재판에서의 증언과 문서로 이루어진 방대한 15권짜리 시리즈 《뉘른베르크 군사법원 전범 재판Trials of War Criminals before the Nuremberg Military Tribunals》에 수록된 양은 전체 자료의 10분의 1 이하다. 그렇지만 나머지 자료를 몇몇 도서관에서 등사물이나 복사 사진 형태로 찾을 수 있을 것이다. 제3제국을 이해하는 데 큰 도움이 되는 다른 재판들을 요약한 자료는 영국 스테이셔너리 오피스Stationery Office 출판사에서 발행한 《전범 재판 판례집Law Reports of Trials of War Criminals》에서 찾을 수 있을 것이다.

후버 도서관, 의회 도서관, 국립문서고의 풍부한 소장물 이외의 미간행 독일 문서—무엇보다 힘러의 서류철과 히틀러의 여러 개인 문서를 포함하는—가운데 가장 중요한 발견물 중 하나는 이른바 '알렉산드리아 문서Alexandria Papers'[미국 버지니아주의 도시 알렉산드리아를 가리킨다]였으며, 이제 그중 상당 부분이 국립문서고에 마이크로필름 형태로 보관되어 있다. 압수된 다른 여러 문서에 관한 정보는 이 책의 주에서 찾을 수 있다. 덧붙여 말하자면, 미간행 독일 자료 중 할더 장군의 일기—타자식 원고 7권이며 전후에 장군이 일부 구절의 의미를 명확히 밝히기 위해 주석을 달았다—는 내가 보기에 제3제국에 관한 가장 귀중한 기록 중 하나다.

나에게 유용했던 저작들 중 일부의 목록을 아래에 실었다. 이 목록은 세 유형으로 나뉜다. 첫째, 이 서사에 등장하는 주요 인물들의 회고록과 일기다. 둘째, 영국의 존 W. 휠러-베넷, 앨런 불록, H. R. 트레버-로퍼, 제럴드 라이틀링거, 미국의 텔퍼드 테일러, 독일의 에버하르트 첼러, 게르하르트 리터, 루돌프 페첼, 발터 괴를리츠 같은 이들이 새로운 문서 자료에 근거해 쓴 저술이다. 셋째, 배경지식을 제공하는 저술이다.

제3제국에 관한 포괄적인 참고문헌은 현대사 연구소Institut für Zeitgeschichte의 후원으로 뮌헨에서 《현대사 계간지Vierteljahrshefte für Zeitgeschichte》의 특별호로 발행되었다. 런던 비너 도서관의 카탈로그에도 훌륭한 참고문헌이 실려 있다.

발간된 문서 자료

Der Hitler Prozess. Munich: Deutscher Volksverlag, 1924. (뮌헨에서 열린 히틀러 재판 절차의 기록)

Documents and Materials relating to the Eve of the Second World War, 1937-39. 2 vols. Moscow: Foreign Language Publishing House, 1948.

Documents concerning German-Polish Relations and the Outbreak of Hostilities between Great Britain and Germany. London: His Majesty's Stationery Office, 1939. (The *British Blue Book*)

Documents on British Foreign Policy, 1919-39. London: H. M. Stationery Office, 1947- . (주에서 *DBrFP*로 지칭)

Documents on German Foreign Policy, 1918-45. Series D, 1937-45. 10 vols(1957년부터 발행). Washington: U.S. Department of State. (*DGFP*로 지칭)

Dokumente der deutschen Politik, 1933-40. Berlin, 1935-43.

Fuebrer Conferences on Naval Affairs (등사물). London: British Admiralty, 1947. (*FCNA*로 지칭)

Hitler e Mussolini—Lettere e documenti. Milan: Rizzoli, 1946.

I Documenti diplomatica italiani. Ottavo series, 1935–39. Rome: Libreria della Stato, 1952–53. (*DDI*로 지칭)

Le Livre Jaune Français. Documents diplomatiques, 1938–39. Paris: Ministère des Affaires Étrangères. (The *French Yellow Book*)

Nazi Conspiracy and Aggression. 10 vols. Washington: U.S. Government Printing Office, 1946. (*NCA*로 지칭)

Nazi-Soviet Relations, 1939–41. Documents from the Archives of the German Foreign Office. Washington: U.S. Department of State, 1948. (*NSR*로 지칭)

Official Documents concerning Polish-German and Polish-Soviet Relations, 1933–39. London, 1939. (The *Polish White Book*)

Pearl Harbor Attack. 진주만 공격 조사 합동위원회 청문회. 39 vols. Washington: U.S. Government Printing Office, 1946.

Soviet Documents on Foreign Policy. 3 vols. London: Royal Institute of International Affairs, 1951–53.

Spanish Government and the Axis. Washington: U.S. State Department, 1946 (독일 외무부 문서를 바탕으로).

Trial of the Major War Criminals before the International Military Tribunal. 42 vols. 뉘른베르크에서 발행. (*TMWC*로 지칭)

Trials of War Criminals before the Nuremberg Military Tribunals. 15 vols. Washington: U.S. Government Printing Office, 1951–52. (*TWC*로 지칭)

히틀러의 연설

Adolf Hitlers Reden. Munich, 1934.

Baynes, Norman H., ed.: *The Speeches of Adolf Hitler, April 1922–August 1939.* 2 vols. New York, 1942.

Prange, Gordon W., ed.: *Hitler's Words.* Washington, 1944.

Roussy de Sales, Count Raoul de, ed.: *My New Order.* New York, 1941. (히틀러의 연설, 1922–41)

일반 저술

Abshagen, K. H.: *Canaris.* Stuttgart, 1949.

Ambruster, Howard Watson: *Treason's Peace.* New York, 1947.

Anders, Wladyslaw: *Hitler's Defeat in Russia.* Chicago, 1953.

Anonymous(익명): *De Weimar au Chaos—Journal politique d'un Général de la Reichswehr.* Paris, 1934.

Armstrong, Hamilton Fish: *Hitler's Reich.* New York, 1933.

Assmann, Kurt: *Deutsche Schicksalsjahre.* Wiesbaden, 1950.

Badoglio, Marshal Pietro: *Italy in the Second World War*. London, 1948.

Barraclough, S.: *The Origins of Modern Germany*. Oxford, 1946.

Bartz, Karl: *Als der Himmel brannte*. Hanover, 1955.

Baumont, Fried and Vermeil, eds.: *The Third Reich*. New York, 1955.

Bayle, François: *Croix gammée ou caducée*. Freiburg, 1950. (나치 인체실험에 관한 문서 서술)

Belgian Ministry of Foreign Affairs: *Belgium: The Official Account of What Happened, 1939-1940*. New York, 1941.

Beneš, Eduard: *Memoirs of Dr. Eduard Beneš. From Munich to New War and New Victory*. London, 1954.

Bénoist-Méchin, Jacques: *Histoire de l'Armée allemande depuis l'Armistice*. Paris, 1936-38.

Bernadotte, Folke: *The Curtain Falls*. New York, 1945.

Best, Captain S. Payne: *The Venlo Incident*. London, 1950.

Bewegung, Staat und Volk in ihren Organisationen. Berlin, 1934.

Blumentritt, Günther: *Von Rundstedt*. London, 1952.

Boldt, Gerhard: *In the Shelter with Hitler*. London, 1948.

Bonnet, Georges: *Fin d'une Europe*. Geneva, 1948.

Boothby, Robert: *I Fight to Live*. London, 1947.

Bormann, Martin: *The Bormann Letters: the Private Correspondence between Martin Bormann and his Wife, from Jan. 1943 to April 1945*. London, 1954.

Bradley, General Omar N.: *A Soldier's Story*. New York, 1951.

Brady, Robert K.: *The Spirit and Structure of German Fascism*. London, 1937.

Bryans, J. Lonsdale: *Blind Victory*. London, 1951.

Bryant, Sir Arthur: *The Turn of the Tide—A History of the War Years Based on the Diaries of Field Marshal Lord Alanbrooke, Chief of the Imperial General Staff*. New York, 1957.

Bullock, Alan: *Hitler—A Study in Tyranny*. New York, 1952.

Butcher, Harry C.: *My Three Years with Eisenhower*. New York, 1946.

Carr, Edward Hallett: *German-Soviet Relations between the Two World Wars, 1919-1939*. Baltimore, 1951.

____, *The Soviet Impact on the Western World*. New York, 1947.

Churchill, Sir Winston S.: *The Second World War*. 6 vols. New York, 1948-1953.

Ciano, Count Galeazzo: *Ciano's Diplomatic Papers*. edited by Malcolm Muggeridge. London, 1948.

____, *Ciano's Hidden Diary, 1937-1938*. New York, 1953.

_____, *The Ciano Diaries, 1939-1943*. edited by Hugh Wilson. New York, 1946.

Clausewitz, Karl von: *On War*. New York, 1943.

Coole, W. W., and Potter, M. F.: *Thus Speaks Germany*. New York, 1941.

Craig, Gordon A.: *The Politics of the Prussian Army, 1940-1945*. New York, 1955.

Croce, Benedetto: *Germany and Europe*. New York, 1944.

Czechoslovakia Fights Back. Washington: American Council on Public Affais, 1943.

Dahlerus, Birger: *The Last Attempt*. London, 1947.

Dallin, Alexander: *German Rule in Russia, 1941-1944*. New York, 1957.

Daluces, Jean: *Le Troisième Reich*. Paris, 1950.

Davies, Joseph E.: *Mission to Moscow*. New York, 1941.

Derry, T. K.: *The Campaign in Norway*. London, 1952.

Deuel, Wallace: *People under Hitler*. New York, 1943.

Dewey, John: *German Philosophy and Politics*. New York, 1952.

Diels, Rudolf: *Lucifer ante Portas*. Stuttgart, 1950.

Dietrich, Otto: *Mit Hitler in die Macht*. Munich, 1934.

Dollmann, Eugen: *Roma Nazista*. Milan, 1951.

Draper, Theodore: *The Six Weeks' War*. New York, 1944.

Dubois, Josiah E., Jr.: *The Devil's Chemists*. Boston, 1952.

Dulles, Allen: *Germany's Underground*. New York, 1947.

Ebenstein, William: *The Nazi State*. New York, 1943.

Eisenhower, Dwight D.: *Crusade in Europe*. New York, 1948.

Ellis, Major L. F.: *The War in France and Flanders, 1939-1950*. London, 1953.

Eyck, E.: *Bismarck and the German Empire*. London, 1950.

Feiling, Keith: *The Life of Neville Chamberlain*. London, 1946.

Feucher, Georg W.: *Geschichte des Luftkriegs*. Bonn, 1954.

Fisher, H. A. L.: *A History of Europe*. London, 1936.

Fishman, Jack: *The Seven Men of Spandau*. New York, 1954.

FritzGibbon, Constantine: *20 July*. New York, 1956.

Fleming, Peter: *Operation Sea Lion*. New York, 1957.

Flenley, Ralph: *Modern German History*. New York, 1953.

Foerster, Wolfgang: *Ein General kämpft gegen den Krieg*. Munich, 1949. (베크 장군의 문서)

François-Poncet, André: *The Fateful Years*. New York, 1949.

Freidin, Seymour, and Richardson, William, eds.: *The Fateful Decisions*. New York,

1956.

Friedman, Filip: *This was Oswiecim*. London, 1946.

Frischauer, Willy: *The Rise and Fall of Hermann Goering*. Boston, 1951.

Fuller, Major-General J. F. C.: *The Second World War*. New York, 1949.

Galland, Adolf: *The First and the Last. The Rise and Fall of the Luftwaffe Fighter Forces, 1938-45*. New York, 1954.

Gamelin, General Maurice Gustave: *Servir*. 3 vols. Paris, 1949.

Gay, Jean: *Carnets Secrets de Jean Gay*. Paris, 1940.

Germany: A Self-Portrait. Harland R. Crippen, ed. New York, 1944.

Gilbert, Felix: *Hitler Directs His War*. New York, 1950. (히틀러의 일일 군사회의 기록 중 일부)

Gilbert, G. M.: *Nuremberg Diary*. New York, 1947.

Gisevius, Bernd: *To the Bitter End*. Boston, 1947.

Glaubenskrise im Dritten Reich. Stuttgart, 1953.

Goebbels, Joseph: *Vom Kaiserhof zur Reichskanzlei*. Munich, 1936.

_____, *The Goebbels Diaries, 1942-1943*. edited by Louis P. Lochner. New York, 1948.

Goerlitz, Walter: *History of the German General Staff, 1657-1945*. New York, 1953.

_____, *Der zweite Weltkrieg, 1939-45*. 2 vols. Stuttgart, 1951.

Goudima, Constantin: *L'Armée Rouge dans la Paix et la Guerre*. Paris, 1947.

Greiner, Helmuth: *Die Oberste Wehrmachtführung, 1939-1945*. Wiesbaden, 1951.

Greiner, Josef: *Das Ende des Hitler-Mythos*. Vienna, 1947.

Guderian, General Heinz: *Panzer Leader*. New York, 1952.

Guillaume, General A.: *La Guerre Germano-Soviétique, 1941*. Paris, 1949.

Habatsch, Walther: *Die deutsche Besetzung von Dänemark und Norwegen, 1940*. 2nd ed. Göttingen, 1952.

Halder, Franz: *Hitler als Feldherr*. Munich, 1949.

Halifax, Lord: *Fullness of Days*. New York, 1957.

Hallgarten, George W. F.: *Hitler, Reichswehr und Industrie*. Frankfurt, 1955.

Hanfstaengl, Ernst: *Unheard Witness*. New York, 1957.

Harris, Whitney R.: *Tyranny on Trial — The Evidence at Nuremberg*. Dallas, 1954. (*TMWC*와 *NCA*에서 독일 문서를 선별한 모음집)

Hassell, Ulrich von: *The Von Hassell Diaries, 1938-1944*. New York, 1947.

Hegel: *Lectures on the Philosophy of History*. London, 1902.

Heiden, Konrad: *A History of National Socialism*. New York, 1935.

_____, *Hitler — A Biography*. New York, 1936.

_____, *Der Führer*. Boston, 1944.

Henderson, Nevile: *The Failure of a Mission*. New York, 1940.

Herman, Stewart W., Jr.: *It's Your Souls We Want*. New York, 1943.

Heusinger, General Adolf: *Befehl im Widerstreit—Schicksalsstunden der deutschen Armee, 1923-1925*. Stuttgart, 1950.

Hindenburg, Field Marshal Paul von Beneckendorf und von: *Aus meinem Leben*. Leipzig, 1934.

Hitler, Adolf: *Mein Kampf*. Boston, 1943. 이 책은 Houghton Mifflin 출판사에서 출간한 무삭제 영어 번역본이다. (독일어 원서: Munich, 1925, 1927. 세1권, *Eine Albrechnung*은 1925년에 출간되었다. 제2권 *Die Nationalsozialistische Bewegung* 은 1927년에 출간되었다. 그 후 두 권이 한 권으로 합본되었다.)

Hitler's Secret Conversations, 1941-44. New York, 1953.

Höttl, Wilhelm (Walter Hagen): *The Secret Front: The Story of Nazi Political Espionage*. New York, 1954.

Hofer, Walther: *War Premeditated, 1939*. London, 1955. (*Die Entfesselung des zweiten Weltkrieges*에서 영어로 번역)

Hossbach, General Friedrich: *Zwischen Wehrmacht und Hitler*. Hanover, 1949.

Hull, Cordell: *The Memoirs of Cordell Hull*. 2 vols. New York, 1948.

Jacobsen, Hans-Adolf: *Dokumente zur Vorgeschichte des Westfeldzuges, 1939-40*. Göttingen, 1956.

Jarman, T. L.: *The Rise and Fall of Nazi Germany*. London, 1955.

Jasper, Karl: *The Question of German Guilt*. New York, 1947.

Kelly, Douglas M.: *22 Cells in Nuremberg*. New York, 1947.

Kesseling, Albert: *A Soldier's Record*. New York, 1954.

Kielmannsegg, Graf: *Der Fritsch Prozess*. Hamburg, 1949.

Klee, Captain Karl: *Das Unternehmen Seelöwe*. Göttingen, 1949.

Klein, Burton: *Germany's Economic Preparations for War*. Cambridge, 1959.

Kleist, Peter: *Zwischen Hitler und Stalin*. Bonn, 1950.

Kneller, George Frederick: *The Educational Philosophy of National Socialism*. New Haven, 1941.

Kogon, Eugen: *The Theory and Practice of Hell*. New York, 1951. (독일어 원서: *Der SS Staat und das System der deutschen Konzentrationslager*. Munich, 1946)

Kohn, Hans, ed.: *German History: Some New German Views*. Boston, 1954.

Koller, General Karl: *Der letzte Monat*. Mannheim, 1949. (마지막 공군 참모총장의 일기)

Kordt, Erich: *Nicht aud den Akten*. (*Die Wilhelmstrasse in Frieden und Krieg,*

1928-1945) Stuttgart, 1950.

____, *Wahn und Wirklichkeit*. Stuttgart, 1947.

Kreis, Ernst, and Speier, Hans: *German Radio Propaganda*. New York, 1946.

Krosick, Count Lutz Schwerin von: *Es geschah in Deutschland*. Tübingen, 1951.

Kubizek, August: *The Young Hitler I Knew*. Boston, 1955.

Langer, William L.: *Our Vichy Gamble*. New York, 1947.

Langer and Gleason: *The Undeclared War, 1940-1941*. New York, 1953.

Laval, Pierre: *The Diary of Pierre Laval*. New York, 1948.

Lenard, Philipp: *Deutsche Physik*. 2nd ed. Munich-Berlin, 1938.

Les Lettres Sécrètes Échangées par Hitler et Mussolini. Paris, 1946.

Lichtenberger, Henri: *L'Allemagne Nouvelle*. Paris, 1936.

Liddell Hart, B. H.: *The German Generals Talk*. New York, 1948.

____ (ed.): *The Rommel Papers*. New York, 1953.

Lilge, Frederic: *The Abuse of Learning: The Failure of the German University*. New York, 1948.

Litvinov, Maxim: *Notes for a Journal*. New York, 1955.

Lorimer, E. O.: *What Hitler Wants*. London, 1939.

Lossberg, General Bernhard von: *Im Wehrmacht Führungsstab*. Hamburg, 1950.

Ludecke, Kurt: *I Knew Hitler*. London, 1938.

Ludendorff, General Erich: *Auf dem Weg zur Feldherrnhalle*. Munich, 1937.

Ludendorff, Margarethe: *Als ich Ludendorffs Frau war*. Munich, 1929.

Lüdde-Neurath, Walter: *Die letzten Tage des Dritten Reiches*. Göttingen, 1951.

Manstein, Field Marshal Erich von: *Verlorene Siege*. Bonn, 1955. (영어 번역본: *Lost Victories*. Chicago, 1958)

Martiensen, Anthony K.: *Hitler and His Admirals*. New York, 1949.

Meinecke, Friedrich: *The German Catastrophe*. Cambridge, 1950.

Meissner, Otto: *Staatssekretär unter Ebert-Hindenburg-Hitler*. Hamburg, 1950.

Melzer, Walther: *Albert-Kanal und Eben-Emael*. Heidelberg, 1957.

Mitscherlich, Alexander, M.D., and Mielke, Fred: *Doctors of Infamy*. New York, 1949.

Monzie, Anatole de: *Ci-Devant*. Paris, 1942.

Morison, Samuel Eliot: *History of the United States Naval Operations in World War II*. Vol. 1, *The Battle of the Atlantic, September 1939-May 1943*. Boston, 1948.

Mourin, Maxime: *Les Complots contre Hitler*. Paris, 1948.

Musmanno, Michael A: *Ten Days to Die*. New York, 1950.

Mussolini, Benito: *Memoirs 1942-1943*. London, 1949.

Namier, Sir Lewis B.: *In the Nazi Era*. London, 1952.

____, *Diplomatic Prelude, 1938-1939*. London, 1948.

Nathan, Otto: *The Nazi Economic System: Germany's Mobilization for War*. Durham, N.C., 1944.

Neumann, Franz L.: *Behemoth*. New York, 1942.

O'Brien, T. H.: *Civil Defence*. London, 1955. (영국의 공식 2차대전 역사서 중 한 권. J. R. M. Butler가 엮음)

Olden, Rudolf: *Hitler, the Pawn*. London, 1936.

Outze, Børge, ed.: *Denmark during the Occupation*. Copenhagen, 1946.

Oven, Wilfred von: *Mit Goebbels bis zum Ende*. Buenos Aires, 1949.

Overstraeten, General Van: *Albert I-Leopold III*. Brussels, 1946.

Papen, Franz von: *Memoirs*. New York, 1953.

Pechel, Rudolf: *Deutscher Widerstand*. Zurich, 1947.

Pertinax: *The Grave Diggers of France*. New York, 1944.

Pinnow, Hermann: *History of Germany*. London, 1936.

Poliakov, Leon, and Wulf, Josef: *Das Dritte Reich und die Juden*. Berlin, 1955.

Potemkin, V. V., ed.: *Histoire de la Diplomatie*. Paris, 1946-47. (소비에트 러시아 저술의 프랑스어판)

Rabenau, Lieutenant General Friedrich von: *Seeckt, aus seinem Leben*. Leipzig, 1940.

Rauschning, Hermann: *Time of Delirium*. New York, 1946.

____, *The Revolution of Nihilism*. New York, 1939.

____, *The Conservative Revolution*. New York, 1941.

____, *The Voice of Destruction*. New York, 1940.

Reed, Douglas, *The Burning of the Reichstag*. New York, 1934.

Reitlinger, Gerald: *The Final Solution—The Attempt to Exterminate the Jews of Europe, 1939-1945*. New York, 1953.

____, *The SS—Alibi of a Nation*. New York, 1957.

Reynaud, Paul: *In the Thick of the Fight*. New York, 1955.

Ribbentrop, Joachim von: *Zwischen London und Moskau. Erinnerungen und letzte Aufzeichnungen*. Leone am Starnberger See, 1953.

Riess, Curt: *Joseph Goebbels: The Devil's Advocate*. New York, 1948.

Ritter, Gerhard: *Carl Goerdeler und die deutsche Widerstandsbewegung*. Stuttgart, 1955.

Röpke, Wilhelm: *The Solution of the German Problem*. New York, 1946.

Rosinski, Herbert: *The German Army*. Washington, 1944.

Rothfels, Hans: *The German Opposition to Hitler*. Hinsdale, Illinois, 1948.

Rousset, David: *The Other Kingdom*. New York, 1947.

Russell, Bertrand: *A History of Western Philosophy*. New York, 1945.

Sammler, Rudolf: *Goebbels: The Man Next to Hitler*. London, 1947.

Sasuly, Richard: *I. G. Farben*. New York, 1947.

Schacht, Hjalmar: *Account Settled*. London, 1949.

Schaumburg -Lippe, Prinz Friedrich Christian Zu: *Zwischen Krone und Kerker*. Wiesbaden, 1952.

Schellenberg, Walter: *The Labyrinth*. New York, 1956.

Schlabrendorff, Fabian von: *They Almost Killed Hitler*. New York, 1947.

Schmidt, Paul: *Hitler's Interpreter*. New York, 1951. (영어 번역본에는 원서 *Statist auf diplomatischer Bühne, 1923-45*. Bonn, 1949에서 히틀러 이전 시대를 다루는 절반 가량이 누락되어 있다.)

Scholl, Inge: *Die weisse Rose*. Frankfurt, 1952.

Schramm, Wilhelm von: *Der 20. Juli in Paris*. Bad Wörishorn, 1953.

Schröter, Heinz: *Stalingrad*. New York, 1958.

Schütz, William Wolfgang: *Pens under the Swastika, a Study in Recent German Writing*. London, 1946.

Schultz, Joachim: *Die letzten 30 Tage—aus dem Kriegstagebuch des O.K.W.* Stuttgart, 1951.

Schultz, Sigrid: *Germany Will Try It Again*. New York, 1944.

Schumann, Frederick L.: *The Nazi Dictatorship*. New York, 1939.

_____, *Europe on the Eve*. New York, 1939.

_____, *Night over Europe*. New York, 1941.

Schuschnigg, Kurt von: *Austrian Requiem*. New York, 1946. (원서 *Ein Requiem in Rot-Weiss-Rot*. Zurich, 1946의 영어 번역본)

_____, *Farewell, Austria*. London, 1938.

Scolezy, Maxine S.: *The Structure of the Nazi Economy*. Cambridge, 1941.

Seabury, Paul: *The Wilhelmstrasse: A Study of German Diplomats under the Nazi Regime*. Berkeley, 1954.

Sherwood, Robert E.: *Roosevelt and Hopkins*. New York, 1948.

Shirer, William L.: *Berlin Diary*. New York, 1941.

_____, *End of a Berlin Diary*. New York, 1947.

_____, *The Challenge of Scandinavia*. Boston, 1955.

Shulman, Milton: *Defeat in the West*. New York, 1948.

Skorzeny, Otto: *Skorzeny's Secret Memoirs*. New York, 1950.

Snyder, Louis L.: *The Tragedy of a People*. Harrisburg, 1952.

Speidel, General Hans: *Invasion 1944*. Chicago, 1950.

Spengler, Oswald: *Jahre der Entscheidung*. Munich, 1935.

Steed, Henry Wickham: *The Hapsburg Monarchy*. London, 1919.

Stein, Leo: *I Was in Hell with Niemöller*. New York, 1942.

Stipp, John L.: *Devil's Diary*. Yellow Springs, Ohio, 1955. (NCA에서 선별한 독일 문서)

Stroelin, Karl: *Stuttgart im Endstadium des Kriegs*. Stuttgart, 1950.

Suarez, Georges, and Laborde, Guy: *Agonie de la Paix*. Paris, 1942.

Tansill, Charles C.: *Back Door to War*. New York, 1952.

Taylor, A. J. P.: *The Course of German History*. New York, 1946.

Taylor, Telford: *Sword and Swastika*. New York, 1952.

____, *The March of Conquest*. New York, 1958.

Thomas, General Georg: *Basic Facts for a History of German War and Armament Economy* (등사물). Nuremberg, 1945.

Thomson, Dorothy: *Listen, Hans*. Boston, 1942.

Thorwald, Jürgen,: *Das Ende an der Elbe*. Stuttgart, 1950.

____, *Flight in Winter: Russia, January to May 1945*. New York, 1951.

Thyssen, Fritz: *I Paid Hitler*. New York, 1941.

Tolischus, Otto D.: *They Wanted War*. New York, 1940.

Toynbee, Arnold, ed.: *Hitler's Europe*. London, 1954.

Toynbee, Arnold and Veronica M., eds.: *The Eve of the War*. London, 1958.

Trefousse, H. L.: *Germany and American Neutrality, 1939-1941*. New York, 1951.

Trevor-Roper, H. R.: *The Last Days of Hitler*. New York, 1947.

Vermeil, Edmond: *L'Allemagne Contemporaine, Sociale, Politique et Culturale, 1890-1950*. 2 vols. Paris, 1952-53.

Vossler, Karl: *Gedenkrede für die Opfer an der Universität München*. Munich, 1947.

Vowinckel, Kurt: *Die Wehrmacht im Kampf*. Vols. 1, 3, 4, 7, 8, 9, 10, 11. Heidelberg, 1954.

Wagner, Friedelind: *Heritage of Fire*. New York, 1945.

Weisenborn, Günther: *Der loutlose Aufstand*. Hamburg, 1953.

Weizsäcker, Ernst von: *The Memoirs of Ernst von Weizsäcker*. London, 1951.

Welles, Sumner: *The Time for Decision*. New York, 1944.

Westphal, General Siegfried: *The German Army in the West*. London, 1951.

Weygand, General Maxime: *Rappelé au Service*. Paris, 1947.

Wheatley, Roland: *Operation Sea Lion*. London, 1958.

Wheeler-Bennett, John W.: *Wooden Titan: Hindenburg*. New York, 1936.

____, *Munich: Prologue to Tragedy*. New York, 1948.

____, *The Nemesis of Power: The German Army in Politics, 1918–1945*. New York, 1953.

Wichert, Erwin: *Dramatische Tage in Hitlers Reich*. Stuttgart, 1952.

Wilmot, Chester: *The Struggle for Europe*. New York, 1952.

Wrench, John Evelyn: *Geoffrey Dawson and Our Times*. London, 1955.

Young, Desmond: *Rommel — The Desert Fox*. New York, 1950.

Zeller, Eberhard: *Geist der Freiheit*. Munich, 1954.

Ziemer, Gregor: *Education for Death*. New York, 1941.

Zoller, A., ed: *Hitler Privat*. Düsseldorf, 1949. (프랑스어판: *Douze Ans auprès d'Hitler*. Paris, 1949)

Zweig, Stefan: *The World of Yesterday*. New York, 1943.

정기간행물

Hale, Orón James: "Adolf Hitler: Taxpayer." *The American Historical Review*. Vol. 60, No. 4 (July 1955).

Huch, Ricarda: "Die Aktion der Münchner Studenten gegen Hitler." *Neue Schweizer Rundschau*. Zurich, September-October 1948.

Huch, Ricarda: "Der 18. Februar: Umriss einer deutschen Widerstandsbewegung." *Die Gegenwart*. October 30, 1946.

Kempner, Robert M. W.: "Blueprint of the Nazi Underground." *Research Studies of the State College of Washington*. June 1945.

Thomas, General Georg: "Gedanken und Ereignisse." *Schweizerische Monatshefte*. December 1945.

Witzig, Rudolf: "Die Einnahme von Eben-Emael." *Wehrkunde*. May 1945.

뷔르켈, 요제프 770, 771

빌러, 요제프 1659

빌로브-슈반테 대사, 피크코 폰 1130, 1234

브라우히치, 발터 폰 (원수) 381, 560, 563,
639, 641~646, 648, 650, 655, 661~
663, 712, 713, 771, 808~810, 844,
865, 866, 897, 899, 900, 923, 943, 971,
973, 1083, 1086, 1097, 1109, 1115,
1121, 1122, 1125~1128, 1141~1144,
1146, 1161, 1180, 1201, 1202, 1229,
1236, 1241, 1256, 1257, 1264, 1267~
1269, 1272, 1282, 1284, 1303, 1317~
1319, 1324, 1326, 1349, 1350, 1374,
1396, 1407, 1417, 1420, 1421, 1432,
1433, 1448, 1457, 1458, 1474, 1475,
1477, 1479, 1483, 1488, 1491, 1492,
1556, 1817, 1848

브라우히치, 샤를로테 폰 560

브라운, 그레틀 1916

브라운, 에바 843, 1897~1899, 1914,
1916, 1918, 1919, 1927, 1935~1937

브라이언스, J. 론스데일 ('미스터 X') 1199,
1200

브라이언트, 아서 1263

브란트, 루돌프 (중장) 1683

브란트, 하인츠 (대령) 1747~1749, 1799,
1800, 1804, 1805

브래들리, 오마 N. (장군) 1841, 1890

브레도브, 쿠르트 폰 (장군) 396, 399, 401,
562

브레도브, 한나 폰 1755

브로이어, 쿠르트 1176, 1209, 1216,
1218~1223, 1227, 1228

브로이티감, 오토 1616, 1617

브로크도르프, 에리카 폰 1786

브로크도르프-란차우, 울리히 폰 861

브로크도르프-알레펠트, 에리히 폰 (장군)

656, 721

브루크만, 후고 262

브뤼닝, 하인리히 110, 248~250, 273,
275~280, 283, 284, 287~294, 314,
341, 349, 356, 385, 651

브뤼크너, 빌헬름 (중위) 491

블라스코비츠, 요하네스 (장군) 1881

블라하, 프란크 1690

블롬베르크, 베르너 폰 (장군) 2/2, 329,
330, 332, 370, 375, 376, 381, 382,
390, 391, 401, 418, 502, 511, 512,
514~516, 523, 533~536, 541, 544,
545, 547~557, 559~562, 625, 654,
851

블롬베르크, 에르나 그룬 547~549

블루멘트리트, 귄터 (장군) 851, 1269,
1468, 1838

블룸, 레옹 604, 619, 1837

비간트, 카를 폰 1293

비들, A. J. 드렉셀 1192

비버바흐, 루트비히 445

비스마르크, 오토 폰 6, 22, 112, 169, 175~
179, 181, 182, 231, 305, 313, 315, 334,
352, 358, 359, 663, 813, 1138

비신스키, 안드레이 1368, 1831

비언, 필립 (해군 대령) 1178

비오 11세 (교황) 417

비오 12세 (교황) 417

비슬레벤, 에르빈 폰 (원수) 501, 560, 656,
708~713, 718~722, 737, 744, 922,
970, 971, 1128, 1161, 1303, 1560,
1561, 1765, 1773, 1774, 1794, 1804,
1810, 1811, 1821, 1823, 1831~833,
1839, 1847

비터스하임, 구스타프 폰 (장군) 646, 647

비토리오 에마누엘레 3세 (이탈리아 국왕)
1710, 1723

제3제국사

히틀러의 탄생부터 나치 독일의 패망까지

1판 1쇄 2023년 8월 30일

지은이 | 윌리엄 L. 샤이러
옮긴이 | 이재만

펴낸이 | 류종필
편집 | 이정우, 이은진, 권준
경영지원 | 김유리
표지 디자인 | 석운디자인
본문 디자인 | 박애영
교정교열 | 최연희

펴낸곳 | (주) 도서출판 책과함께
　　　　주소 (04022) 서울시 마포구 동교로 70 소와소빌딩 2층
　　　　전화 (02) 335-1982
　　　　팩스 (02) 335-1316
　　　　전자우편 prpub@daum.net
　　　　블로그 blog.naver.com/prpub
　　　　등록 2003년 4월 3일 제2003-000392호

ISBN 979-11-92913-28-5 04920 (세트)